D0044290

LE CHOIX DE DIEU

JEAN-MARIE LUSTIGER

LE CHOIX DE DIEU

Entretiens avec
JEAN-LOUIS MISSIKA
et
DOMINIQUE WOLTON

ÉDITIONS DE FALLOIS
22, rue La Boétie
PARIS

ISBN 2-87706-000-4

SOMMAIRE

DEUXIÈME PARTIE :

CROIRE ET SAVOIR

Troisième partie :

L'ÉGLISE ET LA SOCIÉTÉ

Quatrième partie :

VERS UN RENOUVEAU SPIRITUEL

Cinquième partie :

L'ÉGLISE UNIVERSELLE

INTRODUCTION

D'où vient le désir d'en savoir plus sur un homme ?

D'une phrase saisie au vol lors d'un journal télévisé, « c'est comme si les crucifix s'étaient mis à porter l'étoile jaune » ; du parcours insolite d'un fils d'émigrés juifs polonais devenu Cardinal Archevêque de Paris ; de la profondeur d'un regard aperçu sur une photographie ; du besoin d'aller au-delà des clichés ; d'une interrogation sur la place des religions dans les sociétés contemporaines ; de la question, lancinante, du bien et du mal, après Auschwitz. De tout cela, sans doute, et de bien d'autres motifs, conscients ou inconscients.

En outre, comme nous sommes deux, il faudrait distinguer les motivations de l'un et de l'autre, le juif et le catholique, le sceptique et l'agnostique, celui qui veut comprendre la conversion, ce mot tabou dans son milieu familial, et celui qui s'interroge sur l'Eglise et le catholicisme, celui qui ne croit pas et celui qui ne sait pas. Bref, une démarche unique pour deux attitudes différentes.

C'est ainsi que nous nous sommes lancés, avec beaucoup d'innocence, dans une aventure de trois années, parsemée d'embûches. Nous sommes allés voir Jean-Marie Lustiger en juin 1984 pour lui proposer de faire ce livre. Notre idée était simple et s'inspirait du *Spectateur engagé*, le livre que nous avions publié avec Raymond Aron. Notre objectif n'était pas d'aboutir à un récit autobiographique ni à un exposé théologique ou moral, mais de montrer comment un itinéraire individuel condense les grandes questions spirituelles et intellectuelles de l'Europe du XXe siècle.

Notre ambition était de réaliser une confrontation entre un

homme de foi et deux « honnêtes hommes », représentants d'une société laïcisée et d'un rationalisme moderne. Après une période de discussions et de réflexions, Jean-Marie Lustiger a accepté les risques de cette confrontation. Cette décision est à son honneur, car les personnalités qui choisissent délibérément de s'exposer à la contradiction se font de plus en plus rares. Notre époque, dite de communication, est le plus souvent celle des monologues furieux ou complaisants et des surdités extrêmes. Pour nous, *Le Choix de Dieu* est aussi une tentative pour réhabiliter le dialogue, la controverse, éléments essentiels du mouvement des idées.

La préparation des entretiens nous a conduit à lire des ouvrages de philosophie, de théologie et d'histoire de l'Eglise et de la religion, tout en conservant à l'esprit qu'il fallait éviter un dialogue trop spécialisé. Nous avons eu aussi l'occasion de rencontrer quelques personnalités laïques et religieuses, à Rome et à Paris, parmi lesquelles se détache la figure du grand théologien français, Henri de Lubac. D'une façon générale, nous nous sommes peu intéressés aux problèmes de l'institution et aux clivages internes de l'Eglise de France, d'abord parce que nous ne faisons pas partie de la « boutique », dont nous ignorons nombre des arcanes, et surtout parce que notre projet était autre : comprendre les enchevêtrements, et parfois les conflits entre la vie spirituelle et la vie intellectuelle, avec, en toile de fond, l'histoire tragique des cinquante dernières années.

Notre formation et nos centres d'intérêts expliquent que les questions sur la société, la politique et l'histoire ont la part belle. Des littéraires, des théologiens ou des spirituels auraient construit un autre dialogue. Mais c'est autant sur les questions de société que sur le sentiment religieux qu'est attendue l'Eglise en cette fin du XXe siècle. La formation intellectuelle de Jean-Marie Lustiger ainsi que la décennie qu'il a passé à la Sorbonne, au centre Richelieu, ont certainement facilité la confrontation. Son expérience et sa réflexion s'inscrivent — pour partie — dans le cadre contemporain des sciences humaines. Nous avons également abordé les sujets théologiques, sur lesquels notre compétence était plus limitée, mais qui étaient indispensables à la compréhension des thèmes spirituels.

Nous avons l'entière responsabilité de la problématique du livre que nous avons construit en cinq grandes parties. Chacune d'elles est introduite par des questions biographiques qui permettent de situer l'époque et l'homme dans l'époque. Ensuite, des thèmes particuliers sont abordés :

— la première partie s'intéresse aux relations entre judaïsme et christianisme et à la genèse de l'antisémitisme ;

— la seconde traite des sciences humaines et de leurs relations à la croyance ;

— la troisième aborde la politique et la société ;

— la quatrième traite de la pastorale et de quelques aspects de la théologie ;

— la cinquième s'intéresse à l'ouverture de l'Eglise au monde et à l'avenir profane et sacré.

Ce découpage des thèmes et de la chronologie a été proposé au cardinal Lustiger qui l'a accepté sans faire d'objections. Il va de soi qu'il n'y a pas eu de concertation à propos des questions. En revanche, et comme il était convenu, Jean-Marie Lustiger a retravaillé par écrit certaines de ses réponses.

Les entretiens ont eu lieu, pour l'essentiel, entre août et décembre 1985 et ont représenté soixante-cinq heures d'enregistrement, soit un manuscrit original de 1 800 pages. La mise au point définitive du texte a donc été longue et délicate. Si l'institution n'a pas été au centre de notre travail, nous avons eu le loisir d'en découvrir les contraintes et les mécanismes lors de cette mise au point. Mais l'existence même de ce livre, au-delà des difficultés rencontrées, prouve que la liberté de penser et le désir d'un dialogue respectueux de l'autre l'ont en définitive emporté.

Ce livre suggère que l'on arrive peut-être à la fin d'un cycle. Après avoir longuement ferraillé contre le rationalisme et le modernisme, l'Eglise avait, depuis deux générations, cherché à se rapprocher de la société et à adapter son message aux valeurs laïques triomphantes, au moins en Europe. L'engagement politique, avec les excès qui en ont résulté aux deux extrêmes, a illustré cette tendance. L' « ouverture » fut souvent synonyme d'une adaptation aux idéologies sociales du moment. La « modernisation » de l'Eglise — comme celle de la société — semblait le maître-mot. Le salut passait par l'engagement dans le siècle. Aujourd'hui, le désenchantement du monde ne touche pas seulement la religion mais aussi les valeurs laïques. Le problème a changé de nature, il porte sur les conditions d'un renouveau spirituel dans des sociétés laïques qui, malgré les excès de la

Raison, ne sont pas prêtes pour autant à abandonner celle-ci au profit du mysticisme.

S'il appartient à la tradition catholique, Jean-Marie Lustiger n'est pas, de par son origine et sa formation, prisonnier de tous les conflits qui ont traversé le catholicisme français : c'est pourquoi ses analyses se distinguent souvent des interprétations classiques. Il cherche à penser la foi sans l'opposer ni la soumettre à la raison. Et il rejette la tentation d'une adhésion aux valeurs sociales et politiques du moment, tout comme celle d'un repli de la religion sur la vie privée. Il n'est ni traditionaliste ni moderniste, parce qu'il ne pense pas la religion dans ces catégories. C'est en cela que ses réponses ouvrent un débat qui intéresse, au-delà du cercle des chrétiens et des croyants, tous ceux qui sont sensibles à la vie de l'esprit.

Ce livre — avec les oppositions et les divergences qui le traversent — est, en définitive, une approche de la religion à la fin du XXe siècle. Notre souhait est qu'il soit accueilli comme une expression écrite de ces questions silencieuses, et souvent contradictoires, que beaucoup d'entre nous se posent sur Dieu, la religion, et le sens de la vie.

Jean-Louis MISSIKA
Dominique WOLTON

PREMIÈRE PARTIE

Les racines

I

L'ENFANCE (1926-1939)

Un magasin de bonneterie

J.-L. MISSIKA. — *Commençons, selon l'usage, par l'enfance. Vous êtes né en 1926, à Paris...*

JEAN-MARIE LUSTIGER. — Oui, dans le douzième arrondissement, à l'hôpital Rothschild. J'ai vécu ma petite enfance boulevard de Strasbourg, puis à Montmartre, dans le dix-huitième arrondissement. Le magasin de mes parents était alors situé au bas de la rue Simart, et l'appartement rue Marcadet.

J.-L. M. — *C'était un magasin de quoi?*

J.-M. L. — De bonneterie. Je me souviens avec précision de mes premières années à l'école communale de la rue Ferdinand-Flocon. Elle se trouve un peu plus haut en montant sur la Butte; une école en brique rouge... Elle existe toujours, inchangée. Je me souviens du moment où, deux ans auparavant peut-être, à la maison, j'ai *su* lire.

D. WOLTON. — *Aviez-vous des frères et sœurs?*

J.-M. L. — J'ai une sœur, de quatre ans plus jeune que moi.

D. W. — *A quelle époque vos parents sont-ils venus à Paris?*

J.-M. L. — Mon père est arrivé en France vers 1918. Il a quitté sa région natale, frontalière de la Pologne et de la Silésie, qui avant la guerre de 1914 était légalement russe... Il faisait partie de cette fraction occidentalisée des jeunes juifs polonais qui voulait quitter des lieux de misère où la menace de la persécution était toujours présente. Mes grands-parents paternels et maternels étaient apparentés, ils portaient le même nom, c'était une grande famille.

J.-L. M. — *Votre père et votre mère portaient-ils le même nom, Lustiger?*

J.-M. L. — Oui. Les deux familles étaient socialement bien établies. Mon grand-père paternel possédait sa boulangerie. Mon père a commencé à travailler comme ouvrier boulanger. Je l'ai entendu décrire des recettes. Par exemple, comment faire les pains tressés du schabbat, comment les dorer avec du blanc d'œuf...

D. W. — *Comment s'appelle le village?*

J.-M. L. — Bendzin... Ce n'est pas un village mais une ville.

J.-L. M. — *Vos grands-parents, eux, étaient des juifs à l'ancienne mode?*

J.-M. L. — Traditionnels, si je me fie au récit que mes parents nous ont fait de leur enfance.

J.-L. M. — *Jusqu'à quel point l'émigration a-t-elle représenté, pour votre père, une émancipation vis-à-vis de ses parents ou d'un milieu qui était très pratiquant, très proche du ghetto?*

J.-M. L. — La ville de Bendzin était située dans une région industrielle où il y avait des bourgades entièrement juives. Ce n'est pas très loin de Czestochowa. Une partie de ma famille vivait à Sosnowitz, une autre partie à Bendzin... Ces noms de lieux entendus dans mon enfance faisaient partie d'un territoire imaginaire et lointain jusqu'à ce que je découvre, il y a peu, qu'ils étaient tous voisins d'Auschwitz. Récemment, des cousins éloignés, originaires de Varsovie, se sont fait connaître. Bref, la grande famille s'était dispersée, en bonne partie émancipée. Certains étaient déjà au loin, certains avaient fait des études supérieures et exerçaient des professions libérales. Pour mon père, c'était un affranchissement à l'égard des traditions familiales. Il a travaillé d'abord en Allemagne, dans différentes usines et, au bout d'un certain temps, il est arrivé en Lorraine, puis à Paris où ma mère se trouvait déjà avec son propre père depuis le début du siècle.

D. W. — *Mais pourquoi votre père a-t-il émigré ?*

J.-M. L. — Pourquoi ? Je ne le sais pas exactement... Toute une génération partait, de Russie, de Pologne, d'Europe orientale, vers l'Europe occidentale ou vers les Etats-Unis. Ils fuyaient à la fois la misère, un mode de vie traditionnel qui leur semblait insupportable et surtout la menace de persécution des juifs.

J.-L. M. — *Etait-ce donc aussi pour fuir l'antisémitisme polonais ? Votre père n'en parlait pas ?*

J.-M. L. — Si, il en parlait. Je me souviens, par exemple, parmi les récits entendus dès mon enfance, d'une fête chrétienne — il m'a semblé plus tard qu'il s'agissait peut-être de la Fête-Dieu — où les juifs devaient se cacher, car les jeunes chrétiens allaient casser leurs vitres, leur tirer la barbe, les battre. Petit enfant, j'ai entendu des récits où le mot « pogrom » suffisait pour faire comprendre la relation des juifs aux « autres » ! « Pogrom », vous le savez, est un mot russe qui désigne le massacre systématique des juifs par ceux que les juifs d'Europe de l'Est ne pouvaient appeler que « chrétiens ». Aussi loin que je me souvienne, j'ai entendu mes parents et tous les juifs parler des pogroms. Depuis que j'ai eu conscience d'exister, j'ai appris la menace des pogroms et des persécutions. Quand j'ai lu la Bible, quelque temps après, cette menace me paraissait à l'évidence appartenir à la condition juive : la persécution par Pharaon, la déportation à Babylone, les plaintes et menaces des prophètes, dans Isaïe, dans Jérémie, le livre d'Esther. Le texte biblique et le Temple détruit venaient en superposition aux souffrances et à la dispersion présente du peuple. Cette thématique biblique décrivait déjà, me semblait-il, l'existence juive telle qu'elle m'était racontée. C'était une des données de notre identité.

J.-L. M. — *Et votre mère, depuis combien de temps était-elle à Paris ?*

J.-M. L. — Mon grand-père maternel avait perdu sa femme. Il était venu à Paris avant la guerre de 14 avec ses quatre enfants. C'est ma mère qui a élevé la famille. Elle était l'aînée. Mon grand-père maternel avait été rabbin en Pologne.

D. W. — *Quelle image en avez-vous gardée ?*

J.-M. L. — C'était un juif traditionnel, avec la barbe, les papillotes, le chapeau. Et il ne parlait pas le français mais uniquement le yiddish et le polonais.

Au début de leur mariage, pendant un temps, mes parents ont fait les marchés ; je me souviens de ce qu'ils en racontaient. Puis ils ont acquis un magasin à Paris. Quand je suis devenu évêque, bien des gens sont venus me confier, sur cette période de leur vie, des témoignages qui m'ont bouleversé. Une dame, qui logeait juste au-dessus du magasin de la rue Simart, m'a raconté que maman, le soir, laissait baissé le store — vous savez, ces stores en tissu pour abriter du soleil ou de la pluie — pour que les clochards puissent venir dormir sur le seuil. Mes parents avaient laissé un grand souvenir auprès de leurs voisins et de leurs relations. Je m'en suis rendu compte bien plus tard, après la guerre, quand mon père, resté seul, passait ses journées dans son magasin à Montparnasse. Il avait une présence silencieuse et bienveillante. Il était devenu un peu le confident du quartier. Ma sœur l'a surpris un jour en train de faire répéter son catéchisme à un gamin de la rue.

J.-L. M. — *Et votre mère ?*

J.-M. L. — Elle était extrêmement vive, active, passionnée.

J.-L. M. — *Vos parents avaient-ils la nationalité française ?*

J.-M. L. — Ils l'ont acquise. Mon père s'était fait naturaliser, je ne sais pas exactement en quelle année, et ma mère a dû avoir la nationalité française par son père.

D. W. — *Et le milieu familial ?*

J -M. L. — Que voulez-vous comme souvenirs ?

J.-L. M. — *Quelle éducation avez-vous reçue ?*

J.-M. L. — Nous vivions sévèrement. Sévèrement, avec une très rigoureuse économie et une très grande tenue. Je ne sais pas comment vous dire cela autrement... J'ai le souvenir d'une enfance heureuse, mais d'une enfance rigoureuse.

D. W. — *Vos parents vous parlaient-ils souvent de vos racines polonaises et juives ?*

J.-M. L. — Oui et non. Nous étions juifs français, c'était la première évidence massive. Je me souviens bien des jugements de valeur qui m'ont profondément marqué : un très grand respect pour le savoir, un très grand amour pour la sagesse. Ils nous enseignaient l'estime pour la science, non pas au sens positiviste du mot, mais pour la connaissance, l'étude. Aux yeux de mes parents, cela représentait une valeur majeure inscrite dans la tradition juive. De même le respect pour les livres. Et aussi la fidélité à une conduite morale très rigoureuse : le bien et le mal, ça existe. Avec une conscience presque orgueilleuse d'être juif. Nous devions bien agir, non comme les païens, les goyim, parce que nous sommes chargés, par Dieu, de la justice. C'est pourquoi les païens nous ont soumis à un régime d'exception, de persécutions. Nous ne devions jamais oublier notre mission.

J.-L. M. — *Vos parents n'allaient pas à la synagogue ?*

J.-M. L. — Probablement pas. Je suppose que mon père y allait de temps en temps, pour le Yom Kippour. Il avait été secrétaire d'une association de compatriotes originaires de sa ville de Bendzin, mais cela ne veut rien dire du point de vue religieux.

J.-L. M. — *Célébraient-ils les fêtes juives ?*

J.-M. L. — Je n'en ai pas de souvenirs précis. La seule scène que je garde vivement en mémoire, c'est ma mère nous faisant réciter la prière sur les fruits nouveaux et ma demande d'explication sur le sens de ces mots mystérieux. Mes parents nous ont cependant transmis le récit de bien des détails de coutumes juives. Ils ne voulaient à aucun prix que ma sœur et moi parlions une autre langue que le français.

J.-L. M. — *Quelle langue parlaient-ils entre eux ?*

J.-M. L. — Ils parlaient le yiddish quand ils voulaient que nous ne comprenions pas.

J.-L. M. — *C'était la langue interdite. Vous deviez avoir envie de la connaître ?*

J.-M. L. — Exactement. Il reste que la conscience d'une appartenance juive, ne serait-ce qu'en raison de mon prénom, Aron, associée à l'expérience d'une mise à part, était très forte.

D. W — *Vos parents vous ont-ils poussés très tôt dans les études ?*

J.-M. L. — Ils avaient pour nous une grande ambition.

J.-L. M. — *Etait-ce une ambition précise ?*

J.-M. L. — Non, mais très tôt j'ai su ce que je voulais faire : je voulais être médecin. C'est facile à comprendre : si vous additionnez le désir de la justice et le souci du bonheur des hommes, vous avez la médecine. Le « docteur », c'est l'homme qui aide ; c'est le pasteur laïc, séculier. Mes parents nous ont fait donner très jeunes, à ma sœur et à moi, des leçons de piano. Il n'était pas exclu, à ce moment-là, que je puisse devenir pianiste. Mon professeur de piano disait : « Il faut le pousser, il pourrait entrer au Conservatoire, etc. » Et puis les choses ont tourné autrement...

J.-L. M. — *Vos parents discutaient-ils de politique ?*

J.-M. L. — Je me souviens un peu de 36. J'avais dix ans et je me revois au carrefour Montparnasse regardant les journaux. Je vois encore *Paris-Soir,* les manchettes de *Paris-Soir*. La vie de mes parents s'ordonnait autour de deux thèmes : amour de la justice et amour de la liberté. Mais ils étaient très sceptiques sur le désintéressement des politiciens.

Juif et Français

J.-L. M. — *De temps en temps, quand on lit une biographie de vous dans un journal, on voit : « Lustiger, fils de bundiste...* (1). »

J.-M. L. — C'est exact. Dans sa jeunesse, mon père a été un membre du *Bund*. Je le sais parce que je n'aurais pas pu inventer un mot pareil ! Il surgit de ma mémoire enfantine. Je suis incapable de me souvenir en quels termes il m'en a parlé. J'ai retrouvé de lui une photographie, en uniforme de gymnaste ; il devait avoir dix-sept ou dix-huit ans. Il avait aussi été scout. Il faisait partie de cette jeunesse qui s'émancipait. Elle se retrouvait dans les associations sportives, culturelles et politiques. Cette photo, que j'ai retrouvée après la guerre, a été prise à Czestochowa.

J.-L. M. — *Il a quitté le* Bund, *une fois à Paris ?*

J.-M. L. — Il me semble. Mais je n'en suis pas certain. Mes parents gardaient des liens avec les juifs parisiens, ils y avaient toutes sortes d'amis... Ce judaïsme de mon enfance, c'était une sensibilité, une manière de vivre, un milieu, un folklore et aussi des recettes de cuisine. Il y avait du bortsch, des manières de préparer les *mazzoth* (c'est-à-dire les pains azymes), mot hébreu que les juifs ashkénazes prononçaient *matzes*... Nous connaissions, sans les respecter, quelques règles de la nourriture cascher.

J.-L. M. — *Comment percevait-on les juifs français dans votre famille ?*

J.-M. L. — Les juifs français de vieille souche étaient mal appréciés. Car ils semblaient être souvent des juifs honteux. Leur problème, c'était l'assimilation. Le mot « assimiler » était un mot

(1) Le *Bund* (Union générale des ouvriers juifs de Lituanie, Pologne et Russie) était une organisation juive révolutionnaire très active dans l'est de l'Europe au début du siècle.

péjoratif : un « assimilé », c'était un juif qui perdait la fierté d'être juif, qui se cachait de l'être.

D. W. — *Vous entendiez cela dans votre milieu familial ?*

J.-M. L. — Oui, bien sûr. Et, en même temps, mes parents revendiquaient avec fierté le fait d'être français. Ils étaient français, ils se voulaient français, ils aimaient la France, ils m'ont appris l'amour de la France. Mais ils n'aimaient pas les « assimilés », c'est-à-dire ceux qui changent leur nom, ceux qui se cachent. Ils étaient très sévères pour les juifs français qui méprisaient les « Polaks », les nouveaux arrivants, et qui n'étaient pas solidaires des nouveaux venus. De même, l'idée d'une « conversion » était une abomination. Le « converti » était un renégat, celui qui cesse d'être celui qu'il est, qu'il a l'honneur d'être.

J.-L. M. — *Dans votre enfance, avant le lycée, aviez-vous déjà rencontré des croyants ? Juifs ou catholiques ?*

J.-M. L. — Je me suis souvent posé cette question. Je n'ai glané que des souvenirs mêlés et parfois étranges. Certainement, je dois à ma mère le sens de Dieu. Mon père était moins disert sur la question, sauf que, selon lui, les histoires des rabbins et des curés, tout ça « c'étaient des bêtises... ». C'est une phrase que j'ai souvent entendue. Je me souviens aussi d'une première visite dans une église. En promenade avec mes parents, nous étions entrés dans la basilique du Sacré-Cœur. Nous avions pénétré par la porte de gauche. Dans la pénombre, il y avait un prêtre — maintenant, j'identifie bien les éléments d'une image précise. Il était barbu ; il devait être en étole et en surplis, proche d'un confessionnal. Il était assis, regardant les gens qui passaient. Je me suis approché, stupéfait, pour voir de près ce bonhomme si curieux... Il m'a fait un signe d'amitié en me disant... je ne sais plus. J'étais un gamin de cinq ou six ans... Et cela m'a terrorisé ! Je suis parti en courant vers mes parents.

Plusieurs années plus tard — je savais déjà lire — il y a eu une tentative d'instruction religieuse. Mes parents avaient discuté au sujet de la bar-mitswa. Cette tentative a duré quelques mois à peine. Ma mère bougonnait. L'apprenti rabbin qu'ils avaient trouvé était sale, disait ma mère... Il ne parlait pas le français, racontait n'importe quoi, disait mon père. Si bien que ma mère l'a fichu à la porte.

D. W. — *Qui l'avait fait venir ?*

J.-M. L. — Je ne sais pas si c'est mon père ou ma mère... Je devais avoir sept ans.

J.-L. M. — *Mais la bar-mitswa, c'est beaucoup plus tard.*

J.-M. L. — Oui, mais c'était un début d'instruction, pour apprendre l'alphabet hébreu.

J.-L. M. — *Peut-on parler d'athéisme à propos de vos parents ?*

J.-M. L. — Certainement pas. Je n'ai jamais clairement su apprécier l'épaisseur du scepticisme qui recouvrait la foi de mon père. Ma mère parlait de Dieu et le priait. Je devais avoir neuf ou dix ans. Cela est resté profondément gravé en moi.

Un autre souvenir plus ancien montre l'étrange relation d'un petit enfant juif au christianisme. La scène me semble aujourd'hui bizarre, car je suis incapable de retrouver les enchaînements qui peuvent l'expliquer. Nous étions en vacances, l'été, au bord de la mer, en Bretagne. Ma mère nous avait laissés, ma sœur et moi, dans une petite crique tranquille où il passait peu de monde. Il y avait là du sable très fin. Je m'étais amusé — vraiment je ne sais pas pourquoi — à modeler des crucifix, et j'avais dessiné au-dessus un écriteau sur lequel j'avais marqué INRI (1), mais je ne savais pas pourquoi ! J'ignorais même, je vous l'assure, ce que représentait ce que j'étais en train de faire. Une dame passe avec un gamin ; le gamin s'approche, regarde et dit à sa mère : « Qu'est-ce qu'il a écrit là ? Pourquoi est-ce qu'il a écrit ça ? » Et la dame répond une étrange stupidité : « INRI, c'est qu'il s'appelle Henri. » Je l'ai cru pendant longtemps.

Un autre souvenir, l'année suivante, peut-être : nous étions en

(1) *J*ésus de *N*azareth, *R*oi des *J*uifs, selon le texte de l'inscription dictée par Pilate et imposée en hébreu, en grec et en latin sur la croix du Christ. Beaucoup de crucifix anciens portaient ces initiales.

vacances, toujours au bord de la mer. J'ai été saisi par le sentiment métaphysique de la contingence. Je ne plaisante pas ; je pense qu'à sept ans les enfants accèdent déjà à l'âge métaphysique, l'âge où se posent les questions les plus fondamentales. Je sais, en tout cas, qu'à cet âge j'ai affronté le mal et la mort, la maladie et le déni de la justice. Cette réflexion était liée à une impression frappante pour un enfant dont la terre natale est le bitume parisien : les vagues de la mer. La répétition et sa musique ; fracas et fracassement. Les vagues et les marées qui détruisent les chefs-d'œuvre de sable me faisaient découvrir la fragilité et la vanité de toutes choses. Disons au passage que bêtifier avec des enfants de sept ans est une stupidité d'adulte. C'est l'âge où l'on se pose les questions les plus graves. Les adultes doivent y répondre, même s'il leur faut reconnaître leur ignorance. Et ne dites jamais à un enfant : « Ce n'est pas de ton âge ; tu comprendras plus tard... »

J.-L. M. — *Et à l'école — je parle de l'école primaire — avez-vous des souvenirs d'antisémitisme ?*

J.-M. L. — Oui, mais très confus. A l'école de la rue Ferdinand-Flocon, à Montmartre, dans la cour de récréation, je me vois triste parce que quelqu'un m'avait frappé ; ou bien j'avais été mis à part et j'avais pleuré, ou bien je m'étais fait cogner comme juif, je ne sais plus. A l'école j'allais pourtant avec un grand enthousiasme. Je ne m'y suis jamais vraiment ennuyé. J'ai toujours eu l'impression de m'instruire. J'étais très avide de savoir. Avant d'entrer en sixième, au lycée, j'ai passé une année à l'école communale de la rue Huyghens, à Montparnasse. « Le maître » comme nous disions, était un admirable instituteur laïque auquel je dois beaucoup. Un exemple vous montrera l'univers social et intellectuel de la France des années 35-36. « Mes enfants, disait-il, ce que je vais vous enseigner maintenant, le président de la République lui-même le sait. Donc, vous allez savoir quelque chose que sait le président de la République ! » La pyramide sociale du savoir avait pour sommet le président de la République, garant du bien et du vrai, de la justice et de la science, etc. Il me semble que le système de valeurs que nos maîtres enseignaient nous faisait intégrer « une certaine idée de la France »... et nous y intégrait.

D. W. — *Y avait-il un décalage entre la formation scolaire française, républicaine, et votre milieu familial?*

J.-M. L. — Par rapport aux camarades, aux amis, je garde le souvenir diffus d'une différence fortement ressentie et marquée à la fois d'infériorité et de supériorité. L'infériorité venait de la menace de la persécution à l'égard d'un enfant juif, fils d'immigrés polonais. La supériorité venait de la conscience d'un patrimoine, d'une histoire, d'une responsabilité : Souviens-toi, tu es juif. Je savais ce que signifiait la marque de l'Alliance, la circoncision : Tu ne dois pas mentir, tu ne dois pas faillir, tu dois bien agir ; ne fais pas comme les « païens ». La différence devenait exigence, la mémoire fondait le devoir. Dès la petite enfance, j'ai su, n'étant pas « comme les autres », que l'opinion « des autres » ne suffit pas à dire le bien et légitimer ma conduite. J'ai appris ce qu'est la fidélité, même si elle doit être payée du prix amer de la solitude ou de l'exclusion.

Et puis il y a la tradition juive qui n'est pas sans importance. Par exemple, je savais qu'on ne devait pas prononcer le Nom de Dieu, parce que son Nom est transcendant. Je savais que c'est un blasphème de prononcer le Nom de Dieu, et un manque de respect.

Je savais aussi que, normalement, les juifs se couvrent la tête par respect pour Dieu. Finalement, ma sensibilité religieuse était probablement plus riche que ne peuvent le laisser supposer la position indécise de mes parents et leur détachement à l'égard d'un judaïsme « superstitieux, archaïque, qui empêche la libération des juifs » — ce sont des mots que j'entendais à la maison.

Autre chose, un souvenir d'enfance très « structurant » : mon père m'a raconté l'histoire des douze tribus. Il m'a expliqué que toutes les tribus s'étaient confondues, sauf les fils d'Aron, les Cohen et les Lévy, c'est-à-dire les prêtres et les lévites. C'est une tradition qui se transmet de père en fils ; dans le culte, seuls les Cohanim, les prêtres, et les Lévyim, les lévites, ont le droit de donner la bénédiction alors que le Temple est détruit. Il m'a dit que j'étais, comme lui et mes ancêtres, un lévite ; et je ne l'ai jamais oublié. Je connaissais par récit maintes coutumes populaires du judaïsme. J'avais reçu aussi, avec l'amour du peuple juif et la fierté de lui appartenir, bien des traits de la piété juive et de sa sensibilité.

La Bible, en cachette

J.-L. M. — *C'est en 1936 que se situe un moment important de votre vie, la découverte de la Bible...*

J.-M. L. — Oui. Je vois l'endroit avec précision : l'appartement de la rue Jules-Chapelain à Montparnasse. C'était l'année où j'étais entré en sixième au lycée Montaigne, ou peut-être l'année précédente. Il y avait le salon, avec un piano et, à côté du piano, la bibliothèque. Je dormais dans le salon. Le lit était entre les deux fenêtres qui donnaient sur une cour intérieure très tranquille. Au-dessus de mon lit une grande gravure du XIXe siècle représentait Moïse apportant les tables de la Loi. C'était un vieil immeuble biscornu et étrange. Mes parents nous faisaient donner, à ma sœur et à moi, des leçons particulières de piano par une dame, russe blanche, dont le mari était chauffeur de taxi — et sûrement général ! En principe, je devais faire trois heures de piano par jour. Tout seul, parce que mes parents étaient au magasin pendant ce temps-là. Faire des gammes m'ennuyait prodigieusement. Je préférais lire, passionnément. Je me débrouillais bien au piano, mais cela ne trompait pas beaucoup le professeur. Elle avait avec moi une espèce de complicité, « à la russe ».

J'avais découvert la cachette de la clé de la bibliothèque. Pendant le temps qui aurait dû être consacré à faire des gammes, en l'absence de mes parents, j'ai lu beaucoup de livres, de toute sorte, d'Abel Hermant à Emile Zola, dont *Germinal* qui m'a beaucoup marqué. En cinquième, au lycée Montaigne, notre professeur de lettres nous avait donné comme sujet de narration : décrivez la vie des gens dans une péniche. J'ai fait une description qui était un pastiche de Zola ! Le marinier rentrait saoul, les assiettes étaient ébréchées, bref, tout y était ! Et je me souviens d'une discussion publique en classe au moment du corrigé de devoir. Le professeur, me prenant à partie, cherchait à comprendre ce que j'avais en tête : « Pourquoi voulez-vous que le marinier soit saoul ? Pourquoi ? — Parce que c'est comme ça ! » Je n'en démordais pas : « La réalité, c'est ça ! » Il se demandait d'où je tirais mes certitudes... J'ai dû lire un mètre ou deux de la collection jaune de chez Fayard !

D. W. — *Vos parents lisaient-ils beaucoup ?*

J.-M. L. — Mon père surtout. C'était un grand lecteur. On m'interdisait absolument de lire le moindre illustré : mes parents disaient que c'étaient « des bêtises ». C'est ce qui m'a donné le goût de la lecture sérieuse. J'avais le droit de lire, à condition que ce soient des livres et non des illustrés. Aussi, en revenant du lycée Montaigne, je m'arrêtais toujours devant la même marchande de journaux rue Notre-Dame-des-Champs et je lisais *Tintin et Milou* affiché à l'étalage. Je restais parfois une demi-heure debout à éplucher l'illustré jusqu'à ce que la marchande me chasse. Mes parents m'offraient de beaux livres reliés, achetés d'occasion, la plupart du temps les classiques français du XVIIe siècle, auxquels s'était joint un Shakespeare traduit en alexandrins...

Parmi ces lectures, je me souviens fort bien, presque dans le détail, d'une histoire qui m'avait paru étrange — j'ai dû lire cela quand j'étais en sixième —, l'histoire de martyrs anglais, catholiques, au temps de la Réforme. Des gens emprisonnés, persécutés pour leur foi. Pour une part, c'était complètement incompréhensible, puisque je n'avais pas fait d'histoire encore. Je ne savais rien, ni de l'Angleterre, ni de la Réforme. Je n'avais aucune idée de ce qu'étaient les catholiques et les protestants, ni même Henri VIII. C'est comme si j'avais lu une histoire d'Indiens ou de Papous. Mais j'y reconnaissais le martyre et l'absolu de Dieu. Pour Dieu, et pour être fidèle à ce qu'il demande, il faut tout donner. Le martyr fait l'offrande de sa vie par fidélité et pour le salut des hommes. Quelque chose qui rejoint le Messie souffrant d'Isaïe.

J'ai lu ce livre juste après la Bible. Ce devait être dans l'année de mon entrée en sixième.

J.-L. M. — *Cette lecture de la Bible fut-elle un choc ?*

J.-M. L. — Non, pas un choc ; plutôt l'impression de découvrir, dans la Bible, ce que je savais déjà. Parce que je savais. Je connaissais Abraham, je connaissais Moïse. Aron est mon nom. Maman m'avait dit : « C'est le frère de Moïse. » Maman s'appelait Giselle-Léa. On m'avait raconté qui étaient Léa et Rachel. Ce n'est donc pas comme si j'avais lu les Upanishad. J'ai été bien davantage surpris en découvrant la mythologie grecque. Avec la Bible j'explorais un monde dont je connaissais l'existence : je prenais possession d'un univers familier, l'univers dont je faisais partie mais dont je ne connaissais que des fragments. C'était une Bible Segond. La couverture était verte.

J.-L. M. — *Une Bible protestante, donc ? Que faisait une Bible protestante chez vous ?*

J.-M. L. — Je n'en ai aucune idée. L'impression que me laissent mes souvenirs est surtout celle d'une continuité entre ce qu'on appelle l'Ancien et le Nouveau Testament. Je les ai lus à la file. Dès ce moment, la lecture du Nouveau Testament avait pris place dans ma conscience juive. Pour moi, il s'agissait du même sujet spirituel, de la même bénédiction et du même enjeu, le salut des hommes, l'amour de Dieu, la connaissance de Dieu. Je suis persuadé que l'identification entre le Messie souffrant et Israël persécuté a été pour moi quelque chose d'intuitif et d'immédiat. J'avais, par ailleurs, le récit paternel et maternel des persécutions exercées par les chrétiens ; mais ce récit concernait les antisémites et non ceux dont le Nouveau Testament parlait : Jésus et ses disciples.

J.-L. M. — *Que disaient vos parents du christianisme ?*

J.-M. L. — Ils nous mettaient en garde, non pas contre le christianisme comme tel (là-dessus, c'était le silence absolu, sauf les légendes juives sur Jésus), mais contre certains « chrétiens ». Les « chrétiens » doivent être traités avec amitié mais, parmi eux, il y a les bons et les méchants. Il faut être prudent avec tous ; car les bons peuvent devenir méchants, et alors, ils tuent.

D. W. — *Vos parents vous parlaient-ils de l'antisémitisme chrétien ?*

J.-M. L. — Chrétien ou non, la question ne se posait pas. L'antisémitisme était une donnée permanente. J'ai lu, en cachette de mes parents, dans la même bibliothèque, *la France juive* de Drumont.

D. W. — *Mais pourquoi avaient-ils acheté ce livre ?*

J.-M. L. — Je n'en sais rien ! Mais j'ai lu *la France juive* entre la sixième et la quatrième. Je savais donc parfaitement ce qu'était l'antisémitisme. Cela donnait corps aux propos de mes parents. Mon père était un étranger, naturalisé à l'âge adulte, sans vraie culture française par conséquent. Sa scolarité s'était passée en Pologne, et il était culturellement décalé par rapport à moi. Il parlait mal le français, avec un accent caractéristique. Ma mère n'avait pas d'accent, car elle avait passé sa petite enfance en France. La culture de mon père était tout à fait autre ; elle avait d'autres références. Il lisait des romans yiddish et je n'avais pas accès à cette culture yiddish. Il aimait les poètes, les romanciers, les historiens. Il y avait donc ce décalage culturel. Et mes parents nous poussaient à entrer dans la culture française qui était, à leurs yeux, non seulement leur culture d'adoption, mais la culture de la liberté.

J.-L. M. — *La Bible, vous l'avez lue en cachette de vos parents ?*

J.-M. L. — Oui, puisque je la lisais au lieu de faire mes gammes !

J.-L. M. — *Du coup, vous n'en avez pas parlé avec eux ?*

J.-M. L. — Non.

D. W. — *Mais vous en parliez avec des amis ?*

J.-M. L. — Les amis avec qui discuter, je les ai eus plus tard, au lycée. Auparavant, à l'école primaire, j'avais de bons copains. L'un d'eux était le fils d'un bistrot du carrefour sacré de Montparnasse, borné par la Coupole et la Rotonde. Nous avons dû faire quelques mauvais coups ensemble. Avec un autre dont le père était ingénieur, nous fabriquions des postes à galène.

En revanche, à Montaigne, j'ai eu des amitiés fortes et des connivences intellectuelles avec des camarades de lycée. Je me souviens en particulier du « meilleur ami ». Sa famille était protestante. Ses parents avaient un magnifique appartement sur la Montagne Sainte-Geneviève. J'y passais des heures. Il était passionné de musique et de piano ; nous parlions indéfiniment musique, littérature. J'étais davantage attiré par la littérature — lui, composait. Nous échangions des correspondances extraordinaires, de longues lettres, avec des propositions de thèmes musicaux, des idées d'opéra. La grande question était de dépasser Debussy. C'était juste avant la guerre.

Le rôle des professeurs

J.-L. M. — *Dans vos conversations, la religion tenait-elle une grande place ?*

J.-M. L. — Je ne sais pas. Il me semble que non.

J.-L. M. — *J'ai l'impression qu'il s'agissait d'un domaine secret.*

J.-M. L. — Entre élèves, avec mes camarades, oui. Mais non avec des professeurs qui ont joué un rôle capital dans mon évolution. Je me souviens nommément de chacun d'entre eux. Vous n'imaginez pas le poids qu'ils ont eu, chacun à sa façon.

Par exemple, en sixième, notre professeur de lettres. J'ai su, par la suite, qu'il était juif. Il était de ces hommes qui traitaient des gamins de dix ans comme des messieurs. On nous apprenait vraiment à réfléchir. Le programme de sixième traitait de toutes les civilisations antiques, et donc des Hébreux. Et j'étais scandalisé de la place dérisoire que leur accordait le « Malet-Isaac » — si peu de chose sur les Hébreux et si mal dit...

Et puis, dans un autre domaine, la première leçon d'allemand, en sixième encore. Le professeur nous fait entrer dans *sa* classe. Et voici ses premiers mots : « Messieurs, ici, on ne ment pas. » Je trouve prodigieux ce premier contact avec des gamins. Prodigieux ! L'amour de la vérité, le respect d'autrui et de soi-même sans lesquels on ne peut avoir accès aux œuvres de l'esprit... Voilà les principales conditions pour apprendre une langue vivante !

Il y avait aussi un professeur de sciences naturelles, un personnage fabuleux. C'était un grand mutilé de la guerre de 14 : il avait perdu une jambe et portait une prothèse. Un faciès asiatique lui donnait une allure de Mongol. Il avait enseigné longtemps en Indochine. Agrégé de sciences naturelles, il avait présenté une thèse de doctorat sur les termites ; et il continuait de travailler au

Muséum d'Histoire naturelle sur ses termites ! Il nous enseignait le programme de sciences naturelles d'une façon très originale : c'était fascinant et passionnant. Au fond, il nous a fait, en trois ans, de la sixième à la quatrième, un cours d'anthropologie dont, après coup, j'ai eu les clés. C'était un augustinien passionné. Il connaissait admirablement les Pères de l'Eglise, notamment saint Augustin. Un homme de foi, de prière. Un cabochard aussi. Il nous expliquait qu'il était anarchiste clérical. Il revendiquait farouchement le droit à la liberté. « Nous avons pris la Bastille !... » était l'une de ses formules favorites.

J'ai assisté, un jour, à une scène qui est à l'origine du respect sans borne que je porte, depuis lors, à l'Université. Un inspecteur général vient visiter la classe et, au bout d'une demi-heure, critique, devant nous, la manière dont notre professeur fait son cours de sciences naturelles. Les programmes, à l'époque, voulaient qu'on enseigne la mouche, le scarabée, le hanneton, la grenouille. Or lui, il nous donnait une vision générale de l'évolution, une intelligence globale des choses. L'inspecteur, donc, lui fait des remontrances. Et notre professeur lui répond : « Monsieur, ce n'est pas à moi que vous allez apprendre à faire mon métier. Je suis docteur ès sciences, agrégé de l'Université, et titulaire de mon poste. Sortez ! » J'ai assisté à la scène ! Les gamins étaient terrorisés, sidérés. Alors il nous a expliqué : « Je suis universitaire ! Je ne dépends pas de l'Administration ! »

Pour lui, « l'Administration », c'étaient les bureaucrates qu'il fallait pourfendre, qui empêchaient la connaissance, qui n'avaient rien à voir ni avec l'éducation, ni avec la recherche, ni avec la liberté de l'esprit. La dignité de l'Université, je l'ai apprise à dix ans. C'est quand même une grande leçon.

Je me souviens encore de ses leçons sur le métamorphisme des roches et la découverte vertigineuse d'une histoire immémoriale. Et puis, en ce qui concerne l'origine de l'espèce humaine, il nous expliquait que l'homme est un animal, mais un animal hors série parce qu'un être « capable » de Dieu, un « animal mystique ». Il me semble que cette formule, c'est de lui que je la tiens. Et il parlait de la Bible ! de l'Ancien Testament ! Il citait la Bible en des termes qui, par rapport à ce que j'entendais sur les Hébreux pendant le cours d'histoire, me dilataient le cœur.

Nous le respections tous ; il semait la terreur dans son cours, il piquait des colères épouvantables, parfois même il dévissait sa jambe de bois et la lançait à travers la classe ! Il était également féru de préhistoire et d'archéologie et, avec les élèves qui l'intéressaient, il se prêtait volontiers à des discussions. Nous étions toujours un petit groupe, après les cours, à discuter avec lui. Il nous racontait ses expériences de la Grande Guerre, de l'Extrême-Orient ; il répondait à nos questions. Il était à la fois brusque et patient. Bon pédagogue, mais pas démagogue, il nous traitait vraiment comme des adultes. Il nous parlait aussi d'Orléans — car il avait un amour passionné de sa petite patrie. Il nous parlait de Saint-Aignan, de la crypte de Saint-Aignan. C'est lui qui avait commencé d'explorer cette crypte, un joyau préroman qui a été dégagé depuis. Il nous parlait librement et répondait à notre inlassable curiosité. C'était un homme de science, à nos yeux. Nous le respections car il était un honnête homme.

D. W. — *Parliez-vous avec lui de questions religieuses ?*

J.-M. L. — Oui, toujours dans ce même groupe d'élèves. Je savais qu'il était catholique, mais j'aurais été incapable de définir le contenu de sa foi. D'autre part, je pense maintenant qu'il me traitait avec des égards si particuliers moins pour mes talents personnels — c'est une interprétation, bien sûr — que par un grand respect pour un gamin qui porte le nom d'Aron, le nom du grand prêtre.

Une bagarre au lycée

J.-L. M. — *Au cours de cette période, quels sont vos sentiments religieux ?*

J.-M. L. — Comme je vous l'ai dit, tout se mêle. Toutes les questions philosophiques et métaphysiques, j'ai l'impression de les avoir brassées, comme un enfant, à ce moment-là. Le point d'aboutissement va être la lecture de Pascal.

J.-L. M. — *En quelle année ?*

J.-M. L. — Je pense que c'est en 1940. Déjà la guerre. Entre Paris et Orléans, j'étais en troisième. C'était au programme. J'ai dû simplement suivre le programme. Entre la sixième et la troisième, j'ai beaucoup lu. Par exemple, j'ai lu Molière, Corneille (l'intégralité de son théâtre), La Fontaine... La Fontaine moins *les Contes !* Je ne les avais pas à ma disposition ! J'ai lu aussi Marivaux, Beaumarchais qui me passionnait. Pour Corneille et Racine j'étais particulièrement sensible aux pièces religieuses.

D. W. — *A l'époque, vous étiez déjà attiré par le christianisme ?*

J.-M. L. — Je ne sais pas ! Vraiment, je ne sais pas. Je ne peux pas vous le dire. Je me pensais comme juif. C'est au cours de cette période (je vous parle de la période antérieure à la guerre) que j'ai fait deux séjours en Allemagne, qui furent décisifs.

D. W. — *Avant de parler de l'Allemagne... Avez-vous des souvenirs d'antisémitisme au lycée ?*

J.-M. L. — Montaigne était un lycée plutôt bourgeois, me semble-t-il aujourd'hui. Je tranchais par mes vêtements ; ma mère fabriquait mes pantalons. A côté des autres, je me trouvais mal habillé ou, plutôt, pas habillé comme les autres. Je me souviens de deux scènes précises : au cours d'une récréation, un groupe de lycéens discute. Ce sont des garçons qui s'apprêtent à aller au catéchisme. Je m'approche par curiosité, sans aucune arrière-pensée. Et je me fais virer, mais virer carrément. « T'es juif, c'est pas pour toi ! Va-t'en... » Je n'ai vraiment pas aimé. Et puis l'autre scène, franchement antisémite, est une bagarre. Je me suis fait tabasser comme jamais je ne me suis fait tabasser, juste en face du lycée Montaigne, rue Auguste-Comte, à la petite porte du Luxembourg qui donne sur le verger. Je vois encore l'endroit. Je me souviens de m'être battu de toutes mes forces pour me défendre. Ils étaient plusieurs et ils m'ont tabassé parce que j'étais juif.

D. W. — *Vous n'aviez pas de copains juifs ?*

J.-M. L. — Non. Je n'ai pas souvenir d'avoir rencontré un autre juif au lycée.

L'été 36 en Allemagne

J.-L. M. — *Vos parents vous envoient en Allemagne en 1936 pour apprendre l'allemand, mais Hitler était déjà au pouvoir?*

J.-M. L. — Oui, ils m'ont envoyé à Ziegelhausen, à côté de Heidelberg, pour les vacances de 1936, dans une famille très sûre à leurs yeux. Lui était médecin. Il me paraissait un vieux monsieur, sa femme, ancienne institutrice, une charmante vieille dame. Ils n'avaient pas d'enfant. J'ai vite compris qu'ils étaient antinazis. Je ne sais pas comment mon père a eu cette idée. J'avais commencé d'étudier l'allemand au lycée. Il voulait que je le parle correctement. Hitler ne lui faisait pas peur : c'était une histoire allemande. Mes parents pensaient que la France était forte, qu'elle défendrait la liberté. Ils avaient une confiance indéfectible dans la France.

J.-L. M. — *Et donc vous arrivez en Allemagne...*

J.-M. L. — J'arrive en Allemagne à ce moment-là. Pour la première fois, je me suis trouvé en contact avec des chrétiens par la vie quotidienne. Je ne sais pas s'ils étaient catholiques ou protestants, ni s'ils étaient pratiquants. Je me souviens de l'église de Ziegelhausen. Elle était partagée en deux, une moitié pour les catholiques, et l'autre pour les protestants. Une église typique de ces villages qui ont été traversés par la Réforme.

Il y avait cet été-là plusieurs pensionnaires, dont une jeune fille suisse qui devait avoir dix-huit ans. Je m'en souviens d'autant mieux que j'ai retrouvé une photo d'amateur où l'on voit quatre pensionnaires d'âges différents : j'étais le plus jeune. Et je me suis trouvé pour la première fois plongé dans un autre univers. Il y régnait une bonhomie paisible qui est peut-être le meilleur de l'art de vivre germanique, pétri de morale et d'Evangile. Un univers de paix : exactement l'opposé de la violence nazie. J'y ai appris le respect de l'autre, je veux dire de celui qui aurait dû faire partie des ennemis. N'oubliez pas que je rapporte les sentiments d'un petit Français d'entre les deux guerres, pour qui les Allemands sont les ennemis héréditaires.

Une scène me revient en mémoire : nous avions escaladé une montagne. On nous avait montré des plantes qu'il était interdit de cueillir parce que c'étaient des espèces protégées. Fasciné, j'en avais cependant cueilli une ! Je me suis fait attraper avec une telle gravité sereine que cela m'a beaucoup plus impressionné qu'une paire de claques. Dans cette remontrance, il y avait non seulement la loi, mais aussi la nature, la culture... Je ne me sentais pas étranger aux valeurs spirituelles de cet univers, pourtant si différent de celui qui m'était familier à Paris. Nos hôtes savaient qui j'étais, à cause de mon nom. Je me demande encore comment cela a pu se faire. Je les ai revus, après la guerre. En 1950, pendant mon service militaire, j'ai passé six mois à Berlin. Démobilisé, j'ai voulu retrouver mes souvenirs d'une Allemagne pacifique, je suis revenu à Heidelberg et à Ziegelhausen. Je les ai retrouvés, encore vivants l'un et l'autre.

D. W. — *Qu'ont-ils dit quand ils vous ont vu ?*

J.-M. L. — C'étaient de vieilles gens, mais ils avaient survécu à tout ! J'ai eu la confirmation de mes souvenirs d'enfance. J'avais près de vingt-cinq ans, et je retrouvais mes impressions de dix ans. Ils étaient vraiment ce que j'avais deviné et ils avaient survécu. Dans ces souvenirs, il y avait le nazisme bien sûr, et le courage de ce couple. Le nazisme, à l'époque, en 36, je l'ai perçu à travers leurs propos sibyllins. Ils faisaient attention à ce qu'ils disaient, parce qu'ils étaient menacés. Lui était l'archétype du médecin, de l'universitaire de Heidelberg à l'ancienne mode, les joues traditionnellement « balafrées », indépendant d'esprit : ce que l'Allemagne respectable offrait de meilleur. Et puis j'ai lu les journaux antisémites placardés dans les rues, dans les magasins. Je n'ai pas posé de questions parce que mon père m'avait dit : « Surtout, tu te tais ! »

D. W. — *Il vous avait tout de même mis en garde avant de partir ?*

J.-M. L. — Ah oui. Il m'avait mis en garde : « Il ne faut pas dire que tu es juif. C'est dangereux, attention, tais-toi. Et regarde bien. » Il m'avait fait intervertir deux lettres de mon prénom « Arno » au lieu de « Aron ».

D. W. — *Quelle idée de vous envoyer à dix ans en Allemagne nazie !*

J.-M. L. — Oui, cela vous fait mesurer la confiance qu'il mettait dans sa nationalité française et dans la France. Mais en Allemagne, ce qui m'a le plus frappé, c'est la découverte d'une famille chrétienne

J.-L. M. — *Vous alliez à l'église avec eux ?*

J.-M. L. — Non. Ils avaient demandé clairement à mon père ce qu'il souhaitait. Mon père avait dit non, c'est tout. Et je n'ai jamais mis les pieds à l'église avec eux. Une fois, je suis entré pour visiter le monument. Il me semble que c'est la demoiselle suisse qui m'avait emmené.

C'est au cours de mon second séjour que j'ai vu le nazisme de façon directe. L'année suivante, en 1937, mes parents, satisfaits de mes résultats scolaires en allemand, me confient, de nouveau pour un mois, à une famille d'instituteurs dans une autre ville. Ils avaient plusieurs enfants, à peu près de mon âge, auxquels se joignaient des pensionnaires étrangers. Parmi eux, un Mauricien anglophone avec qui je me suis battu comme un chiffonnier. Il prétendait que les Français n'étaient capables de conquérir que des empires de sable — par exemple le Sahara — alors que l'Angleterre savait prendre les bons morceaux... J'étais d'un nationalisme farouche et très antianglais, ce qui s'accordait avec une passion d'alors pour l'empereur Napoléon. Les enfants de cette famille appartenaient, comme tous les petits Allemands du même âge, à la *Hitlerjugend* ou à la BDM pour les filles. Dans le groupe que nous formions, l'un d'entre eux était un peu plus âgé que moi : il devait avoir dans les treize ans. Il était censé s'occuper de moi. Nous faisions ensemble des promenades, et il m'a raconté tout ce qui se passait aux *Hitlerjugend*, ce qu'on lui apprenait. J'ai l'impression qu'il ne savait pas que j'étais juif, alors que ses parents étaient parfaitement au courant.

J.-L. M. — *Et ce garçon, que vous disait-il ?*

J.-M. L. — Oh, tout y a passé : la fête de la Saint-Jean, le solstice d'été, les traditions aryennes des Germains... Il me montrait son couteau de la *Hitlerjugend* en disant : « Nous tuerons tous les juifs. » Le nazisme brutal, grossier, tel qu'un enfant de treize ans pouvait le vivre, inconscient de ce qu'il répétait. Pour moi, il était clair que le nazisme représentait une menace mortelle et qu'il était la résurgence des idolâtries des « païens », des « goyim »

D. W. — *Cela a dû susciter en vous des angoisses incroyables.*

J.-M. L. — Il ne me semble pas. Je peux vous l'assurer, je n'ai pas de souvenirs d'états d'âme. J'étais aguerri.

J.-L. M. — *Et au retour, en avez-vous parlé à vos parents?*

J.-M. L. — J'en ai parlé, bien sûr, mais je n'ai pas non plus de souvenirs de conversations prolongées sur ce sujet, car nous savions bien, tous, de quoi il retournait avec Hitler et le nazisme.

J.-L. M. — *Mais vous aviez compris.*

J.-M. L. — Oui, c'était clair. Mais pour moi, une chose était au moins aussi importante, c'est que les chrétiens ne s'identifiaient pas avec les antisémites, même en Allemagne. C'étaient deux catégories différentes. Que l'on puisse faire une distinction entre les chrétiens et les antisémites, ces Allemands m'en ont donné la preuve involontaire et éclatante.

J.-L. M. — *Dans cette famille-là, ils n'étaient pas chrétiens?*

J.-M. L. — Je suppose qu'ils devaient être protestants convaincus, mais discrets à mon égard. Je garde le souvenir que les parents étaient antinazis et que, dès lors, le christianisme ne coïncidait pas avec le nazisme. Les croyants chrétiens n'étaient pas tous nécessairement des nazis, pas plus que, parmi mes professeurs du lycée Montaigne, ceux que j'avais repérés comme chrétiens n'étaient antisémites.

D. W. — *Historiquement, c'est aller un peu vite en besogne.*

J.-M. L. — C'était le cas des chrétiens religieux que j'ai alors approchés. Pour moi, la confusion n'était pas possible. Cependant, je vous l'assure, j'avais l'œil critique et l'épiderme sensible. Je connaissais les thèmes antisémites, mais cela ne correspondait ni à la lecture que j'avais faite de la Bible et du Nouveau Testament, ni aux gens que j'avais rencontrés. Je n'ai jamais entendu un propos, ni sur le Christ ni sur le contenu de la foi chrétienne, qui ait eu une connotation antisémite chez aucun des interlocuteurs que j'ai cités. De toute façon, en Allemagne je n'ai pas subi de discours direct sur le christianisme, à moi adressé. Je n'ai eu, disons, que le discours culturel, ou plutôt le témoignage ordinaire de l'existence de gens que j'avais repérés comme chrétiens. Et je voyais bien qu'il fallait distinguer entre chrétiens et chrétiens. Mes parents, comme tous les juifs, parlaient des « chrétiens ». Il m'apparaissait que le mot avait plusieurs sens possibles, bien qu'ils fussent tous des « goyim », des « païens »...

D. W. — *Au retour d'Allemagne, n'avez-vous pas craint que l'antisémitisme prenne des proportions plus dramatiques ?*

J.-M. L. — Je ne sais pas aujourd'hui si j'étais capable de raisonner dans ces termes. Je n'ai aucune idée de la représentation que je me faisais de la situation politique. J'avais le sentiment d'une menace mortelle, d'une menace permanente sur les juifs. Cette « différence », il fallait la supporter avec courage. La leçon venait de mes parents.

Pour que vous compreniez bien : la face cachée de cette attitude c'est la fierté d'être juif. A la limite, rien de ce qui s'annonçait ne me paraissait étonnant, nouveau : c'était déjà comme ça au temps du Pharaon. C'était comme ça depuis longtemps, ça a toujours été comme ça. Autrement dit, je n'avais pas de perception *politique et courte* qui m'aurait permis d'identifier politiquement le conflit entre les dictatures, le « fascisme », l'« hitlérisme », et les démocraties, la « république ». Ma référence était la Bible, c'est-à-dire *historique et de longue durée*. Je savais que j'appartenais au peuple « choisi » par Dieu et que la prétention des nazis était une grossière usurpation.

II

LA GUERRE ET LA CONVERSION (1939-1945)

Fuir à Orléans

J.-L. MISSIKA. — *Parlons de la guerre.*

JEAN-MARIE LUSTIGER. — L'été 37 c'est, pour la seconde fois, l'Allemagne ; l'été 38, ce devait être l'Angleterre. Mes parents voulaient m'y envoyer pour que j'apprenne l'anglais. Mais la menace de guerre leur a fait peur. Nous avons passé l'été — un été très ennuyeux — à nouveau au bord de la mer. Ces horribles bords de mer et leurs jeux de sable. Nous étions à Berck où l'on envoyait en cure des enfants paralysés et infirmes. Ce fut un mois de méditation involontaire sur la souffrance injuste.

Avant que la guerre n'éclate, en 1939, Paris vécut un moment de grande panique. Tous les enfants avaient été élevés dans la mémoire de la Grande Guerre. Une nouvelle guerre éclatait avec l'Allemagne ! Mon père est mobilisé. Paris se vide de ses enfants. Que faire ? Où aller ? Où se replier ? Lors de ce premier « exode », juste avant la déclaration de la guerre, j'ai dit à mes parents : « Nous allons à Orléans. »

J.-L. M. — *Pourquoi Orléans ?*

J.-M. L. — A cause de mon professeur de sciences naturelles. « Nous allons à Orléans. »

D. WOLTON. — *Alors toute la famille est allée à Orléans ?*

J.-M. L. — Oui. Pourquoi pas à Orléans plutôt qu'ailleurs ? C'était au sud de Paris. Mon père était mobilisé. Je le vois encore en uniforme, il avait une permission.

J.-L. M. — *Cela veut dire qu'on ferme le magasin ?*

J.-M. L. — Provisoirement, oui. Les valises vite faites, nous sommes partis. Et il y avait une foule de réfugiés à Orléans.

J.-L. M. — *Mais vous ne connaissiez personne à Orléans ?*

J.-M. L. — En arrivant à Orléans, impossible de retrouver ce professeur ! Mes parents s'organisent, nous couchons dans un hôtel. Et mes parents décident de laisser les enfants à Orléans, tandis que ma mère rentre à Paris tenir le commerce. C'était la seule solution raisonnable. Il fallait mettre les enfants en sécurité, disaient-ils. A la mairie d'Orléans, il y avait un service d'accueil pour les enfants de réfugiés. Ce sont les scènes habituelles de début de guerre. Mes parents nous ont confiés à l'une des personnes qui se présentaient. Et je suis entré au lycée Pothier à Orléans, en troisième.

D. W. — *En septembre 39.*

J.-M. L. — Octobre 39, en classe de troisième. Ce séjour à Orléans a été plus qu'important. J'aborde des points plus difficiles à exprimer qui relèveraient d'une autobiographie, ce qui n'est pas l'objet de notre échange. Je ne dirai donc pas tout ce qui, dans ma mémoire, me semble pouvoir répondre à vos questions.

La conversion

J.-M. L. — Je ne suis vraiment pas certain de la chronologie. J'ai demandé à un témoin très proche de corroborer mes souvenirs. Il m'a répondu qu'il était aujourd'hui trop âgé et que sa mémoire le trahissait. Je n'ai pas non plus gardé de traces matérielles de ce qui s'est passé. Je voudrais pouvoir vérifier ce qui n'est qu'impressions fugaces ou incertitudes, souvenirs et oublis de ce que j'ai pu faire ou penser à tel moment. Ce qui m'échappe, c'est l'enchaînement des événements mais j'ai gardé le souvenir précis et assuré des expériences intérieures.

Les faits d'abord : mes parents nous ont repris pour nous ramener à Paris au moment de la « drôle de guerre ». La menace paraissait moindre, avant que ne se produise l'exode de l'été. Ce retour à Paris a été de brève durée. Je me suis retrouvé avec mon meilleur ami en troisième, au lycée Montaigne. Notre séparation avait provoqué un échange de correspondance passionnant, des lettres que j'ai gardées pendant longtemps. Ce retour était-il dû au fait que j'avais déjà déclaré à mes parents mon intention de devenir chrétien ? Je n'en suis plus certain. Mon père et ma mère étaient présents quand je leur ai dit mon désir d'être baptisé. Or, au moment de l'exode, mon père était absent puisqu'il était pris dans la débâcle. A quel moment de cette année 40 ai-je dit à mes parents mon intention de demander le baptême et mon désir qu'ils m'y autorisent ? Je ne sais plus.

J'ai cependant un repère chronologique précis du moment où j'ai désiré le baptême. Cela s'est passé dans la cathédrale d'Orléans, au cours de la semaine sainte, juste avant Pâques 40. La débâcle est venue en juin, donc le retour à Paris a dû avoir lieu entre avril et juin.

J.-L. M. — *Comment cela s'est-il passé ?*

J.-M. L. — J'ai partagé l'existence quotidienne de chrétiens convaincus. Ils savaient parfaitement que nous étions juifs et ont manifesté à mon égard une discrétion exemplaire.

J.-L. M. — *Quand vous dites « discrétion exemplaire », cela veut dire absence de prosélytisme ?*

J.-M. L. — Aucun, absolument aucun. J'ai découvert de nouveau, de l'intérieur, l'univers chrétien, non plus allemand mais français, à la fois la culture, la pensée, la vie, la conduite. En même temps, il y avait un brutal changement, assez étrange pour moi : j'étais un petit Parisien qui n'avait jamais connu la campagne, hormis les mois d'été. Et Orléans était un jardin. Un jardin, et aussi l'image d'une France provinciale. Comme j'étais curieux et observateur, j'ai posé toutes sortes de questions au gré de la découverte de lieux extraordinaires : Germigny-des-Prés, une église carolingienne ; Cléry, une église gothique avec le tombeau de Louis XI ; les bords de Loire ; les monuments et les églises d'Orléans. Bref, tout cela faisait partie du paysage. Et en même temps, un certain contenu du christianisme me devenait accessible de l'intérieur par les moyens de la culture et de la vie.

Ce n'est pas le plus important ni ce qui fut décisif ; mais je cherche à expliquer où sont les sas. Les camarades du lycée ont été un autre sas, bien que le problème de la religion ne fût jamais abordé entre nous.

D. W. — *Les autres élèves savaient-ils que vous étiez juif, à Orléans ?*

J.-M. L. — Bien sûr. Je m'appelais Aron.

J.-L. M. — *Y avait-il d'autres juifs au lycée d'Orléans ?*

J.-M. L. — Oh certainement, mais je n'en ai pas de souvenirs. Dans ma classe, j'étais le seul.

J.-L. M. — *Votre mère venait régulièrement vous voir ?*

J.-M. L. — Oui, toutes les semaines. Les contacts avec mes camarades du lycée ont donc fourni un autre terrain d'échange avec le christianisme. Mais il me semble que la familiarité avec des jeunes chrétiens de mon âge a été postérieure à mon baptême. Toujours est-il que je me souviens très bien avoir demandé à la personne chez qui nous logions de me donner un Nouveau Testament. J'ai commencé par l'évangile selon saint Matthieu qui est en tête. Je lisais Pascal pendant cette même période. Je le lisais assidûment. J'ai commencé à recopier l'évangile de saint Matthieu à la main. J'ai souligné certains passages qui me frappaient. J'avais en ma possession une petite édition de la Bible de Crampon, en fascicules séparés contenant chacun un évangile. Je ne suis pas allé jusqu'au bout, j'ai copié seulement quelques chapitres. Cela devait se passer vers Noël. C'était l'hiver, je m'en souviens.

Et puis j'ai posé des questions sur le christianisme à qui me tombait sous la main, certainement à la personne chez qui nous logions et à d'autres personnes aussi.

D. W. — *Votre sœur était avec vous ?*

J.-M. L. — Oui. Elle était élève dans une école libre.

J.-L. M. — *Et vous parliez de cela avec votre sœur ?*

J.-M. L. — Je ne le pense pas. Et puis, quelques mois après, je suis entré un jour dans la cathédrale, qui était sur le chemin quotidien du lycée. Au centre d'une place, alors non bâtie, venteuse, un énorme édifice, à la beauté austère et dépouillée, toujours en réparation. Je suis entré un jour que je sais aujourd'hui être le jeudi saint. Je me suis arrêté au transept sud, où brillait un foisonnement ordonné de fleurs et de lumières. Je suis resté un grand moment, saisi. Je ne savais pas pourquoi j'étais là, ni pourquoi les choses se passaient ainsi en moi. J'ignorais la signification de ce que je voyais. Je ne savais pas quelle fête on célébrait, ni ce que les gens faisaient là en silence. Je suis rentré dans ma chambre. Je n'ai rien dit à personne.

Le lendemain je suis retourné à la cathédrale. Je voulais revoir ce lieu. L'église était vide. Spirituellement vide aussi. J'ai subi l'épreuve de ce vide : je ne savais pas que c'était le vendredi saint — je ne fais que vous décrire la matérialité des choses, et à ce moment-là j'ai pensé : je veux être baptisé. Du coup, je me suis adressé à la personne chez qui je logeais. C'était le plus simple. Je savais qu'elle était catholique, qu'elle allait à la messe : je la voyais, je savais qui elle était.

Elle m'a dit : « Il faut demander à vos parents. » Elle m'a adressé à l'évêque d'Orléans, Mgr Courcoux. C'était un oratorien très cultivé ; il m'a instruit dans le christianisme, me donnant des leçons particulières. Dès le début de nos rencontres, il m'a invité à demander la permission de mes parents. La chronologie m'échappe, mais je me souviens très bien du jour où j'ai averti mes parents — une scène extrêmement douloureuse, parfaitement insupportable. Ils ont fini par accepter. Mais cela, c'est une autre histoire.

D. W. — *Ils ont refusé tous les deux ?*

J.-M. L. — Bien sûr. Mon père devait être là en permission. Je leur ai expliqué que ma démarche ne me faisait pas abandonner la condition juive, mais bien au contraire la trouver, recevoir pour elle une plénitude de sens. Je n'avais pas du tout le sentiment de trahir, ni de me camoufler, ni d'abandonner quoi que ce soit, mais au contraire de trouver la portée, la signification de ce que j'avais reçu dès ma naissance. Cela leur paraissait complètement incompréhensible, dément et insupportable, la pire des choses, le pire des malheurs qui pouvaient leur arriver. Et j'avais une conscience très aiguë que je leur causais une douleur tout à fait intolérable. J'en étais déchiré et ne l'ai fait vraiment que par nécessité intérieure. Une autre solution aurait consisté à tout enfouir en moi-même, à ne rien dire et à attendre. Mais cette solution-là, je n'ai pas voulu l'envisager.

Mgr Courcoux était un homme très respectueux d'autrui. Je ne sais pas s'il se rendait compte de ce que cela représentait pour mes parents ; je ne sais pas, aujourd'hui, quelle était sa connaissance des juifs de notre genre. Il était très cultivé et intelligent. Les juifs qu'il connaissait étaient les juifs libéraux de l'intelligentsia française dont Bergson était un représentant...

Finalement, mes parents ont accepté. Pour ma sœur et pour moi.

J.-L. M — *Parce que votre sœur voulait se convertir aussi ?*

J.-M. L. — Elle m'a suivi. Mais elle m'a suivi par conviction. Pourtant nous n'en avons jamais parlé.

J.-L. M. — *Vous avez tous les deux suivi la même évolution à Orléans, pendant cette période ?*

J.-M. L. — En tout cas, la même instruction. Celle que donnait l'évêque. J'ai jeté les fascicules — je le regrette — des cours d'instruction religieuse qu'il avait fait imprimer pour un collège. Comme il était oratorien, je ne sais s'il avait donné des cours à Juilly ou à Saint-Martin de Pontoise, avant d'être curé à Saint-Eustache à Paris. Quoi qu'il en soit, ses cours étaient d'un niveau remarquable. Dès cette époque, j'ai été initié à l'étude des origines chrétiennes, à la connaissance des textes les plus anciens, avec une grande rigueur historique ; bref, j'ai reçu une initiation chrétienne d'une qualité intellectuelle et spirituelle rarement proposée à un adolescent. Elle confirmait l'intuition très vive que j'avais de la continuité du christianisme et du judaïsme. Mgr Courcoux m'a parlé de bien des sujets ; entre beaucoup d'autres, il me nommait le Père Teilhard de Chardin, abordait aussi les relations entre la science et la foi. C'est vous dire que je n'étais pas mal traité.

D. W. — *Vous aviez de la chance.*

J.-M. L. — Je ne me souviens d'avoir rencontré alors en ce domaine que des gens qui m'ont inspiré le respect.

D. W. — *Pourquoi vous a-t-il paru évident d'aller du judaïsme au christianisme plutôt que de vous tourner vers la religion juive ?*

J.-M. L. — Mais le christianisme est un fruit du judaïsme ! Pour être plus clair, j'ai cru au Christ, Messie d'Israël. Quelque chose s'est cristallisé que je portais en moi depuis des années sans que j'en aie parlé à personne. Je savais que le judaïsme portait en lui l'espérance du Messie. Au scandale de la souffrance répondait l'espérance de la rédemption des hommes et de l'accomplissement des promesses que Dieu a faites à son peuple. Et j'ai *su* que Jésus est le Messie, le Christ de Dieu.

D. W. — *A ce moment-là, n'y a-t-il pas eu en vous un sentiment de révolte ?*

J.-M. L. — C'était la découverte du Messie d'Israël et du Fils de Dieu, et donc celle de Dieu aussi, confirmée. C'était encore pour moi l'âge métaphysique et déjà l'âge du doute. « Est-ce que Dieu existe ? » Question de la rationalité critique, question lancinante ou subliminaire de la pensée ; il m'a fallu quinze ans, vingt ans pour en sortir, compte tenu de la culture à laquelle j'avais part et de mon évolution personnelle.

J.-L. M. — *Mais au moment même de la conversion, ou de cette prise de conscience, y avait-il ce doute ?*

J.-M. L. — La certitude absolue que Dieu existe et sa négation radicale qui fait dire : Dieu n'existe pas ; les deux pensées m'habitaient successivement et parfois simultanément. Mais je savais au fond, même lorsque je n'étais plus certain de croire, que Dieu existait, puisque j'étais juif.

D. W. — *Pourquoi cela ?*

J.-M. L. — Mais parce que je savais bien que Dieu nous avait choisis pour montrer qu'il existe !

J.-L. M. — *Vous insistez beaucoup, et je le comprends, sur le fait qu'il n'y avait pas de prosélytisme dans le milieu qui vous a accueilli.*

J.-M. L. — J'insiste là-dessus parce que le prosélytisme est la première idée qui vient à l'esprit dans une situation pareille. C'est aussi ce que mes parents ont tout de suite incriminé.

J.-L. M. — *Je vais dire la même chose : est-ce que le prosélytisme réussi n'est pas celui qui se fait oublier ?*

J.-M. L. — Je n'en sais rien. Tout ce que je peux vous dire, c'est que j'étais un gamin insupportable, très orgueilleux et d'une personnalité accusée. Il ne fallait pas me marcher sur les pieds. J'imagine qu'on peut me manipuler — tout le monde est manipulable — mais les interlocuteurs que j'avais là étaient des hommes et des femmes d'une évidente honnêteté. Ils m'ont, de plus, rendu le service d'être critiques à mon égard, de me remettre à ma place.

D. W. — *Vos parents ne vous ont-ils pas proposé une solution alternative : approfondir la foi juive ?*

J.-M. L. — Oui, bien sûr. Nous avons eu une entrevue avec un personnage célèbre du judaïsme, une discussion qui a duré deux heures, chez lui. Je lui ai « démontré » que Jésus est le Messie. Au moment où nous sortions il a dit à mes parents : « Vous ne pouvez rien ; laissez-le faire. »

D. W. — *Le conflit familial a dû être très violent. Vous avez trouvé du réconfort auprès de votre mère ou auprès de votre père ?*

J.-M. L. — C'est très compliqué. Ma mère est morte trop tôt. Ma mère a été déportée et est morte à Auschwitz. Avec mon père il y a une évolution qui n'a pas pu se produire avec ma mère : la réponse n'est donc pas possible. Mon père était plutôt avare de paroles. Quand il parlait, la force était énorme, mais contenue. Ma mère, au contraire, était expansive, plus nerveuse, plus expressive.

J.-L. M. — *Vos parents auraient pu aussi considérer que cette conversion n'était peut-être pas une mauvaise chose, dans le contexte historique ?*

J.-M. L. — Ils ont fait ce calcul. Ils y ont vu une protection, face à la présence des Allemands. Je crois que c'est pour cela qu'ils l'ont acceptée. Je leur ai dit : « Ça ne servira à rien. »

J.-L. M. — *Et vous-même, ces circonstances historiques ne vous gênaient-elles pas ? Je veux dire : n'est-il pas difficile de quitter le judaïsme au moment où les juifs sont persécutés.*

J.-M. L. — Je n'ai pas fait de raisonnement politique. Pour moi, il n'était pas un instant question de renier mon identité juive. Bien au contraire. Je percevais le Christ, Messie d'Israël, et je voyais des chrétiens qui avaient de l'estime pour le judaïsme.

J.-L. M. — *N'avez-vous jamais rencontré de chrétiens dépourvus d'estime à l'égard du judaïsme ?*

J.-M. L. — A mes yeux, les antisémites n'étaient pas fidèles au christianisme.

J.-L. M. — *Cela ne fait pas beaucoup de chrétiens en France !*

J.-M. L. — C'étaient des goyim, des païens ; ils n'étaient pas chrétiens.

J.-L. M. — *Les choses pour vous se passaient sur un plan spirituel, mais la réalité historique était-elle présente ?*

J.-M. L. — La réalité historique était au contraire extrêmement forte, mais elle n'intervenait pas sous forme d'opportunité politique dans mon chemin. Peu d'années après, j'ai lu les cahiers clandestins de *Témoignage chrétien* où je retrouvais clairement mes convictions. De Lubac, Fessard et Journet, qui écrivaient dans la clandestinité sur la résistance au paganisme nazi et sur le judaïsme, ont dit ce qu'il fallait dire.

D. W. — *Vous souvenez-vous de la date de votre communion ?*

J.-M. L. — Baptême et communion, le 25 août 1940 ; et la confirmation, le 15 septembre 1940, par l'évêque d'Orléans, dans la chapelle de l'évêché d'Orléans où j'ai célébré la messe comme évêque près de quarante ans plus tard.

J.-L. M. — *Vous avez changé de prénom à cette occasion ?*

J.-M. L. — Non. J'ai gardé mon prénom d'état civil, Aron, qui est le prénom de mon grand-père paternel. La tradition voulait que, quand le grand-père mourait, l'un des petits-fils prenne son nom, et je l'ai gardé comme nom de baptême parce que c'était mon nom et qu'Aron, le Grand Prêtre, figure avec Moïse au calendrier chrétien. Et j'ai ajouté Jean et Marie. Jean était le prénom de mon parrain.

L'humiliation nationale

D. W. — *Lors de votre communion les Allemands étaient déjà là ?*

J.-M. L. — Oui. Je me souviens très bien de la rupture qu'a représentée l'arrivée des Allemands. Pour moi, c'était invraisemblable que la France s'effondre. Une cassure, une blessure, une humiliation inouïes. Et quand j'ai vu les Allemands arriver, je savais que les juifs allaient être tués. Je le savais plus que mes parents. C'était clair, c'était cela qui allait se produire. Je revois les uniformes de l'armée allemande… Je comprenais ce qu'ils disaient puisque je parlais bien l'allemand. Je revois encore le premier soldat en side-car s'arrêtant, rue Saint-Marc, au carrefour où j'habitais. J'étais mis devant l'impensable. Je me souviens encore du tirailleur sénégalais qui s'est fait tuer sur le petit pont routier à l'entrée du Faubourg de Bourgogne. Il a été le dernier à défendre le pont. Son cadavre était à côté du buste en bronze de Péguy. Il avait été hébergé dans la maison où je vivais, il parlait à peine le français, il riait comme un grand gamin, il attrapait les souris avec les mains ! Il a défendu l'honneur de la France jusqu'au bout. Oui, vraiment, je subissais cette défaite comme une impensable humiliation.

Je vois encore la place du Martroi en ruine, après les bombardements de 1940 ; et je vois des chars allemands défiler sur la place. Ma mémoire m'a restitué cette scène intacte lorsque, étant évêque d'Orléans, j'ai conduit les fêtes de Jeanne d'Arc en 1980. J'avais souhaité assister au défilé militaire et j'y ai vu les chars français. J'ai eu du mal à contenir mes larmes car, d'un seul coup, se superposaient ces deux images. C'était la seconde fois de ma vie que je voyais des chars défiler place du Martroi ; mais cette fois-ci, c'étaient des chars français. Et j'ai compris que, jusque-là, l'image de l'humiliation de la place du Martroi détruite et des chars allemands la traversant ne s'était pas effacée. C'est peut-être étrange de dire cela aujourd'hui, mais c'est ainsi.

J.-L. M. — *L'arrivée des Allemands à Orléans est-elle votre première prise de conscience politique ?*

J.-M. L. — La manière dont j'ai perçu le problème politique n'est pas celle dont, même aujourd'hui, on continue de l'analyser. Comme tous les gamins, j'entendais parler de la guerre d'Espagne, des conflits avec l'extrême droite, des manifestations et des violences politiques en France, enfin, de tout ce dont les adultes parlaient et qui remplissait les journaux. Mais au-delà, il me semble que je percevais certains enjeux fondamentaux : le droit à la justice, le sort des hommes et, inéluctablement, compte tenu de ce que j'entendais dire, le problème des juifs. Ce problème était au cœur de la situation politique, car il y avait en Allemagne le nazisme et l'antisémitisme ; en France, il y avait l'antisémitisme qui prenait Léon Blum comme cible. Donc, le fait juif était mêlé au fait politique, et le fait juif, pour moi, concernait d'abord la relation à la foi, à Dieu et au problème du salut.

Je ne crois pas faire une réinterprétation en disant que c'était le registre dans lequel je comprenais les choses. Pour le reste, j'étais comme tous les Français. Qui pouvait comprendre ? C'était l'écroulement d'un monde. Mes parents m'avaient appris à respecter le savoir, les professeurs, les médecins, les magistrats, les officiers, bref, tous les responsables des valeurs d'humanité qui faisaient la France. L'enseignement que j'avais reçu faisait sans cesse appel à l'esprit, à la liberté, à la raison, et en même temps à la confiance dans les hommes, les institutions, le droit, la vérité. La débâcle et la défaite en étaient le démenti complet. Un monde était détruit, ses valeurs bafouées. Après cela, il a fallu essayer de comprendre et de fonder sa propre fidélité. Comment être fidèle à la France contre des Français ? Où étaient les traîtres ? Il me semble que j'étais préparé d'une certaine manière à cette épreuve, parce que je suis juif. Nous savions que souvent le droit est bafoué par la force, la justice trahie par ceux qui ont reçu mission de la servir. C'est ainsi que les choses se passent. Le devoir de servir la vérité se paye toujours d'un certain prix. Il ne faut pas être surpris s'il vous contraint à la solitude. C'est l'expérience (en un sens, « messianique ») de tous les petits enfants juifs de ma génération qui connaissent le mot persécution, le mot pogrom. Ce sont des mots familiers, qui d'avance vous arment pour le combat.

Initiation chrétienne, persécution antijuive

J.-L. M. — *Combien de temps êtes-vous resté à Orléans ?*

J.-M. L. — De la fin de la troisième jusqu'à la première. 1940-1942. Donc deux années. Deux années qui ont été très importantes. C'est là que j'ai reçu une initiation chrétienne, que j'ai fait mon entrée dans le christianisme. Cela s'est fait sans difficulté. Je n'ai pas perçu d'indiscrétion de la part des gens qui m'entouraient. Immédiatement, au lycée Pothier à Orléans, je me suis tourné vers des camarades catholiques et je suis entré à la J.E.C. (1). En classe de seconde, j'ai été nommé responsable des plus jeunes. C'est dire que les dirigeants ne manquaient pas d'audace, alors que les lois contre les juifs étaient promulguées et appliquées. J'étais en effet connu comme juif. Je m'appelais Aron au lycée. A la J.E.C., on m'a appelé Aron-Jean-Marie.

C'était un milieu que je trouve, même avec le recul, extrêmement divers, grâce auquel j'ai fait la connaissance d'une grande richesse de personnalités : les mouvements de jeunesse catholique

(1) J.E.C., Jeunesse Etudiante Chrétienne.

d'Orléans, la J.E.C., le collège Sainte-Croix, les aumôniers et les prêtres que j'ai appris à connaître à ce moment-là. Dans ce milieu de jeunes, je n'ai jamais rencontré de haine ou de mépris à l'égard des juifs ou des étrangers. Peut-être étais-je aveugle... Je me suis depuis posé la question. Dieu sait pourtant que j'ai l'épiderme sensible. Mais je n'ai pas entendu de propos blessants, ni quelque chose qui aurait pu m'inciter à la défiance. Je n'ai pas eu le sentiment d'être une bête curieuse. On ne m'a jamais demandé de raconter mon chemin. Je n'y aurais pas consenti. Je n'ai jamais eu à faire d'exhibitionnisme, ni volontaire ni involontaire.

J.-L. M. — *Vous étiez dans des établissements où il fallait chanter* Maréchal nous voilà ! ?

J.-M. L. — Oui ! Tout le monde le faisait, tout le lycée le faisait. Je l'ai chanté, et d'autres chants à la gloire du Maréchal.

J.-L. M. — *Avez-vous rencontré des gens qui vous ont dit : « C'est bien fait ce qui arrive aux juifs... » ?*

J.-M. L. — Certains, au lycée, le pensaient. Mais ils n'osaient pas me le dire en face. De plus, le milieu catholique très cohérent que je fréquentais était mis en garde contre ce danger. Plusieurs professeurs étaient connus pour leur antinazisme, comme catholiques.

J.-L. M. — *Les lois antijuives datent d'octobre 40. Comment avez-vous assuré votre sécurité ?*

J.-M. L. — Mes parents ont hésité à se déclarer. Cette question, se déclarer ou non, tous les juifs français se la posaient. Mgr Courcoux est intervenu auprès du Commissaire aux questions juives. Un historien israélien a retrouvé la lettre de Mgr Courcoux dans les archives stockées à Jérusalem. Il m'a donné une copie de cette lettre et de la réponse. Mgr Courcoux plaidait la cause de mes parents en disant : « Doivent-ils se déclarer ? Ils sont citoyens français, et ce sont des gens honorables que je connais. » Et le commissaire répondit : « Ils n'ont rien à craindre en tant que citoyens français. Qu'ils se déclarent. Qu'ils n'aient pas peur. » (Je cite approximativement, de mémoire.) Si on regarde les dates et ce qui était en train de se produire, c'étaient de purs mensonges. Mes parents ont fini par se déclarer. Ils ont porté l'étoile jaune. Moi, je ne l'ai pas portée. Je devais être déclaré à Paris puisque mes parents l'étaient. Ma mère portait l'étoile, et la cachait pour ne pas se faire arrêter quand elle faisait le trajet entre Paris et Orléans.

Quand les choses ont commencé à mal tourner, mon père est parti clandestinement en zone libre, en 41. Il devait préparer le repli de toute la famille. Il est allé à Decazeville, par des filières successives — vous savez, c'était vraiment une étrange époque. Il a trouvé de l'embauche dans une usine prioritaire, c'est-à-dire une usine exemptée des contrôles de police. On y fabriquait du bitume à partir de schistes, un produit tout à fait prioritaire. C'était une petite entreprise pilote d'un grand groupe sidérurgique du Nord replié à Decazeville. Le groupe existe toujours, le laminoir vient d'être supprimé, et le haut fourneau éteint. J'ai retrouvé, il y a deux ans, l'ingénieur qui dirigeait cette usine. Il a embauché mon père, qui était ainsi relativement protégé. Il y avait là d'anciens républicains espagnols, des anarchistes de tout poil, une collection d'hommes qui avaient tous quelque chose à cacher : c'était un univers extraordinaire. Decazeville, au centre du pays noir, était encore plus sinistre en pleine guerre. Heureusement, la campagne alentour fournissait du ravitaillement ! Ma mère a traîné pour quitter Paris parce qu'elle voulait maintenir le magasin malgré la nomination d'un administrateur « aryen ». Il devenait très urgent de partir. Le plan était le suivant : mon père, parti le premier, préparait une installation et des moyens de survie de la famille ; ma mère le rejoindrait et nous devions les suivre à la fin de l'année scolaire. Mais, entre-temps, ma mère a été arrêtée et envoyée à Drancy.

D. W. — *Etait-ce dans le cadre d'une grande rafle ?*

J.-M. L. — Non. Un voisin l'avait dénoncée. Elle a été arrêtée à son domicile. L'appartement a été vidé complètement, pillé, puis mis sous scellés. Mes parents avaient déposé quelques objets chez des voisins ; tout le reste a été volé. Un jour, après la guerre, une petite vieille est venue voir mon père et lui a dit : « Tenez, voilà, quand ils ont tout vidé, j'ai ramassé ça... » C'étaient des photos. C'est ainsi que nous avons récupéré une partie des photos de famille.

D. W. — *Pourquoi votre mère n'est-elle pas venue s'installer à Orléans ?*

J.-M. L. — Il n'y avait rien à faire à Orléans. Ce n'était pas plus protégé que Paris. Et le magasin était à Paris. Nous, les enfants, étions plus ou moins dans une zone d'ombre à Orléans.

J.-L. M. — *Vous-même n'avez pas été dénoncé ?*

J.-M. L. — Au lycée d'Orléans et dans son entourage, il y avait aussi des collaborateurs qui ont joué avec moi au chat et à la souris. A un moment donné, il était devenu clair qu'il valait mieux que je m'en aille.

J.-L. M. — *Comment avez-vous appris l'arrestation de votre mère ?*

J.-M. L. — Je ne sais plus exactement qui nous l'a transmis, ni comment ; des voisins de Paris. Un certificat d'état civil, délivré après la guerre, nous a appris qu'elle avait été arrêtée le 10 septembre 1942. Très vite, nous avons su qu'elle était à Drancy. Ce fut un temps horrible de cartes de correspondance officielles et de lettres clandestines jusqu'à sa déportation. Il nous fallait décamper, nous aussi. Ma sœur est restée à Orléans : elle paraissait plus facile à protéger.

J.-L. M. — *Votre sœur non plus n'a jamais porté l'étoile jaune ?*

J.-M. L. — Non, ma sœur non plus. Mon père était en zone libre. Nous correspondions au moyen de cartes interzones, des correspondances très cryptées, des lettres très prudentes qui passaient par des tiers. La décision a été prise de m'envoyer, pour me cacher, faire ma classe de philo au petit séminaire de Paris, à Conflans. Entre-temps, j'avais déclaré à Mgr Courcoux mon intention de devenir prêtre. Il m'avait dit : « Vous avez le temps ! Vous verrez plus tard. » Je suis allé au petit séminaire parce que c'était un lieu sûr.

J.-L. M. — *Il y avait d'autres juifs comme vous dans ce collège ?*

J.-M. L. — Peut-être, mais le principe était de ne rien dire. Apparemment, il n'y avait que des jeunes baptisés et catholiques. Un certain nombre parmi eux se posaient ou s'étaient posé la question de devenir prêtres.

D. W. — *Quelles discussions aviez-vous avec les catholiques que vous fréquentiez à Orléans au sujet des persécutions ?*

J.-M. L. — J'ai un souvenir d'ensemble des conversations avec Mgr Courcoux. Sa perception théologique et spirituelle valorisait les relations du judaïsme et du christianisme ; mais le judaïsme qui lui était familier était celui que décrit la Bible plutôt que la connaissance concrète des milieux juifs. Sa position par rapport à l'Allemagne et au nazisme était extrêmement claire, et il était circonspect à l'égard du maréchal Pétain.

Mais il faut parler de façon plus générale de ce que pensaient les Français à l'époque. Il faut bien dire que la France, en gros, était pétainiste. En même temps, parmi les gens que je fréquentais, tous, ou presque, étaient hostiles aux Allemands. Certains étaient déjà dans la Résistance, y compris parmi mes camarades de lycée. Ceux qui étaient en philosophie ou en math-élem (en terminale, dirions-nous aujourd'hui), ceux que j'avais connus l'année précédente se trouvaient Dieu sait où, en train de faire Dieu sait quoi ? Clandestinité et résistance ? S.T.O. ? Il était beaucoup question du S.T.O. (1).

A l'inverse, je me souviens d'un garçon d'un an plus âgé que moi, dont le père était instituteur public, un garçon parfaitement droit et idéaliste. A la stupéfaction générale, il s'est engagé dans la L.V.F. (2). Il l'a fait par conviction, pour défendre l'Occident chrétien contre le communisme. Un jour, il est revenu en uniforme allemand au lycée d'Orléans pour voir les camarades. Je n'étais pas très ami avec lui, mais nous nous connaissions. Quand je l'ai vu arriver, je l'ai engueulé en lui disant : « Mais va-t'en, cache-toi ! Qu'est-ce que tu viens faire ici ? Tu vas te faire tuer ! » Je l'ai enfermé dans une classe pour éviter les incidents. Je ne sais pas ce qu'il est devenu.

(1) S.T.O., Service du Travail Obligatoire.
(2) L.V.F., Légion de Volontaires Français pour le Front de l'Est.

Peut-être est-il mort sur le front russe. Son père était accablé par le choix de son fils.

Je vous donne quelques images, c'était une situation étrange, une situation de déchirement. Cependant, tous les gens que je fréquentais étaient contre les Allemands et contre le nazisme.

J.-L. M. — *Etaient-ils plutôt pétainistes ?*

J.-M. L. — Oui, plutôt. Il ne faut pas se faire d'illusions. La France s'est découverte résistante, grâce à De Gaulle, en 44. Je ne sais pas quand, Français, nous pourrons écrire l'histoire de cette période, la regarder en face sans nous déchirer de nouveau. Faudra-t-il attendre encore cinquante ans ?

La France était pétainiste, ce qui ne prouve pas qu'elle était nazie. Elle sombrait, elle traversait une épreuve épouvantable. La guerre a été une épreuve pour ma génération, qui a vécu l'effondrement de toutes les valeurs, la vérité, la justice, la confiance. La crédibilité des institutions et de ceux qui en étaient responsables a été ruinée. Mais pour moi, il s'agit aussi d'expliquer un tel effondrement. Il ne suffit pas de faire quelques procès, de sacrifier quelques boucs émissaires comme il y en eut à la Libération. N'y a-t-il pas ailleurs, quelque part dans l'histoire de notre pays, une faille, une faille profonde ? Je n'ai cessé de porter en moi l'évidence que, lorsqu'une maison s'écroule, elle ne s'écroule pas sans raison, d'un coup. La maison s'était écroulée. Il faudrait savoir pourquoi. Mais quelle question !

Une crise spirituelle

D. W. — *Pour vous, il s'agit d'une crise spirituelle ?*

J.-M. L. — Oui. 40 ne s'explique pas par 40. Ce n'est pas l'enchaînement des fautes politiques qui suffit à expliquer l'effondrement. Bien sûr, il y a la série des causes événementielles — on n'a pas envoyé les troupes sur le Rhin à temps, on n'a pas résisté à Hitler alors que cela était encore possible, on a réarmé trop tard — bref, tous ces événements que tactiquement de bons gestionnaires politiques auraient pu conduire s'ils avaient eu le courage ou la possibilité de le faire. Mais je pense à un phénomène beaucoup plus profond : il y a eu un effondrement du peuple.

La France n'a pas résisté ; la Pologne résiste depuis plus de quarante ans ! Pourquoi ? Parce qu'il y avait une crise spirituelle bien antérieure, une crise de la société moderne dont le massacre de 14-18 fait partie. Je me souviens d'une caricature qui a dû paraître dans *le Figaro* en 1940. On voyait un paysan en train de bêcher, et un hobereau à guêtres de cuir et béret basque, portant la francisque, lui disait : « Ce qui vous a perdus, c'est Gide et tous ces mauvais auteurs que vous avez trop lus... » C'étaient là les explications courantes dont le caricaturiste montrait l'absurdité. Dès lors, la mésaventure politique du régime de Vichy et la collaboration ont disqualifié les valeurs qui font partie du patrimoine nécessaire d'une nation et qui n'ont plus semblé être défendables par la suite.

La devise républicaine Liberté-Egalité-Fraternité a été remplacée par le slogan Travail-Famille-Patrie. Après la Libération et pendant presque un demi-siècle, ces trois valeurs, qui sont pourtant des valeurs sociales fondamentales, ont été à demi effacées du vocabulaire français, de la conscience nationale française, parce qu'elles avaient été polluées. Le travail : le mot n'a été admis qu'en raison de l'emprise idéologique du marxisme sur les élites françaises. On n'a pas su parler correctement de la famille. Il aurait fallu trouver des mots nouveaux : on ne le fit qu'avec timidité et réserve. On a parlé noblement de la patrie mais en refoulant les souvenirs de la honte. Le thème de la patrie, vite reparu, s'enracinait, cependant, dans une conscience nationale blessée. Tout cela était, à mon sens, le fruit de la mauvaise conscience d'une nation vaincue, trahie par ses élites.

Il est des faits que l'on préférerait oublier. Celui-ci par exemple. Un de mes amis (j'ai fait sa connaissance après la guerre) s'appelait de son nom de famille Israël. Juif, né à Alexandrie, de nationalité française, très brillant ingénieur, il a fait la guerre en 39-40 comme officier. En 1940 il a été dégradé dans l'armée de l'armistice parce que les juifs n'avaient plus le droit d'être officiers. Il a par la suite refusé de mettre un autre nom sur ses faux papiers. « Quand on s'appelle Israël, on ne change pas de nom », disait-il. Ce que je comprends fort bien. Il a réussi à échapper aux rafles.

J.-L. M. — *Quand vous parlez de crise spirituelle, vous pensez aux valeurs morales ?*

J.-M. L. — A l'ensemble de la culture.

J.-L. M. — *Vous considérez que c'est une crise des élites ou une crise de l'ensemble du peuple ?*

J.-M. L. — Ce ne peut être qu'une crise du peuple dans son ensemble, et il s'agit d'une crise spirituelle. Le mot crise peut s'appliquer à deux domaines distincts. Il s'applique d'abord à ce qui préoccupe les intellectuels, à l'évolution des idées, aux théories à la mode, à ce qui fait que, de dix ans en dix ans, et parfois de façon plus brève encore, telle idée devient dominante, tel concept s'empare de l'ensemble des beaux esprits et constitue la référence sur laquelle il faut s'aligner. Et du coup, parce que telle évidence antérieure est remise en question par les fluctuations de la mode intellectuelle, on dit qu'il y a crise de ceci ou crise de cela.

Je ne parle pas de ce jeu, après tout normal, des idées. Il n'est certes pas sans influence sur la culture, mais il y a un décalage entre cette activité de l'intelligentsia et l'appropriation des idées par un peuple, par une nation ; il y faut une plus longue durée, car « les gens » n'évoluent pas selon ce rythme rapide. Et même les intellectuels gardent en fait, imperturbablement, leurs premières évidences pendant plus longtemps qu'il n'apparaît. Ils ont la capacité de jouer avec les idées, de réfléchir. C'est leur métier, peut-être leur mission, mais ils risquent parfois de faire passer la vivacité de l'esprit pour l'approfondissement de la pensée. L'imprégnation, l'appropriation des représentations, des idées, des jugements, des valeurs, par une population, est beaucoup plus lente. Et elle est beaucoup plus liée aux choix concrets de la vie. Seuls les intellectuels peuvent se permettre d'être schizophrènes, c'est-à-dire de prôner le mal et de faire le bien, ou l'inverse, de vivre d'une façon tout à fait ordinaire, comme un plombier ou un maréchal-ferrant de jadis, et puis de spéculer sur l'homme de demain. C'est courant dans la vie des grands hommes, cet écart entre le champ intellectuel et spéculatif et le champ de la vie pratique avec leurs enfants, leur femme, leur métier, l'argent.

Mais cette notion de crise, je l'applique avant tout au tissu ordinaire des relations sociales et des comportements, des jugements de valeur qui soutiennent une nation. Ces valeurs sont les vertus ordinaires qui se transmettent par la voie de l'éducation ordinaire. L'héritage des vertus familiales et morales est une richesse inappréciable. Ce trésor accumulé par l'effort des générations, la continuité spirituelle de l'éducation, si vous préférez, était le plus précieux patrimoine; mais trop souvent il semblait déjà plus pauvre, déjà trop pauvre, et avait perdu sa vigueur morale. Il y a eu une crise spirituelle profonde au sein du peuple français. Il faut remonter au XVIIIe siècle, et peut-être même avant, pour en trouver l'origine.

Des gens comme Léon Bloy, Péguy, Bernanos, l'avaient déjà repérée. Comment expliquer autrement que la France, dont les citoyens savaient distinguer le bien du mal, comme nous l'expliquait en 1935 notre instituteur de l'école laïque de la rue Huyghens, sombre d'un coup dans la lâcheté et la délation ?

J.-L. M. — *Ne pensez-vous pas que, dans des circonstances dramatiques, seule une minorité est capable de résister et de refuser le mensonge et l'arbitraire ?*

J.-M. L. — On peut dire cela, mais on peut dire aussi que le tissu n'était pas très résistant. Et comment se fait-il que cette minorité n'ait pas joué son rôle d'encadrement ?

J.-L. M. — *Le rôle des élites est peut-être décisif. En France, la majeure partie des corps de l'Etat, des responsables politiques, a jugé bon d'accepter l'inacceptable.*

J.-M. L. — Cela a joué un rôle, mais l'explication me semble insuffisante. Dans la France de l'occupation, bien des gens ne savaient plus ce qui était bien et ce qui était mal, ce qu'il fallait faire et ce qu'il ne fallait pas faire. Et cette confusion des valeurs ne s'établit pas en deux années comme norme sociale. Il y eut une multitude d'hommes et de femmes qui surent rester fidèles à la loi morale et à la vérité. Ils ont, sans le savoir alors, « sauvé » la France. Mais il n'y avait plus d'objectivité sociale de la vérité et de la moralité. Rappelez-vous le slogan des résistants : « Radio-Paris ment. Radio-Paris ment. Radio-Paris est allemand. »

Drancy-Auschwitz

J.-L. M. — *Votre mère est-elle restée longtemps à Drancy? Ou bien a-t-elle été déportée dès son arrivée?*

J.-M. L. — Elle est restée assez longtemps à Drancy, puisqu'elle n'a été déportée qu'en février 1943. Elle a réussi à subsister sur place à force de ténacité. Nous avons gardé une correspondance qu'elle a fait passer en soudoyant — très cher — un gendarme. Ces lettres clandestines, je n'ai pas eu le courage de les relire. Il y a un point seulement que je veux souligner : elle savait. Et si elle savait, c'est que les autres savaient. Et si nous savions, c'est que tout le monde savait. On savait qu'à Drancy on allait vers la mort. J'ai encore en tête des phrases bien précises écrites par ma mère : « Mes enfants, c'est une maladie *mortelle;* surtout gardez-vous-en. » Il ne faut pas dire que les gens ne savaient pas.

J.-L. M. — *Avez-vous tenté d'aller la voir à Drancy?*

J.-M. L. — Mais c'était impossible, voyons! Nous étions plongés dans la clandestinité, constamment menacés. Nous avons eu l'inconscience de ne pas changer de nom. Nous sommes restés protégés, Dieu sait pourquoi, parce qu'il y avait autour de nous un trou de silence. Il aurait suffi d'un petit coup de vent pour qu'on soit pris, et c'était fini! Je ne comprends pas encore l'imprudence de la conduite qui a été la mienne, et celle de mes parents à ce moment-là. La raison fondamentale était leur confiance dans la France. Ils voulaient toujours espérer que les juifs ne seraient pas abandonnés par la France, que la France ne céderait finalement pas aux nazis. C'est pourquoi ils ne se protégeaient pas à temps. Ce n'était pas pensable pour eux, et donc ils ne s'y sont résignés qu'au fur et à mesure des circonstances.

D. W. — *Comment avez-vous passé votre bac?*

J.-M. L. — A Paris, au petit séminaire. J'étais caché, mais j'ai passé mon bachot quand même, juste avant de partir pour Decazeville. Je l'ai passé sous mon nom, en juin 43, lors de la session où l'oral avait été suprimé. Le risque était minime.

Au cours de cette année de philo, j'ai eu affaire à trois prêtres qui ont été mes formateurs : Mgr Lallier, le supérieur qui m'a accueilli, avec bonté et chaleur. Devenu évêque depuis, il est présentement retiré à Paris. Il m'a demandé il y a quelque temps : « Mais comment avez-vous pu survivre dans cet univers du petit séminaire ? » Et je lui ai répondu : « Mais je n'ai rien ressenti qui fût pénible, je n'ai vu que du bien ! » Il en était stupéfait.

Mgr Delarue était préfet de division. Mort maintenant, il a été le premier évêque de Nanterre. Le jeune abbé Pierre Veuillot était notre professeur de philosophie. Il m'avait été désigné comme « directeur spirituel » : un guide pour la vie religieuse personnelle et la prière. Jusqu'à sa mort alors qu'il était cardinal-archevêque de Paris en 1968, j'ai gardé avec lui une relation très confiante de respect et d'amitié. Il nous faisait un cours très soigneusement préparé dont je mesure après coup la richesse : une histoire de la philosophie qui incluait le freudisme et la phénoménologie... l'un et l'autre courants encore peu connus dans l'université.

J.-L. M. — *La découverte de la philosophie a-t-elle été un choc pour vous ?*

J.-M. L. — Ce qui m'a surtout frappé alors, c'est le changement de registre de réflexion par rapport à la culture littéraire de type historique qui m'avait été donnée par mes professeurs à Orléans. L'histoire de la philo entraînait à penser, même l'histoire. Au moins permettait-elle de situer les outils intellectuels ! Hegel était peu connu... Jean Hyppolite n'a traduit la *Phénoménologie* de Hegel qu'après la guerre.

D. W. — *Avec votre bac, saviez-vous ce que vous vouliez faire ?*

J.-M. L. — Oui. Je voulais être prêtre, et la discipline universitaire qui, à mes yeux, y préparait, c'était la philosophie, parce que la philosophie voulait répondre aux questions fondamentales de l'existence, celles du sens de la vie, qu'elle voulait chercher la raison du vrai et du faux. La philosophie m'apparaissait comme un porche d'entrée, comme faisant partie de l'édifice dans lequel s'inscrit la réalité de la foi et de la religion.

A Conflans, j'ai découvert un internat : pendant une année, j'ai vécu en communauté quotidienne avec des gens très différents de moi. J'ai dû être fort étrange à leurs yeux, je le suppose, parce que, vraiment, j'étais peu discipliné, très indépendant. J'ai dû être repéré assez vite comme faisant partie des bons élèves, et en même temps comme un chahuteur. Etrange, parce que je ne connaissais pas les consignes ni les règles. Je me permettais donc beaucoup de choses que les autres n'imaginaient pas comme possibles. Et réciproquement. La plupart des élèves y étaient entrés au même âge, plusieurs années auparavant, alors que j'étais, moi, une pièce rapportée. Mais je n'ai perçu aucun rejet — ce qui aurait été normal dans un univers de collège — ni jalousie, ni curiosité, ni rien de ce genre.

J'ai avant tout découvert une vie chrétienne dont j'ai perçu la rigueur et la beauté. Déjà à Orléans j'allais à la messe à peu près chaque jour, autant que je le pouvais, comme un gamin que cela obligeait à se lever tôt le matin... ce qui m'était pénible car je passais une partie de la nuit à lire en cachette. Cette fois, c'était plus difficile parce que nous étions en dortoir. J'ai donc découvert la vie chrétienne, régulièrement organisée. Il y avait chaque jour la messe, des temps de méditation personnelle, des offices. Chaque semaine nous étaient proposés des éléments de formation à la vie religieuse. Ce qui, pour certains de mes camarades, était devenu une routine et dont ils étaient peut-être lassés, m'apparaissait comme une nouveauté extraordinaire.

D. W. — *Cette vie d'internat dans un établissement religieux vous a-t-elle plu ?*

J.-M. L. — Oui. Sans réserve.

J.-L. M. — *Comment perceviez-vous les autres internes qui étaient là, de façon plus classique que vous ? Aviez-vous l'impression d'un décalage très fort entre vous et eux ?*

J.-M. L. — Oui, mais je n'étais pas encore en mesure d'apprécier les distances à ce moment-là. Il y avait des appartenances sociales variées. Certains étaient, comme moi, des fils d'immigrés, mais élevés dans un milieu catholique populaire, différent du milieu familial que j'avais connu. J'écoutais intensément, ne lâchant aucune confidence sur ma situation personnelle et familiale. Je suis incapable de dire comment je me sentais perçu par les autres. Je ne veux pas dire que je me sentais très différent, mais cela m'a mis en contact avec des modes de vie, des types d'homme que je ne connaissais pas, que je n'avais pas directement approchés. Ni le lycée Montaigne, ni celui d'Orléans ne m'auraient permis d'approcher des jeunes comme ceux-ci, dont plusieurs sont restés mes amis.

J.-L. M. — *Aviez-vous la mention « Juif » sur votre carte d'identité ?*

J.-M. L. — J'avais seize ans. Je n'avais pas de « vraie » carte d'identité. Vers la fin de cette année scolaire, le maire d'une petite commune du Loiret m'a fabriqué une vraie « fausse » carte à mon nom, mais en substituant Jean-Marie à Aron pour mon prénom.

D. W. — *Avez-vous su que votre mère avait été déportée ?*

J.-M. L. — Un jour, nous avons su qu'elle n'était plus à Drancy. On faisait passer des colis, mais les colis n'arrivaient pas toujours parce qu'ils étaient volés bien sûr. Je n'ai pas su où ma mère était partie.

A la Libération, nous avons longtemps questionné la Croix-Rouge, mais personne ne savait rien. Nous faisions semblant d'espérer qu'elle reviendrait. Sur une information vague, j'étais persuadé qu'elle avait été déportée à Ravensbrück. Nous cherchions en vain à savoir quelque chose. Finalement l'administration française nous a donné un certificat de déportation. Il a fallu que Robert Badinter modifie la loi — en 1985 — pour que des actes de décès en déportation soient rendus possibles. Les actes civils ne connaissaient que la disparition, puisque les gens étaient partis vivants et que leur décès n'avait pas été déclaré. Je n'ai su exactement à quelle date elle était partie de Drancy, et où ils l'avaient emmenée, que par le recueil de Serge Klarsfeld, le *Mémorial des Juifs de France*, paru en 1978. Il est vrai que j'ai retrouvé, depuis, l'acte de disparition délivré à mon père le 3 mars 1952 et qui mentionne la destination d'Auschwitz.

J.-L. M. — *Donc, dans le* Mémorial des Juifs de France *vous avez retrouvé son nom ?*

J.-M. L. — Oui, elle figure sur la liste du convoi n° 48 en date du 13 février 1943 pour Auschwitz.

Decazeville-Toulouse

D. W. — *Qu'avez-vous fait après votre bac ?*

J.-M. L. — Je suis parti rejoindre mon père à Decazeville. Ma sœur était toujours à Orléans, et ne nous a rejoints qu'ensuite. J'ai passé seul clandestinement la ligne de démarcation. La seule chose dont je me souvienne, c'est de ma grande peur de me faire prendre. La ligne traversée, grâce à ma vraie fausse carte d'identité, j'ai passé une nuit en gare de Brive-la-Gaillarde. J'avais encore peur de me faire prendre. J'ai dormi dans un wagon sur une voie de garage. Le lendemain matin, j'ai pris la correspondance.

A Decazeville, j'ai été immédiatement embauché à l'usine où mon père travaillait. Le directeur m'a confié la « responsabilité » du laboratoire de contrôle, parce que j'avais mon bachot. Il y avait sous mes ordres des gens beaucoup plus expérimentés que moi. Là je suis entré dans la vie d'adulte, avec l'expérience ouvrière, une feuille de paie, le droit d'avoir une carte de tabac... Je me suis mis à fumer, parce que c'était affirmer mon droit face au maréchal Pétain. Je ne voulais pas laisser mon tabac au marché noir. Mais c'est surtout la vie ouvrière et la découverte de son univers qui m'ont passionné. Religieusement la période a été dure à vivre. Mon père m'a interdit toute espèce de pratique. J'ai donc été obligé de m'enterrer complètement et de n'aller à la messe que quand je pouvais le faire sans qu'il le sache. Decazeville est une toute petite ville... Tout se voit, tout se sait. Ce fut une période d'extrême tension, difficile.

Decazeville est une ville dure, la vie y était âpre. Nous étions logés dans des conditions qui ne ressemblaient pas à celles auxquelles j'avais été habitué à Paris. Retournant à Decazeville pour prêcher, il y a quelques mois, j'ai reconnu les lieux, l'usine... J'ai aussi retrouvé avec une grande joie des compagnons d'usine. C'était une vie de pauvreté, et non seulement pour nous, réfugiés, mais aussi pour l'ensemble de la population ouvrière. Mais nous profitions aussi d'une prospérité relative : on trouvait du lait, du beurre, de la viande, des pommes de terre. Il suffisait de se déplacer à bicyclette pour aller en chercher. Bien sûr, il fallait payer, mais on en trouvait. Et du charbon aussi, puisque, à Decazeville, il y en avait autant qu'on en voulait.

J'ai découvert un univers cosmopolite que je ne connaissais que de façon plus ou moins abstraite, pour en avoir entendu parler : républicains espagnols, anarchistes, gens de toute espèce. Des figures hautes en couleur. Personne ne disait qui il était, mais j'ai pris part à des conversations d'atelier de toutes sortes, prodigieuses, qui m'ont beaucoup marqué et instruit. Chacun finissait par laisser entrevoir quelque chose de sa vie antérieure. Et ces gens m'ont bien adopté : j'étais un petit gamin, vraiment un petit gamin. Ils ont été gentils pour moi qui n'avais pas les mains calleuses... J'étais un intellectuel, puisque j'avais mon bachot. Personne n'avait son bachot parmi eux !

C'était la découverte de la variété humaine, y compris celle des ouvriers-paysans, les Rouergats. J'avais commencé à retenir quelques mots du patois, de langue d'oc. Il ne m'en reste que les jurons. Vous savez, c'est l'âge où l'on est très avide de comprendre. Il régnait entre nous une fraternité brutale, pas toujours très généreuse, c'est vrai, parce que les réflexes de fuite et de sauvegarde personnelle sont très puissants : l'altruisme absolu qui va jusqu'au don de sa vie est une vertu rare. Mais il y avait quand même une forte santé dans cet univers de gens du cru et de clandestins. J'étais différent chez des marginaux, dans un milieu où chacun avait sa différence.

D. W. — *Comment vous sentiez-vous différent ?*

J.-M. L. — Eh bien, j'étais un juif clandestin. Je ne sais pas trop comment l'anarchiste espagnol se sentait.

J.-L. M. — *Pourquoi avez-vous quitté Decazeville ?*

J.-M. L. — De nouveau nous avons été menacés. J'ai été

convoqué à la police de Decazeville : « Montrez-nous vos papiers. Allez, dites-nous la vérité, on sait bien qui vous êtes... » Ils ont mis le tampon « juif » sur ma vraie fausse carte d'identité. A ce moment-là, l'étau se resserrant, j'ai dit à mon père : « On s'en va. »

J'étais allé à Toulouse deux ou trois fois pendant cette année, pour m'inscrire à la faculté des Sciences, en chimie, sur le conseil de l'ingénieur qui dirigeait l'usine. J'en avais profité pour prendre des contacts. C'était un long voyage en chemin de fer, de Decazeville à Toulouse, à l'époque. Nous sommes donc partis pour Toulouse, brusquement, sans rien dire à personne. Mon père était perdu, et il y a eu comme un renversement des rôles : j'ai pris les commandes, j'ai caché mon père dans une école d'agriculture tenue par les jésuites, où on l'a embauché comme ouvrier agricole avec de faux papiers.

J.-L. M. — *C'était en quelle année ?*

J.-M. L. — Au printemps 44. Moi aussi je me suis caché : faux papiers, clandestinité, etc. J'étais dans un groupe de jeunes résistants, proches de *Témoignage chrétien*. J'ai dormi sur des paquets de *Témoignage chrétien* à diffuser. Ce réseau, qui m'a protégé, était en étroite liaison avec un jésuite, le P. Ponchet, aumônier des étudiants de Toulouse, à qui je m'étais adressé.

J'ai franchi l'étape suivante grâce à l'abbé Bezombes, vicaire à Saint-Michel, depuis aumônier militaire, une figure de la Résistance. Après que j'eus trouvé à Toulouse une cachette pour mon père, les papiers, les tickets d'alimentation, il fallait bien que je trouve quelque chose pour moi. L'abbé Bezombes m'a proposé d'être moniteur d'une colonie de vacances qu'il organisait pour les gamins pauvres de Toulouse. Et j'ai passé la fin de l'occupation à Saint-Sulpice-sur-Lèze, un village pittoresque de la Haute-Garonne où je suis resté jusqu'à la libération de Toulouse.

J.-L. M. — *Vous nous avez dit que vous saviez que la mort était en cause dans la déportation, mais l'ampleur du génocide, quand l'avez-vous découverte ?*

J.-M. L. — Oh, après ! On n'avait aucune idée de ce qui s'était passé. Mon père avait eu un pressentiment assez étrange, en 38. Alors qu'il n'avait jamais remis les pieds en Pologne, il avait décidé d'aller revoir toute sa famille. Je me souviens très bien du récit qu'il nous fit de ce voyage. Une dernière visite à un monde qui allait être englouti.

III

JUDAÏSME ET CHRISTIANISME

La tentation païenne du christianisme

D. Wolton. — *Pouvons-nous revenir sur votre découverte du christianisme ?*

Jean-Marie Lustiger. — C'était comme si je savais déjà ce que j'étais en train de découvrir. Je ne parle pas des coutumes, des rites, des pratiques, mais du contenu du christianisme. Il m'était comme d'avance connu. J'étais même surpris que les autres ne comprennent pas ce que je comprenais. Je demeure d'ailleurs toujours dans cette disposition d'esprit. Telles affirmations touchant le mystère de Dieu, le sens de la révélation du Christ, l'appel de Dieu à l'humanité, à son peuple, me paraissent avec évidence faire partie de la logique de la foi, et je suis stupéfait de découvrir que des croyants, bercés dans le christianisme dès leur enfance, ne le comprennent pas.

D. W. — *Vous avez un exemple ?*

J.-M. L. — Oh, des quantités ! L'eucharistie, la messe. Pour moi, bien que n'ayant pas eu l'éducation juive, j'en savais suffisamment pour y reconnaître avec évidence le rituel de la Pâque. C'est le sacrifice de l'Agneau, du Messie souffrant ; c'est la délivrance et le salut, c'est la grâce de Dieu. Quand je découvre des chrétiens qui ont perdu cette référence et ne comprennent plus l'eucharistie, je me dis : ils sont païens, ils ne savent pas ce qu'ils sont en train de dire ou de faire, ni combien ils sont en contradiction avec ce qu'ils sont censés croire.

Un autre exemple : je garde le souvenir de la première semaine sainte à laquelle j'ai pris part en 1941. J'étais allé avec un groupe de lycéens à la Maison de formation des Oratoriens, à Montsoult. Nous avons chanté trois après-midi de suite avec la communauté, tout l'office des Ténèbres, un office fait de psaumes et de lectures bibliques. Chantant ces psaumes, écoutant les Lamentations de Jérémie, il m'était évident que les catholiques recueillaient l'héritage que Dieu avait d'abord destiné à Israël, son fils aîné, premier-né.

D. W. — *Il y avait pour vous une continuité évidente entre les deux ?*

J.-M. L. — Non seulement une continuité, mais en même temps une compréhension enfin de problèmes insolubles. Je veux dire par là que la clé de l'énigme était donnée, dans un nouveau mystère. Ce nouveau mystère, c'est celui du Christ, le Messie crucifié.

La continuité est marquée dans les textes mêmes de la révélation et dans l'usage de la Bible. Dans la chapelle de Montsoult, il y avait des vitraux qui illustraient la relation entre les deux Testaments. De même, à la cathédrale de Chartres j'ai salué le saint roi David. Tout comme à Germigny-des-Prés, église carolingienne, je me suis joint aux anges qui, sur la mosaïque de l'abside, adorent l'Arche d'Alliance.

Je n'étais pas dans une terre étrangère. Je faisais partie des fils aînés. Et je ne faisais qu'entrer dans la jouissance de l'héritage auquel j'étais promis. Beaucoup plus tard seulement, j'ai pu formuler de façon plus rigoureuse ce dont j'avais eu d'emblée la compréhension intuitive : le problème du rapport à Dieu des païens et des juifs est au centre de toute l'Ecriture, Ancien et Nouveau Testament.

D. W. — *Entre païens et juifs, oui, mais entre juifs et chrétiens ?*

J.-M. L. — Mais c'est la même histoire. Le problème que pose saint Paul, et pratiquement tous les auteurs du Nouveau Testament, est celui des « chrétiens », des « messianiques », juifs et païens, entrés dans l'Alliance selon l'Esprit. L'une des preuves que le Messie est arrivé, c'est précisément que les païens aussi ont accès à l'Alliance, puisque l'Esprit leur a été donné et qu'ils peuvent, eux aussi, s'unir par la foi au Roi d'Israël. « Dans le Christ » (c'est-à-dire dans le Messie), selon une expression de saint Paul, tous accomplissent les préceptes de la Loi et ont part à la Nouvelle Alliance, où ils obéissent à Dieu, grâce au don de l'Esprit Saint. Autrement dit, les promesses de l'universalité du Règne de Dieu sont, de fait, en voie de réalisation.

D. W. — *Accomplies..*

J.-M. L. — « Accomplies »? le mot est chargé de toutes sortes d'équivoques. Ce mot a suscité trop de polémiques. Il n'est acceptable qu'au sens d'atteindre sa plénitude, d'obtenir l'ampleur de ce qui est promis; mais cette réalisation suppose évidemment une mutation interne et des choix. La question de la destinée historique d'Israël et de son élection, du sort effectif du peuple juif demeurait pour moi lancinante, et le demeure à certains égards. Il ne s'agit pas d'une question du même ordre que celle d'un Basque ou d'un Breton par rapport à la nation française. C'est un problème qui touche au Salut de l'humanité. Certains diagnostiqueront peut-être une paranoïa juive; permettez-moi de dire que je suis purement et simplement un croyant.

D. W. — *Avez-vous réellement l'impression que l'ensemble des chrétiens partagent ce point de vue?*

J.-M. L. — Les païens, même devenus chrétiens, sont constamment tentés de refuser la particularité de l'histoire et de l'élection. Ils sont tentés de faire de Jésus la projection de l'homme idéal que chaque culture et chaque civilisation portent en elles. C'est la manière la plus spontanée de ramener Dieu à la figure de l'homme, autrement dit de s'adorer soi-même et de tomber dans l'idolâtrie. Chaque civilisation païenne devenue chrétienne est peut-être tentée de faire de Jésus son Apollon et de projeter sur lui sa propre image de l'homme, dans laquelle elle veut se complaire.

Le Christ lui-même, la figure du Christ en sa réalité, permet d'assumer tout visage de l'humanité, mais il le permet parce qu'il est d'abord celui qui est né à Bethléem de Judée. Une phrase de saint Matthieu peut nous éclairer : les mages arrivent, ce sont des païens et ils disent : « Où est le roi des Juifs ? » Il faut chercher, et on finit par trouver en scrutant les Ecritures « c'est à Bethléem de Juda ». Ce n'est pas ailleurs. Et c'est lui, ce n'est pas « un » enfant, c'est « cet » enfant. Et donc la contingence de l'Absolu est la figure même de la révélation.

Fondamentalement, le mystère que Dieu puisse prendre chair humaine demeure une contradiction presque insurmontable... Un esprit rationnel peut dire : c'est un mythe, cela ne peut pas se tenir. Un Dieu-homme, qu'est-ce que ça veut dire ? Le mystère est le même quand Dieu parle à Moïse « comme un ami parle à son ami » (Ex. 33, 11), et plus encore lorsque la Parole de Dieu se fait parole humaine et écriture sur les Tables de la Loi. Il est difficilement concevable pour notre esprit que le Transcendant se communique. Ce qui est au-delà de toute représentation, ce que l'homme ne peut se représenter peut donc se rendre accessible ? Certes l'homme peut signifier un au-delà d'une frontière que sa pensée a repérée. Il peut se dire : j'ai posé une frontière et il y a un au-delà de toute frontière, plus grand que toute pensée, trop grand pour être pensé. Mais la Transcendance, telle qu'elle s'est historiquement révélée en Personne au peuple juif, est la Toute-Puissance dont l'initiative foudroie littéralement l'esprit humain : elle le place face à son vis-à-vis. Dieu n'est pas le *no man's land* situé au-delà de la limite que l'homme a lui-même fixée, et qu'il franchira un beau jour.

La révélation de Dieu est la manifestation de la Présence de Celui qui se présente en personne comme Sujet Absolu face auquel l'homme lui-même prend consistance de sujet. C'est la révélation de Celui qui est à la fois le créateur et le rédempteur ; l'Inconcevable se nomme, Il se dit et Il se laisse saisir. Cela bouleverse la condition humaine et d'une certaine manière l'anéantit : « Tu me verras de dos, dit Dieu à Moïse, mais ma face, on ne peut la voir... et vivre » (Ex. 33, 23 et 20) ; et en même temps, cette Présence donne consistance à l'homme en lui disant qui il est et en lui donnant de l'être.

Que Dieu se nomme et parle à Moïse comme à son ami, c'est le mystère déjà de l'incarnation, de la Parole de Dieu qui se fait notre chair, se communique à nous, se livre à nous. Et que le Messie soit le Fils éternel de Dieu fait chair est *aussi* une métonymie : il est Israël, non pas par substitution mais par compréhension ou par inclusion. Il est Celui en qui se réalise la condition filiale de la nation sainte. Jésus a observé et accompli les commandements donnés par Dieu à Moïse pour son peuple Israël. Il a accompli, sans défaillance, ce qui a été demandé au juif pour vivre dans la sainteté, en vue du salut de toutes les nations, pour la rédemption des fils d'Adam, pour rassembler et réunir tout ce que la générosité divine a répandu et prodigué dans le monde. C'est à la fois la délivrance du péché et l'accès à la vie.

D. W. — *Ces propos sont-ils évidents pour des chrétiens ?*

J.-M. L. — Il est difficile de reconnaître l'enracinement juif de Jésus. Certains disent : le Christ a choisi un pays, une civilisation, une culture ou une langue ; nous, chrétiens, devons donc à notre tour aimer ce que le Christ a choisi de vivre. Mais ces formules ont quelque chose d'absurde, si elles sous-entendent que le Christ en sa condition et sa volonté humaine a choisi plus qu'un autre homme le lieu et le temps de sa naissance. Le Verbe éternel de Dieu prend chair en Marie, fille d'Israël, puisque Dieu son Père, d'avance, avait élu ce peuple et lui avait confié son Nom et sa Parole. Il a été envoyé à la plénitude des temps, attendue par le peuple de Dieu, pour être reconnu par lui. En termes familiers, Jésus ne pouvait pas décider arbitrairement d'un lieu et d'une date de naissance. Il n'est pas né à Bethléem plutôt qu'ailleurs, à Lutèce ou à Rome, par préférence ou par hasard. Pour être reconnu « Roi des Juifs » et Envoyé de Dieu l'Unique, il ne pouvait naître qu'à Bethléem. Que ce titre soit souvent méconnu, ou refusé, non pas par l'Eglise mais par un certain nombre de chrétiens ou de générations chrétiennes, est le signe d'un oubli, d'une lacune de la pensée, voire d'un péché.

D. W. — *Oui, mais cet oubli a duré très longtemps et a eu des effets considérables...*

J.-M. L. — L'oubli est un ressort de la mémoire, c'est-à-dire de l'histoire humaine. Chaque génération chrétienne se caractérise autant par ses intuitions que par ses aveuglements. Cela explique que des peuples entiers puissent demeurer, pendant de très longues périodes, engagés en des dérives sans issue. Par exemple, les peuples barbares qui furent à la fois chrétiens et ariens. Ariens, c'est-à-dire ne croyant pas à la divinité du Fils (1). Par exemple encore, les divisions internes au christianisme, la séparation des Eglises d'Orient et d'Occident, ou ce qui s'est passé au XVIe siècle lors de la Réforme protestante. Il existe ainsi aujourd'hui des manières d'être chrétien multiples et variées qui, avec le temps, se sont transformées en faits culturels, transmis par l'éducation. Cela demeure une énigme. Ou bien ce sont les diversités normales de l'histoire des hommes, ou bien il y a aussi un enjeu qui concerne la foi elle-même et la fidélité de la foi. Pour ma part, je crois qu'il y a un enjeu de ce genre.

Continuité et nouveauté

D. W. — *Pour vous, le christianisme est-il l'accomplissement du judaïsme ?*

J.-M. L. — Vous revenez à la charge. Le mot « accomplissement » a des significations multiples. Bien sûr, l'histoire humaine n'est pas terminée ; elle est selon la Bible un temps d'Alliance et un temps de passage. Pour nous chrétiens, la venue du Christ et son mystère pascal renouvellent l'Alliance divine et accomplissent le passage de l'homme à Dieu. Dans son Messie, Dieu a accompli les promesses faites à Israël. Et l'Ecriture parle encore de plénitude pour annoncer le Retour du Christ et sa manifestation en Gloire. C'est tout cela, l'accomplissement.

D. W. — *Mais dans l'histoire des religions, le mot est souvent employé du côté chrétien pour définir les relations entre les deux religions.*

J.-M. L. — Je ne peux pas raisonner comme s'il s'agissait d'étapes chronologiques qui suffisent à déterminer ruptures et continuités. Pour la foi chrétienne, la Venue du Messie est une intervention divine, d'avance annoncée, promise et préparée. La nouveauté de cette visite de Dieu n'annule pas les interventions

(1) Il s'agit d'une hérésie chrétienne dont Arius d'Alexandrie fut l'initiateur. L'arianisme fut condamné au premier concile œcuménique, à Nicée en 325.

divines antécédentes : elle les atteste et en révèle la portée universelle, divine. Dieu ne se renie pas lui-même quand il manifeste en son propre Fils ce qui était caché en son peuple choisi, et qu'il fait apparaître, dans la résurrection de son Christ, l'éternelle nouveauté promise à Israël et espérée de tous les fils d'Adam. C'est ainsi que la Nouvelle Alliance réalise le Testament divin et les promesses qu'elle rend anciennes en même temps qu'accomplies. C'est l'adage traditionnel : « Le Nouveau Testament est caché dans l'Ancien, et l'Ancien se fait jour dans le Nouveau. » La question demeure posée, tout au long du temps ; elle est de reconnaître, d'accueillir ou de refuser ces manifestations divines.

D. W. — *Bien. Je vais formuler ma question autrement. Pourquoi l'ensemble des chrétiens acceptent-ils si difficilement ce qui vous paraît évident, à savoir le lien naturel entre judaïsme et christianisme ?*

J.-M. L. — On trouve, tout au long de la tradition chrétienne, des témoins et des jalons de ce que vous seriez tenté de m'attribuer, ou d'attribuer à l'Eglise de Vatican II, ou de considérer comme une nouveauté. Le fil n'a jamais été rompu et la compréhension du rapport entre les deux Testaments n'a jamais disparu.

Je vous renvoie à l'œuvre du Père de Lubac sur les sens de l'Ecriture. Il montre, en puisant dans le trésor de la patristique, les manières de comprendre l'Ecriture et son actualité. Il apporte un trésor de citations d'auteurs anciens et médiévaux. Il montre notamment que l'opposition « charnel-spirituel » ne coïncide pas avec la distinction Ancien-Nouveau Testament. Il peut y avoir une compréhension « charnelle » du Nouveau Testament comme il y a une intelligence « spirituelle » de l'Ancien. Le Messie, le Christ, délivre de la compréhension charnelle et ouvre à l'intelligence spirituelle, car il est en personne la Vérité nouvelle et éternelle de l'Alliance et de toute son économie. Cette tradition théologique est fortement attestée, mais aussi son contraire, car les théories du « peuple déicide » et de son rejet ont été formulées et enseignées.

J.-L. M. — *Ce sont ces théories du peuple déicide qui ont dominé pendant un bon moment.*

J.-M. L. — Oui, il faudrait voir dans quels systèmes de référence. Je n'ai pas la compétence historique pour le faire. Il semble qu'un révélateur de l'état de la théologie, de l'évolution de la pensée chrétienne se trouve dans ses positions au sujet d'Israël. Je crois par exemple que l'antisémitisme de Luther n'est pas innocent et qu'il a quelque chose à voir avec son nominalisme.

D. W. — *Maintenir une discontinuité entre l'Ancien et le Nouveau Testament traduit donc une faiblesse de la théologie à un moment donné ?*

J.-M. L. — C'est le signe de perversions et de dérives.

La théologie n'est pas une science neutre ; elle est la manière dont les hommes essayent de penser la révélation avec l'aide du magistère de l'Eglise ; c'est en même temps une source de progrès pour la pensée humaine puisqu'en s'affrontant au Mystère, elle féconde le champ philosophique et anthropologique. Mais en même temps les théologiens comprennent la révélation à la mesure de leur pensée. Par là même ils soumettent leur propre fidélité à une épreuve terrible.

Il y a toujours discontinuité là où règnent le péché et la mort ; mais la continuité de l'Histoire sainte atteste la fidélité de Dieu toujours plus grande. Pour résumer, la Tradition chrétienne témoigne de la continuité du Dessein de Dieu et de sa fidélité à l'élection d'Israël. Mais ce témoignage a été souvent occulté, malgré des exemples significatifs. Les écrits de saint Augustin sont parfois empreints d'un antisémitisme que nous percevons aujourd'hui comme agressif car nous lisons ses textes à travers leur relecture luthérienne ; simultanément, dans *la Cité de Dieu*, Augustin montre une compréhension de la continuité de l'histoire du salut tout à fait prodigieuse. Cela peut vous sembler neuf. Que tout ce qui a été dit et donné aux juifs fasse partie de l'histoire du Salut et leur demeure offert de façon irrévocable, que ce soit une grâce de surcroît donnée aux chrétiens d'origine païenne d'entrer dans l'alliance et la connaissance de Dieu, par l'œuvre du Messie, son Fils, et le don de l'Esprit Saint, tout cela appartient, depuis son origine, à la pensée chrétienne.

J.-L. M. — *Ce sont tout de même les Pères de l'Eglise qui ont théorisé l'antisémitisme chrétien.*

J.-M. L. – Pour une part, oui. Mais lire saint Jean Chrysostome à la lumière de *Mein Kampf*, non ! C'est faire un énorme anachronisme, et historiquement cela ne tient pas. Laissez-moi entrer dans plus de détails. Dans la tradition des Pères de l'Eglise, certains comme saint Jean Chrysostome déploient des propos d'une hostilité aux juifs intolérable. Mais dans la tradition patristique, il existe des textes dont on ne sait même plus aujourd'hui s'ils sont juifs ou chrétiens tellement la continuité théologique et spirituelle est forte. Et n'oubliez pas que les Psaumes sont pris dans une commune prière.

Il y a l'antijudaïsme. Mais la polémique traditionnelle avec la Synagogue était une dispute d'héritiers, ce n'était pas un refus d'héritage, ce qu'est au contraire l'antisémitisme moderne. Ce n'est quand même pas la même chose ! Les chrétiens reprochaient aux juifs une infidélité à la foi et à la tradition d'Israël reconnue divine ; les nazis exécraient dans la même haine les juifs et leur foi et leur tradition.

Sur le plan religieux, l'occultation du rapport des deux Testaments et le mépris des juifs sont toujours pour les chrétiens le signe d'une carence grave. Dès le IIe siècle, une hérésie menée par Marcion a voulu supprimer complètement toute référence à l'Ancien Testament, épurer toutes les Ecritures de toutes les références à l'Ancien Testament. Actuellement, personne n'osera se dire marcionite, mais le marcionisme demeure latent, et parfois explicite en Afrique ou en Asie. Le cardinal Ratzinger vient de le rappeler. Il évoque ces gens qui, sous prétexte d'inculturation, disent : « Qu'avons-nous à faire des juifs ? Nous, notre Ancien Testament c'est notre culture traditionnelle. » Mais alors Jésus risque de devenir un Apollon noir ou un Hercule asiatique.

D. W. — *Mais dans l'histoire de l'Eglise, c'est plutôt l'autre tendance qui a dominé, celle qui insistait sur la rupture et la différence.*

J.-M. L. — Je vous demande pardon, car si l'histoire et la sociologie vous donnent raison, ce n'est pas vrai du point de vue de la foi et de la théologie. Je n'oublie pas la persécution des communautés juives dans la chrétienté médiévale. Mais on doit distinguer les points de vue.

Ainsi les Pères de l'Eglise rappellent sans cesse que Moïse parlait à Israël au nom de Dieu ; s'ils critiquaient les juifs, c'était de ne pas être fidèles à leur vocation et à leurs propres Ecritures. Mais les Pères de l'Eglise savaient la Bible par cœur. Il n'y a jamais eu de Bible chrétienne sans l'Ancien Testament.

Je ne dis pas que la pensée chrétienne ait été parfaitement assurée ni qu'elle n'ait pas aussi subi des tentations. Tout homme est tenté. D'où est sorti Hegel ? D'où est sortie toute la pensée souvent rationaliste, parfois gnostique, et donc antijuive, sinon des tentations de l'Occident ? Mais celles-ci se rencontrent aussi bien chez les juifs que chez les chrétiens. Spinoza est un juif plutôt connu, et il y a un hégélien célèbre qui s'appelle Marx. En fait, l'histoire de la pensée religieuse et l'histoire de l'humanité se confondent, et les hommes sont sans cesse tentés, éprouvés, dans leur liberté. Parce que l'histoire n'est pas immobile, la foi s'éprouve dans la liberté et dans l'aventure de l'esprit humain.

D. W. — *Justement, comment se fait-il qu'il n'y ait pas eu de grand concile sur cette question fondamentale du rapport entre l'Ancien Testament et le Nouveau Testament ?*

J.-M. L. — Parce qu'il n'a jamais été contesté. Beaucoup de choses n'ont jamais fait l'objet d'une définition conciliaire, en l'absence de toute contestation. Ce sont des vérités si tranquillement possédées qu'elles ne doivent pas faire l'objet d'une définition authentique.

D. W. — *Si je me réfère aux souvenirs qui restent de ma formation, on n'oublie jamais l'Ancien Testament, mais on le situe dans une position d'infériorité par rapport au Nouveau.*

J.-M. L. — Est-ce qu'on vous a appris que la liturgie dit « saint Abraham » ?

D. W. — *Non, on ne m'a pas dit « saint Abraham » !*

J.-M. L. — On ne vous a sûrement pas appris à dire saint Abraham. Mais au XIIIe siècle, on invoquait saint Abraham. Je vous ai posé cette question car je savais d'avance que votre réponse serait : « non ». De fait, il y a eu, depuis le XVIIe siècle, dans l'enseignement courant, une occultation d'un certain nombre de choses auparavant paisiblement possédées. Prenez l'iconographie, il n'y a pas que la Synagogue aux yeux bandés de Strasbourg ; et là encore, elle est toujours la sœur de l'Eglise. Il y a d'autres figures de la Synagogue et de l'Eglise ; il y a les figures des saints patriarches, de l'arbre de Jessé et de tous les prophètes honorés, vénérés en même temps que les évangélistes, comme les porte-parole de Dieu. C'était la position de l'Eglise concrète, ce que je vous dis là. Les gens qui ont bâti les cathédrales n'étaient pas des marginaux ! Les représentations qui s'y trouvent n'ont pas été conçues par quelques originaux ou quelques clandestins de l'Eglise. Cette iconographie représentait la pensée « officielle ». De même saint Thomas posait la question de savoir si la circoncision était un sacrement, et comment appliquer la doctrine des sacrements de la foi à l'Ancien Testament. Je rappelle tout cela car il serait tout à fait inexplicable que le concile œcuménique Vatican II ait brusquement publié un texte qui aurait changé la doctrine et aurait été en contradiction avec tout ce que le christianisme avait enseigné jusque-là ! Ce n'est pas possible, par définition.

Alors reste à expliquer ce qu'on a appelé ensuite, à partir du XIXe siècle je crois, l'antisémitisme.

Antijudaïsme chrétien et antisémitisme athée

J.-L. M. — *Oui, à partir du XIXe siècle. Pour la période précédente, il vaut mieux parler d'antijudaïsme. Mais le changement de mots n'empêche pas la filiation. D'ailleurs, le mot « antisémitisme » n'a aucun sens.*

J.-M. L. — Aucun sens. Ainsi je trouve dommageable la phrase pleine de bonne volonté de Pie XI, disant : « Nous sommes des sémites spirituels. » Parce que c'est trop donner aux antisémites que de leur accorder le bénéfice de la catégorie. Mais c'était le langage de l'époque, et c'était une protestation face au nazisme.

Pour comprendre le problème, il me semble qu'il faut partir du XVIIIe siècle, parce que c'est du XVIIIe siècle que vont procéder en Europe occidentale tout à la fois l'émancipation des juifs et l'antisémitisme moderne. Quelle est l'attitude à l'égard des juifs chez les philosophes et dans les prédications et les sermonnaires du XVIIIe siècle ? On trouve chez les uns comme chez les autres une théologie des Lumières extrêmement sommaire et on voit apparaître un antisémitisme de type voltairien. Pourquoi Voltaire est-il à ce point antisémite ?

D. W. — *Quelle est votre réponse ?*

J.-M. L. — Ma réponse est que Voltaire n'est pas chrétien. Et je crois que l'antisémitisme de Hitler relève de l'antisémitisme des Lumières et non d'un antisémitisme chrétien. Je ne sais pas si les historiens ont poussé jusque-là leurs analyses.

D. W. — *Vous pensez réellement qu'il ne peut y avoir d'antisémitisme chrétien...*

J.-M. L. — Profondément. Il peut y avoir des antagonismes, il y a des conflits déchirants. Dans l'Eglise, il peut y avoir des points d'opposition par rapport au judaïsme sur la personne du Messie et le salut des nations, mais pas d'antisémitisme à la façon de Voltaire, c'est-à-dire une intolérance par rapport au fait juif dans sa substance, dans sa puissance de révélation.

J.-L. M. — *C'est-à-dire ?*

J.-M. L. — Un refus de l'élection divine, la haine d'une singularité religieuse originelle, en tant qu'irrationnelle, et donc inacceptable. Ne négligez pas cet antisémitisme de Voltaire et de Diderot ; tout ce courant a fabriqué les juifs honteux de l'Allemagne des XVIIIe et XIXe siècles.

D. W. — *Donc les chrétiens sont absous ?*

J.-M. L. — Je n'ai pas dit cela. Mais une chose ne doit pas en cacher une autre. Il faut observer l'histoire spirituelle des sociétés et comprendre comment celles-ci se modifient selon les valeurs qu'elles poursuivent.

L'histoire spirituelle de l'Occident se confond jusqu'au XVIIIe siècle avec celle du christianisme. Au cours de cette histoire, la relation au judaïsme est un test de la fidélité chrétienne. L'histoire du christianisme est à la fois l'histoire de la fidélité à sa source et des infidélités des nations chrétiennes ; c'est l'histoire des péchés, et des miséricordes accordées par Dieu à des peuples auxquels il a donné la grâce de recevoir la révélation. Même les sociétés idéales, je veux dire ces sociétés particulières fondées sur un idéal de sainteté que sont les ordres religieux, ont une histoire faite de péchés et de réformes, de périodes de décadence et de ressaisissement.

Ma thèse est que l'antisémitisme s'inscrit dans cette histoire spirituelle. Le christianisme ne peut être un antijudaïsme, mais il faut expliquer l'antisémitisme des nations chrétiennes. Je peux d'ailleurs compter Voltaire parmi les penseurs chrétiens, de même que Hegel et Marx. Ce sont des héritiers de la culture chrétienne. Le christianisme fait partie de leurs références, qu'ils le veuillent ou non. Ce sont des enfants perdus, des enfants rebelles, mais ils ont parlé la langue de l'Occident chrétien. Et le nazisme est né chez des peuples qui avaient été baptisés. Mais il est un refus du christianisme, une résurgence païenne. Et l'antisémitisme officiel soviétique est aussi de cette nature. Ce sont des fruits du même rationalisme... et trop de chrétiens y ont succombé.

D. W. — *L'antisémitisme aurait-il des racines plus fortes dans l'athéisme que dans le christianisme?*

J.-M. L. — Ce n'est pas le point de clivage. L'explication doit être globale. L'Occident a été marqué par la tradition juive, comme par la tradition chrétienne. Alors pourquoi a-t-il traité les juifs comme il l'a fait? C'est le signe de sa propre crise. Et en vous citant ces auteurs clés de l'Occident, et cependant rarement pris en compte dans l'histoire de l'antisémitisme, je constate que la pensée moderne, rationnelle et athée, est antisémite. Plus que la pensée chrétienne. L'antisémitisme moderne est radical parce qu'il est un antithéisme. En étant fidèle à la rigueur de la foi, l'Eglise au contraire peut revenir en arrière par rapport aux pratiques des peuples chrétiens, par rapport à des pratiques sociales de persécution et d'exclusion des minorités, nées de la jalousie, de la bonne conscience, de l'envie ou de l'ambition.

D. W. — *Et pourquoi l'athéisme ne le pourrait-il pas?*

J.-M. L. — Parce que l'athéisme ne peut accepter que le juif soit la figure de l'Absolu présent dans une révélation contingente, dans la particularité de l'histoire. Là où le christianisme parle du Messie humilié, Maurras, qui n'est plus chrétien, parle du « venin juif » que l'Eglise a diffusé malgré Rome. C'est ce qu'Hitler a dit aussi, et les staliniens : il faut se méfier des juifs. Comme il faut se méfier des chrétiens. L'athéisme ne peut supporter la présence particulière de l'Absolu dans l'histoire. L'athéisme ne peut supporter un absolu qui ne soit pas de main d'homme. Pour lui, un juif ne sera jamais un homme fiable, sauf s'il se déclare athée à son tour. Hors de là, c'est un traître en puissance.

J.-L. M. — *Pourquoi y aurait-il plus d'antisémitisme que d'antichristianisme dans la pensée athée ?*

J.-M. L. — Parce qu'on peut tenter de récupérer le christianisme, de lui proposer de devenir une religion nationale. On peut tenter de séculariser le christianisme et ainsi de le réduire. Mais les juifs sont à la marge, ils sont « étrangers ». Ils sont comme juifs « insécularisables », inassimilables. Bien sûr, avec le tournant du siècle des Lumières il s'est produit une certaine sécularisation des juifs. Mais « l'étrangeté » juive continue à les mettre à part. Tandis que, temporairement, les chrétiens peuvent se croire à l'abri. Mais qu'ils le sachent, comme l'a dit Maritain, « lorsqu'on persécute les juifs, le christianisme est menacé dans sa chair ». Il suffit d'évoquer les invectives nihilistes contre le Christ, figure de la lâcheté et du ressentiment, figure de la religion des faibles, si fréquentes dans la littérature moderne.

J.-L. M. — *Je voudrais faire une objection. Vous mettez en parallèle un antisémitisme chrétien ancien et un antisémitisme païen ou athée qui date du Siècle des lumières. On peut remarquer que l'antisémitisme chrétien bénéficie de l'antériorité chronologique. C'est-à-dire que toute la thématique antisémite, tout ce qu'on a dit des juifs depuis une vingtaine de siècles, a été construit entre le* Ier *et le* Ve *siècle, notamment par les Pères de l'Eglise. Le juif charnel, le juif adorateur du veau d'or, le voleur, le juif démoniaque, le trafiquant et, bien sûr, le fait qu'il ait versé le sang du Christ. Si Voltaire est antisémite, on retrouve chez lui une thématique qui a été mise au point au moment de la polémique contre la Synagogue.*

J.-M. L. — Non. Elle existe déjà dans l'antisémitisme païen, qui précède le christianisme.

J.-L. M. — *Là, je suis en désaccord complet avec cette assertion. Les travaux de Jules Isaac sur la genèse de l'antisémitisme montrent bien qu'il n'y a pas véritablement d'antisémitisme avant le Christ.*

J.-M. L. — Eh bien, nous ne sommes pas d'accord : l'antisémitisme païen doit être expliqué. Pourquoi l'acharnement des Romains ?

J.-L. M. — *Parce que les juifs résistaient.*

J.-M. L. — Oui, ce sont les seuls qui ont résisté au paganisme antique, quand celui-ci se revêtit des formes de la puissance.

J.-L. M. — *C'est un peuple qui se bat, voilà tout.*

J.-M. L. — C'est plus que cela. Relisez des auteurs comme Théodore Reinach ou Marcel Simon.

J.-L. M. — *Extraire des citations d'auteurs romains sur les juifs n'a guère de sens si on ne les compare pas avec ce qu'ils disent des autres peuples, les Gaulois ou les Grecs par exemple. Si tous les non-Romains sont traités avec mépris, on ne peut parler d'un antijudaïsme spécifique dans l'Antiquité.*

J.-M. L. — Vous citez plusieurs faits qui ne datent pas de la même époque. L'antisémitisme païen antique a pénétré dans l'Eglise après Constantin. Une partie de cette thématique a été purement et simplement reprise dans l'Eglise à cette époque. Elle est totalement absente du Nouveau Testament. On trouve la trace d'un conflit religieux dans les Ecritures et dans les premiers écrits des Pères, mais il n'est pas de même nature. L'opposition institutionnelle, à mon avis, débute avec Constantin. C'est alors que les choses commencent à prendre un autre visage. Il faut bien situer le moment historique — ce n'est pas disculper les chrétiens que de le faire — où naît le conflit politique entre la Synagogue et l'Eglise. Il s'établit une coïncidence entre l'Empire et l'Eglise ; et l'Eglise juive de Jérusalem achève de disparaître.

J.-L. M. — *Il y a aussi le problème de la compétition des religions.*

J.-M. L. — Oui. Au Ier siècle, le christianisme est une affaire juive. La compétition religieuse entre juifs et chrétiens fut très vive. Puis vient le conflit avec Rome et le problème de la permanence d'Israël comme peuple. L'existence physique du peuple est alors menacée, bien qu'il existe un prosélytisme juif à l'intérieur de tout l'Empire romain. Au cours du premier siècle chrétien, et encore au début du second, ceux qu'on appelle « les Juifs », ce sont les juifs de la Synagogue avec leurs prosélytes, alors que les autres, qu'on appelle les chrétiens, ce sont les juifs qui ont cru au Christ, qui se réunissent dans les églises avec des païens convertis à l'Evangile. Il ne faut pas projeter sur cette polémique religieuse parfois extrêmement dure celle qui existera à partir du Ve siècle.

J.-L. M. — *Vous avez cité saint Jean Chrysostome. Ce qu'il dit est intéressant car il invalide la thèse souvent avancée d'un antisémitisme populaire que les Pères de l'Eglise, ou en tout cas les prêtres de l'époque, étaient obligés d'avaliser. Toute la polémique contre la Synagogue de saint Jean Chrysostome consiste à essayer de dissuader les chrétiens d'aller dans les Synagogues, les dissuader d'aller voir le rabbin pour lui poser des questions d'ordre moral. Il lutte contre la fusion, contre les passerelles entre la Synagogue et l'Eglise.*

J.-M. L. — Oui. Il y a aussi saint Jérôme qui consulte les rabbins pour traduire la Bible en latin et qui apprend l'hébreu.

D. W. — *Mais c'est tout de même à cette époque que les grands thèmes de l'antisémitisme se mettent en place ?*

J.-M. L. — En partie. Ce que je récuse, c'est une vision complètement homogène de l'histoire qui dirait qu'en vingt siècles de temps l'antijudaïsme des chrétiens et l'antisémitisme athée forment un bloc. La minorité juive a toujours été menacée physiquement, et de fait une idéologie de conflit a été élaborée.

Mais il est faux de dire que cette idéologie soit homogène depuis l'an 30 jusqu'en 1987.

J.-L. M. — *Elle s'est tout de même stabilisée au cours du premier millénaire.*

J.-M. L. — Mais il y a les exceptions. Il y a les croyants qui ont pensé et dit le contraire. Comment expliquez-vous Cordoue ? Comment expliquez-vous la première Pologne ?

J.-L. M. — *Admettons les exceptions. Mais tout de même, le système de la déchéance s'est mis en place au cours du premier millénaire. Ce qui s'est passé après est simplement la continuation du système du mépris et de la déchéance.*

J.-M. L. — Je répète, je n'en suis pas convaincu. Il faudrait délimiter les périodes de façon plus claire. Ce que vous dites, je serais presque près de le penser pour la période qui va du XVIIIe au XXe siècle. Alors apparaît un antisémistime idéologique qui engendre des bouleversements et des crimes sans nom. Dans les périodes antécédentes, je ne dis pas qu'il n'y a rien, depuis les accusations de meurtres rituels, la rouelle, les mises à l'écart, les interdictions successives, les expulsions, jusqu'à la reconquête de l'Espagne, les baptêmes forcés, les marranes (1). Mais durant le premier millénaire, toute l'Europe chrétienne a revendiqué l'héritage d'Israël ; elle s'en est même enorgueillie jusqu'à la jalousie ; les générations chrétiennes ont reproché aux juifs de ne pas être fidèles à leurs pères et à leurs prophètes ; ils n'ont jamais douté de l'Histoire sainte de Dieu avec Israël. C'est une vue inexacte de l'histoire de l'Occident que de projeter la radicalisation idéologique moderne d'un antisémitisme athée et politique sur un passé religieux où chrétiens et juifs vénéraient le même héritage. La problématique antijuive ne suffit pas à expliquer les camps de concentration.

J.-L. M. — *Et vous ne croyez pas qu'il existe un lien entre les deux ?*

---

(1) Juifs espagnols, contraints à la conversion au XVe siècle, et dont certains sont restés fidèles à la religion juive dans la clandestinité.

J.-M. L. — Cela ne suffit pas. Les nazis ont aussi voulu exterminer les homosexuels, les handicapés physiques et mentaux, les Tziganes. Ils ont aussi voulu anéantir les Polonais dans les camps de concentration. Le mépris de l'homme s'en est pris à toutes sortes d'hommes. Mais les juifs, comme figures de l'élection, donc par jalousie, ont catalysé sur eux cette négation de l'homme et cette négation de Dieu.

D. W. — *Iriez-vous jusqu'à dire que, dans les idées qui ont conduit aux camps de concentration, la pensée athée aurait eu plus de responsabilité que la pensée chrétienne ?*

J.-M. L. — La pensée athée est une tentation née de la pensée chrétienne. Ne peut être athée que celui qui a été confronté à la question de Dieu. Ne peut devenir athée qu'un juif ou un chrétien. Un bouddhiste ne peut pas être athée comme nous. En outre, il faudrait préciser quelle est la source de cet athéisme. Vient-il des chrétiens en général ? des théologiens ? des partis politiques cléricaux ? Et de quelles responsabilités parle-t-on ? Voulez-vous dire que les hommes d'Eglise auraient dû être plus lucides ? Le peuple juif, dans sa particularité, porte le cœur de la révélation. Le peuple juif porte, d'une certaine façon, la figure du Messie, du Christ. La manière dont les nations ou les générations traitent les juifs est un révélateur — c'est ma conviction personnelle — de ce qu'elles font du Christ, de ce qu'elles pensent réellement de Dieu. Ce qu'elles font des juifs vérifie ce qu'elles font du Christ ; et ce qui est dit contre les juifs juge ceux qui le disent. Cela se place au-delà des aspect économiques, sociaux ou politiques. Si les juifs sont l'objet d'une persécution particulière, ce n'est pas seulement parce que les chrétiens ont élaboré une polémique particulière à leur égard, c'est parce qu'ils portent en eux le plus sacré et le moins supportable : le gage de l'élection divine. C'est pourquoi l'antisémitisme ne peut être complètement assimilé au racisme ou à la xénophobie. C'est l'un des enjeux spirituels les plus graves de l'histoire.

Le judaïsme aujourd'hui

D. W. — *Quelle est votre vision du judaïsme et de ses rapports avec le christianisme ?*

J.-M. L. — Je n'ai pas de légitimité à exprimer le point de vue du judaïsme sur le christianisme.

J.-L. M. — *Je vous propose une solution. Prenons une dispute du Moyen Age entre l'Eglise et la Synagogue. Très souvent ces disputes entre prêtres et rabbins portaient sur la question suivante : « Le Messie est-il venu ou non ? » Et l'un des arguments utilisés par les rabbins était le suivant : « Est-il possible d'affirmer la présence du Messie dans un monde où les juifs souffrent tant ? » Que répondriez-vous, aujourd'hui, à un argument comme celui-là ?*

J.-M. L. — La question des rabbins est pertinente. Je voudrais dire quelques mots à la fois sur la question et sur la réponse.

Le Messie est un Messie souffrant. Pour nous, la venue du Messie est une énigme, quelque chose d'incompréhensible, de paradoxal, car le Messie auquel nous croyons est un Messie humilié et crucifié. Son œuvre de rédemption est encore enfouie, et l'histoire n'est pas achevée. Les rabbins, quant à eux, quand ils parlent de l'espérance messianique, évoquent l'achèvement de l'histoire. Le Messie que le rabbinisme attend est le Messie de la fin de l'histoire. Le mouvement hassidique dans sa diversité extrême a pressenti autre chose ; il a plus ou moins identifié le Messie avec Israël. A la question : comment peut-on dire que le Messie est venu si Israël souffre encore ? la réponse des hassidim, au plus extrême de la misère d'Israël dans le XVIIIe siècle, au moment où éclate le Siècle des lumières, à l'aube des temps modernes qui vont amener la plus violente vague d'antisémitisme et l'épreuve la plus cruelle depuis la destruction du Temple, leur réponse est tout à fait étonnante : le sujet messianique, tel qu'ils le décrivent, c'est Israël identifié au Messie souffrant. Du moins c'est ainsi que je comprends et que j'interprète leur façon de voir.

Le Messie, notre Messie, est un Messie humilié, caché, dont la gloire est enfouie actuellement, y compris en ses disciples et en son corps. Sa gloire est auprès de Dieu, et ce n'est pas encore la fin de l'histoire. L'histoire continue, une histoire où l'espérance messianique est donnée ; et Israël y a toujours son rôle, puisque la fin du temps des hommes n'est pas arrivée. Le rôle caché du Messie auquel croient les disciples du Messie, les « messianiques », c'est-à-dire les chrétiens, et le rôle, la mission, d'Israël, ont en commun quelque chose de mystérieux ; c'est pour cela que je disais que la réponse des rabbins a du bon : le Messie reviendra dans la gloire. Mais pourquoi fallait-il que le Messie souffrît avant d'entrer dans sa gloire ? C'est la question sur laquelle les apôtres, les premiers disciples, ont eux-mêmes buté formidablement ; ce fut le lieu de leur « guérison » spirituelle, car l'acte de foi qui leur est accordé par le don de l'Esprit est une guérison de leur incapacité à voir, de ce que l'Evangile appelle un aveuglement, un endurcissement du cœur. Les disciples du Christ finissent par entendre qu'il fallait que le Messie souffre avant d'entrer dans sa gloire : les souffrances du Messie ne sont pas terminées en ses membres. Il fallait que l'histoire se poursuive et que cette histoire ne soit pas d'errance et de désespoir mais une histoire de la compassion et de la rédemption.

J.-L. M. — *Tant que le Messie n'est pas venu en gloire, Israël a sa raison d'être, et donc le judaïsme.*

J.-M. L. — Israël a sa raison d'être jusque dans le Royaume des cieux.

J.-L. M. — *Malgré le christianisme ?*

J.-M. L. — La catégorie « chrétien » ne gomme pas les catégories du juif et du païen ; l'Eglise ne nie pas les différences, elle les relativise en les référant au Christ.

J.-L. M. — *Mais parlons du juif qui se désintéresse complètement de Jésus. Pour vous, est-il dans l'erreur ou dans la vérité ?*

J.-M. L. — Dans l'erreur ou dans la vérité ? Ce n'est pas l'homme, c'est Dieu qui peut répondre à cette question.

D. W. — *Posons-la autrement. Quel sens le chrétien donne-t-il à la présence du judaïsme aujourd'hui ?*

J.-M. L. — Eh bien, saint Paul nous en donne la formulation. Les juifs, le peuple juif, existent parce que Dieu les a choisis. Ils n'ont pas d'autre raison d'exister, pas même le sentiment national. Sinon, on pourrait donner une explication socio-historique en disant que la survivance du peuple juif est du même ordre que celle du peuple basque ou du peuple hongrois. Je ne crois pas un instant à ce genre d'explication. L'existence du peuple élu concerne le dessein de Dieu sur l'humanité : si Israël existe, c'est parce que Dieu a choisi ce peuple en vue du salut de tous les hommes. Mais l'élection n'est pas un privilège pour un peuple déterminé.

Je remarque, au passage, que le nazisme a perverti la notion de peuple élu en un messianisme infernal. Parce qu'il n'est pas soumis à Dieu mais au contraire orienté vers le Surhomme, et donc vers l'anéantissement du reste de l'humanité, le nazisme identifie élection et domination, élection et privilège insupportable.

Pour revenir à votre question, c'est Dieu qui a fait grâce à Israël. Dieu lui a donné d'exister pour le salut de toute l'humanité, pour la Venue du Règne et, selon la promesse, c'est en Israël que le Messie, souffrant, est déjà apparu. Jusque dans la Venue en gloire du Messie, le juif demeure et il demeure juif, qu'il soit chrétien ou non.

D. W. — *Mais celui qui est chrétien accepte le Messie et celui qui ne l'est pas le refuse.*

J.-M. L. — Il ne faut pas dire qu'Israël n'a pas reconnu le Messie, car la première Eglise était une Eglise juive.

J.-L. M. — *Oui, mais cela ne fait pas question.*

J.-M. L. — Mais si, cela fait question : c'est une vérité historique qui a été longtemps masquée ! Les études des cinquante dernières années, dans des domaines assez variés, l'ont remise en lumière. Cette Eglise juive a été nivelée par les Byzantins, nivelée ensuite par l'Islam, deux fois détruite. Les chrétiens chaldéens, dont la langue liturgique est l'araméen, se disent les descendants directs des communautés juives du bord de l'Euphrate. Certains prétendent que les chrétiens melchites actuels représentent en Orient l'Eglise sémite. Ils ont été deux fois assimilés, mais ils ont survécu. Ils ont adopté le rite byzantin alors que d'autres Eglises ont gardé la liturgie syriaque, soit de rite chaldéen, soit de rite syrien-occidental, soit de rite antiochien (plus ou moins influencé sous la pression de la culture ambiante par des éléments byzantins ou latins). En outre, ils ont également adopté la langue arabe, alors que d'autres ont gardé leur langue dans la liturgie. Ces chrétiens sont peut-être encore, comme population, les restes de cette première Eglise.

Pourquoi la totalité des juifs n'a-t-elle pas reconnu en Jésus le Messie ? C'est une question lancinante et dure. Saint Paul évoque la patience de Dieu, le péché des hommes et leur rédemption. Je pose une question symétrique : « Pourquoi tous les païens n'ont-ils pas reconnu le Messie qu'Israël attendait ? » Car les païens non plus ne sont pas entrés tous dans l'Alliance, loin de là.

J.-L. M. — *Si on raisonne en termes quantitatifs, le message du Christ a quand même eu plus de succès auprès des païens qu'auprès des juifs.*

J.-M. L. — Cela n'a pas beaucoup de sens. Au-delà d'une certaine période, il n'y a plus de comparaison possible. Au IIIe siècle, l'Eglise des juifs cesse d'être identifiée comme telle, elle n'a plus de place légitime. Il y a là à la fois un péché et un drame. Le mot qu'emploie saint Paul pour caractériser le rapport entre les juifs et les païens, c'est « jalousie mutuelle » : de la part des païens, nier Israël et, de la part d'Israël, inversement, craindre la perte de sa propre identité et de son propre privilège. Redouter de se fondre et de disparaître est une crainte légitime, et la survie d'Israël, par la fidélité de Dieu, demeure un témoignage inscrit dans l'histoire des dons et des appels irrévocables de Dieu. Mais la peur d'accepter que les païens aussi puissent recevoir la grâce de l'Alliance est autre chose, car la promesse en a été faite par les prophètes, Amos, Osée, Isaïe, Jérémie. Chez tous, on retrouve la promesse que, de l'Egypte, d'Assyrie et d'ailleurs, les païens viendront et qu'ils adoreront le Dieu vivant.

J.-L. M. — *Et la crucifixion ?*

J.-M. L. — Je me réfère à saint Paul. On ne cesse de dire que ce sont les juifs, et non les païens qui ont crucifié le Messie. Mais ce n'est pas vrai. Selon saint Paul, ce sont tous les hommes qui l'ont crucifié. Au moment où les évangélistes écrivent, la polémique avec la Synagogue est intense, et pourtant, selon les Evangiles et les Actes des Apôtres, suivant les récits de la Passion du Christ, la responsabilité de la mise à mort du Messie incombe à tous les hommes, juifs et païens.

Saint Jean présente de façon prodigieuse le dialogue avec Pilate. On oublie ce dialogue la plupart du temps. On présente Pilate comme un gouverneur colonial qui aurait affaire à des indigènes et ne comprendrait rien à leurs histoires. Ce n'est pas vrai. Le droit romain représentait la plus haute ambition de la rationalité et de la justice, et Pilate va commettre, dans les formes, un déni de justice absolu ; il en porte la responsabilité juridique, et ce sont les soldats de Rome qui ont crucifié Jésus. Les païens se sont montrés pécheurs là où ils prétendaient être justes, tout comme les juifs ont méconnu Celui qu'ils avaient pour vocation de reconnaître. Ainsi en va-t-il dans l'histoire humaine remplie d'injustices et d'infidélités.

Mais la mesure de la grâce de pardon et de miséricorde dont le Messie est le porteur est infinie. Cette révélation du péché de tous les hommes, qui s'opère à travers lui, n'est pas faite pour les condamner, mais pour les délivrer, à condition que cette lumière sur l'homme, à savoir la reconnaissance du péché, soit acceptée par l'homme. Si l'homme ne l'accepte pas, il s'enferme lui-même dans son aveuglement. Mais cette lumière est une grâce de miséricorde. Elle demeure toujours offerte. Dieu a « pris à son compte » tout péché, à travers la condition humaine de son propre Fils, de Jésus son Unique. Israël déjà était un fils très aimé et le reste.

D. W. — *Sur ce point, je voudrais avoir votre sentiment sur la thèse (défendue notamment par René Girard) qui dit que Jésus a dévoilé le mécanisme sacrificiel en le rendant conscient, mais que l'Eglise, ensuite, par une interprétation sacrificielle de la croix, est retombée dans la mythologie en accusant les juifs d'avoir tué le Christ, et donc en remettant en place le mécanisme du bouc émissaire.*

J.-M. L. — Du point de vue de la théologie catholique, cela ne tient pas debout. Imaginons un petit enfant qui n'a jamais vu un juif de sa vie ; il ne sait même pas si ces gens existent quelque part dans le monde, et il n'en a entendu parler que par les Evangiles.

On lui dit : « Tu vois, ces méchants juifs qui ont tué Jésus. » C'est une sorte de lecture fruste, trop sommaire des faits. Mais s'il est chrétien et s'il lit l'Evangile, il va faire comme Pascal, il va alors entendre le Crucifié lui dire : « J'ai versé telle goutte de sang *pour toi* », et il dira comme saint Paul : « Il m'a aimé et s'est livré *pour moi* », pour *mes* péchés. L'attitude du croyant, c'est de reconnaître dans le Crucifié Celui en qui le refus de l'ouverture à Dieu de tout un chacun se trouve comme représenté et *aussi* Celui qui nous en délivre. Autrement dit, quelqu'un qui prétendrait : je suis innocent de cette mort, ce sont les « autres » qui l'ont mis à mort, ne peut pas croire au Christ. C'est même une preuve qu'il ne croit pas. Car croire au Christ, c'est avoir le « cœur brisé ». C'est une image du psaume 50 et de Jérémie : que le cœur endurci devienne un cœur broyé par la grandeur de l'amour de Dieu qui veut pardonner ; que le cœur de pierre devienne un cœur de chair.

Dans la mort du Christ, résonne une autre question qui n'est perçue dans toute sa profondeur que par celui qui est nourri de la Bible et formé par elle : comment se fait-il que le juste souffre ? Ce cri est celui du livre de Job. Israël ne cesse de soulever cette question, obstinément, tout en maintenant contre vents et marées l'idée que, si l'homme obéit à Dieu, il atteint son bonheur. C'est une idée profondément vraie, mais paradoxale et parfois presque insupportable. Parce que le juste souffre. « Qu'ai-je donc fait, Seigneur ? pourtant tu le sais ! Alors pourquoi te caches-tu ? Pourquoi te tais-tu ? Pourquoi restes-tu en silence ? » Le Juste souffre ; le Messie souffre ; nous en sommes tous responsables. Tout chrétien se reconnaît comme responsable de la mort du Christ. S'il ne se voit pas ainsi, il n'est pas chrétien. Dire : « Ce n'est pas moi, c'est l'autre », c'est se placer en dehors du christianisme. C'est pourquoi l'antisémitisme, dans sa version pseudo-théologique : « Ce sont les juifs qui l'ont mis à mort, et non pas nous », est blasphématoire. Il nie l'universalité de la rédemption. Il ne voit pas dans le visage du Crucifié le fils d'Israël injustement persécuté, la puissance de Dieu qui révèle le péché de tous pour faire à tous miséricorde.

D. W. — *Que se serait-il passé si tous les juifs avaient reconnu le Messie en Jésus ?*

J.-M. L. — Je ne puis imaginer ce qui justement ne nous appartient pas, l'image des temps eschatologiques.

D. W. — *Du point de vue de l'histoire du salut, le fait qu'Israël existe encore est-il la preuve que la Parousie* (1) *n'est pas réalisée ?*

J.-M. L. — Oui, et Israël est un gage de l'avènement de la Parousie.

D. W. — *Le judaïsme est donc un témoin d'une histoire non achevée ?*

J.-M. L. — Oui. Mais pas comme une pièce d'archéologie.

D. W. — *Il n'aurait pas été possible, sauf eschatologie accomplie, que l'ensemble des juifs se convertisse au christianisme ? Que se passerait-il si, par une sorte de miracle, le judaïsme reconnaissait le Messie ?*

J.-M. L. — Qui parlera au nom de tous les juifs ? Cela ressemble un peu à ce que disent les *hassidim :* il faudrait que les juifs du monde entier, à un moment donné, soient tous parfaitement saints pour que le Messie vienne.

D. W. — *Cela nous laisse un peu de temps devant nous !*

J.-M. L. — Votre ironie fleure bon le scepticisme. Vous comprendrez que mon point de vue est différent. Pour moi, il s'agit du travail de la rédemption. D'ailleurs, les *hassidim* disent : il faudrait que les juifs soient ou parfaitement saints ou complètement pécheurs. La question demeure. Elle ne nous appartient pas. Saint Paul dit, dans l'épître aux Romains — je le cite de mémoire : si leur refus a eu lieu pour la réconciliation du monde, que sera leur réintégration ? Ce sera comme une résurrection des morts. Autrement dit, les juifs ne sont pas un peuple appelé à une expérience qui leur serait étrangère, qu'ils n'auraient pas faite. Ils font structurellement partie de l'histoire du salut ; si tout Israël

(1) Parousie : second avènement attendu du Christ en gloire.

reconnaissait le Messie, cela voudrait dire que l'ensemble des nations aussi l'auraient reconnu.

Le Christ est le sujet messianique : le Christ et ses frères. Ses frères, c'est-à-dire ceux qui naissent en lui par le baptême. Le rite d'agrégation, c'est le baptême. Ceux qui doivent entrer dans la Nouvelle Alliance ne le font pas par la circoncision mais par le baptême. Le baptême de Jean-Baptiste est devenu le baptême au nom du Christ ; il est donné à tous, juifs et païens, et il signifie désormais ceci : nous avons tous démérité, nous avons tous rompu l'Alliance ; aucun de nous, juif ou païen, n'est digne du don qui lui est fait ; pour entrer dans la Nouvelle Alliance en l'Esprit Saint que les prophètes ont annoncée, nous devons recevoir ce baptême. Le baptême de repentir que Jean-Baptiste prêche en vue de la rémission des péchés, c'est le baptême que le Messie accomplit dans l'Esprit. Et ce rite d'agrégation et de renouvellement est aussi un rite rabbinique. Regardez ce qui s'est passé dans l'Etat d'Israël où les rabbins ont réclamé pour les Falashas un baptême.

D. W — *Les Falashas n'en veulent pas* (1).

J.-M. L. — A tort ou à raison.

En tant que sujet messianique, le Christ est composé de tous ceux qui lui appartiennent par le baptême et par la foi. Et d'une certaine façon — je dis bien d'une certaine façon — le peuple juif en fait partie : « selon la chair », dit saint Paul. « Selon la chair » ne veut pas dire seulement selon la biologie ou la continuité des générations charnelles, mais comme un moment toujours prometteur et toujours trop court de l'histoire du Salut.

J'ai entendu jadis un chant très beau, mais très naïf, un cantique de Noël venant de la Normandie. Les paroles doivent être les suivantes : « A Bricquebec, s'il était né, nous l'aurions bien aimé. Avec la Vierge Marie, etc. » Alors ça, c'est surprenant !

D. W. — *Pourquoi ?*

J.-M. L. — Eh bien, parce que c'est une formidable incompré-

(1) Les Falashas sont des juifs éthiopiens qui ont vécu pendant des siècles sans contact avec le reste de la communauté juive. Une partie d'entre eux ont émigré récemment en Israël.

hension du mystère chrétien ! D'abord, il n'est pas né à Bricquebec...

D. W. — *Vous avez quelque chose contre Bricquebec ?...*

J.-M. L. — Non, mais je trouve l'hypothèse prodigieuse d'incompréhension. Nous à Bricquebec, semblent-ils dire, nous aurions mieux fait qu'à Bethléem ; car nous sommes des « bons »... et non des « méchants » comme ceux de Bethléem.

La doctrine du peuple témoin

J.-L. M. — *Je voudrais revenir sur un point qui me paraît important : vous avez développé une variante, ou une actualisation, d'un point de vue théologique datant de saint Augustin, qui est la doctrine du peuple témoin. Or les juifs la récusent la plupart du temps, ils ne l'aiment pas beaucoup et certains disent que c'est une doctrine antisémite.*

J.-M. L. — Je n'ai pas parlé en ce sens de « peuple témoin », mais d'un peuple qui est acteur dans l'histoire du Salut. Le judaïsme n'est pas un site archéologique. Ce n'est pas une réserve d'Indiens, que l'on conserve pour dire : voilà comment ils étaient...

D. W. — *Vous reconnaissez tout de même que cette doctrine a longtemps été répandue dans l'Eglise.*

J.-M. L. — Oui, mais elle a aussi un sens positif.

J.-L. M. — *Même chez saint Augustin? « Ils sont devenus nos porte-livres », c'est une phrase très connue. « Ils sont devenus nos porte-livres à la manière de ces esclaves qui marchent derrière le maître en portant ses livres. »*

J.-M. L. — Oui, mais beaucoup d'autres phrases dans saint Augustin font mieux comprendre à la fois la dignité du peuple à qui a été confiée la Bible et sa mission de témoignage rendu à la Vérité.

J.-L. M. — *J'ai également une citation de Pascal, qui va dans le même sens : « Il est nécessaire, pour la preuve de Jésus-Christ, et que le peuple juif subsiste pour le prouver, et qu'il soit misérable puisqu'ils l'ont crucifié. » Cette phrase m'amène à cette idée que bien souvent la doctrine du peuple témoin s'accompagne de l'idée que la déchéance est nécessaire pour prouver la vérité du christianisme. Les juifs doivent être là, mais dans un état misérable...*

J.-M. L. — Ce que vous dites là fait partie d'un arsenal de fantasmes que j'estime pour ma part peu dignes du christianisme. De telles affirmations, pour ne pas dire de telles condamnations, « oublient » l'universalité du péché et de la rédemption. Ce qui demeure vrai, c'est l'énigme de la mise à l'écart d'Israël. Or une mise à l'écart, c'est une mise en réserve. Celui qui est mis à l'écart est caché dans la main de Dieu en vue du dessein de Dieu.

Malgré ses infidélités, Israël demeure bien-aimé, jusqu'à ce qu'enfin, achevé ce temps de larmes qu'est l'histoire des hommes, Israël tout entier, « Khol Israël », découvre la totalité de la rédemption. Israël tout entier : c'est tout à la fois les vivants et les morts. Pour comprendre cette dimension oubliée de l'histoire, il faut s'ouvrir à une vision religieuse qui échappe à la considération culturelle ou rationnelle. Je ne vois pas ce que pourrait signifier l'universalité d'un salut qui n'engloberait pas autant les morts — ceux que nous appelons les morts — que les vivants. La totalité des hommes, c'est la totalité de ceux qui, quelque part, sont dans la conscience divine, dans le cœur de celui qui est le Créateur et le Rédempteur de tous. Faute de quoi, nous ne sommes qu'un tourbillon de moucherons engloutis par le devenir et par le temps. Si les morts ne comptent pas, s'ils n'ont pas droit à la dignité humaine, à l'existence humaine, la religion perd son sens. La condition humaine ne se ramène pas à la condition biologique qui, elle, est périssable, précaire et sans cesse remise en cause, et selon laquelle l'existence individuelle est moins stable que l'existence de l'espèce. Cette vision, au fond matérielle, ne permet de rendre compte ni de l'esprit humain ni de l'espérance dans l'homme. Tout juif espère la conversion d'Israël, et la conversion d'Israël, c'est le retour à Dieu d'Israël dans sa totalité.

D. W. — *Pouvez-vous préciser ce point ?*

J.-M. L. — Quand Jésus dit que la souffrance imposée ou négligée en chacun de ses frères lui aura été infligée, il parle de ceux qui sont ses frères dans le baptême, mais peut-être aussi de tous ceux qui, dans la suite des générations, ont part « selon la chair » à sa mission messianique. Il y a un lien. Mais Israël n'est pas pour autant, par lui-même ou à lui seul, un sujet messianique substitutif.

J.-L. M. — *Il y a quelque chose que je n'arrive pas bien à comprendre... pour vous le message du Christ est-il universel ? Si oui, ceux qui l'ignorent ne sont-ils pas alors dans l'erreur ? Parce que, d'un côté, vous dites : « Ils ne sont pas dans l'erreur et leur chemin peut être légitime », et de l'autre vous maintenez l'universalité du message.*

J.-M. L. — Vous oubliez l'histoire, ou plutôt la durée du temps. L'histoire des hommes est inachevée. L'Eglise y est, pour tous, signe et sacrement du Salut. L'Eglise, c'est-à-dire l'assemblée du Messie, le Corps du Messie, ce Corps spirituel que forment tous les membres de l'Eglise. Et actuellement, l'Eglise de Dieu est à l'œuvre dans l'histoire des hommes, comme le levain dans la pâte.

Vous me dites : si vous êtes chrétien, vous pensez que le christianisme est la vérité pour tous. Je vous réponds : Oui. Bien sûr. Vous concluez : donc ceux qui ne sont pas chrétiens sont dans l'erreur ? Vous faites ici confusion sur le vrai et le faux. L'adhésion à la vérité dont l'Eglise parle n'est pas identique à la reconnaissance d'un principe mathématique. Cette vérité est une révélation et un acte de la rédemption des libertés humaines pécheresses pour les faire entrer dans la vie divine. La révélation se déploie comme la vie. Toute révélation ou toute vérité partielle n'est pas erreur. La vérité divine, c'est d'abord Dieu qui appelle et qui commande. Il n'est accessible à l'homme que dans la mesure où celui-ci accepte de se laisser saisir par Dieu, et d'accueillir ce que Dieu ordonne. La vérité n'est accessible à l'homme que dans la mesure où l'homme est lui-même délivré de son propre aveuglement et de son péché. La vérité, c'est le mystère de la Parole de Dieu se disant d'abord dans l'histoire du peuple d'Israël, puis se livrant en la chair du Messie, et se donnant à travers les frères du Messie.

Rappelons à ce propos l'un des grands scandales pour l'esprit chrétien ; il a tourmenté des siècles de christianisme : quelle est la place, dans l'histoire du Salut, des hommes qui n'ont pas été évangélisés ? Ce scandale a éclaté dans l'Occident chrétien quand il a découvert qu'il ne recouvrait pas la totalité de l'histoire des hommes. Comment s'inscrivent dans l'histoire du Salut ceux qui, de bonne foi, sont morts sans rien connaître du Christ, sans baptême, sans annonce de l'Evangile ?

D. W. — *C'est un peu la question des enfants morts sans avoir été baptisés.*

J.-M. L. — Tout à fait. C'est la même question.

D. W. — *Et quelle est la réponse ?*

J.-M. L. — C'est d'abord le secret de Dieu et sa miséricorde ! Nous n'avons pas à nous substituer à la justice de Dieu. Dieu seul est juge. « Qui es-tu pour juger ? »

Ce genre de débat permet de comprendre beaucoup de choses. Dire que les derniers jours, les temps eschatologiques sont ouverts, ce n'est pas nier l'histoire, c'est en confirmer l'indéclinable gravité. La gloire du Messie demeure cachée auprès de Dieu et l'histoire des hommes continue. Et donc les engendrements et les morts, les médiations humaines de la connaissance et de la parole, la multiplicité des langages, tout ce qui fait la condition humaine, corporelle, historique, ethnique, nationale, demeure en Dieu. Personne ne peut prétendre donner la vision divine et autorisée de ces mouvements de l'histoire. Saint Augustin, à sa façon, a tenté cette méditation dans *la Cité de Dieu,* lors de l'écroulement de l'Empire romain. De siècle en siècle, des penseurs ont été fascinés par cette question : comment donner une compréhension spirituelle de l'histoire universelle ? Aussi bien chez les penseurs juifs que chrétiens. La venue du Messie a approfondi vertigineusement cette question ; elle ne l'a pas supprimée. Elle a confirmé et manifesté l'universalité du message biblique qui porte l'affirmation que nous sommes tous issus d'un même Créateur et Père, et que tous les hommes sont frères. C'est une prodigieuse affirmation qui rompt avec tant de mythologies primitives selon lesquelles « nous » sommes les hommes, et « les autres » n'en sont pas. Dans l'unique histoire humaine, ceux qui reconnaissent le Christ comme Messie ne sont pas les seuls à travailler avec Lui à la rédemption du monde.

J.-L. M. — *Vous considérez que le judaïsme travaille aussi à cela, sans pour autant reconnaître le Messie ?*

J.-M. L. — Le peuple juif a été et il *est* aujourd'hui héritier et témoin des promesses de Dieu et de la foi d'Abraham. Les promesses sont irrévocables. Croire aux promesses, c'est déjà être associé à l'œuvre du Salut.

D. W. — *Mais la Nouvelle Alliance n'a-t-elle pas rendu caduque la précédente ?*

J.-M. L. — Les Alliances ne se périment pas l'une l'autre.

J.-L. M. — *Alors pourquoi le christianisme serait-il utile aux juifs ? Si l'on vous suit, il est seulement nécessaire aux nations ?*

J.-M. L. — Peut-être est-il important pour un juif de savoir qui est le Messie et d'entendre la Parole de Dieu ? N'est-il pas important pour tous de savoir ce que l'on espère encore ?

Pourquoi et comment quelqu'un reconnaît-il le Messie ? C'est le Mystère de Dieu. Un acte de foi est une grâce de Dieu qui s'offre à la liberté de chacun et la foi naît dans le cœur des hommes par le don de l'Esprit.

D. W. — *Nous voudrions vous confronter à une citation de Rosenzweig qui a écrit* l'Etoile de la rédemption *et dont certaines positions sont proches des vôtres sur les relations entre judaïsme et christianisme. Au bord de la conversion, Rosenzweig s'arrête, il ne franchit pas le pas. Au contraire, il affirme son judaïsme et après une nuit dramatique il écrit : « Cela n'est pas possible, cela n'est plus nécessaire » et un peu plus loin il explique que le christianisme est un judaïsme...*

J.-M. L. — ... pour les païens.

D. W. — *Pour les païens. Que pensez-vous de cette phrase ?*

J.-M. L. — Elle est équivoque et ambiguë. Elle est au moins susceptible de deux sens. Il est vrai que le christianisme est le judaïsme pour les païens, *en ce sens* que pour le chrétien le judaïsme reçoit dans le Christ sa plénitude et sa récompense de voir les païens accéder à Dieu ; et les païens ne peuvent croire au Messie d'Israël que s'il y a au moins une partie d'Israël qui a reconnu par la foi son propre Messie, le Messie de Dieu.

Mais *un autre sens* est inacceptable, qui revient à dire : le christianisme est un produit d'exportation, de seconde valeur, pour les nations qui ont rejeté l'idolâtrie, reçoivent une certaine justice et ont part à une Alliance élémentaire, « noachique », noachique du Créateur avec ses créatures de chair et de sang. Je n'ai pas besoin de développer les raisons pour lesquelles cette dernière conception me semble erronée et dangereuse. Elle passe sous silence l'essentiel : le Messie et l'Esprit Saint, répandu sur tous les fils d'Adam.

IV

LE GÉNOCIDE

L'Eglise de France sous l'occupation

J.-L. MISSIKA. — *Le reproche majeur fait à Rome comme à l'Eglise de France pendant la guerre est de ne pas s'être opposée avec une grande fermeté et publiquement aux persécutions.*

JEAN-MARIE LUSTIGER. — Je me sens peu apte à répondre car c'est un problème de jugement historique. Serge Klarsfeld, dans son livre (1), dit que si le clergé catholique n'était pas intervenu avec autant de force, et si tous les réseaux catholiques n'avaient pas joué, la persécution des juifs aurait été bien pire. Les catholiques ont joué un rôle déterminant pour sauver un certain nombre de juifs en France. Il ne me semble pas que l'Eglise de France encoure le reproche d'être restée indifférente au sort des juifs pendant la guerre. Comme témoin direct, ce n'est pas ce que j'ai vu. Je distingue cela du pétainisme.

J.-L. M. — *C'est-à-dire ?*

J.-M. L. — La collusion de l'Eglise de France avec le pétainisme est une autre histoire. Dans ce pays marqué, comme il l'avait été, par l'Action française et par un antisémitisme dont les racines se trouvaient chez Drumont et qui, dans une partie de la droite

(1) « Vichy-Auschwitz », Fayard, 1983.

française, était confondu avec le catholicisme, la réaction moyenne des catholiques croyants, du clergé, et des évêques, a été digne et plutôt positive. A mon sens, il n'y a guère de juif qui ait survécu et qui, d'une manière ou d'une autre, un jour ou l'autre, n'ait pas été aidé par un catholique ou par un prêtre, ou par un réseau lié au catholicisme ou au protestantisme.

D. Wolton. — *Vous évoquez l'action clandestine. Mais qu'en est-il des interventions publiques ? Je pense aux lois contre les juifs qui datent de 1940. Il aurait très bien pu y avoir, à propos d'un acte politique aussi choquant, une déclaration de l'épiscopat français.*

J.-M. L. — Il y a eu un certain nombre de protestations envoyées au maréchal Pétain. Mais je ne saurais faire le travail d'un historien et je n'ai pas de réponse documentée sur ce problème. Je ne vous donne que mon sentiment global, ce que j'ai vu comme témoin. J'ai été véhiculé moi-même au hasard des réseaux. Je n'ai rencontré que des réactions positives dans les milieux catholiques tels que je les ai connus. Je sais bien qu'on ne peut pas généraliser une expérience particulière. C'est pourquoi je me réfère à Serge Klarsfeld ; il me semble qu'il a fait honnêtement le travail. C'est un des meilleurs spécialistes du problème de la déportation des juifs de France. Et l'image qui en ressort est plutôt positive pour le clergé et les évêques.

Quant au problème de la relation de l'Eglise au régime de Vichy, c'est une tout autre histoire. Elle est homogène, me semble-t-il, à l'attitude globale de la population française par rapport à Vichy, à la Résistance et aux Allemands. L'histoire de cette époque demeure obscure et douloureuse ; je suis frappé qu'il soit presque impossible de l'aborder, même encore aujourd'hui.

D. W. — *On aurait pu attendre de l'épiscopat qu'il ait une attitude différente de la moyenne de la population. La position officielle des évêques était : « loyalisme sans inféodation ». Qu'est-ce que cela voulait dire ? Cela suffisait-il ?*

J.-M. L. — Je le répète : mon expérience personnelle de l'époque ne me permet pas de dire grand-chose sur ce sujet. J'ai une idée plus nette de ce que fut la société française dans cette période de l'histoire.

Je peux relater quelques témoignages contradictoires sur un événement significatif, la libération de Paris. Chose étonnante, il n'y a pas de messe célébrée à Notre-Dame pour la libération de Paris. Traditionnellement, une messe est demandée par l'Association des Anciens de la 2e D.B., dont la maréchale Leclerc est l'inspiratrice et l'âme. Il s'agit d'une messe d'anciens combattants, et non d'une messe célébrée officiellement pour la libération de Paris. A l'occasion du 40e anniversaire, j'ai voulu, archevêque de Paris, célébrer la messe à Notre-Dame. J'ai invité toutes les autorités de l'Etat et de la Ville, estimant qu'une telle célébration était un acte de portée historique, dont je pouvais prendre la responsabilité. La signification que j'y voyais, à savoir la réconciliation nationale et l'affirmation d'une mémoire commune de ce temps de guerre, n'a été sensible qu'à très peu de personnes. J'ai eu la grâce d'avoir à mes côtés, pour célébrer cette messe, le cardinal de Lubac, et j'ai pu citer des textes du P. de Lubac, parus, en pleine guerre, dans les cahiers clandestins de *Témoignage chrétien*, qui sont l'honneur de l'Eglise. Ces textes spirituels et théologiques étaient aussi politiques, au sens le plus fort ; ils parlaient du respect de l'homme et de sa négation idolâtrique. Que, quarante ans après, le cardinal de Lubac concélèbre avec moi cette messe dans la cathédrale Notre-Dame de Paris, en présence des autorités de l'Etat et de la Ville, portant par le fait même un jugement sur cette période, cela me paraissait très important.

J'ai eu l'occasion, en cette circonstance, de rencontrer des témoins de ce qui s'était passé le 25 août 1944 dans la cathédrale de Paris. Je ne sais pas si un historien arrivera à retracer le fil des événements. Pourquoi le cardinal Suhard n'était-il pas là ? On a dit que Mgr Chevrot, curé de Saint-François-Xavier, l'en avait empêché et avait fait bloquer la rue ; Mgr Badré, l'actuel évêque de Bayeux-Lisieux, qui était au ministère de l'Intérieur un des agents principaux de la Résistance et servait de secrétaire général à Parodi, m'a donné une autre version.

D. W. — *Finalement, savez-vous pourquoi le cardinal Suhard n'est pas venu ?*

J.-M. L. — Il en a été empêché...

D. W. — *Par qui ?*

J.-M. L. — Personne ne le sait vraiment. Les uns disent Chevrot et Bruckberger, d'autres la Résistance — mais qui, « la Résistance » ? On ne sait pas. Ce n'est certainement pas de Gaulle. Et puis il y a eu aussi ce qui s'est passé dans Notre-Dame de Paris et la réaction du chapitre de Notre-Dame, tous détails fort significatifs. J'ai entendu dire, par la tradition orale des chanoines, que le débat était dans Notre-Dame : fallait-il, oui ou non, chanter un *Te Deum* quand de Gaulle viendrait ? Seul le chef légitime de l'Etat peut demander au chapitre de la cathédrale de faire chanter un *Te Deum*. Mais de Gaulle était-il le chef légitime de l'Etat ? On a chanté le *Magnificat*. Certains disent que de Gaulle lui-même l'a entonné. Mais un prêtre m'a dit : « Non, ce n'est pas vrai, c'est moi qui l'ai entonné. » Un autre encore aurait dit à de Gaulle : « Quel dommage que le Cardinal ne soit pas là. » Et de Gaulle, debout, aurait répondu en regardant l'assistance à plat ventre sous les tirs : « Je ne vois pas très bien ce que le Cardinal ferait en cette circonstance et en ce lieu. »

Mais quoi qu'il en soit, même si l'on tient compte de la situation de guerre et de clandestinité qui entraînait un extrême cloisonnement des expériences et des points de vue, on retrouve aujourd'hui intacts tous les stéréotypes d'il y a quarante ans, chacun étant, jusque dans ses lapsus, son personnage d'alors. La France est un pays malade de sa propre histoire. Et cela est vrai aussi pour la responsabilité de l'Eglise face à l'occupation allemande. Les évêques français n'ont certes pas collaboré. Certains, comme le cardinal Saliège, le cardinal Gerlier, ont élevé la voix. Mais la plupart ont eu des sentiments qui reflètent assez bien ceux de la nation française dans son ensemble. Il y a des faits sur lesquels on peut épiloguer : de Gaulle et Bidault — il paraît que c'est Bidault plus que de Gaulle — voulaient la tête de je ne sais combien d'évêques français.

D. W. — *Georges Bidault, ministre des Affaires étrangères et catholique, a demandé à Pie XII la démission de vingt-quatre évêques, dont trois cardinaux.*

J.-M. L. — Mgr Roncalli, le futur Jean XXIII, désigné à l'époque comme nonce à Paris, a réussi à limiter les démissions à deux ou trois.

D. W. — *C'est une indication importante sur la situation de l'Eglise. Vingt-quatre évêques, cela fait un tiers de l'épiscopat français, c'est considérable. Avez-vous su, à l'époque, que Bidault, leader du M.R.P., réclamait ces démissions ?*

J.-M. L. — Je n'ai rien su de tout cela. Ce n'est pas à ce niveau que j'appréhendais les événements.

D. W. — *Vous étiez engagé politiquement ?*

J.-M. L. — J'étais « engagé », comme nous disions alors. Je m'identifiais assez bien au parti démocrate-chrétien. J'étais M.R.P., si vous tenez à me classer. Je faisais partie de la jeune génération qui disait : plus jamais les choses ne seront comme avant, foin de la IIIe République, foin du régime du maréchal Pétain. Nous ne pouvions pas imaginer que les anciens politiciens pourraient refaire surface.

Les deux coups médiatiques de ce moment-là, les gens de ma génération y ont cru. Le premier coup, c'est de Gaulle nous disant que la France avait été résistante. Nous l'avons cru, nous faisions partie de la fraction de la jeunesse qui avait choisi la Résistance. Nous nous reconnaissions dans ce discours.

J.-L. M. — *Vous saviez bien que l'ensemble de la France était pétainiste.*

J.-M. L. — Oui, mais de Gaulle a jeté un voile. Il nous était facile, à nous, d'y croire, puisque cela représentait notre propre conviction.

Le deuxième coup, c'est le M.R.P., le parti démocrate-chrétien montrait sur la place publique un visage des catholiques qui, brusquement, renvoyait à l'obscurité les séductions pétainistes.

D. W. — *Justement, vous n'avez pas été au courant de la demande de Bidault mais vous participiez d'un mouvement qui disait « plus jamais ça » ; vous deviez bien avoir un sentiment en tant que chrétien sur l'attitude de l'épiscopat français pendant la guerre.*

J.-M. L. — Nous n'avions aucune idée de la question. Nous

connaissions le message de l'archevêque de Toulouse, nous savions des bribes. Les choses étaient tellement obscures pour les acteurs immédiats ; peut-être Bidault avait-il une vision globale.

D. W. — *Mais quand les informations ont progressivement été mises sur la place publique, vous vous êtes fait une opinion...*

J.-M. L. — Cela n'a pas été mis sur la place publique ! Dans chaque département, quand les élections à l'Assemblée constituante ont eu lieu, le parti démocrate-chrétien a rallié d'un coup l'ensemble des forces catholiques. Il n'y avait rien d'autre que le tripartisme.

D. W. — *Vous n'avez pas de souvenirs, vraiment ?*

J.-M. L. — Pardonnez-moi, mais pas à ce moment-là. Ce que j'ai appelé ces deux coups médiatiques a été comme des voiles de pardon ou d'amnésie, ou d'amnistie — je ne sais comment dire — qui nous rendaient l'honneur. Et nous avions une immense soif d'honneur. Je veux dire : une immense soif de rendre l'honneur à la France. J'ai eu des doutes quand on nous a expliqué que nous avions vaincu l'Allemagne. C'était incroyable mais nous voulions le croire...

D. W. — *Je comprends. Mais avec le temps, les choses se sont décantées. Prenons un autre exemple : il n'y a qu'une seule encyclique de Pie XII pendant la guerre, en 1943, et elle concerne le Corps mystique. Trouvez-vous normal que ce soit la seule grande encyclique de cette période ?*

J.-M. L. — Mais il y avait les radio-messages de Noël. Cela avait le même poids. Je me souviens que ces textes ont circulé et ont eu une répercussion considérable. Celui de Noël 1942 condamnait les arrestations et déportations de personnes innocentes, arrêtées pour « faits de race ». Chacun comprenait ce que cela signifiait et devait en tirer les conséquences. Autre chose est le jugement historique global à porter maintenant sur cette période. Vous m'interrogez sur ce que je pensais à l'époque. Je vous réponds.

J.-L. M. — *Alors prenons du recul. A propos de l'attitude des Français vis-à-vis de leur propre histoire au cours de l'occupation, vous avez évoqué l'oubli, le voile, l'enfouissement, voire le mensonge. Pensez-vous que ce soit grave ? Considérez-vous que la reconstruction et le décollage économique n'ont été possibles qu'à cette condition, c'est-à-dire l'oubli ? Faudrait-il aujourd'hui faire un retour sur cette période ou bien, comme vous l'avez évoqué tout à l'heure, pensez-vous que la maladie est dépassée, que le temps a fait son œuvre ?*

J.-M. L. — Je pense qu'il ne peut y avoir de vraie guérison que s'il y a mémoire, si on nomme la maladie et s'il y a reconnaissance des fautes, disons au moins reconnaissance des faits. Je pense qu'il ne peut y avoir de paix nationale, et donc de santé spirituelle d'un peuple, qu'à ce prix.

Ce qui s'est passé à la Libération, c'est-à-dire ce que de Gaulle a fait, je l'appelle un coup médiatique. Je n'ai pas employé le mot de mensonge ; ce n'est tout de même pas pareil ! Peut-être était-ce un pansement, et un pansement nécessaire parce que la honte n'est pas supportable, parce qu'il fallait rendre l'honneur au peuple, le propre du régime de Vichy ayant été de jouer sur la honte et d'avoir consenti à l'inacceptable. Si on voulait que la France retrouve un certain visage, il fallait qu'au moins pour un temps, il y ait un pansement, sinon on allait à nouveau se déchirer.

De Gaulle avait une très haute conscience du rôle historique qu'il jouait. Peut-être avez-vous noté à quel point était limité le contenu éthique de ce qu'il disait à cette époque de la France. C'étaient des expressions presque tautologiques. Il ne disait pas : « la France, c'est la France », mais presque. J'en suis persuadé, il s'exprimait ainsi parce qu'il ne pouvait pas dire plus. Rien de plus n'était tolérable, ou même audible par les Français. On ne pouvait rien dire de plus qui eût été créateur d'un consensus et d'un honneur rendu. Que les gens de Londres aient repris les termes d'honneur et patrie, donc les termes de Saint-Cyr, que le terme d'honneur soit à nouveau valorisé, que même le terme de patrie soit respecté, en dépit du « Travail-Famille-Patrie », était quand même très important. Je ne sais trop dans l'avenir quel jugement les Français porteront sur ce qui s'est passé au lendemain de la Libération, sur « l'épuration ».

Mais ce qui est tout à fait étonnant, extraordinaire, c'est qu'il y ait eu un tel tabou concernant le problème juif, que personne n'en ait parlé et que personne n'ait eu envie d'en parler. Là, la souffrance était trop grande, obscure. Personne n'arrivait à en parler.

D. W. — *Cela vous révoltait-il ?*

J.-M. L. — Mais, moi aussi, je ne pouvais pas en parler, je n'avais aucune envie d'en parler ! C'était indicible, c'était une douleur incroyable, vous ne pouvez pas vous l'imaginer ! Je me revois à Saint-Sulpice-sur-Lèze, le dernier mois avant la Libération ; j'étais moniteur de colonie de vacances. C'était un soir, sur la place du village, le soleil se couchait, je me suis tâté les commissures des lèvres et je me suis demandé : « Est-ce que tu vas encore réussir à sourire ? » et j'ai pensé : « Plus jamais. » Je vous le dis pour que vous voyiez le fond absolu du tragique que put être ma vie à l'âge de dix-sept ans. Je ne pensais pas au suicide. J'étais décidé à faire tout ce que je pourrais faire de ma vie. Il n'était pas question que je « m'écrase ». Mais la question était de savoir si je retrouverais en moi, quelque part, la joie de vivre.

Ce fond, cet abîme, nous n'avons pas pu en parler. Je n'ai pas pu parler de la question juive pendant des années, je n'ai pas pu aborder même le problème de la déportation. On en parlait avec pudeur entre nous. Comment voulez-vous qu'on en parle ? Je ne crois pas qu'il y ait un seul père juif qui en ait parlé à ses enfants dans cette génération-là, qui ait pu et voulu en parler ! On ne transmet pas l'horreur. On préfère l'épargner à ceux qui survivent. Ce qui s'était passé sous l'occupation, personne n'avait rien à en dire. Le silence était de règle en Allemagne, mais c'est vrai aussi pour la France. Le cas de l'Allemagne était différent puisqu'elle était à la fois détruite et mise au ban des nations. Là, il était entendu que c'étaient les nazis qui avaient fait tout le mal, et non les Allemands. Mais pour la France c'est une autre histoire.

D. W. — *Quand est-il devenu possible d'en parler ?*

J.-M. L. — Oh ! beaucoup plus tard. Il y a eu le discours officiel sur l'occupation et la Résistance. Un discours « en noir et blanc », les résistants d'un côté et les nazis de l'autre ; c'est devenu un stéréotype.

J.-L. M. — *Mais rien sur le rôle joué par les Français eux-mêmes dans la déportation ?*

J.-M. L. — Oui, cela, on l'a complètement occulté.

D W. — *Quand avez-vous retrouvé la parole ?*

J.-M. L. — Beaucoup plus tard. Beaucoup plus tard. Je suis incapable de donner des dates. Quand, en Israël, j'ai vu pour la première fois le mémorial de la déportation, Yad Vachem, cela m'a été littéralement insupportable ! Je ne pouvais vivre cette visite qu'en silence et dans les pleurs, et dans des pleurs que je ne pouvais pas montrer. Et aujourd'hui encore j'ai cette même impression psychique et physique. Depuis, la parole a été rendue. Mais quand même, bien que le temps ait passé...

J'ai lu Elie Wiesel sur le tard. J'ai beaucoup d'amitié pour Wiesel parce qu'il a réussi à dire l'indicible dans son petit volume *La Nuit*. C'est à peine cent petites pages, mais il fallait les écrire et il a réussi à le faire.

Pour revenir à l'expérience nationale, je pense qu'il faut oser nommer et guérir les plaies et les péchés pour qu'il y ait une réconciliation.

D. W. — *Et maintenant ?*

J.-M. L. — Quand j'ai été nommé archevêque de Paris, j'y ai pensé comme à un devoir ou comme à une tâche possible. C'est l'une des raisons qui m'ont amené à dire un certain nombre de choses en France et en Allemagne. Cela m'a beaucoup coûté. Encore aujourd'hui il y a des discours que je ne peux pas tenir ou entendre. Quand je vois des émissions sur la déportation à la télévision, je tourne le bouton.

J.-L. M. — *Même le film de Lanzmann,* Shoah, *vous ne voulez pas le voir ?*

J.-M. L. — Je ne peux pas le voir ! Lanzmann m'en a parlé alors qu'il achevait son travail. Il m'a invité à la première... Je me suis dérobé. Ce n'est pas possible. Non, je ne peux pas. Et pourtant je lui ai promis un jour de le voir.

J.-L. M. — *Ce travail est-il nécessaire ?*

J.-M. L. — Il l'a fait. Il est bien que quelqu'un l'ait fait. Oui, il fallait que quelqu'un le fasse. Je ne sais pas s'il l'a bien fait, si c'est juste, si c'est partisan, je n'en sais rien. De même, ce qu'a fait Serge Klarsfeld était nécessaire. Ce que Klarsfeld a fait, je le connais mieux.

J.-L. M. — *La « chasse aux nazis » est-elle une chose que vous jugez légitime ?*

J.-M. L. — Je pense que les Klarsfeld ont raison. Ils n'agissent pas par esprit de vengeance, mais pour la recherche de la vérité. Il ne s'agit pas de poursuivre une vengeance, mais de rappeler à la mémoire des hommes ce dont les hommes sont capables et ce que des hommes ont subi. Cela peut recommencer à l'égard des juifs comme à l'égard d'autres. Si les hommes ne sont pas capables de nommer leurs péchés, ils retomberont dans leurs péchés. Le propre du péché est de nommer bien ce qui est mal, ou de cacher ce qui est mal, ce qui revient au même. Or la cause d'une telle souffrance, la source d'une telle horreur, doit être nommée. Si on veut que l'humanité retrouve sa propre dignité, il le faut ! Il faut qu'on sache pourquoi des hommes ont fait cela, comment ils ont pu faire cela. Il faut qu'on le sache.

J.-L. M. — *Vous n'avez pas été frappé, justement, par cette incapacité des nazis à prendre conscience de ce qu'ils ont fait ? C'est ce qui apparaît à travers les différents procès auxquels on a assisté, le procès Eichmann ou même Nuremberg. Et ce fut la même chose au procès Barbie.*

J.-M. L. — Non, cela ne m'étonne pas. Ces hommes ne sont que des pauvres gens, des pantins, dans un mal absolu qui les dépasse. Ils sont victimes de leur propre ignominie. Une fois que vous aurez démontré que tel homme est un sadique, vous aurez donné une explication limitée. Si vous exhibez un sadique qui a en main un levier de puissance et de mort terrible, vous avez quelque chose de dérisoire qui ne suffit pas à expliquer ce qui s'est passé. Ce « pauvre homme » n'est qu'un pauvre homme, et il est normal qu'il soit dérisoire, parce que le visage qui se cache derrière le sien, c'est celui de Satan. C'est-à-dire celui du mal dans le monde, de la puissance du mal telle qu'on ne peut même pas se la représenter. Il n'y a que de pauvres acteurs. Mais ils ne sont pas anonymes. Il faut bien les nommer. Oui, ce sont des individus qui ont bien une responsabilité, mais le mal qui jaillit d'eux les dépasse infiniment. Et c'est vrai de tout pécheur et de tout crime. Mais dans cette affaire, il ne s'agit pas seulement d'un crime individuel, il s'agit d'une affaire historique — je n'aime pas le mot collectif, parce que le mot collectif est dangereux —, et ce crime historique touche cependant les Etats, les nations, les peuples, les consciences, les cultures.

Comment expliquer qu'une civilisation qui veut la raison et la justice bascule en sens contraire ? Cette expérience de l'anéantissement et de l'absurde absolu ! Quand j'avais vingt ans, je m'imaginais que le nazisme était une expérience historique singulière. C'était la figure du diable ! Tout un temps, quand je voyais des photos d'Hitler, je reculais. Et j'avais des réactions instinctives de retrait et de peur devant des uniformes allemands, ou des photos de l'emblème nazi. Il m'a fallu du temps pour maîtriser une envie instinctive de fuir. J'avais donc pensé que le mal absolu était le nazisme. Or depuis, la découverte du goulag et de la folie de Pol Pot au Cambodge et d'autres choses du même genre montre un phénomène qui peut se reproduire de différentes façons ! Il est lié au problème juif, mais il concerne l'humanité entière. La Shoah concernant les juifs est peut-être un point exemplaire de la crise spirituelle des peuples civilisés du XXe siècle et du début du XXIe siècle.

Le mal absolu

J.-L. M. — *Je voudrais vous poser une question peut-être un peu délicate : comprenez-vous un croyant qui renonce à Dieu ou qui considère que Dieu a abandonné les hommes après la Shoah ?*

J.-M. L. — Oui, je comprends... Je comprends. J'en ai connu. Je le comprends très bien.

J.-L. M. — *Et vous, vous ne diriez pas que Dieu a abandonné les hommes ?*

J.-M. L. — Non. Sauf que c'est une douleur insupportable. Et je ne la supporte qu'en la voyant dans le mystère du Messie souffrant et de sa compassion. C'est la seule manière que j'ai, moi, de la supporter.

D. W. — *Et ceux qui ne croient pas au Messie souffrant ?*

J.-M. L. — Je ne sais pas. Comment voulez-vous que je réponde à leur place ? Je vous dis comment je peux la supporter. Le livre de Serge Klarsfeld, *le Mémorial des Juifs de France*, comprend soixante-dix mille noms : j'ai lu tous les noms peut-être cinq ou six fois. Tous les noms, je les ai lus, parce que je ne pouvais littéralement pas m'en détacher. Vous comprenez, tous ces gens... qu'est-ce qu'ils ont fait ? Qui sont-ils ? Je pense que la conscience juive, et donc la conscience chrétienne, la conscience du Messie souffrant, permet de comprendre le mystère de la condition humaine, du moins d'y entrer autrement que par une compassion de type « bouddhiste » qui ne serait qu'une indifférence. Toucher le fond de l'horreur permet peut-être de sortir de l'horreur en aimant les hommes. La question que je me posais : « Est-ce que je pourrai à nouveau sourire ? » voulait dire : « Dans quel Vendredi Saint, dans quelle déréliction sommes-nous ? » Je savais que Dieu aime les hommes, mais je ne pouvais pas nier le tragique, je voulais l'assumer. Les clichés, les phrases niaises, les « lendemains qui chantent », « après la pluie le beau temps », ou « après l'hiver le printemps », non, cela n'est pas possible.

En termes spirituels et théologiques, j'ai pu sourire à nouveau quand j'ai compris que cet anéantissement n'est pas une ultime victoire du mal sur l'homme. Dieu a vaincu dans la résurrection donnée au Messie. Croire que le Christ souffrant est le Messie, ce n'est pas seulement croire que la victime est le Sauveur, mais que la victime, finalement, a triomphé du bourreau.

D. W. — *C'est ce qui vous a permis de sourire à nouveau ?*

J.-M. L. — Je crois, oui. Peut-être percevez-vous ce que je dis là comme l'obsession d'un homme profondément marqué par l'histoire de sa génération ? Mais ce tragique permet d'accéder réellement à une compréhension de l'histoire des hommes, dans son universalité. Et pour être tout à fait clair, ce qui s'est passé signe la fin du Siècle des lumières dans le cœur de l'homme. C'est la fin de l'illusion rationaliste, d'une compréhension simplement raisonnable de l'homme. Il faut même se battre contre cette illusion, contre cette tentation de la conscience humaine suivant laquelle l'avènement de l'ère scientifique permettrait d'éliminer le mal dans le monde. Selon la Bible, le mal dans le monde se trouve d'abord inscrit comme un péché dans la conscience et dans la liberté morales.

J.-L. M. — *Les philosophes rationalistes ou athées ont, eux aussi, une interprétation. Ils parlent d'éclipse de la raison.*

J.-M. L. — Pour eux, la raison est un absolu, une gnose. Mais qui rachètera la raison ?

D. W. — *Les hommes.*

J.-M. L. — Eh bien, je veux bien le voir ! Mais c'est illusoire. Parce que maintenant nous savons de quoi l'homme est capable. Et nous savons aussi que la raison n'a rien empêché.

J.-L. M. — *Mais ils disent exactement la même chose.*

J.-M. L. — Mais qu'on me dise pourquoi « les hommes de bonne volonté » se suicident quand les hommes de mauvaise volonté triomphent. Qu'on me dise pourquoi l'intelligentsia allemande des années 30 a basculé.

J.-L. M. — *Et vous, vous expliquez cela par le démon ? Vous dites : c'est le démon, et vous trouvez que c'est une explication !*

J.-M. L. — Non, j'indique le mystère du mal qui est à l'œuvre dans la liberté humaine, dans la condition humaine. Nous avons affaire à un combat contre le mal, qui dépasse infiniment les moyens de la raison technicienne. Le mal est toujours lié à la mort, que l'on donne, que l'on reçoit, où l'on se détruit. On peut le montrer dans mille faits aussi brutaux que la drogue, la vitesse ou l'alcool.

D. W. — *Ici vous êtes proche d'une explication psychanalytique. D'ailleurs on peut évoquer l'instinct de mort sans faire intervenir le démon.*

J.-M. L. — Oui ? Eh bien, tant mieux. Ne vous découragez pas en si bon chemin... !

D. W. — *Remarquez, chacun peut dire cela à l'autre.*

J.-M. L. — Non, parce qu'on a déjà vu la raison à l'œuvre.

D. W. — *Vous caricaturez. La raison aujourd'hui n'est pas la raison triomphante de l'athéisme militant.*

J.-M. L. — Je n'interdis à personne de penser ce qu'il veut ! Je ne cherche pas, à tout prix, à détruire les illusions de personne.

D. W. — *Le mot « illusion » est curieux, vous pourriez dire un système de croyances.*

J.-M. L. — Non, je nomme illusion la pensée que la raison peut être sauvée par la raison.

D. W. — *C'est la réponse d'un homme de foi, et vous savez très bien — nous en avons déjà parlé — que les horreurs commises au nom de la raison ne peuvent pas faire oublier celles commises au nom de la foi.*

J.-M. L. — Celui qui pense que la raison peut être sauvée par la raison finira dans le désespoir, quand il verra que la raison est elle-même perdue.

J.-L. M. — *Vous dites que c'est le mal absolu à l'œuvre. Mais comment résoudre le problème de la double interprétation profane et sacrée ? Il y a des explications historiques de la montée du nazisme ou du développement du communisme qui font intervenir des facteurs économi-*

ques, politiques, sociaux, culturels. Ces travaux sont sérieux. Comment les reliez-vous avec votre interprétation ? Si le mal est à l'œuvre, alors tout est écrit d'avance, il n'y a rien à faire ni à dire.

J.-M. L. — Non. Tout mécanisme de pouvoir n'est pas forcément pervers. Tout conflit, toute relation de domination ou de libération économique ne sont pas forcément destructeurs. Dans tout phénomène historique il y a du bien et du mal, et le juger de façon définitive n'est pas possible à l'homme, ni au contemporain, ni à l'historien. L'histoire se déroule avec ses mécanismes et ses contradictions parce que la vie humaine est inscrite dans le temps, et nous essayons, avec les moyens de notre raison, d'en avoir une certaine intelligence.

Mais brusquement, s'ouvrent sous nos pas, à l'intérieur même de ces conflits et de ce cours du temps, des gouffres sans proportion avec les causes et les enjeux, de brusques virages vers l'irrationnel. Les causes ne sont plus proportionnées aux effets, et la raison ne peut maîtriser ces puissances. Il y a une déchirure de la chaîne de la causalité. On parle d'abord de folie ; les hommes deviennent fous. Le mécanisme du bouc émissaire se met en place ; on accuse les juifs ou les francs-maçons... Les sociétés doivent s'inventer des explications irrationnelles pour appréhender ce qui dépasse un raisonnement de causalité.

D. W. — *Quand vous parlez du mal absolu, c'est la même chose.*

J.-M. L. — Je ne cherche pas à justifier ; je ne cherche pas à prouver quelque chose ! Il y a dans l'expérience humaine une profondeur dramatique du mal, une espèce d'abîme. Je ne dis pas que ma génération seule l'a touché. Après tout, la génération qui a vécu la guerre d'Algérie a peut-être vu des choses de la même portée et de la même signification, c'est possible. Qui peut comparer une expérience à une autre expérience ? Mais comme il y a une expérience de l'existence de la liberté, il y a une expérience de la blessure de la liberté, du mal dont l'homme peut être capable, et sa profondeur n'est nommable d'aucune façon par la raison humaine. Si le mot « diable » vous choque, disons qu'on est devant le Mensonge. Nous restons obligés de faire un saut qualitatif par rapport au discours rationnel, parce que nous assistons à une telle rupture de la cohérence des événements et de la vie, que la raison humaine est incapable de la maîtriser. Pour l'exorciser, elle risque de ne trouver que des mécanismes d'oubli, de transfert ou de substitution. Dans ma génération, certains juifs ont cherché à oublier en se consacrant à la construction de l'Etat d'Israël ; des Français ont pu oublier en se vouant à la reconquête de l'honneur ou à la conquête d'une prospérité à l'américaine pour la France. Cette vision du tragique de l'existence, comme croyant, je peux l'assumer. J'attends tout de l'homme, mais rien ne m'étonne de l'homme.

J.-L. M. — *Y compris le pire...*

J.-M. L. — Y compris le pire. Cela ne veut pas dire désespérer de l'espèce humaine, mais savoir que le pire peut à tout moment surgir. Cela permet de faire face à l'histoire. Bien sûr, nous avons honte ; mais avoir honte ce n'est pas rejeter loin de soi l'infamie, c'est avoir compassion, une infinie pitié et un infini désir de guérison, tout en restant sans illusion sur les risques sans cesse courus. Il nous faut estimer le mal dont l'homme est capable à la mesure du bien auquel il est appelé. Il n'y a pas des méchants et des bons, mais le pire des méchants peut devenir le meilleur ; car il n'y a pas de damnation tant que Dieu n'a pas damné. Croire tout ceci, c'est refuser la raison manichéenne, c'est croire à la liberté. Une vision naïvement optimiste ne me paraît pas possible.

J.-L. M. — *Certains rationalistes ont le sens du tragique de l'histoire.*

J.-M. L. — Alors, ne sont-ils pas désespérés ?

J.-L. M. — *Non, pas nécessairement.*

J.-M. L. — En tout cas stoïques et sceptiques.

J.-L. M. — *Vous avez fait une interprétation par l'œuvre du mal ; il y a d'autres interprétations qui sont faites, notamment celle du châtiment divin. Il y a des juifs par exemple qui ont évoqué...*

J.-M. L. — ... les péchés d'Israël.

J.-L. M. — *Oui, et encore chez Soljenitsyne, vous trouvez une thématique consistant à dire que la Russie a été punie, au travers du communisme, parce qu'elle n'était pas suffisamment chrétienne.*

J.-M. L. — Je n'aborde ce genre de pensée qu'avec une extrême circonspection parce qu'on peut dire d'énormes bêtises. Il ne nous appartient pas de prononcer le jugement de Dieu sur les péchés de l'histoire. Mais il est vrai que le mal engendre le mal ; même si la responsabilité spirituelle est une responsabilité personnelle, aucune liberté humaine n'est seule au monde. Il y a une solidarité dans le mal comme dans le bien, et le mal qui résulte de l'action humaine obéit toujours à des enchaînements. Les bénédictions données aux enfants, et aux enfants des enfants, ont leur contraire dans les malédictions sur les enfants et les enfants des enfants. Et bénédiction et malédiction ne sont pas des paroles magiques, elles opèrent et montrent la solidarité spirituelle des hommes entre eux. Une vision individualiste du bien et du mal me paraît évidemment tronquée ; mais la solidarité dans le bien ou la complicité dans le mal existent, sans que cela veuille dire pour autant culpabilité collective. Je me refuse à entrer dans les jugements que vous rapportiez.

D. W. — *Une partie de l'Eglise de France a pourtant dit ce genre de choses à propos de la défaite de 40.*

J.-M. L. — Je l'ai entendu, je m'en souviens.

J.-L. M. — *L'athéisme, la République, les francs-maçons...*

J.-M. L. — Je me souviens très bien de ce genre de discours. Je vous ai décrit la caricature du paysan qui avait trop lu Gide. Elle exprime ma circonspection par rapport à ce genre de propos.

D. W. — *Mais vous-même, quand vous dites que les explications politiques, économiques ou sociales de l'effondrement moral de la France en 40 sont insuffisantes, n'êtes-vous pas tenté par cette interprétation ?*

J.-M. L. — J'ai parlé du péché ; je n'ai pas parlé de châtiment divin. Celui qui évoque le péché et le mystère d'iniquité se place dans sa responsabilité face à Dieu. Il reçoit de Dieu la lumière, et une telle lumière est donnée dans la grâce du pardon. Quelqu'un qui se dirait damné se tromperait sûrement. Il serait pris dans une fascination de folie, il manquerait de foi. Qui d'entre nous pourrait prononcer une condamnation ?

J.-L. M. — *Quand on dit qu'à trop oublier Dieu et à trop croire en la raison, on risque de basculer dans le mal, est-ce qu'on n'est pas dans le même genre de discours ?*

J.-M. L. — Non. C'est dire simplement qu'à force de rouler à deux cent cinquante kilomètres à l'heure sur une route nationale, vous avez des chances de ne plus circuler du tout. Parce que vous serez dans un platane ou au fond du ravin.

La vocation spirituelle

D. W. — *Quelle a été l'influence des événements historiques sur votre vocation ? Avez-vous pensé à ne pas devenir prêtre, voire même à retourner vers le judaïsme ?*

J.-M. L. — La certitude d'être appelé par Dieu ne m'a pas quitté, tout en étant, par ailleurs, tenté d'y manquer de bien des façons.

D. W. — *Votre problème était-il de savoir si vous seriez capable de le devenir ?*

J.-M. L. — Non ; mais si je le ferais ; simplement. Savoir si j'étais capable ou non, la question n'avait pas de sens si Dieu me le demandait. Ensuite, ma question fut de savoir si c'était vraiment ce à quoi Dieu m'appelait. C'est le temps du séminaire, une autre période.

D. W. — *Notre question porte sur l'interférence entre les éléments historiques tragiques et cette vocation spirituelle qui vous habitait. La violence de l'histoire n'a-t-elle pas modifié votre itinéraire spirituel ?*

J.-M. L. — Non, elle ne l'a que renforcé. Je veux dire : elle l'a confirmé. On peut faire une interprétation psychanalytique et reconstruire selon différents schémas possibles ce que je vous ai raconté. Mais l'essentiel reste la détermination et la conviction que j'étais appelé à une vocation de don absolu de ma vie au Christ, pour le ministère sacerdotal.

J'ai pensé à différentes formes ; par exemple, quand j'étais encore à Orléans, j'avais dit à Mgr Courcoux que je voulais être oratorien. Il m'a ri au nez en disant : « Oh ! là ! Non ! » Après, j'ai dit : « Je voudrais être prêtre à Orléans. » Il m'a répondu : « Pas question ! Vous êtes parisien, allez à Paris, qu'est-ce que vous feriez à Orléans ? » Plus tard, j'ai pensé que de me retrouver évêque à Orléans était quand même une singulière réponse ! Ensuite, j'ai voulu être moine à Saint-Benoît-sur-Loire. J'étais tenté par la vie monastique. J'étais allé à l'abbaye de Saint-Benoît à cause du souvenir de Max Jacob pour qui j'avais une énorme admiration. J'avais lu *le Cornet à dés* pendant la guerre. Un brave père de l'abbaye m'a donné une chambre et puis, pour m'occuper, il m'a donné un grand sécateur et m'a dit : « Vous taillez les troènes qui se trouvent à l'entrée de la maison où l'on reçoit les hôtes », et il m'a expliqué comment les couper. Il est repassé deux heures après et il m'a dit : « Vous n'avez pas la vocation ! » Vu l'état des troènes, il a préféré arrêter les frais !

D. W. — *Quelle a été votre réaction ?*

J.-M. L. — Je me suis dit : bon, cela va bien comme cela ! Depuis, je suis retourné à Saint-Benoît. Les pousses des troènes étaient encore là ; je ne sais pas si c'étaient les mêmes. Je préfère penser qu'ils ont survécu !

Mais, pour quitter l'anecdote et revenir aux événements historiques, à Toulouse en 44, j'étais dans la clandestinité. Je vous l'ai dit, j'étais en liaison avec des groupes clandestins proches de *Témoignage chrétien*, c'est-à-dire des groupes de résistants spirituels. Il n'y avait donc pas de coupure entre ma réaction à l'histoire et mes choix spirituels. Nous étions dans une période où les polémiques étaient violentes parce que les enjeux étaient terribles. A l'époque, la polémique, cela voulait dire la guerre ! La guerre civile et la guerre internationale. Les auteurs clandestins de cette publication faisaient preuve d'un sens de la vérité, de la justice et du droit, d'une lucidité à l'égard des événements, d'un respect des personnes qui m'ont paru prodigieux. *Témoignage chrétien* refusait la passion, la polémique injustifiée. Je me souviens du sous-titre : *La vérité quoi qu'il en coûte :* il fallait obéir, à tout prix, à la vérité, et la vérité n'était pas partisane. A relire aujourd'hui ces textes, on est étonné de leur maîtrise, de leur force.

J.-L. M. — *Quels étaient les principaux animateurs ?*

J.-M. L. — C'était un groupe lyonnais, des jésuites notamment, parmi lesquels le père Chaillet, qui en était l'âme, le père de Lubac, qui y a beaucoup collaboré et le père Fessard. Il y eut aussi quelques universitaires, Mandouze et Marrou, et quelques autres. De Suisse, écrivait, sous une signature transparente, l'abbé Charles Journet, que Paul VI a fait cardinal plus tard. Je me souviens d'un cahier clandestin de *Témoignage chrétien* sur l'antisémitisme, exceptionnel de clarté et de rigueur, dans lequel ont écrit Journet et de Lubac.

J.-L. M. — *Quelles étaient les positions de ces « résistants spirituels » ?*

J.-M. L. — En quelques mots, pour eux, la victoire du nazisme n'était pas seulement la victoire militaire des Allemands, c'était la victoire d'une idéologie perverse, d'une perversion fondamentale. Si nous ne sommes pas victorieux de cette idéologie à l'intérieur de nous-mêmes, nous serons vaincus spirituellement, même si les Alliés sont vainqueurs militairement. Il faut donc d'abord dénoncer la complicité avec l'idéologie totalitaire et raciste, faute de quoi aucune victoire n'aura de sens. Cela veut dire éliminer toute complicité dans la pensée, dans les jugements et dans la conduite avec le système de valeurs qui nous pervertit en nous enlevant notre âme. Le père Gaston Fessard a très bien résumé cette idée dans le titre d'un de ses livres : *France, prends garde de perdre ton âme*.

DEUXIÈME PARTIE

Croire et savoir

I

ÉTUDIANT ET SÉMINARISTE (1945-1954)

La période troublée de la fin de la guerre

D. WOLTON. — *Vous étiez à Toulouse à la fin de la guerre. Quelle était l'atmosphère et comment avez-vous vécu ces événements ?*

JEAN-MARIE LUSTIGER. — En fait, je n'ai accédé au raisonnement politique qu'à partir de cette période. Ce qui m'a frappé, interloqué, c'est le retournement de la violence. Notre sentiment de soulagement, de la liberté retrouvée, était intense ; enfin la Bête était vaincue ! Mais en ce moment même, j'ai assisté à des scènes d'une violence inouïe. J'ai vu des femmes tondues, battues, traînées. C'étaient des collaboratrices, disait-on, des putains qui étaient avec les Allemands. J'ai vu des hommes ensanglantés, au corps déchiqueté, trimbalés dans les rues de Toulouse sur les capots des voitures avec des drapeaux français... C'étaient des collaborateurs, disait-on. J'en ai eu la nausée ; je me suis dit : « Non, ce n'est pas la France ; et ce n'est pas pour *ça* que des amis sont morts, pour voir *ça* que l'on vit encore ou que l'on survit. » J'ai eu l'impression que nous tombions dans le piège ; nous étions en train de faire ce que précisément nous avions voulu combattre. Mais ce n'était encore là que des impressions... Je n'analyse pas la manière dont a été conduite l'inévitable épuration ; je rappelle le souvenir de violences incontrôlées, de scènes de rue dont j'ai été le témoin et qui m'ont posé une brutale question : comment combattre la violence sans recourir à la violence ?

Quelques semaines plus tard un meeting rassemblait les catholiques autour de l'archevêque, Mgr Saliège, sur la place du Capitole à Toulouse. Le père Bergougnoux, franciscain, professeur de paléontologie, un tribun-né, résistant reconnu, faisait entendre une voix chrétienne dans ce déchaînement. Pendant ce temps les communistes faisaient la loi à Toulouse, tentant de créer une base autonome. Cette image mettait en évidence la nouvelle place de l'Eglise dans la nation. La thèse démocrate-chrétienne de la réconciliation de la République et de l'Eglise apparaissait au grand jour ; elle prenait corps dans la vie publique française grâce à ces légendaires personnages de la résistance spirituelle dont Mgr Saliège était la figure emblématique et parmi lesquels je comptais tous mes amis toulousains.

Comment juger l'histoire ?

D. W. — *Comment avez-vous vécu le rapport entre le contexte historique et la recherche spirituelle ?*

J.-M. L. — Ils sont intimement liés ; cette guerre n'était pas une guerre « ordinaire », qui s'inscrivait dans la continuité de la guerre de 70 et de celle de 14, de la guerre de Cent Ans ou de la guerre de Trente Ans, des guerres napoléoniennes, etc. Ce n'était pas une guerre « comme les autres ». J'avais le sentiment que nous avions été plongés dans un abîme infernal, une injustice monstrueuse. Car cette guerre-là avait pour enjeu majeur une victoire ou une défaite idéologiques. Le centre de cette idéologie, c'était la persécution du peuple élu, du peuple juif, parce que peuple messianique. Je l'avais compris, enfant, quand j'étais en Allemagne : la visée du nazisme était plus que prométhéenne, satanique. Son hostilité au christianisme était fondamentale. Il ne pouvait pas s'y attaquer de front, car l'Eglise représentait une puissance que les nazis étaient obligés de ménager. Mais les juifs, eux, tombaient de plein fouet sous la persécution. Cette guerre déchaînait les passions les plus viles et la pire ignominie. Elle suscitait aussi des actes d'héroïsme et de générosité admirables de la part de gens ordinaires aujourd'hui oubliés. Ce conflit bouleversant ne prenait son sens que dans le mystère du Messie souffrant et de la rédemption, et de la lutte qu'elle implique. Ce n'était plus d'abord une guerre entre nations. Un infime événement qui l'illustre me revient en mémoire. Allant à la messe à Orléans, j'y côtoyais un soldat allemand.

D. W. — *Quelle était votre réaction ?*

J.-M. L. — Elle était très mêlée. Mais cette présence signifiait, à elle seule, qu'un clivage sautait. Je ne pouvais pas dire seulement « les Allemands » ; j'étais obligé de distinguer les Allemands des nazis. Ce qui m'était facile en 1936 à Heidelberg était intolérable en 1942 à Orléans. J'ai vécu cette période en expérimentant la dimension spirituelle des événements. La foi reçue m'a permis, non tellement de survivre, mais plutôt d'avancer avec assurance, et même de ne pas avoir peur, enfin, d'être... oui, d'être assuré que je pouvais avoir confiance, de ne pas avoir peur de mourir. Ou plutôt, j'ai eu peur de mourir. Mais je me suis dit que mourir, si je devais mourir, ce serait parce que Dieu l'aurait permis, et cela s'inscrirait quelque part dans la logique de cette histoire. Ce n'était pas une résignation stoïcienne, mais la confiance dans la bonté de Dieu.

J.-L. M. — *Mais ne meurt-on pas pour rien ?*

J.-M. L. — Non.

J.-L. M. — *Même pendant la guerre ?*

J.-M. L. — Souvent la question suivante me venait à l'esprit. Ici, à cet endroit précis du sol où je me trouve, sur ce mètre carré de terrain que je suis en train de fouler, combien d'hommes ont vécu et sont morts au cours des siècles, dont personne ne se souvient plus ? Qui sont-ils ? Alors que toute notre civilisation est construite sur la mémoire nominale des héros, la culture universitaire dans laquelle on me faisait entrer n'était-elle qu'insupportable travail d'érudition sur les hommes illustres ? Et les autres ? Est-ce cela le sens de la vie d'un homme ? Le discours universitaire peut-il être le jugement dernier ? Et ceux qui n'en sont pas l'objet ? ceux dont on ne sait rien ? ceux dont on ne saura jamais rien ? Dieu seul les connaît. La vie a-t-elle un sens ? Par la foi je réponds que ma vie est dans les mains de Dieu. Et je la remets entre ses mains.

Personne ne peut m'enlever ma vie, même s'il me tue, car ma vie appartient à Dieu.

J.-L. M. — *A la question du sens de la vie, répondre « Dieu le sait » est plus réconfortant quand on croit en Dieu que lorsqu'on n'y croit pas.*

J.-M. L. — Oui. Mais la vraie question est de vouloir vivre.

D. W. — *N'est-il pas plus difficile de vivre quand on ne croit pas en Dieu que quand on y croit ?*

J.-M. L. — Peut-être... Et certains diront, comme les néo-stoïciens d'après la Libération, Camus par exemple : « Il est plus courageux de ne pas croire en Dieu parce que croire en Dieu est lâche. »

D. W. — *Non, non, je n'ai pas employé le mot « courage »... J'ai parlé de « difficulté ».*

J.-M. L. — Croire en Dieu aide à vivre ; la foi révèle le devoir de vivre. Dieu n'est pas un principe, immobile au mur de l'horizon, auquel vous pouvez accrocher vos vêtements ou accrocher votre corde. Devant vous se révèle un interlocuteur dont vous ne pouvez pas présumer, avant de consentir à sa présence, jusqu'où il va vous mener, là où vous ne pensiez pas aller. Ce qu'il demande a pour mesure ce qu'il vous donne. Est-il alors plus facile ou difficile de vivre ? Je ne sais. Celui qui lirait les paroles du Christ, reprenant Isaïe, « le Fils de l'Homme n'est pas venu pour être servi, mais pour servir et donner sa vie en rançon pour la multitude », sans en avoir l'intelligence, ne peut être que révulsé et effrayé ; il cherche toute espèce de justification qui permette d'en rendre raison. Mais ces phrases sont insupportables et absurdes pour qui n'en reçoit pas la lumière et ne commence pas à les mettre à exécution en suivant le Christ. Il existe un déisme simple qui garantit la cohérence du monde et des actions humaines. Toutes les sociétés connaissent ce type de représentation, plausible, de la vie et de la mort ; il donne aux hommes le moyen de surmonter l'angoisse de vivre et leur permet d'avancer dans le chemin de la construction collective. Quand une société perd cette cohérence des représentations socialement admises, elle est menacée. De ce point de vue,

Maurras et Hitler ont eu raison de voir dans la Bible une menace pour la cohérence interne des sociétés et de leurs représentations du divin ou du sacré.

La critique « rationaliste » en a été inaugurée par les prophètes (vous l'avez dans Isaïe) et par les écrits de *Sagesse*. Et cette polémique est digne de Diderot.

D. W. — *Décidément vous n'aimez guère les auteurs du XVIIIe siècle...*

J.-M. L. — J'aime Beaumarchais...

D. W. — *Vous n'avez pas l'impression de faire une opération de déplacement en imputant à l'esprit rationaliste tout ce que vous n'aimez pas ?*

J.-M. L. — Mais je n'appartiens pas à la génération des petits marquis. Je suis né après le XIXe siècle. Nous avons appris, avec le barbu Marx, avec le docteur Freud, avec Einstein et quelques autres, que tout cela ne tenait pas la rampe. Nous avons vu de nos yeux, expérimenté à nos dépens pourquoi cela ne tenait pas la rampe !

D. W. — *Quoi ? La religion ou la raison ?*

J.-M. L. — Cette idéalisation chimérique de la raison, cette raison « suffisante » qui ignore ses limites. Si on veut la sauver, si on veut sauver son empire, il faut limiter sa prétention à la souveraineté.

J.-L. M. — *En matière de méthode, je ne crois pas que l'on puisse concevoir une rupture entre Freud et la rationalité telle qu'elle a été construite, d'ailleurs bien avant le XVIIIe siècle, car la rationalité n'est pas née au XVIIIe siècle.*

J.-M. L. — Introduisons une distinction simple. Il y a, d'une part, les règles de vérification du fonctionnement de la raison, les règles du raisonnement. Et d'autre part, il y a la théorie de la raison. Ce n'est pas pareil. Vous dites la continuité entre les maîtres du soupçon et le grand rationalisme. Cette continuité existe dans l'usage scientifique de la raison ; mais Marx comme Freud, se voulant fidèles à la science, ont montré que son travail masquait quelque part une duperie. Je ne me crois ou ne me dis ni marxiste ni freudien, mais l'épreuve des faits le montre : la raison a été dupée et son discours doit être interprété.

J.-L. M. — *Oui, mais l'avantage de l'esprit scientifique est de construire des doctrines réfutables pour lesquelles on peut démontrer qu'il y a erreur...*

J.-M. L. — Cela n'a pas empêché le Siècle des lumières d'engendrer le totalitarisme, c'est-à-dire la divinisation de la raison humaine qui refuse toute critique. J'en suis désolé pour vous, mais...

D. W. — *Vous dites : c'est le Siècle des lumières qui est finalement à l'origine du totalitarisme ?*

J.-M. L. — C'est un raccourci... mais je peux le justifier.

D. W. — *C'est un raccourci, mais il y a un argument historique que l'on peut vous opposer tout de suite : le Siècle des lumières est venu après deux ou trois siècles d'erreurs épouvantables assumées par l'Eglise quand elle avait le pouvoir temporel, et l'on peut au moins dire que ce qui s'est passé entre le* XVIIe *et le* XVIIIe *siècle, comme volonté de construire une raison humaine sans référence à Dieu, s'expliquait notamment par rapport aux horreurs qu'avait perpétrées le pouvoir temporel de l'Eglise pendant les siècles précédents. Donc on peut faire exactement le même raisonnement que vous en sens inverse. Cela ne donnait pas plus raison de vouloir se débarrasser de Dieu au* XVIIIe *siècle que de vouloir aujourd'hui se débarrasser de la raison. Les erreurs commises depuis cent cinquante ans au nom de la raison ne peuvent invalider complètement la thèse athée.*

J.-M. L. — La crise du Siècle des lumières était déjà en puissance dans l'histoire de ce que vous appelez l'Eglise, c'est-à-dire, plus exactement, de l'Europe occidentale. La crise de l'Occident, de la pensée occidentale, ne commence pas au XVIIIe siècle ; elle se prépare de loin.

D. W. — *A la Réforme ?*

J.-M. L. — Oui... Au siècle de la Réforme et même avant. C'est une crise interne qui ne peut être identifiée et comprise que sur la longue durée.

D. W. — *Enfin, l'Inquisition, cela n'a tout de même pas été que des douceurs.*

J.-M. L. — Non, mais quelles ont été l'origine et les causes, religieuses ou politiques, de l'Inquisition, cela doit être discuté. L'Inquisition fait typiquement partie des procédés de reconquête, la « reconquista ». Entre ce qu'a voulu saint Dominique et ce qu'ont fait les seigneurs de la langue d'oïl pour s'emparer des pays de langue d'oc, la différence est grande. La logique de puissance des princes, des peuples et des empires a entraîné aussi les hommes d'Eglise.

D. W. — *L'Eglise a quand même été aussi acteur et très puissante pendant longtemps...*

J.-M. L. — Oui. Mais non sans débats et contradictions. Les hommes d'Eglise ne pouvaient pas plus s'échapper de leur époque que nous de la nôtre.

D. W. — *Vous nous avez dit la même chose précédemment pour l'attitude de l'épiscopat pendant la guerre. Il est vrai que les hommes d'Eglise ne sont que des hommes, mais on peut attendre des élites qu'elles aient un comportement un peu différent de celui des autres hommes, surtout quand il s'agit du clergé qui parle beaucoup au nom de la morale.*

J.-M. L. — Comment ne pas être prisonnier d'une vision anachronique ? Comment dire qu'il aurait fallu que les hommes du XVIe siècle pensent comme les hommes du XIXe ou du XXe siècle ? La seule époque que nous ne critiquons pas, c'est la nôtre, parce qu'elle nous paraît évidente. Notre référence est ce qui nous paraît vrai et juste à nous, mais il suffit d'un écart de cinquante ou de cent ans pour que nous apparaisse la relativité des points de vue, même estimés sur le moment les plus raisonnables. C'est un anachronisme de juger une société, à une époque antérieure, selon le point de vue qui nous semble vrai aujourd'hui. Le travail historique essaye de voir, ou plutôt d'imaginer, une époque révolue. Mais il n'est point de « reconstitution du passé » sans respect des autres, et sans reconnaissance de leurs différences.

Un des hauts personnages de l'Etat me disait en parlant de la Bible : « Comment croire à cet univers barbare et sanglant ? Dieu a-t-il voulu le massacre des Cananéens, le massacre de tout un peuple ? Est-ce pensable ? » Dans l'évidence des différences de civilisations, j'ai tenté d'exposer ce que cette histoire veut dire et apporte de révélation. Songeait-il aux massacres combien plus monstrueux et « rationnels » commis en notre temps ? Pouvons-nous projeter nos références présentes sur le passé, comme si nous étions nous-mêmes hors de l'histoire et juges des consciences et de l'histoire ? Pour comprendre les choses du passé, l'historien s'efforce de délimiter des ensembles, de repérer des différences à l'intérieur de ces ensembles. Mais il travaille aussi sur lui-même comme sur le matériau historique. Car l'histoire est relation du présent au passé.

J.-L. M. — *Mais il y a quand même aujourd'hui des conflits d'interprétation. Dominique Wolton a fait remarquer tout à l'heure que vous disiez presque la même chose, à propos de l'Eglise de France ou de Rome pendant la guerre de 39-45, et pour la période de l'Inquisition. Si l'on veut éviter l'anachronisme, il faut noter qu'à l'époque, l'Eglise avait beaucoup de pouvoir, énormément de pouvoir, et quand vous dites « les hommes d'Eglise ont été entraînés dans cette affaire par les princes », il me semble que c'est peut-être oublier que les princes étaient dominés par la religion, par Dieu. Ce qui n'était pas le cas d'Hitler ou du maréchal Pétain.*

J.-M. L. — Dans la plupart des pays d'Europe, jusqu'à une époque trop récente, les charges épiscopales étaient sinon vénales, du moins accaparées de façon abusive par les puissants de ce monde et souvent détournées à leurs fins. Ce fut, pendant des siècles (et aujourd'hui encore), l'enjeu du conflit majeur entre les pouvoirs politiques et l'autorité du Pape dont l'indépendance est le garant de la liberté de l'Eglise. J'ai eu comme prédécesseur le cardinal de Retz, archevêque de Paris. Il m'est arrivé de glaner dans ses *Mémoires :* sa renommée littéraire ne me remplit pas de fierté épiscopale ! Comment expliquer que l'Eglise en France, au tournant des XVIe et XVIIe siècles, ait pu prendre cette figure ? Mais c'était aussi le temps des grands saints qui mirent en œuvre la réforme voulue par le Concile de Trente. Qui est le plus catholique ? Saint Vincent de Paul ou Louis XIV ? Pour porter un jugement sur l'état de l'Eglise à une époque donnée, il faudrait un travail historique dont les éléments ne sont pas toujours rassemblés. Mais l'état de l'Eglise a toujours été objet de polémiques. L'histoire est trop souvent un outil idéologique et de combat au lieu de viser une étude, non pas désengagée (cela n'existe pas), mais se voulant désintéressée, pour comprendre et reconnaître ce qui s'est passé : quels changements la foi chrétienne a-t-elle produits chez des hommes et des civilisations que nous jugeons aujourd'hui barbares ? A quel prix ?

J.-L. M. — *Oui, mais cela est vrai dans les deux sens. Quand vous dites que les philosophes des Lumières ont engendré les totalitarismes, vous utilisez un argument polémique.*

J.-M. L. — C'est une formule abrupte. D'abord, je réagis contre les stéréotypes : l'Inquisition, les Borgia, l'obscurantisme, les indulgences et tout le reste. Je demande un minimum d'examen, et d'abord de probité, de probité intellectuelle, et de rigueur de méthode, pour ne pas substituer à l'histoire une simple réinterprétation idéologique. En second lieu, reconnaître que l'état des esprits et des mœurs chez les peuples chrétiens est tributaire de leur temps n'interdit pas de porter un jugement moral et même spirituel. Ce ne sont pas les historiens qui en ont la charge, mais ceux et celles que l'Eglise nomme les saints, canonisés ou non. Les hommes et les femmes qui ont porté le regard le plus libre et le plus lucide le faisaient au nom de la foi, en critiquant les perversions de la foi. Tout au long de son histoire, l'Eglise a connu des mouvements de retournement intérieur, la plupart du temps minoritaires ; ils montrent que le combat spirituel traverse l'Eglise et tous ceux qui, d'une manière ou d'une autre, se réfèrent au message transmis, à la réalité spirituelle vécue, aux rites, aux sacrements.

L'Eglise de Dieu produit de l'intérieur d'elle-même sa propre rénovation. Je m'insurge contre une vision simpliste, sans profondeur, fruit souvent de l'anticléricalisme du Siècle des lumières. Au nom de la raison et au nom de la rigueur spirituelle, je plaide pour une vision en relief de l'histoire. Je demande que l'on reconnaisse la grandeur non seulement de la sainteté, mais aussi, ce qui revient au même, de l'aveu du péché et de son pardon. Dans cette lumière il devient possible de rappeler ce qui fut des lâchetés et des péchés. Oui, il est abominable que tel prince chrétien ait massacré les juifs ! Oui, il est abominable qu'on ait laissé se développer des thèmes antisémites ! Oui, il est abominable qu'on ait persécuté et tué des innocents ! Oui, il est abominable qu'on ait pu abuser de la religion ! Oui, il est abominable qu'on ait voulu imposer des gestes religieux qui relèvent de la liberté et ne peuvent être accueillis que dans la liberté personnelle ! Oui, il est abominable que des hommes d'Eglise aient pensé que le recours à la violence politique pouvait leur permettre d'atteindre le but d'évangélisation auquel ils étaient consacrés ! Oui, il est abominable que les hommes soient pécheurs !

L'entrée à la Sorbonne

D. W. — *Revenons à votre biographie puisqu'il y a peu de chances que nous tombions d'accord sur l'analyse du rôle historique de l'Eglise. Vous rentrez à Paris à l'automne 44. Quelle est l'atmosphère ? Quels sont vos sentiments, vos réactions ?*

J.-M. L. — Aucune nouvelle de ma mère. Je reviens avec mon père à Paris et notre appartement est occupé. Il avait été vidé...

D. W. — *Par d'autres gens ?*

J.-M. L. — Par d'autres gens. Le magasin a été confisqué, nous n'avons plus rien. Aucune nouvelle de ma mère, on ne sait rien. Avec mon père nous allons loger dans un petit hôtel meublé du quatorzième arrondissement, derrière la place Denfert-Rochereau. Cela va durer au moins un an, ou deux, je ne sais plus au juste. Ma sœur est toujours à Orléans. Que pourrait-elle faire à Paris dans ces conditions ?

Il fallait colmater les brèches, survivre. Il fallait bien faire quelque chose... Il y a des choses dont on ne peut pas parler... Je ne sais pas comment vous dire... Je ne sais plus à quelle date la

Croix-Rouge... La Croix-Rouge se chargeait de retrouver les disparus, ou le ministère des Prisonniers, je ne sais plus... A la fin on nous a dit... Deux ans après la guerre, en 1946, on nous a donné un certificat de disparition de ma mère. Quant à la famille du côté paternel, nous n'osions pas en parler. Presque tous ont été exterminés.

J.-L. M. — *Pourquoi avez-vous mis tellement de temps pour récupérer cet appartement ?*

J.-M. L. — Je ne sais plus... Il a fallu un procès.

J.-L. M. — *C'est-à-dire que les gens qui habitaient là niaient que...*

J.-M. L. — Non, ils étaient occupants. Il a fallu une action de la justice qui a duré plus d'un an pour récupérer l'appartement.

D. W. — *Qui étaient ces personnes ? Vous en souvenez-vous ?*

J.-M. L. — Non, je ne le sais plus. Avec mon père, pendant un an, nous avons vécu dans une chambre d'hôtel meublé, rue Brézin. Au cours de l'année universitaire suivante, nous avons réintégré notre appartement ; mon père est rentré en possession de son magasin. Il a recommencé à travailler. Nous avons rassemblé quelques meubles dispersés, récupéré quelques objets, pas grand-chose. Nous flottions dans un appartement vide... Et toujours l'incertitude du retour de ma mère. Nous savions au fond de nous-mêmes que ma mère ne rentrerait pas, mais nous n'en avions pas la certitude... Pour compenser les meubles volés — mes parents s'étaient meublés avec goût, avec le désir d'avoir de belles choses —, l'Administration avait organisé un dépôt de tout ce que les Allemands n'avaient pas emporté. Les gens de notre espèce y recevaient des meubles qui venaient Dieu sait d'où ! Je me souviens d'une affreuse table roulante en bois blanc peint au brou de noix... Nous sommes revenus avec un bric-à-brac, quelques casseroles, un matelas, un lit, une table, etc., pour meubler l'appartement. Quand nous nous sommes vus, tous les deux, mon père et moi, là-dedans... ç'a été un moment... Enfin, nous n'avons rien dit parce qu'il fallait bien vivre. Mais cela vous donne une idée du fond d'amertume qu'il a fallu purger... Une année plus tard, probablement, ma sœur, qui avait passé la première partie de son baccalauréat, est revenue préparer son bachot à Paris. Elle a pris en main la direction de notre vie quotidienne.

Il n'y avait vraiment pas beaucoup d'argent. J'ai travaillé tout de suite comme pion, comme surveillant d'externat, au lycée Montaigne où j'avais été élève. J'ai découvert l'univers des pions. Parfois étrange. Et puis, surveiller les réfectoires des gamins du lycée Montaigne au lendemain de la guerre était un drôle de sport. J'avais vu des réfectoires à Conflans. A Montaigne, c'était le bazar ! L'agressivité des enfants, leur sauvagerie... Et il n'y avait pas grand-chose à manger.

Je m'étais inscrit en Sorbonne dès octobre 44. L'entrée à l'Université, vous ne pouvez imaginer quelle griserie, quelle griserie inouïe ce fut pour moi. Mais je devrais parler d'abord de Paris. J'ai redécouvert Paris, ou plutôt, je l'ai découvert, car je n'en avais que des souvenirs d'enfant. Adulte, j'étais désormais libre de mes mouvements. Je redécouvrais Paris, avec amour, passion, mais aussi avec nostalgie. J'ai inlassablement arpenté la ville de jour et de nuit. J'ai traîné dans les rues, j'ai regardé les choses, les gens... dans la surprise presque incroyable de nous retrouver intacts, vivants.

Et la Sorbonne ! Pénétrer pour la première fois dans la cour de la Sorbonne ; vous ne pouvez pas imaginer mon exultation et mon respect, vous autres, de l'Université éclatée de mai 68 ! C'était le temple, au milieu du Quartier Latin. Mais c'était aussi le quartier de mon enfance, puisque, depuis l'âge de sept ans, le lieu géométrique de toutes mes déambulations avait été le jardin du Luxembourg. Pendant toute ma scolarité au lycée Montaigne, j'étais monté jusqu'à la place du Panthéon ; mais je n'avais jamais redescendu le boulevard Saint-Michel jusqu'à la Sorbonne. Je bouclais la boucle en faisant le tour complet du Luxembourg. J'avais achevé de faire le tour de l'espace sacré et civilisé de Paris. Car, me semblait-il, au-delà de la *Closerie des Lilas*, au-delà de Port-Royal, c'était déjà la province ! Saint-Germain-des-Prés ne m'a jamais tenté ; c'était le domaine des « zazous » et autres « existentialistes », ce n'était plus le Quartier Latin. Passé le Sénat, vous étiez dans un autre monde. La rue de Tournon était une frontière. Il fallait éviter le quartier de Saint-Sulpice, avec toutes ses « bondieuseries » horribles en vente dans tous les magasins...

D. W. — *Elles sont toujours là.*

J.-M. L. — Oh que non ! Vous n'imaginez pas ce qu'elles étaient dans leur splendeur ! Elles ont disparu ! Dévorées par les « fringues » de luxe du nouveau boulevard Saint-Germain. Les restaurants universitaires bornaient le territoire, rue de Tournon, rue Mabillon, Port-Royal. Au-delà c'était presque la campagne ! De l'autre côté, la rue Auguste-Comte faisait une bonne frontière, le lycée Montaigne. Quand on arrivait au Jardin des Plantes on était déjà à l'étranger.

Entrer à la Sorbonne m'a donné un sentiment extraordinaire de griserie. Je me trouvais dans le temple du savoir, de l'intelligence.

J.-L. M. — *Avez-vous été déçu ?*

J.-M. L. — Oui et non. Je ne suis jamais déçu parce que je trouve toujours ma pâture...

D. W. — *Quelle a été votre formation intellectuelle à la Sorbonne ?*

J.-M. L. — J'avais commencé des études de Lettres classiques, alors que je ne suis pas un littéraire. Après deux années sorbonnardes, j'ai passé deux autres années au séminaire de l'Institut Catholique en faculté de philosophie, pendant lesquelles je n'ai plus mis les pieds à la Sorbonne. Enfin, après avoir obtenu quelques certificats, j'ai complété mes études de philosophie pendant un an, en revenant suivre des cours en Sorbonne.

Je me rappelle un cours dont l'importance m'a échappé sur le moment. Il a laissé un vif souvenir et a influencé la suite de ma formation intellectuelle. Le programme du certificat de littérature française comportait la *Chanson de Roland*. Sa lecture, il est vrai, ne m'a pas passionné. Mais le point important était d'ordre méthodologique. Quelle était l'origine et la datation du texte ? L'école folkloriste avait tenté de distinguer des strates en fonction d'hypothèses historiques concernant la genèse des textes. La méthode folkloriste du XIXe siècle allemand, empreinte de la pensée romantique sur le génie des peuples et leurs créations héroïques, trouvait dans cette œuvre un champ privilégié. La *Chanson de Roland*, décomposée en plusieurs documents, devenait une absurde mosaïque, impossible à rendre cohérente. Et de plus on ne pouvait tirer aucune conclusion certaine sur aucun des points de l'échafaudage d'hypothèses contradictoires construit par les érudits. Tout ceci n'a l'air de rien ; mais je ne m'attendais pas à retrouver le même problème quelques années plus tard au séminaire en abordant l'exégèse biblique. Celle-ci était encore sous la domination intellectuelle de l'école allemande et de ses origines folkloristes et hégéliennes. Elle s'en est libérée au tournant des années 70.

Lorsque pour la première fois j'ai mis les pieds dans la bibliothèque de la Sorbonne, j'ai eu le souffle coupé. Et la bibliothèque de Sainte-Geneviève ! Et plus tard, la Nationale ! Cette masse de livres, tous ces gens qui lisaient... désormais les portes du savoir m'étaient ouvertes... Je me plongeais avec frénésie dans la lecture des romanciers et des poètes, me bornant presque exclusivement au XIXe siècle et aux contemporains.

La découverte de l'art

J.-L. M. — Au cours de cette période, j'ai aussi découvert la peinture. Je l'ignorais complètement jusque-là. Un peintre, un peu plus âgé que moi, m'a traîné dans les musées... Il m'a fait découvrir la peinture du début du siècle, et une autre manière de sentir. Ma fréquentation antérieure des écrits de Max Jacob et des amis du Bateau-Lavoir m'y avait préparé, ainsi que celle des surréalistes. J'apprenais à me dessaisir de la représentation pour me laisser saisir par le tableau, par la surface peinte. Ce pouvait être un pur abandon sensualiste, irrationnel, ou bien un effort pour tenter de comprendre ce que cette démarche même avait de logique. Tantôt une logique formelle imposée par l'esprit, tantôt une logique qui se donnait à travers la couleur. Ce qui est tout à fait différent de l'académisme qui imposait ses propres catégories à l'objet, alors qu'ici c'est l'objet, le tableau, qui se donne à voir. Comme j'avais affaire non pas à un philosophe mais à un peintre, il n'avait aucun outil conceptuel pour m'expliquer cela. Il me le faisait percevoir sur le registre sensible, ce qui, au fond, était peut-être le meilleur registre possible. « Regarde, regarde, laisse-toi prendre par la couleur, regarde ! » Et cela a été très important. A ce moment-là, j'ai compris que la peinture, comme la musique d'ailleurs, était une expérience spirituelle, et qu'à ce titre elle était ambivalente.

D. W. — *Ambivalente ?*

J.-M. L. — Susceptible de bien ou de mal, c'est-à-dire que les catégories du bien et du mal y étaient engagées.

J.-L. M. — *Pensez-vous qu'il puisse entrer des catégories morales dans le jugement esthétique ?*

J.-M. L. — Deux anecdotes. J'ai passé un été en Suisse, presque en face de Gruyères, dans une pension de famille. J'étais étudiant. J'ai lié amitié avec un vieux monsieur (du moins il semblait tel à ma jeunesse) accompagné d'une vieille dame, son épouse. Il s'appelait Ossiasson. Il est mort il y a quelques années. C'est un nom connu de la peinture non figurative. Juif russe d'Odessa, il était venu en France au début du siècle... Il avait fait des décors pour Diaghilev. Il avait appris le métier académique. Il avait ensuite suivi le trajet de cette génération. Son érudition était prodigieuse, picturale et littéraire. Nous avons passé un été à bavarder. Il s'était pris d'amitié pour moi et réciproquement. Je veux vous citer deux souvenirs.

Le premier, ce qu'il m'a dit de Picasso : « C'est le diable. Il a infiniment de talent, mais sa peinture est méchante. Il se venge. Il est habité par un mauvais esprit. Il est génial mais il est méchant, il est mauvais. » Il considérait donc la volonté, la liberté, comme un facteur déterminant de l'acte du peintre. L'autre souvenir de mes entretiens avec Ossiasson concerne l'acte de peindre, qui est finalement un acte spirituel et mystique. Il évoquait la recherche de l'absolu, la recherche presque impossible de l'au-delà de soi, le geste de l'homme qui crée, mais qui crée quelque chose qui va à l'encontre de l'impossible autre que soi... A ce propos je prononce le nom de Dieu. J'ai vu Ossiasson blêmir. Il m'a crié : « Ne prononcez jamais ce nom ! » Il savait bien que j'étais croyant. « Ne prononcez jamais ce nom ! » C'était comme si, pour lui, Dieu ne pouvait pas être appelé Dieu. Il avait en tête la peinture dite religieuse, la peinture figurative italienne, espagnole, française même, et il lui semblait que le mot « Dieu » prisonnier de cette peinture fourvoyait hors du mystère de Dieu. Il croyait qu'il ne croyait pas. Il ne croyait pas. Tragiquement, comme si Dieu devait exister et qu'il n'arrivait pas à le voir. Pour lui, ce qu'on lui disait être Dieu ne pouvait pas être Dieu. Le sens de sa recherche non figurative consistait à dire : « Comment voulez-vous que l'on peigne des visages comme des photographies ?... Ce n'est pas cela qu'il faut faire. Il faut que nous cherchions cette autre réalité, qui se trouve en retrait, plus loin et que précisément je ne veux pas que vous nommiez. » La peinture peut être une aventure spirituelle. Quand on voit l'entreprise de la peinture moderne depuis le début du siècle, à mon sens, les prophètes culturels ont été les peintres. Les peintres ont pressenti la subversion en train de s'opérer : ils l'ont faite. Et c'était une subversion ambiguë, tantôt diabolique, comme chez Picasso, tantôt désespérément à la recherche du bien innommable, comme chez tant d'autres. Je me rappelle. Au Musée d'Art moderne à New York, devant les Picasso, je suis resté fasciné, grisé, trouvant cela prodigieux, mais me demandant quel esprit l'habite.

J.-L. M. — *Cela n'a rien à voir avec la morale...*

J.-M. L. — Si, aussi.

J.-L. M. — *Pourquoi ?*

J.-M. L. — Parce que, mettre une couleur juste, c'est un acte bon, juste... C'est cela qu'il faut comprendre. Ce n'est pas le fait de montrer une femme nue, ou de prendre tel ou tel thème qui...

J.-L. M. — *Avec de bons sentiments on fait de la mauvaise littérature... On doit faire aussi de la mauvaise peinture...*

J.-M. L. — Non, non, là vous n'y êtes pas du tout. Mirò l'écrit dans son Journal. Peindre, pour ces gens, c'est une recherche de l'absolu, un acte spirituel. Mais ces hommes, désormais, n'ont plus de langage commun. Chacun d'eux est obligé de se former son propre langage. Ce sont éperdument des solitaires, et leur art n'a plus aucune signification sociale en dehors des galeries.

J.-L. M. — *Mais pour eux il a une signification...*

J.-M. L. — Oui, mais la signification d'une aventure personnelle qui n'est plus portée socialement, si ce n'est par les marchands. La peinture est devenue un art de chevalet qui n'a comme seul critère que de savoir si le tableau se vend ou ne se vend pas, ou, à la rigueur, s'il sera dans un musée, c'est-à-dire une nécropole.

D. W. — *Pourquoi l'Eglise est-elle aujourd'hui absente du mouvement de l'art, de la peinture, de la sculpture, de la musique, voire de l'architecture, alors qu'elle y a été si présente dans le passé et que ces différentes formes d'expression artistique lui doivent beaucoup ? Pourquoi cet abandon et pourquoi l'Eglise est-elle seulement témoin du passé ?*

J.-M. L. — Il y a peut-être deux séries de causes, celles qui tiennent à la crise interne de l'art moderne, et les causes internes à l'Eglise. S'il y a rupture de la représentation et de la figuration dans l'esthétique, cela veut dire une crise spirituelle dans l'Eglise elle-même, dans les cultures ou les peuples chrétiens. C'est un indice sûr. Les désaccords entre l'esthétique et la spiritualité sont le test d'une crise qui se prépare. Le XIXe siècle a connu comme art populaire religieux un art rétro, c'est-à-dire un faux moyen âge, puis un faux roman, puis un faux byzantin; cette propension à vivre dans le rétro depuis deux siècles est le signe précurseur d'une grande crise qui se situe plus dans les profondeurs de la vie chrétienne que dans son organisation sociale.

D. W. — *Aujourd'hui, avec l'art abstrait, c'est autre chose.*

J.-M. L. — La fonction sociale de l'art n'est plus la même, ni celle de l'art religieux. Il y a toujours eu réutilisation des éléments du patrimoine symbolique pour une nouvelle création ; maintenant on se contente de mimer le passé. L'art contemporain a vécu une crise formidable qui mettait en jeu sa fonction sociale. Le refus de la figuration, à mon sens, est une harmonique de la négation athée ou du moins d'un certain éloignement de Dieu. Aujourd'hui, l'art en est arrivé à un point où, prudemment, les artistes reviennent à la figuration. C'est un indice qui ne trompe pas : au-delà de l'hyperréalisme ou des collages variés, c'est peut-être que nous sommes en train de sortir d'une certaine phase. S'il y a une inspiration mystique chez les artistes, il y aura des génies créateurs. Car il y a deux manières de voir la place de l'Eglise. Elle peut être commanditaire ou diffuseur, mais alors elle n'est qu'un mécène. En profondeur ce sont les artistes qui doivent être eux-mêmes habités par la foi commune et la proférer à leur manière singulière, originale. C'est alors tout autre chose. Au XIXe siècle, l'Eglise a été mécène, comme l'Etat bourgeois, mais elle a eu la peinture « pompier » de style Saint-Sulpice comme l'Etat avait son Flandrin. Il ne suffit pas de commanditer pour avoir des génies !

D. W. — *Oui, mais cela fait très longtemps que l'Eglise, en son sein, ne nourrit plus les artistes. Au moins était-elle mécène.*

J.-M. L. — Dès que j'ai pu approcher des « artisans » peintres, sculpteurs (certains n'acceptent pas de se nommer artistes), j'ai constaté qu'ils sont fascinés par l'objet religieux. Aujourd'hui, l'art du chevalet, de l'exposition, à quoi est réduite la fonction esthétique, entraîne une réduction du rôle de l'artiste dont nous payons les conséquences. A la belle période à laquelle vous faites allusion, l'Eglise offrait murs et plafonds aux peintres, et aussi des espaces sacrés aux sculpteurs. Il y avait là une fonction sociale de l'art...

D. W. — *Mais qu'est-ce qui empêche de faire la même chose aujourd'hui ?*

J.-M. L. — Rien ni personne, sauf peut-être la crise intérieure dont je vous ai déjà parlé... et l'argent ! C'est l'Etat désormais qui possède la richesse. Et l'art est devenu objet de spéculation. Il y a des cours et des lois du marché.

D. W. — *Oui, mais elle est bien longue cette crise intérieure puisqu'elle dure depuis trois siècles ! Dans une société rationnelle et scientifique, l'Eglise aurait pu revendiquer ou reprendre à son compte la dimension non rationnelle de la réalité et exprimer une quête spirituelle. Il semble qu'elle ne l'ait pas fait.*

J.-M. L. — Le beau ne s'oppose pas au vrai comme le non-rationnel au rationnel. Comme disait la philosophie classique, les transcendantaux communiquent les uns avec les autres, peuvent se changer l'un en l'autre : le Vrai, le Beau et le Bien. Je pense que l'approche esthétique de la vérité est extrêmement importante pour fonder la démarche théologique. Cette revendication théorique, faite aujourd'hui par des intellectuels et par des théologiens, je la perçois comme l'annonce d'un printemps à venir, et pour la société, et pour l'Eglise.

D. W. — *Qu'entendez-vous quand vous dites que l'art moderne symbolise la fracture d'une société avec elle-même ?*

J.-M. L. — Il s'agit d'un univers clos et enfermé en lui-même, et il se croit obligé, pour se libérer, de faire une expérience destructrice. Celle de la négativité, au moins celle de la négation de tous les canons dans lesquels il a été jusqu'alors enfermé.

J.-L. M. — *Je ne comprends pas le lien que vous établissez entre l'histoire esthétique ou culturelle et le statut social de l'artiste ou le marché de l'art.*

J.-M. L. — L'acte esthétique est un acte spirituel qui ne peut être porté que par les valeurs spirituelles qui prévalent dans une société donnée. Quelle que soit la singularité d'un artiste, même étrange, il est porté par une cohérence sociale. Or, il arrive un moment où la société peut être comme morte spirituellement. A tout le moins, sa portion proprement spirituelle s'est dissociée de l'aventure esthétique. Il faut expliquer, par exemple, comment sainte Thérèse de l'Enfant-Jésus, une grande mystique, tellement novatrice dans le domaine spirituel et si prodigieusement moderne, est si décevante sur le plan esthétique dans sa poésie et dans sa peinture. C'est le signe d'une époque en état de disjonction, de rupture.

J.-L. M. — *Mais un artiste n'est jamais réconcilié avec la société, quelle que soit cette société.*

J.-M. L. — Par définition, l'artiste est un « asocial » et un indépendant. Bon. Mais le mystique aussi ! Cependant, il y a eu des époques et des sociétés dans lesquelles l'acte de passer commande et l'acte de peindre étaient étroitement liés. Prenez Fra Angelico ; l'acte de commander et celui de peindre étaient en fait habités de l'intérieur... Mais quand le peintre se trouve seul devant son mur et qu'il se dit : qu'est-ce que je fais ?

D. W. — *Cette question ne se pose-t-elle pas à n'importe quel peintre, à n'importe quel moment historique ?*

J.-M. L. — Certes. Mais actuellement, à cause de la révolte contre l'art, à cause du caractère marchand de l'art, il y a aggravation de la crise esthétique. Remarquez-le, je ne suis pas pour un art idéologique subordonné à l'Eglise. Je dis que l'aventure esthétique humaine menée par les artistes du début du siècle, en brisant les carcans, a fait d'eux des prophètes aveugles.

L'action religieuse en milieu étudiant

D. W. — *A la Sorbonne, dans le milieu étudiant, parlait-on de religion, et vous comment la perceviez-vous, dans cet univers complètement laïc ?*

J.-M. L. — C'était une période explosive du témoignage apostolique. Elle était explosive en fécondité, et en même temps controversée à l'intérieur et à l'extérieur. Mon premier souci, en arrivant sur le pavé de Paris et en m'inscrivant à la Sorbonne, a été d'aller trouver l'aumônier de la section de Sorbonne de la J.E.C. C'était un père jésuite ; il s'appelait Jean Daniélou. Je suis tombé sur un jeune père extrêmement vif, plein de pétulance, à qui dès lors m'a lié une respectueuse et reconnaissante amitié. Dès la rentrée de 1944, j'ai commencé à faire partie de ce groupe animé d'une visée politico-religieuse. Son intention était de répondre à la vocation chrétienne par une action de type socio-politique, en investissant le syndicalisme étudiant et les engagements variés qui se présentaient alors. La question théorique était sous-jacente : dans quelle mesure ces engagements pouvaient-ils être définis comme une action répondant à une intention religieuse ? Etait-ce une action apostolique ? En quel sens ? Quel rapport entre une action de ce type et sa finalité propre, l'accomplissement de la volonté de Dieu et l'avènement de son Règne ? De ce débat, on n'est pas encore sorti quarante ans après ! Mais il était alors posé en ces termes.

La J.E.C. proposait une visée de type institutionnel. En ce qui me concerne, je me suis aussitôt précipité dans ce qui commençait de se nommer « syndicalisme étudiant ». D'abord au groupe d'études littéraires classiques qui se réunissait quelque part dans les hauteurs du troisième étage de la Sorbonne. C'était le G.E.A., Groupe d'Etudes Antiques ; j'en suis devenu le président au bout d'un an. J'ai été aussi le deuxième président de la F.G.E.L., la Fédération des Groupes d'Etudes de Lettres de Sorbonne.

A l'époque, il y avait deux facultés à la Sorbonne, les Lettres et les Sciences. Deux sections jécistes. Deux groupes catholiques. Le groupe catholique des Lettres avait pour aumônier, nommé par le cardinal Suhard, l'abbé Charles, vicaire à Saint-Etienne-du-Mont. L'abbé Charles a immédiatement donné une forte impulsion à ce groupe et a provoqué un rassemblement des différentes organisations catholiques étudiantes : la J.E.C., le G.C.L. (Groupe Catholique des Lettres). Il y avait aussi un clan routier qui avait à sa tête le polytechnicien Pierre Schaeffer et encore une conférence de Saint-Vincent-de-Paul...

Très vite, pendant l'année 44-45, l'abbé Charles, qui avait en face de lui des jeunes de dix-huit à vingt-cinq ans dont certains avaient pris part à la Résistance, nous a tenu un langage extrêmement ferme. Il a invité les responsables de ces différentes organisations à se réunir et, avec une sorte d'intuition prémonitoire, il nous a dit : « Je vais vous réunir en concile » (il a employé le mot) « pour qu'ensemble vous preniez la responsabilité de l'Eglise à bâtir en Sorbonne ». Il réussit également à louer un petit local au 2, place de la Sorbonne, où tout le monde se retrouvait. Ce rassemblement d'organisations prit le nom de « Centre Richelieu » en mémoire du cardinal fondateur de la Sorbonne, ce qui était quand même provocant. Le Centre Richelieu, à peine créé, a donné à la présence des catholiques en Sorbonne-Lettres, puis en Sorbonne-Sciences, une impulsion considérable : c'était une affirmation visible de l'existence de l'Eglise chez les étudiants. Il y eut ensuite un « concile » par an et par faculté, Lettres et Sciences. Il comportait une session annuelle de quinze jours ; ceux qui avaient participé à l'action durant l'année écoulée en faisaient le bilan et organisaient l'année à venir.

D. W. — *N'y avait-il pas des conflits de tendances ? Une opposition entre progressistes et conservateurs ?*

J.-M. L. — Oui, en gros, il y avait deux positions dont je vais donner une formulation tranchée. En fait, les positions étaient plus nuancées. L'une consistait à dire que le Royaume de Dieu est la recherche de la justice, et donc que toute recherche de la justice est recherche du Royaume de Dieu. Il suffisait donc d'agir politiquement pour le bien et la vérité, pour qu'immédiatement on agisse pour Dieu. Ce qui pouvait dispenser de toute autre forme d'action ou même l'exclure.

L'autre position consistait à dire : il y a des ordres distincts. L'ordre de la révélation, de la fidélité à Dieu, juge de toutes choses, éclaire et doit éclairer toutes choses ; il ne se réduit à aucune des réalisations temporelles où l'homme engage sa responsabilité. De plus le Règne de Dieu appartient à Dieu et non pas à l'homme, même si l'homme doit travailler à rendre cette terre plus juste et plus conforme à ce qu'il sait du bien et du mal. Nous ne sommes pas, nous hommes, aptes à juger de la justice au sens divin du mot, c'est-à-dire de la rectitude profonde, de la droiture interne des consciences et des cœurs. Nous ne connaissons ni l'ultime secret du bien et du mal ni celui des destinées humaines.

Je partageais cette seconde position parce que, à sacraliser le politique, on est mûr pour la guerre sainte et pour tous les totalitarismes. J'avais une conscience aiguë que ce n'était pas possible à cause de l'hitlérisme. L'histoire du communisme est une autre affaire. On y reviendra sans doute, car la séduction du communisme...

D. W. — *Le communisme vous attirait-il ?*

J.-M. L. — Oui. Il représentait une tentation certaine pour toute notre génération. Mais je n'étais pas près d'y succomber. Je me rappelle avoir interrompu un jour un révérend père pour lui dire : « Et le péché originel ? » Je ne devais pas être très théologien à l'époque, mais c'était exactement le coin dans le système. Cela voulait dire que, s'il n'y avait pas eu le péché du monde, on aurait pu en effet imaginer une cité idéale où l'homme n'aurait pas besoin de sauveur ni, donc, de Dieu pour opérer son salut.

La position théorique, théologique, à laquelle j'adhérais correspondait à celle de *Témoignage chrétien* avant la mutation qu'il connaîtra quelques années plus tard. Ses rédacteurs, aussi bien Chaillet et de Lubac que Fessard, étaient très conscients de la nécessité de ce qu'on appelait à l'époque un « engagement temporel », et ils disaient aussi les implications et les conditions chrétiennes de ce type d'action. Ils étaient favorables à des idées ouvertes à la défense de l'homme, en gros antitotalitaires ; en arrière-fond, il y avait Maritain et l'éventail des grandes figures libérales de l'avant-guerre. Mais en même temps ils affirmaient que l'ordre du politique ne pouvait pas devenir totalisant de l'existence humaine, et donc ne pouvait ni ramener à lui le contenu religieux ni déterminer l'ordre de la foi. La totalité de l'existence humaine ne peut se réaliser dans la cité humaine, dans « la cité », comme on disait à l'époque. Nous nous pensions dans une époque heureuse parce que, enfin, la position publique et politique des catholiques semblait trouver sa place. Nous étions en train de liquider des siècles de conflits et d'exclusion, ceux du cléricalisme et de l'anticléricalisme, tous les conflits de l'avant-guerre et de la guerre.

J.-L. M. — *Mais n'est-ce pas aussi parce que le catholicisme de droite n'avait plus droit à la parole ? Ceux qui avaient collaboré étaient déconsidérés, mais n'avaient pas disparu comme par enchantement.*

J.-M. L. — Certainement pas. Une fraction de la droite catholique avait pris part à la Résistance.

J.-L. M. — *L'autre fraction était simplement réduite au silence.*

J.-M. L. — Oui. Mais dans le même moment se produit en France un renouveau considérable de la pensée catholique. Certains hommes du groupe fondateur de *Témoignage chrétien* furent parmi les initiateurs du renouveau patristique et participèrent à la collection « Sources chrétiennes » qui venait d'être fondée.

Dès 1945 le père Danielou avait créé la revue *Dieu vivant*. Avec une ouverture œcuménique étonnante pour l'époque, elle posait les jalons d'un renouveau de la pensée chrétienne et de ses catégories bibliques et patristiques. Elle réintroduisait la littérature chrétienne la plus ancienne et prenait en compte la modernité dans la réaffirmation de la transcendance de Dieu. *Dieu vivant* entendait reprendre les problèmes du catholicisme et de la pensée moderne, non pas en fonction de catégories politiques — simplistes finalement —, mais par rapport au sens de l'histoire. *Dieu vivant* n'acceptait pas la surinterprétation du schéma de type progressiste qui visait à dire : il y a les progressistes, et c'est nous, et vous autres, si vous n'êtes pas progressistes, vous êtes réactionnaires. Une fois accepté ce postulat qu'il y ait les uns ou les autres, il n'y avait plus que les uns contre les autres.

J.-L. M. — *Vous ne nous avez pas répondu sur la question de la place de la religion en milieu étudiant.*

J.-M. L. — Je suis mal placé pour répondre parce que je suis un converti. Je suis « décalé » et je le demeure. Je le mesure en me souvenant de situations, de conflits, de discussions multiples et répétées dont j'ai été le témoin et parfois l'acteur. Ce qui me paraissait évident ne l'était pas pour les autres, et inversement. Aux yeux de bien de mes camarades, certaines de mes convictions les plus fortes apparaissaient comme venant du passé, comme marquées d'une sorte — je ne dirai pas de traditionalisme, mais enfin, presque... Certains d'entre eux, à l'opposé de mes réactions, étaient saisis par le désir de s'affranchir de ce qu'ils avaient reçu dans leur éducation et qu'ils percevaient comme une contrainte.

J.-L. M. — *L'héritage, en quelque sorte.*

J.-M. L. — Un héritage qui est une contrainte et qu'il faut rejeter pour pouvoir être soi-même. Il m'apparaissait clairement que cet héritage n'était pas une contrainte, mais au contraire une richesse, le trésor caché dont je découvrais la plénitude et l'ampleur. Il me paraissait insensé de rejeter, sans s'en rendre compte, ce qui n'était pas un carcan mais la source de la liberté.

D. W. — *Vous n'aviez pas du tout le même jugement sur l'héritage.*

J.-M. L. — Les gens avec qui je me suis senti le plus à l'aise étaient de deux types. C'étaient d'abord les incroyants. Je comprenais très bien le point de vue de l'extérieur : j'en venais. Je n'avais jamais dû aller jeune à la messe, on ne m'avait jamais obligé à me confesser, on n'avait jamais contrôlé si je communiais, on ne m'avait jamais imposé aucun geste religieux d'aucune façon. Et aucune exigence éthique ou morale ne m'avait été imposée par coercition dans mon éducation. Enseignée par mes parents, oui ; transmise comme un devoir et un honneur, puisque venue de notre

« élection », oui ; mais je n'avais pas été contraint. On ne m'avait jamais « interdit » d'aller chez les mal-pensants ni chez ceux d'en face... Je n'avais pas de liquidation à faire.

D. W. — *Quel était l'autre groupe dont vous étiez proche ?*

J.-M. L. — C'était celui des convertis. Il y en avait des quantités.

D. W. — *Des quantités !*

J.-M. L. — Oh oui, de toute espèce, de tout bord ; et c'était la continuation, plus ou moins, de l'avant-guerre. Certains étaient juifs, d'autres non. Il y avait de tout. Je n'étais pas le seul.

D. W. — *Par rapport à l'expérience d'Orléans ou de la guerre, vous n'aviez plus l'impression d'un destin individuel ?*

J.-M. L. — Je n'étais pas un oiseau rare, pas un oiseau unique en tout cas. La catégorie existait : disons, non pas le groupe, mais la catégorie.

D. W. — *Le premier courant dont vous avez parlé, à la sortie de la guerre, s'est défini par une volonté d'engagement politique auprès des exclus, auprès de la classe ouvrière, en opposition à l'épiscopat français qui était plus à droite et plus conservateur.*

J.-M. L. — Mais non ! Tout l'épiscopat français, comme un seul homme, soutenait le M.R.P.

J.-L. M. — *Après avoir été pétainiste dans sa très grande majorité !*

J.-M. L. — Ce n'est pas en ces termes-là que la question se posait à notre génération.

Une génération de chrétiens de gauche ?

D. W. — *A l'époque, comment vous situiez-vous par rapport à la politique ? Quelle était la nature de votre engagement ?*

J.-M. L. — J'étais président de la F.G.E.L. (Fédération des Groupes d'Etudes de Lettres de Sorbonne) et je me suis trouvé voter la charte de Grenoble. J'étais un des leaders de la tendance « jéciste » ; et c'est cette tendance qui, alliée aux communistes, a fait passer contre les « corpos », que nous disions « réactionnaires », la définition de l'étudiant comme « jeune travailleur intellectuel ». Quant à la politique nationale, je l'ai peu suivie. Par contre, toute la génération était, comme on disait à l'époque, « engagée ». Nous nous imaginions en train de bâtir une France nouvelle, qui ne ressemblerait en rien à la précédente, qui permettrait l'avènement d'une société enfin équitable dont nous, les jeunes, allions être les protagonistes. Il y eut ensuite une prise de distance à la mesure d'un certain désenchantement.

Toutefois, les enjeux théoriques de l'action politique étaient liés au marxisme. Ils tournaient autour de la question : y a-t-il un sens de l'histoire ? La séduction du marxisme, du moins pour le type d'hommes que nous étions, tenait à ce que nous croyions être son efficacité, sa cohérence et sa capacité d'interprétation du réel. Pouvait-on récupérer tout cela au profit du catholicisme, ou le catholicisme pouvait-il produire des outils comparables ? Cette question, je l'ai transportée au séminaire, et elle convergeait, jusqu'à un certain point, avec la recherche des chrétiens progressistes. En 1948, nous avions organisé chez l'un de nos camarades une rencontre à six ou huit, et nous avions invité Raymond Aron ; il avait répondu très gentiment à l'invitation. Nous avons passé une soirée à discuter du sens de l'histoire. Oui ou non, l'histoire avait-elle un sens ? etc. Alors, nous avons eu droit à une séance de « rabotage » peu ordinaire ! Je ne me souviens pas du détail ; mais si Raymond Aron était d'une courtoisie parfaite, tout ce qui « dépassait » était limé. Cela nous a fait réfléchir. La question lancinante portait sur l'engagement. L'engagement était la valeur suprême. Tout cela sur fond de tableau existentialiste. L'engagement existentialo-marxiste, vous voyez le climat ?

J.-L. M. — *Vous êtes-vous posé la question d'une adhésion au Parti communiste à un moment donné ?*

J.-M. L. — Non, pas un instant. Car j'avais l'intuition qu'il représentait une image « religieuse » inversée, portée à son paroxysme par le stalinisme, telle qu'Annie Kriegel l'a décrite, plus tard.

D. W. — *Qui étaient les autres, ceux qui étaient beaucoup plus tentés que vous d'utiliser le marxisme comme outil d'analyse, voire d'adhérer à son schéma politique ?*

J.-M. L. — C'étaient souvent les chrétiens dits « progressistes » au sens technique du mot, ou des compagnons de route, ou même des membres du P.C. Ils faisaient la théorie d'une adhésion au P.C., ou d'une intégration du P.C. à l'action chrétienne. Et la théorie en était fort poussée par certains groupes chrétiens. L'action des chrétiens, la pratique pastorale, la situation des prêtres, y compris leur travail professionnel, y compris les relations avec les syndicats et avec les partis politiques, tout cela était formulé et mis en œuvre « dialectiquement ». La hiérarchie de l'époque était naïve, sans défense. Ces gens ne faisaient pas de cadeaux, mais ils étaient divisés, déchirés, incertains d'eux-mêmes et dans l'incapacité d'assumer jusqu'au bout des positions qui portaient en elles une réelle contradiction, en raison même de la part d'héritage chrétien dont ils maintenaient l'existence.

Quant à moi, j'étais « du parti du progrès », c'était évident. Je me voyais comme tel à tous égards. Et de la rénovation, et de l'avenir... Je n'aurais jamais accepté que l'on me traite de « conservateur ». Quand j'avais eu à me situer politiquement, je me disais homme de gauche. Il ne m'était même pas pensable d'être un homme de droite. C'était ainsi que je me voyais et tant de mes contemporains se voyaient ainsi eux-mêmes ! Tout ce qui était espérance d'un changement, d'une rénovation, se situait dans la même perspective. Le titre de *Jeunesse de l'Eglise* était significatif. Le premier numéro, programme d'action de cette revue, date de 1942, à Lyon. Sa dérive — et sa disparition vers 50 — trace exactement une ligne d'évolution d'une partie du catholicisme français. Toute cette génération était habitée par une image de la sénescence des rites, d'un cléricalisme usé, d'une religion désuète, et ce que nous étions en train de vivre nous apparaissait plein de vie, de jeunesse, d'innovation, d'invention, de « créativité », comme l'on dira plus tard. Dans ce contexte, le rapport au marxisme était ambigu en ce sens que nous oscillions pour savoir comment retrouver ou non, au profit du christianisme, ce qui semblait un gain ou une vérité dégagés par l'outil de compréhension marxiste. C'était l'époque — n'oubliez pas ceci — non seulement d'avant la guerre froide, mais aussi d'avant la prise de conscience de la suite réelle du léninisme en U.R.S.S. Je n'ai vu les pays soviétiques pour la première fois qu'en 1950, à Berlin. J'avais bien lu le *Retour d'U.R.S.S.* d'André Gide, mais personne — le P.C. était le « parti des fusillés » ! — personne, à l'époque, ne pouvait, n'osait dire...

J.-L. M. — *Certains le disaient et l'avaient écrit bien avant la guerre, comme Souvarine, mais on ne les entendait pas.*

J.-M. L. — Certains l'ont dit, mais on ne les entendait pas, car ce n'était pas audible. Il y avait une espèce de fascination du marxisme dans ses aspects les plus religieux (les plus équivoques) : son eschatologie, sa logique de l'histoire, sa prétention totalitaire ou totalisante, l'alliage des valeurs éthiques, de justice, avec le réalisme de l'action.

J'ai vu des amis chrétiens rejeter complètement l'institution catholique au nom d'arguments spirituels, puis s'enfoncer dans une identification à l'idéal marxiste de plus en plus forte et devenir finalement des « cléricaux-marxistes », acceptant de la discipline du P.C. des contraintes que jamais ils n'auraient acceptées de l'Eglise.

D. W. — *Pourquoi les chrétiens, et les catholiques en particulier, ont-ils été à ce point tentés par le marxisme ? Cela signifiait-il une incapacité totale du christianisme à produire ses propres catégories d'analyse de la réalité sociale ?*

J.-M. L. — Probablement. Mais j'en viens à cette question que je date de 1948 ou de 1949. J'avais vu le choix : ou bien les « chrétiens progressistes » ont raison, et dans ce cas il faut aller plus loin qu'eux et adhérer au P.C.F. en cessant de se dire chrétiens, car ils ne sont qu'à mi-chemin ; ou bien ils n'ont pas raison et il faut le démontrer et voir en quoi. En tout cas, ne pas rester à mi-chemin. Il fallait donc, sinon rebrousser chemin, du moins changer de chemin, c'est-à-dire changer les termes du problème.

Ce fut ma position personnelle dans ces années-là, mais il ne devait pas y avoir trop de monde à vouloir pousser la clarification. Rétrospectivement, je suis très reconnaissant à mes maîtres de l'Institut Catholique, parmi eux, Daniélou et Bouyer, mais aussi ceux que j'ai lus à ce moment-là, de Lubac, Fessard, Raymond Aron, Henri Marrou et bien d'autres... Cette accumulation d'outils variés a permis à un certain nombre de gens de ma génération, sinon d'avoir une position rigoureusement formulée, au moins d'avoir assez d'outils intellectuels pour nous « dépiéger » de la problématique des années d'après la Libération, pour mettre au clair les confusions de l'époque à propos notamment du sens de l'histoire — cette question que l'on traînait comme une casserole !

Le séminaire et la formation théologique

D. W. — *Vous avez décidé d'entrer au séminaire en 1946. Pourquoi si tard et pourquoi pas en 1944 ?*

J.-M. L. — Pourquoi si tard ? J'aurais envie de répondre « pourquoi si tôt ? ». Parce que j'étais jeune : j'avais dix-huit ans et un conflit familial à résoudre, ce qui n'allait pas de soi. J'avais décidé de n'entrer au séminaire qu'après ma majorité. Mes relations avec mon père étaient à ce moment-là difficiles ; l'abbé Veuillot que je continuais de voir m'avait dit : « Il faut d'abord passer une licence et puis vous verrez après. » Ce qui est étonnant, c'est que je sois entré au séminaire alors que je n'avais pas terminé ma licence de lettres.

Au bout de deux ans, j'ai senti que les temps étaient mûrs, que je ne gagnerais rien à attendre davantage : il fallait que je me décide. Cela m'a paru comme une évidence, puisqu'il y avait encore au minimum deux ans de philosophie et quatre ans de théologie, donc six ans, plus un an de service militaire. Tout ce que je peux vous dire, c'est que j'étais déterminé à y entrer. Il y a eu à nouveau un conflit, extrêmement violent, avec mon père, un conflit très cruel, très brutal. Cela a été jusqu'à une espèce de coup de force de sa part. Je n'étais pas exactement majeur, il me manquait quelques mois : il m'a coupé tous les moyens d'existence et même jusqu'aux cartes d'alimentation... Cela a été un conflit très douloureux. Il s'est apaisé deux ans après. Je suis resté deux ans sans voir mon père, donc seul.

D. W. — *Quels sont les professeurs ou les courants qui vous ont marqué ?*

J.-M. L. — J'ai vécu deux périodes très distinctes : la philosophie et la théologie, avec deux corps professoraux différents. Mon appréciation ne sera donc pas la même dans l'un ou l'autre cas.

L'autre élément à considérer était les compagnons que j'ai trouvés au séminaire. Nous étions plus d'une soixantaine ayant tous fait des études supérieures. J'ai rencontré là, rassemblés dans une atmosphère, paraît-il étonnante pour l'époque mais qui m'a semblé aller de soi, de liberté intellectuelle et de liberté de parole, des personnalités aussi différentes que Marc Oraison, et celui qui est devenu l'abbé de Nantes, actuellement en position de rupture avec l'Eglise. C'était un milieu effervescent, fascinant, très vivant et contrasté, qui n'avait rien de médiocre. J'ai eu la chance d'avoir comme supérieur pendant la quasi-totalité du séminaire un homme de foi d'une grande finesse égale à sa culture, M. Enne. Ce sulpicien avait été très éprouvé par le postmodernisme. Fervent lecteur de Blondel, il se moquait des modes successives, nous rappelait l'essentiel avec force, mais sur un fond de scepticisme et d'anxiété surmontés.

D. W. — *Les autres séminaristes connaissaient-ils votre histoire personnelle ?*

J.-M. L. — Je n'ai rien dit. Je n'ai jamais voulu me prêter à la confidence. J'ai horreur de jouer au converti qui va raconter son histoire. J'ai toujours eu un sentiment de pudeur invincible, et cela a été une épreuve, quand j'ai été nommé évêque, d'être obligé de parler de moi. Je ne me suis jamais caché d'être ce que je suis, mais je n'ai jamais voulu en faire un sujet de conversation dont l'exhibitionnisme me blesse.

J.-L. M. — *Avez-vous entendu des séminaristes tenir des propos sur les juifs qui vous ont choqué ?*

J.-M. L. — Non, aucun qui m'ait blessé et dont j'aie gardé le souvenir. J'en ai peut-être entendu et oublié, ce qui serait significatif d'un mécanisme de censure ; ou je ne les ai effectivement pas entendus. Je gardais très fortement la conscience de mon identité. J'ai eu comme compagnons de séminaire d'autres jeunes hommes d'origine juive.

D. W. — *Ressentiez-vous un sentiment de marginalité ?*

J.-M. L. — Peut-être de marginalité relative. Le problème se situait moins par rapport au judaïsme que par rapport au sens du sacré, au sens de l'absolu de Dieu.

D. W. — *Vous est-il arrivé de manifester vos réactions violemment ?*

J.-M. L. — Je l'ai fait. Je ne pouvais pas ne pas les manifester, ce n'est pas mon tempérament d'enterrer ce genre de choses. Et, je m'en suis rendu compte plus tard, j'étais, en partie, injuste.

J.-L. M. — *Vous avez fait trois ans de philosophie au séminaire. Quel était le niveau de l'enseignement ?*

J.-M. L. — Par un ou deux professeurs j'ai été ébloui, et par trois ou quatre autres, j'ai été...

J.-L. M. — *... déçu ?*

J.-M. L. — Oui ! Au regard de la Sorbonne, ils n'étaient pas à la hauteur.

D. W. — *De quel genre d'enseignement s'agissait-il ?*

J.-M. L. — Je cite d'abord un enseignement non philosophique, un cours du père Louis Bouyer, prodigieusement intéressant et intelligent, que le supérieur du séminaire nous avait vivement conseillé de suivre. Ce cours est devenu un livre, *la Bible et l'Evangile*. Il décrivait l'état de la critique biblique telle qu'elle était accessible au niveau universitaire de cette époque, et proposait une intelligence religieuse et théologique de l'Ecriture. Sa vision rejoignait ce que je savais, mais dont je n'avais encore d'autre confirmation que ma lecture naïve de l'Ecriture. Il mettait l'accent sur la continuité historique du judaïsme et du christianisme comme sur la nouveauté spirituelle de l'Evangile. Dans son livre, *la Bible et l'Evangile,* se trouve un supplément où il est question, déjà, du lien de la Cène et de la Pâque.

D'autres enseignements philosophiques étaient d'excellente qualité. Le père Dominique Dubarle, philosophe des sciences, aristotélicien et thomiste, excellent connaisseur de Hegel, donnait un cours de cosmologie qui initiait à l'intuition métaphysique. Il y confrontait les catégories aristotéliciennes et celles de la science moderne. La vision de l'univers scientifique dont il se faisait le témoin comme ses réflexions en philosophie étaient de très haut niveau. Je n'avais pas du tout le sentiment de plonger dans un monde obscurantiste mais, bien au contraire, de voir la face avancée des problématiques les plus modernes.

Daniel Lallemant était un esprit tout à fait étonnant. Avec son visage de grand inquisiteur, d'ascète, de dogmaticien, il avait fort mauvaise réputation parmi les esprits libéraux. Il était d'un thomisme rigoureux et représentait cette constellation d'esprits qui s'étaient rassemblés autour de Maritain. Il donnait des cours d'initiation au thomisme et aussi des cours qu'il appelait de sociologie. On pouvait considérer comme « de gauche » ses positions sur la société (tout comme alors celles de Maritain) tandis que son thomisme et sa rigueur doctrinale l'auraient fait classer « à droite ». Il nous obligeait à réfléchir. Je l'ai entendu dire pour seul commentaire : « Kant ? Pourriture ! Sartre ? hum, hum, hum, hum ! (un ricanement inimitable) » Pardonnez son blasphème ; mais enfin, c'était bien d'avoir, en 46, le courage du non-conformisme devant de jeunes intellectuels...

Il y avait aussi le père Fillière, qui nous proposait une anthropologie aux sources composites, mais stimulante. Sa grande idée était que le désir de Dieu fait partie de l'instinct de l'homme. L'homme est un « animal mystique ». Je retrouvais là une pensée qui m'était familière. Fillière autant que Lallemant traitaient des problèmes du totalitarisme, des doctrines sociales, en essayant d'en dévoiler les enjeux éthiques. Grâce à eux, j'ai lu Sorel et beaucoup d'autres. Au lieu de se contenter, comme à la Sorbonne, d'exposer les théories, ils tâchaient d'établir un diagnostic sur les finalités en se référant aux ressources de la pensée chrétienne. Ce type de démarche me satisfaisait, même si je n'étais pas toujours assuré de la rigueur de leur critique des divers auteurs.

J.-L. M. — *Il y avait donc un décalage important entre cet enseignement et celui de la Sorbonne?*

J.-M. L. — Oui, je me suis débattu pendant deux ans entre deux univers : entre l'univers culturel contemporain dont je provenais — le marxisme et l'existentialisme — et celui de mes maîtres, le néo-thomisme. J'ai lu alors Maritain, Gilson, l'histoire de la philosophie vue par le thomisme. Mais je me posais la question de savoir si le thomisme était une philosophie ou une théologie qui assimile les éléments d'une philosophie. Je n'arrivais pas à comprendre comment des hommes du XXe siècle pouvaient prétendre, à la suite des exigences du XVIIIe ou du XIXe siècle, construire une philosophie à partir de ce qui était manifestement une synthèse théologique.

Je ne suis donc pas devenu néo-scolastique. La part faite à la démonstration rationnelle me paraissait excessive. Et, à mes yeux, ce type de pensée ne rend pas suffisamment compte de l'histoire qui tient une si grande place dans l'expérience juive et chrétienne. De plus, poussée jusqu'au bout, une certaine affirmation de la nature, de sa spécificité et de sa suffisance pouvait conduire à considérer l'affirmation de la relation à Dieu comme superflue, voire comme aliénante. Ce danger n'est pas imaginaire. Le sentiment du Dieu rival de l'homme (ce que je donne à Dieu, je l'enlève à l'homme) n'a-t-il pas traversé tout l'Occident chrétien depuis le XIVe siècle ? Je le sais bien, ce n'est pas la position de saint Thomas ; c'est même une thèse nominaliste qu'il a combattue. Mais combien de scolastiques (voire de thomistes) ont été nominalistes ? Ainsi les luthériens et les jansénistes n'ont cru pouvoir affirmer la souveraineté de Dieu qu'au détriment de l'homme. Et, à l'inverse, le rationalisme a pensé ne pouvoir affirmer l'homme qu'en détruisant Dieu. Maritain a vu ce danger et il en parle dans *Humanisme intégral*. Paradoxalement, il a inventé l'idée d'une chrétienté non sacrale. Il a été ainsi involontairement l'un des pères des courants dits progressistes, même si, en une cinquantaine de pages, il propose une histoire des rapports de la nature et de la grâce dans la pensée occidentale où il critique et dénonce ces doctrines.

D. W. — *Dans ce débat classique, vous étiez augustinien et non pas thomiste ?*

J.-M. L. — J'ai lu saint Augustin avec passion, mais je trouve ces clivages périmés. Une grande question agitait nos maîtres : « Y a-t-il une philosophie chrétienne ? » Et comme toujours, j'ai eu tendance à considérer que les problèmes que se posait cette génération de 1930 étaient dépassés.

J.-L. M. — *La question de votre génération était plutôt : « Y a-t-il une politique chrétienne ? »*

J.-M. L. — Peut-être, oui. En tout cas, j'ai eu l'impression de plonger dans une problématique d'avant-guerre, de m'y investir quelques années, puis de m'en désintéresser. L'augustinisme ne m'intéresse pas. Ce qui m'intéresse, c'est saint Augustin et la tradition de l'Eglise. Si vous voulez absolument m' « étiqueter », je me suis reconnu dans les écrits du père de Lubac.

J.-L. M. — *Etes-vous retourné à la Sorbonne pendant vos années de séminaire ?*

J.-M. L. — Oui, en 48-49, j'ai fait une année supplémentaire de philosophie. Dans l'Université, ni la psychologie ni la sociologie ne s'étaient détachées de la philosophie comme disciplines indépendantes. C'est impressionnant, quand on y réfléchit. L'ensemble qu'on appelle aujourd'hui « les sciences humaines » n'existait pas il y a quarante ans en France. Cela dit, beaucoup de cours étaient intéressants. Malheureusement trop de professeurs hésitaient à prendre position et ce, au nom de la neutralité et de l'objectivité scientifiques, si ce n'est sous le couvert de la pensée d'un auteur.

D. W. — *Oui, c'était contraire à la tradition universitaire.*

J.-M. L. — Exactement.

J.-L. M. — *Aviez-vous le sentiment d'un retard de l'enseignement philosophique à la Sorbonne ?*

J.-M. L. — Oh oui ! J'ai fait partie de la malheureuse tranche des étudiants en philosophie, ceux d'avant Hyppolite, donc d'avant Hegel, qui n'ont été nourris que de la philosophie française classique. Elle était comprise et transmise de telle sorte que nous ne pouvions plus y mordre. En fait, nous n'avions que dédain pour elle, mais nous n'avions accès à rien d'autre. Il y avait à l'horizon intellectuel Camus et Sartre, et on se « retartinait » Marx, mais sans être capables d'en comprendre quoi que ce soit, parce que d'un côté il y avait le parti communiste, et, de l'autre, Hegel l'inaccessible. Les étudiants qui nous ont suivis se sont lancés dans Hegel et Heidegger, alors que nous n'avions fait qu'en entendre parler.

D. W. — *Passe-t-on facilement de la philosophie à la théologie ?*

J.-M. L. — J'ai mis plus d'un an à essayer de comprendre de quoi il s'agissait en théologie : quel était son objet ? Quelle était sa méthode ?

La méthode employée alors pour déterminer ce qui est à croire était au premier abord historique. On déployait un énorme effort critique pour établir suivant des critères externes et internes la provenance, l'authenticité et la valeur de témoignage des textes de l'Ecriture, des conciles, des Pères de l'Eglise, des théologies accréditées. Ce travail était frustrant pour un esprit de tournure philosophique. Apparemment on était dans un champ méthodologique proche des études de sources telles qu'on me les avait enseignées pour les études littéraires à l'Université, mais le raisonnement me paraisait « coincé » quelque part. Effectivement l'enjeu du débat était de renoncer à une démarche de type philosophique et d'accepter que l'étude, qui pourtant employait les outils de la rigueur intellectuelle, ait sa source tout entière dans l'acte de foi. L'intelligence devait se soumettre à la normativité imposée non pas par une mesure humaine, mais par la relation à Dieu, relation personnelle et commune, dont l'Eglise était le garant. J'avais donc besoin d'une conversion intellectuelle pour entrer à l'intérieur de la théologie. Le père Guy de Broglie m'y a aidé. Si la théologie est une science, comme le disait le père Chenu à la suite de saint Thomas, ce ne peut être qu'en un sens vraiment analogique.

La démarche théologique est une démarche de la foi. La vérité qui se donne en elle n'est pas d'ordre spéculatif, elle se donne dans la contingence, dans le concret, dans la singularité de l'histoire. Dieu a parlé à Abraham, cela je le savais depuis l'enfance.

L'absolue Transcendance est entrée en relation avec l'homme. Si Dieu se dit, se donne à penser, il ne peut le faire qu'en se révélant comme celui qui demeure hors des prises de possession de l'homme. Abraham a accepté de croire en Dieu qui se révélait à lui dans les circonstances concrètes et historiques et suivant les modalités que Lui, Dieu, avait choisies. Dieu a parlé dans le Christ, son Elu. En lui, il continue de se dire aujourd'hui. Les documents de la foi ne sont pas des attestations mortes comme des documents classés : ils continuent à nous atteindre au présent. L'Eglise, Corps du Christ, qui se reçoit elle-même de Dieu, est le lieu où la Parole de Dieu faite chair se dit par son Esprit : elle en est le témoin et le garant. L'Eglise n'est pas une sorte d'académie dont le rôle normatif brimerait la liberté et l'esprit de création. La norme de la théologie ne se trouve pas dans l'esprit humain ; elle se découvre dans la foi de l'Eglise qui reconnaît la Révélation de Dieu dans l'Ecriture et sa Tradition. Pour le théologien, l'Ecriture est sainte ; elle est reconnue et interprétée par l'Eglise.

Poser la question de la théologie et de sa méthode, c'est poser la question à la fois de l'histoire et de la christologie, de la foi et de l'Eglise. C'est dire aussi le lieu propre du théologien.

J.-L. M. — *Vous dites qu'il s'agit d'un au-delà de la raison ou, en tout cas, qu'il faut faire une opération mentale consistant en un saut par rapport à une discipline rationnelle classique. Dans ces conditions, n'entre-t-on pas dans un domaine où l'objectif de la discipline est de distinguer ce qui est autorisé de ce qui ne l'est pas, et donc de déboucher sur quelque chose d'essentiellement normatif ?*

J.-M. L. — Oui et non. L'histoire de la théologie ne se réduit pas à la recension des documents révélés et de leur interprétation autorisée. Elle se caractérise par une production d'une fécondité et d'une diversité incroyables, un foisonnement de pensées, de recherches, de spéculations, de découvertes. Ainsi la pensée théologique a élaboré à grand-peine et à grands frais des concepts apparemment incompatibles comme ceux de personne et de nature, qui font maintenant partie du bien commun de la pensée universelle. Le concept téléologique d'histoire vient aussi de la révélation. Pour rendre pensables les affirmations de la révélation biblique, l'esprit humain a été amené à redéfinir des notions métaphysiques, utiles et fécondes, et à dépasser ainsi les apports de la philosophie antique.

La théologie a fait plus que produire des concepts ; elle a suscité les grandes tentatives de rationalité du XIXe siècle. Hegel, par exemple, entreprend la sécularisation et la réduction rationnelle des représentations historiques du christianisme. Il essaie de faire entrer dans une rationalité pensée par l'homme la contingence historique et de se réapproprier par la pensée tout ce qui donne sens à l'histoire. Or, ce qui dans la révélation donne sens à l'histoire, c'est précisément ce qui échappe à l'histoire, l'Esprit de Dieu. La visée hégélienne est de réintégrer dans l'histoire et dans la liberté du sujet humain la source et la norme absolue du sens. Son entreprise démiurgique est d'origine théologique. Les termes mêmes en restent souvent religieux.

Le développement de la science positive en Occident a été rendu possible, entre autres, par l'affirmation du concept de création. Rien n'échappe à la condition de créature. Rien de ce que l'homme peut atteindre n'échappe à sa domination. Autrement dit, l'intelligence de l'homme est souveraine, habilitée à comprendre ce monde. Cela permet, a priori, de lever tout tabou quant à la curiosité de l'esprit humain, à son désir de comprendre.

D. W. — *A l'inverse, avez-vous l'impression qu'il y ait un apport de la pensée contemporaine à la théologie ?*

J.-M. L. — L'effort de la raison par rapport à la révélation ne suffit pas à définir la méthode théologique. L'approche empirique place la raison humaine face à des objets ou à des énoncés religieux ; elle réduit la théologie à des objets, ou a des énoncés soumis à l'intelligence humaine. Or, la clef de la fécondité de la pensée théologique est qu'elle se situe face au Sujet qu'elle interroge et qui d'abord l'interroge, autrement dit Dieu. La théologie perd sa fécondité si elle oublie que Dieu est le vis-à-vis, si elle cesse de croire que Dieu est le Vivant. C'est là une terrible ascèse, et j'en viens à l'apport de la pensée moderne par ce détour apparent.

J.-L. M. — *Peut-on être un bon théologien si l'on n'a pas la foi ?*

J.-M. L. — Cela dépend de ce qu'on appelle théologie. Si,

comme je le fais, on entend par théologie la recherche de Dieu avec toutes les ressources de la raison, avec toutes les ressources de l'existence humaine et de la grâce divine, alors la réponse est : « Non, on ne peut être théologien si on n'a pas la foi. » Bien sûr, il peut y avoir des hommes en recherche de Dieu, théologiens sans le savoir, comme malgré eux. Mais, ceci dit, n'est théologien que celui qui veut entrer dans une mission prescrite par le vis-à-vis avec Dieu ; celui-là seul peut être théologien. Celui qui ne s'inscrit pas dans cette relation fait de la « science des religions ». De même, l'étude de la littérature n'est pas la poésie, et l'histoire de l'art n'est pas l'esthétique.

J.-L. M. — *Mais dans « théologie », il y a « logie »...*

J.-M. L. — Oui, mais quel est ce logos, quelle est cette parole, et qui l'a proférée ? J'en reviens à la question que vous posiez tout à l'heure : « Y a-t-il un apport de la pensée contemporaine à la théologie ? » Oui ! très évidemment. La plupart des concepts de la pensée contemporaine sont issus de la pensée religieuse et lui reviennent sous une forme profane. Pour les réintégrer, il faut à nouveau leur faire subir un exorcisme.

D. W. — *Un exorcisme ! mais alors c'est le diable, la pensée athée !*

J.-M. L. — Non, mais comme le diable vous fait peur ! Prenons, par exemple, le cas de la critique historique. Elle est un outil majeur pour l'approche documentaire. La révélation s'est présentée comme inscrite dans l'histoire, comme un événement. De cette façon, la pensée biblique et chrétienne a produit l'histoire comme une discipline rationnelle. Celle-ci s'est retournée contre la religion comme un outil critique et « surinterprétatif ». Actuellement le travail théologique s'inscrit dans le courant de la pensée moderne qui fait la critique de la critique au nom d'un nouveau pas en avant de la réflexion herméneutique. Trop de gens aujourd'hui en sont restés à l'enseignement positiviste ! C'est la « vulgate » de la pensée occidentale, véhiculée par le savoir commun. C'est très triste, parce que la vulgarisation emprisonne une génération entière dans des catégories déjà dépassées. Prenez de même la sociologie ou la psychanalyse : je ne peux m'empêcher de penser que leurs outils conceptuels sont en fait dérivés des données théologiques issues de l'univers biblique. Freud était un scientiste rigoureux. Cela ne l'a pas empêché, à partir de sa pratique clinique, de soupçonner que la raison claire et distincte n'était pas la norme suprême. Il a restitué toute la pensée symbolique, l'idée d'interprétation, l'inscription de la raison comme du désir dans la durée et dans sa relation aux origines...

D. W. — *Vous tentez une analogie avec la révélation ?*

J.-L. M. — *Un véritable exorcisme paraît nécessaire parce qu'il y a la sexualité...*

J.-M. L. — Si vous croyez que la sexualité ne fait pas partie de la révélation, relisez les deux premiers chapitres de la Bible... *Moïse et le monothéisme,* c'est le premier livre à psychanalyser. C'est un livre admirable, qui montre à quel point la psychanalyse est utile pour analyser Freud.

D. W. — *Pourquoi ?*

J.-M. L. — Eh bien, parce qu'il règle ses comptes avec le judaïsme et avec son père.

D. W. — *Faites-vous une analogie entre ce qu'il dit du père primitif et sa relation à son père à lui ?*

J.-M. L. — Oui, et au judaïsme, c'est évident.

J.-L. M. — *Et* l'Avenir d'une illusion *?*

J.-M. L. — C'est la même chose.

D. W. — *Nous aborderons plus tard la psychanalyse. Revenons à vos études théologiques. Quels étaient les grands courants de pensée à l'époque ?*

J.-M. L. — Nous étions affrontés aux séquelles du modernisme. Au XIXe siècle, pour adapter l'Eglise à la société moderne, des exégètes et des historiens des dogmes ont appliqué les méthodes de la jeune critique historique aux documents chrétiens du passé.

Leur but était de montrer l'évolution du message chrétien et des institutions chrétiennes. Certains pour les défendre. D'autres pour évacuer tout ce qui paraissait incompatible avec ce que la raison — à leurs yeux — pouvait admettre. Les protestants ont été en Allemagne les promoteurs de ce mouvement ; certains en sont venus à dénier toute valeur historique et toute portée événementielle aux affirmations de la foi. C'est le drame du protestantisme libéral qui a provoqué des réactions piétistes ou fondamentalistes et celle, très puissante, de Karl Barth.

L'Eglise catholique, elle, a réagi de façon brusque et a réaffirmé avec force les dogmes de foi. Mais toute une génération a eu le sentiment d'être écartelée entre une autorité ecclésiastique qui imposait un mode de pensée en matière théologique (en n'hésitant pas à employer des sanctions disciplinaires et même religieuses) et les évidences de la raison critique, de la raison historique, voire de la raison spéculative. Des gens qui continuaient d'être plus ou moins croyants étaient « obligés » de se conformer à des énoncés auxquels ils ne pouvaient pas réellement adhérer. Du coup, il y eut chez certains intellectuels une position ambiguë par rapport à la foi. La société religieuse maintenait une normalité doctrinale, mais ceux qui la défendaient n'étaient pas vraiment d'accord avec elle.

Certains s'en sont tirés avec une sorte de fidéisme ; leur acte de foi était obscur ; ils vivaient une contradiction entre la foi et la raison, une contradiction avouée. D'autres, ce qui est plus grave, jouaient double jeu, employaient un double langage, mêlant ce qu'ils pensaient raisonnable de dire et ce qu'ils taisaient par prudence tout en le faisant comprendre par sous-entendus, par allusions.

D. W. — *Quelles ont été vos réactions personnelles face au modernisme qui à la fin du XIXe siècle se développa en réaction contre la scolastique ? Cet antagonisme eut des séquelles intellectuelles importantes jusqu'à aujourd'hui.*

J.-M. L. — Permettez que je distingue ma réaction au modernisme, ma réaction devant les tenants du fidéisme et ma réaction devant ceux qui ont tenu le double langage.

Renan et Loisy ne m'ont jamais inspiré de sympathie. Jusqu'aux boucles de leurs souliers, ils étaient décidément trop cléricaux pour être crédibles. Ce courant d'idées du début du XIXe siècle paraissait aussi éloigné des étudiants de ma génération que la dernière guerre l'est de ceux d'aujourd'hui. Il marquait beaucoup d'enseignants, mais nous étions passionnés et influencés par d'autres maîtres. Les mises en question de la foi par le modernisme nous atteignaient par l'exégèse critique, par les études sur les origines chrétiennes et par le rationalisme philosophique. Ceux-là mêmes qui m'avaient aidé à voir l'enjeu spirituel de la guerre, à me défendre de la séduction du marxisme et à résoudre la question de l'objet et de la méthode de la théologie nous fournissaient les outils intellectuels nécessaires pour critiquer les principes du modernisme et prendre en compte la modernité de façon positive. Grâce aux initiateurs en France des mouvements biblique, patristique et liturgique, nous étions mis en contact avec les trésors de la littérature ancienne. Et nous les abordions avec liberté, sans hésiter à utiliser une méthode critique rigoureuse. Ce nouveau courant chrétien nous révélait une parcelle du trésor qui était restée cachée dans l'héritage de la foi, masquée par la prétention de la raison humaine depuis le Siècle des lumières à une souveraineté absolue. Il nous révélait aussi ce qui dans la raison était précieux à accueillir. Le salut de la raison consistait à s'en servir tout en mesurant ses limites. Cette problématique renouvelée nous sauvait et du modernisme et du fidéisme. Notre réaction aux tenants du fidéisme était faite d'admiration et de compassion : « Quel dommage que les gens de cette génération n'aient pas disposé des outils intellectuels qui auraient donné les moyens de critiquer les principes de ce qu'ils tenaient pour la rationalité. » En même temps, nous admirions ces hommes de foi, comme par exemple notre supérieur du séminaire, qui ont vécu des contradictions dans la fidélité. Je comprends l'épreuve à laquelle certains ont succombé.

Ma réaction vis-à-vis de ceux qui ont tenu un double langage, de la pensée et du discours, ou encore de la pensée et du comportement, a été beaucoup plus sévère : ont-ils encore la foi ? me demandais-je. J'étais profondément choqué. Ou une chose est vraie et on le dit. Ou l'on croit se tromper et alors encore il faut dire qu'on se trompe. On a le droit de ne pas croire, mais si l'on ne croit pas, on doit le dire. Par ailleurs, si on a la foi, on doit trouver des raisons de croire. L'épreuve de la nuit obscure ne peut être réduite à un simulacre. Certes, la foi peut amener les mises en question les plus radicales puisqu'on ne touche pas en vain à l'absolu et que la raison peut en être parfois bousculée, interloquée.

Petit à petit, une impression s'est confirmée. Dans l'univers clérical, soit dans la vie de l'esprit, soit dans l'organisation de la vie de l'Eglise, les données de la foi étaient trop souvent perçues comme un « donné » dans lequel on est « obligé » de s'inscrire socialement, auquel on ne veut pas vraiment renoncer, mais qu'il faut contredire si l'on veut entrer dans la modernité. Comme s'il fallait jouer avec ce donné social pour le faire évoluer de l'intérieur, comme on fait évoluer un syndicat par exemple. Cela m'a toujours mis très mal à l'aise. Je ne voyais aucune raison de me battre dans cet univers social qui n'était pas le mien : il n'avait de sens que s'il acceptait lui-même ce dont il était porteur, à savoir l'absolu et la vérité de la foi. Ce n'est pas la vie d'un milieu empirique qui donne à l'Eglise significations et valeurs ; c'est l'Eglise qui donne à une réalité sociale le sens dont elle est le lieu et le témoin. Elle ne peut avoir de sens que tant qu'elle garde ce rôle prophétique de témoin. Les hommes ne peuvent s'en réclamer que dans la mesure où ils sont fidèles à cette mission.

D. W. — *Compte tenu de votre histoire, de votre formation à la Sorbonne et du fait que vous n'étiez pas « de la boutique », n'étiez-vous pas en colère contre l'Eglise qui avait quand même considérablement provoqué la crise moderniste ou qui en tout cas n'avait pas su la gérer, si ce n'est par la condamnation ?*

J.-M. L. — Je répète que le modernisme ne semblait plus notre problème. Nous avions déjà la liberté de compréhension que donnent la distance et l'histoire. Courageusement, l'Eglise avait réaffirmé ce qu'il fallait croire. Dans la pratique, la crainte du modernisme a été mauvaise conseillère. D'après le père de Lubac, elle fut la cause d'un des drames de l'Eglise de France au cours de cette période : l'abandon du champ rationnel. Les gens se sont jetés dans les activités sociales et pastorales. C'était bien, mais on a trop peu investi dans le champ théologique et on l'a payé très cher. Il y eut des exceptions courageuses, par exemple celle du père Lagrange en matière d'exégèse.

Mais on ne peut accuser les hommes d'une époque de ne pas posséder les outils conceptuels indispensables. Il a fallu cette traversée de l'épreuve pour les forger. Comment accuser par exemple les trois premiers siècles du christianisme de ne pas avoir forgé les concepts théoriques qui permettent de rendre compte des affirmations dogmatiques de l'Eglise ? Je ne vais pas accuser

Descartes ou Malebranche de ne pas avoir inventé la phénoménologie. Les hommes d'Eglise ont-ils été fidèles dans leur comportement ? Certainement pas tous. Personne ne l'est jamais exactement. Nous non plus. Des occasions manquées, il y en a eu.

D. W. — *Je suis surpris par la différence entre votre hostilité au Siècle des lumières et le peu d'irritation que vous avez contre l'Eglise comme institution quand celle-ci rate le coche dans une évolution intellectuelle.*

J.-M. L. — Que voulez-vous que je fasse ? Que je prenne un fouet ? Que je tape sur un mur ? Le ressentiment n'a jamais rien produit. Ce qui m'intéresse et me paraît utile, c'est de comprendre notre situation présente pour agir le moins mal possible.

D. W. — *Le rationalisme athée, vous n'y pouvez rien non plus ! Il n'empêche que vous avez pour lui une hostilité réelle. Le fidéisme et le double langage d'un certain nombre de vos anciens professeurs vous ont visiblement énervé. Mais la répression du courant moderniste par la hiérarchie ecclésiale ne vous émeut guère.*

J.-M. L. — Je n'ai pas de ressentiment. Je regarde avec un regard bienveillant et critique. « Oui, c'est dommage, mais pouvaient-ils faire autre chose ? » Je ne suis pas en train de faire un procès, je ne suis pas en train de tuer le père, ni de battre la mère.

D. W. — *Je vais vous repréciser ma question. Tant pis si cela vous met en colère. Il n'y a pas que la condamnation du modernisme par le décret* Lamentabili *et l'encyclique* Pascendi, *en juillet et septembre 1907. Les oppositions ont duré jusqu'à l'entre-deux-guerres et même après-guerre les prêtres et théologiens favorables à la « nouvelle théologie » furent taxés de néo-modernistes par leurs contradicteurs néothomistes. L'encyclique* Humani generis *(1950) s'éleva d'ailleurs contre la « nouvelle théologie » et visait explicitement certains théologiens français. On parla à l'époque d'un « maccarthysme » ecclésial. Mais à chaque fois vous dites seulement : « C'est dommage, mais c'est ainsi. »*

J.-M. L. — Je réfléchis à l'évolution de l'Occident. Je ne suis pas un corbeau qui essaye de défendre le parti clérical, j'essaye d'être un homme de bonne foi. L'un des produits de l'Occident est cette ambition de la raison. Je fais partie de cette génération qui a recueilli les fruits amers d'une prétention de la raison à une souveraineté sans mesure. Dans l'épreuve moderniste, face à cette raison du Siècle des lumières, des chrétiens ont cédé à la fascination, sacrifiant ce qui aurait pu leur permettre de l'exorciser et de la surmonter. La question demeure toujours, d'une certaine façon, celle du Siècle des lumières. La critique en a été faite par Marx dans le domaine social et économique ; la critique de la raison claire et distincte a été faite par Freud. Mais la question religieuse ? La critique à adresser à certains hommes d'Eglise de ces générations est peut-être de n'avoir pas su prendre assez de distance pour retrouver le trésor enfoui.

Ce qui me gênait dans les années 45, c'était de sentir dans le milieu clérical une même perception des problèmes chez les progressistes et chez leurs adversaires. On restait dans les mêmes données, dans les mêmes termes, alors qu'il fallait tenter de comprendre pourquoi cela avait mal fonctionné, d'un côté comme de l'autre. Qu'est-ce qui, dans l'héritage de la foi, avait été oblitéré par cette prétention de la raison humaine ? Comment reconnaître ce qui, dans cette raison, était non pas un ennemi mais un vis-à-vis précieux qu'il fallait accueillir ? Telle était la vraie question. Accepter la dichotomie entre un « parti du progrès » identifiable, qui coïnciderait avec des prémisses de type moderniste, et la « réaction », son opposé, ne permet pas de comprendre la question ni d'entendre les réponses. C'est une manipulation de l'histoire de la pensée.

D. W. — *Je suis d'accord ; mais c'est dans ces catégories qu'ont été interprétés un certain nombre de conflits à l'intérieur de l'Eglise et entre l'Eglise et le monde. On a dit qu'il existait comme une dichotomie entre, d'une part, le modernisme récupéré par des forces de gauche engagées dans le siècle et, d'autre part, un courant conservateur qui s'y est opposé.*

J.-M. L. — C'est ainsi en effet qu'une partie des acteurs l'a vécu. Je ne veux pas me dérober au débat, mais jamais je ne me suis reconnu ni dans l'une ni dans l'autre position. Jamais.

D. W. — *Mais vous reconnaissez que c'est ainsi qu'est interprétée l'histoire de l'Eglise de France entre 1945 et 1970 ?*

J.-M. L. — C'est du moins l'interprétation d'historiographes parfois officiels. Certains continuent d'écrire inlassablement dans les mêmes termes. Je trouve que cela ne correspond pas à la réalité. Je préfère avoir affaire à des observateurs non chrétiens, qui ont une distance par rapport à ces conflits et qui voient le provincialisme d'un pareil langage et de pareilles catégorisations. Cette analyse réductrice prouve à quel point la crise est profonde, puisque certains acteurs et porte-parole du groupe lui-même n'ont d'autres mots pour se dire que ceux qui nient leur propre spécificité, leurs propres forces et leurs propres enjeux. Dès lors il se passe sous leurs yeux ce qu'ils ne peuvent pas comprendre.

Officier à Berlin

D. W. — *Avez-vous fait votre service militaire ?*

J.-M. L. — Oui, en 1950, à vingt-quatre ans. J'ai d'abord fait mes classes en Allemagne, à Rastadt, dans un bataillon de chasseurs. Je me suis trouvé avec un contingent composé en majeure partie de jeunes originaires du nord de la France, des « ch'timis » dont certains parlaient à peine le français. J'ai mesuré à ce moment-là la diversité française et les écarts de culture dans tous les sens du mot. J'ai beaucoup aimé ces trois mois. Tout de suite affiché comme séminariste, j'ai été étonné de découvrir, chez ces hommes, une relation à la religion, fruste dans son expression, mais riche et confiante. Ensuite, j'ai fait l'Ecole d'officiers de réserve à Saint-Maixent. Parce que séminariste, je n'y tenais pas ; mais à l'époque la pression pour reconstituer les cadres de l'armée était forte, et j'ai fini par me laisser convaincre. A Saint-Maixent, nous étions quatre ou cinq cents jeunes, pour un tiers des instituteurs, pour un tiers des séminaristes et pour un autre tiers des étudiants divers. Nous appartenions tous à la génération de la guerre, qui avait connu les ruptures, les déceptions et le sentiment national blessé. Au fond, sous des engagements politiques en majorité plutôt à gauche selon l'air du temps, nous étions prêts à adopter une attitude à la fois nationale et positive à l'égard de l'armée. Bien sûr, il y avait déjà la guerre d'Indochine. Les officiers et sous-officiers nous racontaient leurs souvenirs héroïques de la campagne d'Italie ; mais notre référence était encore l'humiliation nationale devant l'Allemagne. Je dois dire que, malgré ces bonnes dispositions générales, les maladresses de l'encadrement, la sottise parfois, ont fait que l'état d'esprit de ce contingent s'est retourné. Beaucoup ont renâclé devant le drill abrutissant du dressage militaire. J'avais le sentiment d'une occasion manquée de réparer dans la conscience d'une jeunesse les blessures qu'elle avait subies. Peut-être cela tenait-il au fait que la plupart des officiers et des sous-officiers avaient fait la guerre hors de France, sans percevoir tout ce qui s'était passé sous l'occupation en France, tandis que, de notre côté, nous ne comprenions pas à partir de quelle expérience du combat et de la victoire militaire ils nous parlaient. Je ne sais pas si cette impression personnelle est significative d'un phénomène plus général.

J.-L. M. — *Si l'armée était dans un mauvais état moral, n'était-ce pas à cause de l'humiliation nationale justement ?*

J.-M. L. — Nous rêvions de Leclerc et de De Lattre ; nous n'avions que la vie de caserne. Le monde clérical m'a paru libéral, intelligent, ouvert, en comparaison de cette société militaire close. Mais elle représentait un lieu d'observation privilégié pour voir s'exercer à l'état nu les mécanismes fondamentaux du fonctionnement social, tous les rituels qui obéissaient à une codification, à une rationalisation impeccable, « au carré », comme les lits, mais dont les dépositaires avaient souvent perdu la signification. Dur présage et cruel apprentissage pour d'autres institutions.

Sorti aspirant de Saint-Maixent, j'ai pu choisir un poste à Berlin. C'était en 1950, avant le mur et après le blocus. Les unités françaises occupaient ce que nous appelions noblement « le camp Napoléon » et qui avait été construit sous le nom de *Hermann Goering Kaserne*, la caserne Goering.

J.-L. M. — *Pourquoi avez-vous choisi Berlin ?*

J.-M. L. — C'était une occasion unique ! Je retournais en Allemagne. J'y retournais comme militaire français, donc en vainqueur, non ? Et puis voir Berlin, approcher l'Europe de l'Est ! C'était une occasion exceptionnelle.

J.-L. M. — *Il y a des hommes de votre génération qui se sont fait la promesse de ne jamais retourner en Allemagne.*

J.-M. L. — Oui, je le sais. Mais à ce moment je portais l'uniforme des vainqueurs. Je me suis posé cette question après et autrement.

Les conditions matérielles étaient bonnes. Officiers, nous logions en ville chez l'habitant et nous venions faire nos heures de service à la caserne. A l'époque, on passait librement d'un secteur à un autre de la ville, y compris le secteur soviétique. De leur côté, les Allemands de la zone Est pouvaient passer librement dans le secteur soviétique de Berlin ; c'était un jeu d'enfant de rencontrer des gens d'Allemagne de l'Est. J'ai donc vu pour la première fois, non pas le marxisme, mais les communistes au pouvoir dans un pays. J'ai vu le communisme réel. Si tant est que j'avais eu des écailles aux yeux (ce qui n'était pas tout à fait le cas), elles seraient tombées. Pour avoir des contacts avec des Allemands de l'Est, je suis passé par les réseaux catholiques. Mais ils se méfiaient quand même. Ils se demandaient à qui ils avaient affaire et n'osaient pas parler. Il m'a fallu du temps pour me faire accepter. Je découvrais dans ses détails quotidiens une situation dont les traits majeurs sont aujourd'hui connus de tous.

D. W. — *Pouvez-vous décrire les sentiments que vous avez éprouvés ?*

J.-M. L. — Berlin, c'était alors un champ de ruines qui restait figé dans son effrayante destruction, particulièrement en secteur soviétique. J'éprouvais une grande pitié pour ces gens : l'effroi qu'ils avaient inspiré était retombé sur eux.

L'emprise de l'occupant soviétique, comparativement à celle des pays occidentaux, avait été d'une brutalité sauvage jusqu'à la fin de la guerre, puis était restée impitoyable. Au début, je me suis demandé si ce n'était pas la conséquence habituelle de toute occupation militaire. Ne fallait-il pas comprendre l'attitude des Russes comme la revanche du vainqueur sur un ennemi impitoyable ? Mais je l'ai ensuite compris : j'étais face à un système. L'emprise idéologico-policière et l'occupation militaire tenaient lieu de vie politique. La récupération grossière des symbolismes religieux servait de support à l'idéologie. Les Russes avaient édifié un monument en hommage à l'Armée rouge. Une allée monumentale d'au moins un kilomètre, jalonnée par de grands blocs de pierre ornés de bas-reliefs et d'inscriptions, donne accès à un petit mausolée de style byzantin, une rotonde, ornée de mosaïques représentant des héros soviétiques. Un dimanche, je me suis mêlé, en civil, à la foule des Allemands qui le visitaient. Stupéfait, j'ai vu des hommes et des femmes se signer en entrant, comme par réflexe. La symbolique et le style de ce lieu étaient tels qu'il fallait regarder de près pour se rendre compte qu'on avait affaire, non pas à des icônes de saints, mais aux héros triomphants de l'Armée rouge. Et les Allemands marchaient ! En secteur Est, seuls les films « historiques » de l'époque stalinienne étaient projetés. Il valait la peine de voir leur fantastique mythologie ! Staline était Dieu le Père, serein et pacifique, déterminant à l'avance les lieux et les temps du combat et de la victoire... La thématique chrétienne était entièrement transposée au service de la mythologie stalinienne. C'était grandiose. Le plus curieux était d'observer la salle remplie d'Allemands. Je n'ai pas réussi à savoir ce qu'ils pensaient. Une grande part des cadres nazis avait été immédiatement réemployée par le système communiste. Sans vergogne. Tous ceux à qui j'ai pu parler me l'ont confirmé : « Ils ont repris les nazis pour faire marcher la machine. On les a à peine " repeints " et ils resservent. » Le système de la période nazie n'était même pas renversé, mais littéralement repris en vol, récupéré pour fonctionner au service du Parti, par un simple changement d'étiquette.

J.-L. M. — *Avez-vous rencontré des chrétiens ?*

J.-M. L. — Les conversations que j'ai pu avoir avec des chrétiens faisaient apparaître un régime policier effrayant. Toute déviance exprimée menaçait la sécurité des personnes et des biens. Ils étaient réduits au double langage systématique ; ils parlaient d'une génération schizophrène qui serait obligée pour survivre de tenir à l'extérieur le langage marxiste, et pour vivre la foi, de tenir à l'intérieur le langage chrétien. Restait la famille, leur seule défense. Et encore. Je reconnaissais l'Allemagne nazie de 36-37, moins son orgueilleux printemps remplacé par la misère, le désastre politique et économique, la famine, la pénurie. L'Eglise catholique, à l'Est très minoritaire, s'augmentait des réfugiés venus de la partie occidentale de la Pologne récupérée sur l'Allemagne, ou de Silésie, ou des Sudètes, refoulés de tous les pays de l'Europe centrale.

Cette Eglise paraissait ferme dans ses positions, vigoureuse dans sa foi. Elle était un point de ralliement pour la résistance spirituelle, y compris pour les protestants. En des conditions fort différentes, la même logique s'est récemment manifestée en Pologne. Le seul moyen d'affronter un totalitarisme politique est la résistance spirituelle.

D. W. — *Cette remarque est-elle généralisable ?*

J.-M. L. — Si l'on prend les mots de Péguy, la plus grande force politique, c'est la mystique. La mystique peut se dégrader en politique. Mais quand la politique se dégrade en tyrannie totalitaire, seule la mystique peut s'opposer à l'asservissement des citoyens. Mes propos peuvent vous paraître proches des théories sur le rôle révolutionnaire des minorités actives. Mais, j'en ai la conviction, la seule vraie victoire du totalitarisme c'est l'asservissement des esprits. Une tyrannie purement militaire n'est pas, finalement, redoutable, parce qu'un jour ou l'autre elle s'écroule : le pouvoir ne se monopolise jamais de façon durable. Il n'y a aucun exemple dans toute l'histoire de l'humanité, aussi loin que remonte la mémoire, qu'un pouvoir soit immortel. Il s'écroule de lui-même. Mais l'esclavage véritable est l'esclavage de l'esprit, l'esclavage qui est dans la tête de l'esclave. Cela se trouve dans la Bible en lettres de feu : quand Israël est sorti d'Egypte, le danger véritable n'était pas les Egyptiens, c'était l'Egypte qui était dans la tête des Hébreux. Et pour en être libérés, ils devaient accepter de ne pas regretter l'Egypte, mais de se fier à Dieu et à Dieu seul. Le rôle politique de la mystique, c'est donc d'être une mystique véritable, parce qu'alors, et seulement alors, elle sait lire et dire la réalité du pouvoir politique.

Tout autre est le pouvoir politique dans les démocraties où il y a diversité d'opinions, affrontements d'intérêts et conflits variés. Mais de temps en temps, dans l'histoire des hommes, la politique a accaparé toute la sacralité sociale. C'est le totalitarisme. La désacralisation du politique le laisse à sa vraie place humaine, pratique et contingente, aux prises avec les aléas de l'histoire et les calculs de la raison. Mais si la politique draine du sacré, elle n'est pas de cet ordre ; le seul sacré véritable, c'est Dieu.

J.-L. M. — *Avez-vous assisté à des escarmouches entre Soviétiques et Occidentaux ?*

J.-M. L. — Oui, notamment à la Pentecôte 1950, où le parti communiste avait organisé une marche de la jeunesse sur Berlin. Les Occidentaux craignaient un coup de main sur Berlin par un envahissement « pacifique » de Berlin-Ouest. Toutes les forces militaires alliées étaient mobilisées, les Américains étaient sur le pied de guerre et les services de renseignements fonctionnaient à plein.

J'ai gardé en tête une scène hallucinante : les jeunesses communistes défilant par rangs de seize ou vingt sur de grandes avenues entourées de ruines, pendant des heures et des heures, devant une grande tribune haute de plusieurs mètres, au sommet de laquelle il y avait un maréchal soviétique ; les jeunes Allemands marchaient au pas de l'oie, une pelle ou une pioche sur l'épaule ! En me frottant les yeux, je me disais : Où sommes-nous ? En Allemagne nazie ? Au rythme de la marche, les jeunes frappaient des mains en criant : *Freundschaft !* Amitié ! Amitié ! Amitié ! C'était une image terrifiante.

Premier voyage en Terre Sainte

J.-L. M. — *Vous avez fait un nombre considérable de pèlerinages en Terre Sainte. De quand date le premier ?*

J.-M. L. — De l'été 1951. J'étais au séminaire. Ce premier voyage a joué un rôle très important dans ma vie. L'abbé Charles m'a demandé d'organiser ce pèlerinage pour les étudiants de Sorbonne. Nous n'étions pas riches et les conditions étaient extrêmement précaires. C'était juste au lendemain de la première guerre judéo-arabe. Notre circuit nous a amenés à Beyrouth, avec un arrêt à Chypre et même en Grèce. Nous avons traversé le Liban, la Syrie, la Jordanie pour arriver à Jérusalem.

Pour moi, ce fut un choc extraordinaire, affectif et spirituel, parce que c'était la terre d'Israël, parce que c'était la Terre Promise à Abraham, parce que c'est la Terre Sainte. Lorsqu'on étudie la Bible à sa table, on peut indéfiniment réfléchir sur ce qui est dit ou non, en évitant trop de questions sur la réalité de l'événement lui-même et sur la manière dont il vous touche. Ici, en Terre Sainte, je ne pouvais rien mettre entre parenthèses de la question de la vérité. Elle se présentait sous la figure de l'histoire, et l'histoire se faisait présente sous la forme de la géographie avec une objectivité brutale, irrécusable. Le sol lui-même, la Terre Sainte et ses habitants prenaient une telle puissance qu'ils rendaient urgente une décision. Je ne pouvais plus esquiver la question

D. W. — *Quelle question ?*

J.-M. L. — Oui ou non, me déciderais-je à adhérer sans réserve à la réalité du don de Dieu ? Je le savais, des questions demeuraient ouvertes : la rationalité, la cohérence interne, l'accord de la raison et de la foi, bref, toute une série d'interrogations.

Ultime étape de ce chemin, je suis arrivé au Saint Sépulcre. Je suis entré dans cette basilique obscure, délabrée en ces années-là. Elle n'avait pas encore été reconstruite. Il faut se courber pour franchir la porte étroite du Sépulcre. Un moine veille à ce que vous ne vous cogniez pas la tête contre le linteau. Il tient un petit cierge pour vous donner de la lumière. Bref, cela est aussi peu mystique que possible. Il faisait très chaud. Je me suis retrouvé touchant la plaque de marbre qui recouvre la roche. Je l'ai touchée de mes mains, j'ai mis mon front dessus et c'était une pierre fraîche. Alors, je me suis dit : « Aussi vrai que cette pierre est là, que tu la touches, qu'elle résiste à tes mains et à ton front, et s'impose à tes sens, il faut que tu te décides si, oui ou non, tu adhères pleinement au Christ ressuscité, à Dieu sauveur, à l'appel de Dieu à son peuple pour le salut du monde. Ou bien tu t'en vas, il n'est que temps. » Et la lumière donnée à cet instant-là, enfin l'événement intérieur alors vécu, peut se traduire ainsi : les raisons pour et contre existent, elles ne sont pas de poids égal, mais elles ne résolvent rien. En revanche, ce qui décide de tout, c'est ma relation personnelle à Celui en qui je me reconnais créé, appelé, sauvé, aimé, et capable, par le don qu'il m'en fait, d'être un témoin de ce qui m'est accordé. Telles furent la question et la décision. Et j'ai vécu ce mois dans un mélange de joie et de douleur

Je découvrais avec fierté la terre de mes ancêtres et aussi l'Etat d'Israël.

J.-L. M. — *Vous parlez de fierté. Etait-ce une fierté historique ? Une fierté religieuse ?*

J.-M. L. — Les deux ! En même temps une fierté et une question. Je me souviens d'une discussion qui avait duré une nuit, avec un vieil homme d'origine russe, qui dirigeait une école d'agriculture proche de Nazareth. Toute la discussion portait sur la laïcité. Il représentait le sionisme laïc et je lui disais : « Vous êtes en train de consommer les réserves du judaïsme traditionnel que vous rejetez. Mais vos enfants, quelles raisons auront-ils de se battre et de survivre ? Qu'est-ce qui les empêchera de partir, si vous ne reprenez pas quelque chose de l'héritage spirituel d'Israël, de sorte qu'il redevienne riche de sens et de cohérence ? Vous croyez faire une société idéale. En fait, vous vous nourrissez d'une utopie européenne. » Ces questions me paraissent vitales et je souhaite passionnément qu'elles aient des réponses.

D. W. — *Et comment a-t-il répondu ?*

J.-M. L. — La réponse était embarrassee. Il m'a dit : « Ben Gourion recommence à prier. Notre génération commence à retrouver la question spirituelle de Dieu. » Mais il disait surtout : « Faites-nous confiance, nous bâtissons un Etat. Il faut d'abord donner un métier, une maison, à chaque citoyen, bâtir une démocratie. »

J.-L. M. — *Il me semble curieux que vous fassiez si peu confiance à la conscience nationale, à l'adhésion aux idéaux démocratiques, à la culture, et que vous ayez le sentiment qu'un peuple s'effondre si jamais il s'éloigne de Dieu.*

J.-M. L. — Nous parlons d'Israël.

J.-L. M. — *Mais même ! Il n'y a pas de raison ! Pourquoi celui-là plus qu'un autre ? C'est une interprétation du terme d'élection qui me paraît discutable.*

J.-M. L. — Peut-être, mais sous le défi insensé que représente cet Etat d'Israël, la face cachée de l'iceberg ce sont quatre millénaires de foi et de sacrifices. Or cette longue histoire n'est pas simplement faite pour construire un Etat socialiste ou petit-bourgeois.

J.-L. M. — *Mais pourquoi pas? Pourquoi excluez-vous une interprétation profane de ce qui s'est passé? Un certain nombre de juifs, et spécialement ceux de l'Europe de l'Est, en ont eu assez de souffrir et ont cherché un moyen pour que cela cesse. Peut-être y a-t-il une interprétation religieuse ou sacrée de cet événement, mais peut-être aussi faut-il laisser tranquilles les Israéliens.*

J.-M. L. — Les laisser tranquilles, oui! Mais comment pourraient-ils vivre, s'ils oublient ce qu'ils sont?

II

LES SCIENCES HUMAINES

Séduction et répulsion

D. WOLTON. — *Comment expliquez-vous que le clergé, à la sortie de la guerre, ait été très attiré par le développement des sciences humaines et sociales : l'histoire d'abord — nous en avons largement parlé —, ensuite la psychologie et la sociologie ? En fait, on a vraiment l'impression que l'Eglise a plongé dans les sciences humaines.*

JEAN-MARIE LUSTIGER. — Il m'est difficile de trouver une réponse équilibrée. Peut-être n'avons-nous pas le recul suffisant. En ce qui concerne la psychologie, l'Eglise a toujours eu pour elle un intérêt majeur, en raison même du développement de l'anthropologie chrétienne. Le cas de la sociologie est différent. Les racines religieuses n'apparaissent pas aussi clairement. L'objet de la sociologie, tel que Durkheim l'a formulé, apparaissait comme vraiment neuf. En outre, les sociologues ont été attirés par l'Eglise. C'était, pour eux, un objet fascinant !

D. W. — *Mais c'était aussi parfois leur « ennemie » !*

J.-M. L. — La question du sacré est au centre de la sociologie. La foi chrétienne se présente non seulement comme un système de croyances ou de représentations, mais aussi de pratiques, et elle a une portée sociale. Disons autrement : le XIXe siècle avait été tenté, dans la voie de la laïcisation, de renvoyer la religion au domaine privé, donc subjectif. Les théologiens d'un côté, les hommes d'action de l'autre, prêtres ou laïcs, ont donc été obligés de réaffirmer que l'Eglise avait un aspect social. *Les aspects sociaux du dogme* est le sous-titre d'un ouvrage du père de Lubac qui a fait date : *Catholicisme.* De Lubac a toujours su traiter les questions qu'il fallait, au moment où il le fallait, et en général un peu avant. Devant la tentative de privatisation et d'individualisation de la religion, alors que la culture laïque, parfois antireligieuse, connaissait une hypertrophie du collectif et du social, certains chrétiens se sont tournés vers la sociologie. Il y avait comme un réflexe de défense : ne pas accepter de privatiser l'expérience religieuse, retrouver cette part déterminante de la religion, le fait social, et en même temps rendre raison des nécessités de l'action. Il me paraît très normal qu'il y ait eu un intérêt pour l'entreprise sociologique. D'autant que celle-ci, en ses origines, avait d'abord visé à interpréter et à comprendre le religieux.

D. W. — *A ce propos, pouvez-vous nous commenter la définition de la religion donnée par Durkheim : « C'est un système solidaire de croyances et de pratiques relatives à des choses sacrées, c'est-à-dire séparées, interdites, croyances et pratiques qui unissent entre eux les membres d'une communauté morale appelée Eglise et auquel adhèrent ceux qui y croient. »*

J.-M. L. — C'est une bonne description du fait religieux ; elle ne se prononce évidemment pas sur les contenus et sur les références. S'il s'agit d'une description faite par un Iroquois — puisque théoriquement le sociologue est un Iroquois plongé dans une société étrangère et qui essaye de voir les choses autrement qu'un des membres de la tribu —, cet Iroquois a une perception très fine de la tribu. Il serait facile de reprendre terme à terme chacun des éléments de la définition, et de montrer comment elle est susceptible d'un autre regard, d'une autre compréhension. Ce qui est absent de la définition, c'est Dieu, la foi, son contenu, sa finalité et la notion même d'histoire. Bref, c'est une description formelle du fonctionnement religieux, qui pourrait en principe s'appliquer aux religions d'une manière générale, encore que je n'en sois pas absolument sûr ! Je ne vois pas, dans la définition de Durkheim, une offense. J'y vois un outil, intéressant, mais qui, évidemment, ne peut pas être tenu pour une véritable compréhension de la religion.

J.-L. M. — *Vous avez évoqué le phénomène de privatisation de la religion. En général, on le relie à la laïcisation, c'est-à-dire au fait que, la société devenant laïque, la religion n'est plus le fondement du lien social et devient donc une affaire privée. Partagez-vous cette analyse ?*

J.-M. L. — Aujourd'hui, je dirais, en réponse à mes réflexions de jeunesse, que le lien social appartient au sacré. Bien plus, il est constitué par le sacré. Le sacré se définit par l'idée de séparation, bien sûr, mais j'y intégrerais aussi d'autres notions. D'abord, celle de patrimoine symbolique, c'est-à-dire l'ensemble des réalités symbolisées dans la conscience sociale qui appartient à chacun des membres d'une société donnée et qui est, en même temps, l'âme d'une culture. J'y intégrerais aussi la mémoire historique et l'espérance d'un avenir commun. Ainsi tout sacré n'est pas forcément religion, au sens technique et précis du mot, comme tout sacré ou toute religion ne sont pas celui ou celle du Dieu unique et vrai. Mais l'idée d'une sécularisation (au sens des théologies de la sécularisation ou des théologies de la mort de Dieu — il y a à peine vingt ans, aux Etats-Unis et en Europe), même si elle m'a un peu interloqué sur le moment, me paraît, du point de vue sociologique, une naïveté. Cela revient à nier le caractère « sacré » du lien et du fait social, à nier une des dimensions les plus radicales de la vie sociale et humaine.

Ensuite, il faudrait reprendre ce qui s'est passé et se passe encore dans « nos » sociétés occidentales. Ceci ne peut s'analyser en termes généraux et abstraits. Par exemple : la crise de la sécularité en France ne peut se comprendre sans référence à la Révolution française et ensuite à l'histoire de l'anticléricalisme et du parti clérical. Les mêmes données dans le monde anglo-saxon n'ont pas entraîné les mêmes résultats. Aux Etats-Unis, qui a formé l'Eglise catholique ? Ce sont les ouvriers, ce sont les Irlandais et les Italiens, puis les Polonais, des pauvres. L'Eglise catholique y est apparue comme l'Eglise des pauvres. Et si on se reporte à la Ruhr, voire à certaines régions du nord de la France, les grandes thèses franco-marxistes, ou marxo-françaises, sur l'Eglise qui a perdu la classe ouvrière et sur l'industrialisation-qui-produit-la-déchristianisation ne rendent pas pleinement compte de la réalité. Dans la Ruhr, le catholicisme social, proche du peuple, a défendu les ouvriers. La Ruhr, il y a encore vingt ans, était un pays ouvrier où la pratique religieuse était plus forte, proportionnellement, que dans les régions les plus catholiques de France.

D. W. — *Alors pourquoi la France est-elle un cas particulier ?*

J.-M. L. — Il y a toutes sortes d'hypothèses de travail. Il faudrait gommer les images d'Epinal et accepter un inventaire méticuleux fait par des historiens. J'ai le souvenir d'une thèse — je n'ai fait que la feuilleter — sur l'origine du prolétariat urbain des régions du nord de la France. Ce prolétariat était composé de populations paysannes attirées vers les centres industriels pour trouver de l'emploi et un autre mode de vie. Mais la thèse distinguait soigneusement les populations rurales illettrées et celles qui étaient scolarisées. Les premières ont été immédiatement prolétarisées, car leur culture, cohérente à sa manière, était strictement orale et coutumière. Arrachés aux sites originels et aux institutions qui leur permettaient de survivre, ces paysans ont été prolétarisés en une génération. La paysannerie scolarisée, qui possédait une culture écrite, a donné un autre type d'ouvriers et de comportement religieux et social dans la ville. Ce qu'on a appelé « le prolétariat déchristianisé » était sans doute en fait une paysannerie qui n'avait jamais été ni scolarisée ni christianisée.

D. W. — *Les gens qui ont été christianisés et scolarisés ont mieux résisté...*

J.-M. L. — Ils avaient pu transférer à l'intérieur d'un nouveau monde, conflictuel et dur, un certain nombre de valeurs et les garder comme leur expression propre et leur culture.

D. W. — *Indépendamment de l'industrialisation ou de l'urbanisation qui ont été des facteurs relativement importants de déchristianisation, le développement des sciences humaines depuis le début du siècle n'a-t-il pas contribué à la déchristianisation d'une partie de la population ?*

J.-M. L. — J'ai beaucoup de mal à répondre. Je perçois la violence des luttes anticléricales et la violence des défenses cléricales, la sottise de beaucoup d'arguments avancés d'un côté et de l'autre, la dureté du combat et l'étroitesse d'esprit dont il témoignait. Cela dut être une époque dure à vivre ! J'ai du mal à répondre, parce que j'ai l'impression que ma réponse risque d'être anachronique, c'est-à-dire de ne pas rendre compte des excès ou des coups portés, ou des abus, dans un sens et dans l'autre. Mais d'instinct, je me refuse à l'image d'Epinal, à la simplification outrageuse, outrancière. Il me semble que depuis le XIXe siècle, en France, la situation a plutôt bien évolué.

D. W. — *Oui, mais dans l'ensemble, l'Eglise a toujours un peu résisté. En 1864, c'est l'encyclique* Quanta cura *qui critique le rationalisme et le libéralisme ; il faut attendre 1890 et le fameux toast d'Alger pour voir le ralliement à la république ; il faut attendre 1891 avec* Rerum novarum *pour une intervention dans les questions sociales ; 1907, c'est la condamnation du modernisme, et de la séparation de l'Eglise et de l'Etat. On pourrait multiplier les exemples. Certes la lutte a été à chaque fois violente des deux côtés, mais on a l'impression que l'Eglise avait des positions très tranchées qui consistaient à condamner assez nettement, dans ses textes officiels, l'évolution de la société.*

J.-L. M. — *Rétrospectivement elle se comportait un peu en forteresse assiégée, elle défendait un territoire menacé.*

J.-M. L. — N'étant pas historien, je suis peu capable de répondre de façon précise à cette question. Vous n'avez retenu que certaines déclarations pontificales devenues symboliques d'une réaction, sans tenir compte des mouvements de pensée et des initiatives, souvent extrêmement fécondes, qui les ont précédées et préparées.

D. W. — *Je comprends bien votre observation, mais il reste que nous avons affaire à un certain nombre de textes officiels et que l'Eglise est aussi une institution avec des déclarations qui l'engagent.*

J.-M. L. — Il n'y a pas que ces textes, il y a aussi les travaux, il y a aussi les œuvres, il y a les traces d'une action immense ! Et c'est là un premier élément de réponse. Le mouvement social chrétien n'est pas né que d'une encyclique. Les encycliques ont été un résultat du catholicisme social français et allemand, notamment. Il faudrait évoquer de multiples initiatives, tout un mouvement interne à la vie de l'Eglise, des laïcs comme Ozanam, Le Play et tous les théoriciens sociaux du christianisme. Il faut aussi essayer de comprendre à quelle nécessité répondaient les documents cités.

Le deuxième élément de réponse concerne l'affaire de la crise politico-religieuse à laquelle l'Eglise a eu à faire face entre le début de la Révolution française et la guerre de 14. A cette crise d'ailleurs va succéder immédiatement une autre crise à l'est de l'Europe, avec la Révolution russe. Il faut redire la violence de ces déstabilisations. Non que je veuille comparer la Révolution française à la Révolution russe, ni dans son esprit, ni dans ses conséquences, ni dans son idéologie. Ce sont quand même des phénomènes comparables de subversion sociale, d'accouchement d'une société nouvelle, jusques et y compris dans l'agression délibérée à l'égard de l'Eglise comme une des structures de l'ordre ancien. De plus, dans le cas de la Révolution française et dans le cas de la Révolution russe, cette agression contre l'Eglise se double d'une tentative de récupération de ses représentations, de ses symboles et de ses rites. Rappelez-vous la déesse Raison, le décadi, le culte de l'Etre suprême, les baptêmes républicains, toutes choses qu'on a retrouvées transposées en Russie soviétique. Cette subversion, dans un cas comme dans l'autre, était d'autant plus cruelle et mortelle qu'elle pouvait relayer une certaine décadence interne des institutions et des hommes d'Eglise ; ceux-ci avaient été eux-mêmes les complices de cette violence... La crise extérieure à l'Eglise, qui va s'abattre sur l'Eglise, était aussi une crise interne « de » l'Eglise. C'était une crise commune de l'Eglise et de la société.

Les réalités terrestres

D. W. — *Que pensez-vous du mouvement théologique qui, dès l'entre-deux-guerres et pour résister aux positions officielles de l'Eglise, a voulu se rapprocher de plus en plus des réalités sociales au point de fonder ce qu'on a appelé à l'époque une « théologie des réalités terrestres » ? Il y avait des théologies du corps, des théologies du travail, des théologies de la société. Peut-on mélanger ainsi théologie et sciences humaines ?*

J.-M. L. — La « théologie des réalités terrestres » n'était pas directement liée aux sciences humaines.

D. W. — *Mais comment faire une théologie du corps, du travail, de la ville, de la société, sans référence à l'histoire, à la sociologie ou à la psychologie ?*

J.-M. L. — On pourrait citer des noms, car derrière ces titres que vous venez d'énoncer, presque des titres de livres, les noms des auteurs suivent, les engouements et les polémiques. Prenons les choses avec du recul et analysons paisiblement ces éléments.

D. W. — *Pour tout vous dire, j'ai été considérablement surpris quand j'ai découvert qu'il y avait eu des tentatives de théologie des réalités terrestres. Je n'avais vraiment pas l'impression que c'était le métier des théologiens, mais enfin...*

J.-M. L. — On parlerait aujourd'hui d'anthropologie chrétienne pour se demander comment la vision de l'homme est liée à la révélation de sa relation avec Dieu. Car il ne faut pas faire jouer aux théologies le rôle d'une idéologie. Si l'on veut interpréter le matériau symbolique, son caractère sacré et sa fonction à l'intérieur de l'Eglise, pour organiser un discours cosmologique ou anthropologique, il faut prendre garde de ne pas changer subrepticement de registre.

Autre remarque : il s'agissait à l'époque de répondre à l'accusation d'inspiration nietzschéenne qui reprochait à la religion d'avoir vidé l'homme de sa substance, de l'avoir « vampirisé ». D'ailleurs c'était le titre du deuxième cahier de *Jeunesse de l'Eglise :* « Le christianisme a-t-il dévirilisé l'homme ? » C'était en 1943. Le nabot hitlérien avait chaussé les grosses bottes de Nietzsche. Il fallait se prouver quelque chose à soi-même et en convaincre ses contradicteurs. Rappelez-vous les écrivains nazis et toutes les attaques de ce type ; si l'on était catholique, on ne pouvait pas être sportif parce qu'on méprisait le corps. Rappelez-vous Montherlant ! De même pour l'amour, pour la musique, pour tous les biens de la terre. De Lubac avait répondu déjà, dans son livre *le Drame de l'humanisme athée,* qui date de 1937. Mais il fallait lever ce soupçon et répondre à des caricatures injustes, critiquer aussi des étroitesses de type janséniste. Il ne faut pas oublier que le XIXe siècle encore s'est débattu avec le jansénisme. On ne mesure pas à quel point le jansénisme a pu marquer, en France, l'éducation cléricale et chrétienne. En réponse aux suspicions d'origine janséniste, il s'agissait de mettre en évidence les aspects positifs de l'anthropologie chrétienne.

Troisièmement, une intériorisation de la critique. Certains chrétiens ont été eux-mêmes blessés par le soupçon. Ils ont intériorisé la critique qu'ils voulaient réfuter. Plus ou moins consciemment, certains auteurs qui essayaient de répondre ont peut-être pensé eux aussi que Dieu vampirise l'homme : « Tout en restant à l'intérieur de l'obéissance à Dieu (nous sommes croyants), essayons d'aménager la place en repoussant les limites de telle sorte qu'on rende à l'homme un peu de liberté, qu'on lui permette de respirer. » Mais dans la mesure où cette pensée secrètement dialectique mobilisait idéologiquement un concept nominaliste de nature, la tentation était forte de fabriquer une espèce de sécularisme chrétien, voire de paganisme chrétien. La phrase de Tartuffe « Car pour être dévot, on n'en est pas moins homme » prenait un cruel relief.

D. W. — *En contraste avec cet enracinement socio-politique de la théologie de l'entre-deux-guerres qui a duré jusqu'aux années récentes, on trouve une littérature chrétienne avec Claudel, Bourget, Bernanos, Mauriac, Gilson, qui s'intéresse à des thèmes beaucoup plus spirituels, comme le péché, l'esprit, la chair. Il est bizarre de voir que la même inspiration chrétienne a donné, d'une part, une sorte de dérive socio-politique, voire de sécularisation de la théologie, et, d'autre part, une littérature qui n'a pas suivi cette évolution, en restant beaucoup plus proche des sources religieuses traditionnelles.*

J.-M. L. — Les auteurs cités sont variés ; ils ont un trait commun. Pour évoquer les grands écrivains catholiques qui appartiennent au patrimoine de la littérature française contemporaine, quels noms ne faut-il pas citer encore ? Rimbaud et Verlaine, Léon Bloy et Huysmans. Il faut évoquer Francis Jammes, le poète, puis la série Péguy, Bernanos, Claudel, Mauriac, que vous avez rappelés, et encore des auteurs plus récents, Stanislas Fumet, Pierre Emmanuel, Julien Green, etc. Vous avez affaire à des tempéraments divers ; cependant ils ont une espèce de petit air commun. Quel est le trait commun véritable de tous ces gens ? — avec Maritain encore et Max Jacob que j'allais omettre. Mais je suis sûr d'en oublier une bonne dizaine. Cocteau, un temps, a fait partie du groupe et combien d'autres. Ces auteurs ont un trait commun : ce sont souvent des convertis qui, ayant découvert l'absolu de Dieu, secouent le conformisme social des « bien-pensants », pour les nommer comme Bernanos. Mais ces mêmes hommes ont presque tous projeté l'éclatante lumière de la foi sur leur époque et ses conflits politiques.

D. W. — *Revenons aux « réalités terrestres ». J'ai lu plusieurs textes où l'on dit vouloir retrouver la signification de l'Evangile dans la politique, l'action sociale, la lutte des classes. On a identifié les pauvres de l'Evangile à la classe ouvrière, de façon à prendre position dans les combats du siècle.*

J.-M. L. — C'est la « séduction du marxisme », selon le titre d'un livre discuté qui fit date dans les années 50. Au risque de réduire le christianisme à une idéologie, en vue d'une finalité sociale. Pour trouver intérêt, actualité et force au christianisme, on l'adapte à ce qui intéresse les gens, le combat social. Du coup, il faut théorétiser le christianisme de telle sorte qu'il convienne à ce combat. On va donc se débarrasser de la religion puisqu'elle est accusée d'être « l'opium du peuple ». D'où la valorisation exclusive de « la-vie-de-tous-les-jours ». Il n'y a pas de plus somptueuse expression cléricale que « la vie de tous les jours » ; nous l'utilisons avec redondance ! D'autant qu'une simple observation, familière aux sociologues, le montre : ce qui est marquant dans l'existence, ce n'est justement pas « la vie de tous les jours », mais ce que les sociologues américains appellent les *breaking points*, les points de rupture, qui font émerger dans la continuité et la routine des gestes, des rites et des représentations, l'inattendu de la mort et de l'amour, du mal ou de la guerre, les imprévus de la liberté, etc. Le quotidien, lui, n'est susceptible que d'analyses sérielles quantitatives. Le quotidien reflète les contraintes et les déterminismes à l'égard desquels la plupart des gens ont un sentiment d'impuissance.

D. W. — *Considérez-vous qu'il y a eu rupture ou divorce par rapport au marxisme ?*

J.-M. L. — Un désenchantement est venu de deux côtés à la fois. Il est venu de la culture ambiante, car le comportement des chrétiens n'était pas différent de celui de l'écrasante majorité des intellectuels de France ; et il a fallu que « l'air du temps » change pour que les suiveurs prennent une autre direction et, sous l'effet d'une critique plus raisonnable, acceptent enfin les faits. Le moment où la rupture est achevée, ou s'achève, c'est, à mon avis, 68, contrairement à ce que certains ont pensé. C'est la génération de 68 qui a osé enfin cracher à la face de l'idole. Place de la Sorbonne, j'ai vu de mes yeux et entendu de mes oreilles Cohn-Bendit traiter Aragon de « crapule stalinienne ». C'était grandiose ! Dans ce flamboiement de drapeaux rouges et de drapeaux noirs, en pleine mythologie marxo-révolutionnaire ! Aujourd'hui, me suis-je dit, le vase de Soissons est cassé ! 68, puis Soljénitsyne, et la Pologne. Le nouveau sacré dont l'intelligentsia française s'est nourrie depuis 1917, dans l' « enchantement » magique d'une nouvelle religion et d'une nouvelle eschatologie, était détruit. Le monde était « désenchanté » et Staline était enfin mort.

La seconde raison, elle, est interne. C'est finalement le désir de Dieu. Car, enfin, la société catholique n'est pas seulement une société ; l'Eglise est aussi le Temple de Dieu. Il est normal que poussent à l'intérieur d'elle-même des fruits de sainteté, de capacité de connaître Dieu, de le suivre et de l'aimer. Il y a l'appel intime, la faim, la soif de ce qui donne la vie, alors que ces fruits-là donnaient la mort. Le désenchantement du marxisme correspond d'ailleurs à un moment où la prise de position publique de l'Eglise, dans la défense de l'homme, prend enfin toute sa vigueur et sa stature. Pour l'honneur de Dieu, le Pape ne parcourt pas pour rien tous les pays du monde. Sa prise en compte positive, énergique, courageuse parce que toujours maîtrisée et, plus souvent qu'on ne le pense, solitaire, en faveur des exigences humaines jaillit de la reconnaissance de Dieu et de son adoration en esprit et en vérité. C'est au moment où ces tendances idéologiques sont exorcisées que l'Eglise, retrouvant dans sa force intérieure sa liberté de mouvement, exprime et fait entendre son message neuf et positif.

D. W. — *N'existe-t-il pas une sorte de « compétition » entre les sciences sociales et la religion ?*

J.-M. L. — Regardez l'émergence des différentes disciplines scientifiques depuis le XVIIIe siècle jusqu'au XXe siècle. La plupart, à leur naissance, ont une ambition totalisante, comme s'il fallait, pour saisir un objet, vouloir les absorber tous, et pour faire apparaître une méthode, vouloir la substituer à toutes. A chaque fois, des hommes d'Eglise ont critiqué cette ambition. Vous me direz que la religion se sentait visée par ces prétentions totalitaires, parce qu'elle-même a l'ambition de la totalité. Je me suis déjà expliqué sur ce sujet : la foi est la seule intégration plénière qui ne puisse pas être totalitaire à condition qu'elle accepte de maintenir que Dieu seul est Dieu, et donc que l'homme n'est qu'un homme. Chaque discipline est née ainsi de ces projets systématiques et globalisants. Il est normal que l'Eglise ait eu une réaction de défense. Il est clair que le père de la sociologie, Durkheim, est apparu comme un adversaire. Mais ce sentiment n'était nullement obscurantiste, au contraire ! L'idée qu'il fallait explorer ce champ nouveau du savoir, et y contribuer, était largement partagée.

D. W. — *Mais qu'en est-il aujourd'hui? Les sciences sociales concurrencent encore la religion dans l'ordre de la production du sens.*

J.-M. L. — J'ai plutôt l'impression que les sciences sociales tentent de s'emparer d'un trésor qu'elles n'ont pas encore pu inventorier et dont elles n'ont pas épuisé le contenu. Ce trésor est celui de la pensée symbolique au sens de Freud ou des ethnologues, mais aussi le trésor du sacré, de ce qui fait le cœur de la mémoire et de l'espérance humaines. Mais en voulant s'emparer du trésor, les jeunes rivaux ont permis au vieil héritier de mieux connaître ce qu'il avait entre les mains. D'autre part, une bonne partie des réflexions théologiques peuvent être pour les sciences humaines une ressource considérable. Je prends l'exemple de Paul Ricœur, à la fois philosophe et chrétien. Je pense également au livre du père de Lubac sur l'*Exégèse médiévale;* il contient un trésor de réflexions herméneutiques sur la sédimentation et l'interprétation du sens. La pensée de très grands théologiens, comme Urs von Balthasar, offre non pas une contribution immédiate et directe à l'avancement des savoirs spécialisés, mais un arrière-fond plus que secourable, fécond, pour le mouvement des idées. Dans le champ de la réflexion sur les finalités de la société, je suis frappé par la proximité des pensées de Hannah Arendt et du père Fessard. Aron respectait et estimait Fessard. L'originalité de sa pensée politique était d'intégrer le patrimoine spirituel à l'analyse politique et sociale. Il faudrait citer aussi Mircea Eliade et Georges Dumézil. Ce serait tout à fait injuste de ne retenir que l'aspect conflictuel entre religion et sciences sociales. Il existe aussi une sorte de fécondation mutuelle.

Les racines religieuses de la psychanalyse

J.-L. M. — *La psychanalyse a porté un regard sans aménité sur la religion, à commencer par Freud qui écrit dans l'*Avenir d'une illusion : « *Les doctrines religieuses sont toutes des illusions, on ne peut les prouver, et personne ne peut être contraint à les tenir pour vraies et à y croire. Quelques-unes d'entre elles sont si invraisemblables, tellement en contradiction avec ce que nous avons appris avec tant de peine sur la réalité de l'univers que l'on peut les comparer, en tenant compte comme il convient des différences psychologiques, à des idées délirantes. De la valeur réelle de la plupart d'entre elles, il est impossible de juger. On ne peut pas plus les réfuter que les prouver. Nous savons encore trop peu de choses pour pouvoir les aborder de plus près du point de vue critique. Cependant, le travail scientifique est le seul chemin qui puisse nous mener à la connaissance de la réalité extérieure.* »

J.-M. L. — Je trouve ce message extrêmement émouvant quand on pense au chemin de Freud. Il me touche profondément, parce qu'il montre sa détresse. Il n'a comme outil de compréhension que le positivisme et il s'en sert intelligemment.

D. W. — *J'insiste. Dans l'avant-propos de* Moïse et le monothéisme, *Freud écrit : « Les recherches psychanalytiques sont de toute façon considérées avec une attention méfiante par les catholiques et nous n'affirmerons pas que ce soit à tort. Quand nos recherches nous amènent à conclure que la religion n'est qu'une névrose de l'humanité, quand elles nous montrent que sa formidable puissance s'explique de la même manière que l'obsession névrotique de certains de nos patients, nous sommes certains de nous attirer le plus grand ressentiment des pouvoirs de ce pays.* »

J.-M. L. — Freud dit que la religion est une névrose. On a aussi dit qu'elle était l' « opium du peuple », un moyen d'aliénation sociale. Finalement, c'est une répétition des accusations de Feuerbach et de Marx. Je vous renvoie à Paul Ricœur et à toute la distance prise à l'égard des « maîtres du soupçon ».

Tout cela est paradoxal. Il me semble que l'inspiration fondamentale, la source cachée de la pensée freudienne, se trouve dans la tradition biblique et dans l'expérience spirituelle de la prière et de la réflexion. Certains ont vu une influence rabbinique directe dans les écrits de Freud. Plusieurs livres ont été récemment écrits sur la question.

J.-L. M. — *On a même parlé de deux aspects précis de la technique analytique : le fait que le patient ne voit pas l'analyste ferait écho au refus de la représentation dans la tradition juive, et le principe de l'écoute renverrait au « Ecoute, Israël » !*

J.-M. L. — On peut aussi rappeler les pratiques spirituelles de la tradition catholique. Il existe, dans les traditions monastiques ou dans les *Exercices spirituels* de saint Ignace de Loyola, des prescriptions et des règles qui ressemblent à certaines prescriptions de la cure, notamment quant à la relation de l'analyste et de l'analysé. Freud utilise l'outil d'investigation expérimental à sa disposition, mais il se réfère à un patrimoine qu'il est tenté de méconnaître et avec lequel il s'explique dans ses livres fantasmatiques que sont *Totem et Tabou* et *Moïse et le monothéisme*. Ces ouvrages sont différents de ses autres écrits ; il y sort du champ expérimental. Avec son outil scientifique, il a remis en évidence quelque chose, ce que le positivisme niait. Et c'est son paradoxe, le malheureux ! Il n'est pas reconnu par les médecins, alors qu'il prétend être un médecin ; il n'est pas reconnu par les hommes de science alors qu'il prétend être un homme de science ; il se voit reprocher d'être juif, alors qu'il se voulait athée. Enfin, c'est la contradiction la plus totale : il est martyr de lui-même ! Il y a quelque chose de dramatique dans l'œuvre comme dans la fin de Freud d'ailleurs. Au fond, il a restitué à la pensée, à l'intelligence séculière contemporaine, un domaine dont celle-ci s'était privée. Il a rendu à la pensée occidentale l'épaisseur du sujet historique, l'idée qu'il y a toujours un problème d'interprétation de la parole et du non-dit et que cette herméneutique relève de la raison. Il laisse voir que la conscience de l'homme est immergée dans un au-delà d'elle-même et qu'elle est historique puisqu'elle ne se conçoit que par rapport au père et à la mère. En ce qui me concerne, la lecture de Freud a jeté une lumière latérale sur mon chemin qui, à la fin du XXe siècle, cherche à connaître Dieu.

J.-L. M. — *Considérez-vous que la psychanalyse, et plus généralement la psychologie, plongent leurs racines dans le judéo-christianisme ?*

J.-M. L. — J'ai dit déjà la référence à la tradition juive. Mais je vous renvoie à la tradition chrétienne. Toute une réflexion anthropologique s'y est développée. Sa forme moderne, surtout à partir du XVIe siècle, est celle de la morale et de son analyse du volontaire et de l'involontaire. Il s'agissait de qualifier la responsabilité moralement engagée dans les actes humains par rapport à la loi de Dieu. Cette connaissance était amplement développée par la tradition catholique, et le XVIIe siècle déjà disposait d'un savoir empirique considérable pour la pratique du sacrement de la pénitence et de la direction spirituelle. Avant d'être une pâture livrée aux journaux anticléricaux, il y a eu là une accumulation de réflexions, d'observations, sur la subjectivité, qui est restée ignorée. On fait lire les *Caractères* de La Bruyère ou les *Maximes* de La Rochefoucauld, mais eux-mêmes sont tributaires d'un savoir cumulé, d'une littérature morale et spirituelle considérable. D'ailleurs toutes les traditions spirituelles de l'Eglise amenaient à un regard sur la conscience humaine et à un discernement des mouvements intimes de l'âme ; à cet égard, les redécouvertes du XIXe siècle peuvent apparaître souvent comme une reformulation et une codification, dans le registre positiviste, d'expériences et de conflits tout à fait repérés par les maîtres spirituels. La doctrine des *Exercices spirituels* de saint Ignace sur les mouvements des esprits dans l'âme en est un riche exemple. Leur pratique ne se conçoit pas sans anamnèse ni interprétation. L'idée qu'un état d'âme ou un mouvement intérieur peut avoir un sens caché se trouve chez tous les spirituels depuis les premiers anachorètes et les Pères de l'Eglise. J'insiste sur ce point naïvement méconnu par les sciences humaines. Elles ont enfin commencé à se retourner vers les écrits mystiques. Oui, il y a là des matériaux qu'elles n'épuiseront pas et un savoir qu'on avait oublié. N'est-ce pas aussi intéressant que le Zen pour la compréhension que l'homme occidental peut gagner de lui-même ?

Quand la psychologie moderne est apparue, il était donc tout à fait normal que les milieux chrétiens se soient vivement intéressés à elle. En ce qui concerne Freud et la sexualité, le problème s'est posé d'abord sous l'angle moral, mais il engageait aussi la compréhension de l'homme par lui-même. Il y a eu fascination, en même temps que le sentiment d'une vive atteinte, d'une offense. Et le succès qu'a remporté Jung dans les milieux catholiques...

J.-L. M. — *Mais enfin, Jung est beaucoup plus assimilable par le christianisme que Freud !*

J.-M. L. — Je ne sais. Jung, en tout cas, n'a pas été ressenti comme agresseur. Il n'a pas provoqué la même répulsion que Freud. Mais le conflit ne portait pas sur le principe d'une exploration du psychisme humain.

J.-L. M. — *La psychanalyse permet-elle une lecture profane féconde de la Bible ? Peut-on avoir une lecture analytique des textes sacrés, qui parlent de père, de mère et de fils ?*

J.-M. L. — La Bible parle de relations de sujet à sujet et évoque des histoires singulières. Il peut y avoir là des points de continuité. Mais la Transcendance échappe à une lecture analytique, de même que l'histoire commune d'un peuple.

J.-L. M. — *Je dois dire que votre argument ne me convainc pas. Il s'agit certes d'une histoire collective, mais à travers des destins singuliers. A la limite, l'approche analytique est plus légitime ici que dans l'explication des problèmes sociaux ou politiques.*

J.-M. L. — Sauf que la Bible parle de la Transcendance et d'un peuple. Des sujets singuliers surgissent, leur histoire est énoncée, leur généalogie est dite, mais en même temps, il est question de l'élection et de la consécration d'un peuple et du salut de tous les hommes. La Bible est un magnifique terrain analytique, dites-vous. Alors, pourquoi Freud a-t-il pris Œdipe ?

J.-L. M. — *Pourquoi est-il allé chercher dans la mythologie grecque quelque chose qu'il aurait pu trouver dans la Bible ? Peut-être à cause de ce que vous évoquiez tout à l'heure, la dénégation de son judaïsme.*

J.-M. L. — Bien au contraire, Freud ne peut pas ignorer que

s'il avait pris la Bible pour référence symbolique, il ne pouvait que devenir à nouveau croyant, juif, même dans son incrédulité. Il ne pouvait pas prendre la Bible.

D. W. — *On a souvent mis en parallèle le rôle des analystes dans nos sociétés déchristianisées avec celui des confesseurs. Que pensez-vous de la comparaison ?*

J.-M. L. — Le métier de psychanalyste est un métier terrible. La psychanalyse, c'est l'enfer ; je veux dire : c'est le feu, l'acide. Ce métier est presque impossible. Les psychanalystes s'organisent en chapelles, ils sont obligés de se disputer pour survivre, pour supporter simplement toute la négativité qu'ils reçoivent, car ce qu'ils reçoivent les dévore. Parmi mes amis psychanalystes, certains vont jusqu'à dire qu'ils ne savent pas si une seule cure a jamais été achevée. Des analystes chevronnés n'hésitent pas à déroger à la pureté de la doctrine et font prévaloir la capacité d'aider, de secourir quelqu'un. De ce point de vue, il y a dans la figure de l'analyste un aspect sacerdotal. Je me souviens avec émerveillement du livre de Bettelheim, *la Forteresse vide*. Ce livre a été contesté, critiqué, mais j'y perçus la figure de la « kénose » du Messie. Bettelheim plonge dans l'abîme où se trouve l'enfant perdu pour aller le rechercher là où il s'est caché. Quelle puissance d'amour cela demande ! Et quelle générosité : le temps, le soin, l'amour des êtres humains, et des êtres humains les plus perdus ! Quelle somme d'intelligence, de savoir, d'attention à autrui dépensée dans cette entreprise thérapeutique ! C'est d'autant plus émouvant que ce labeur n'offre pas la satisfaction du beau travail du chirurgien. En fait, c'est un métier de rédempteur laïc.

J.-L. M. — *L'Eglise a tenu depuis très longtemps un discours sur la sexualité. Elle a orienté les consciences, elle a incité les gens à maîtriser leurs désirs, à contrôler leurs pulsions, elle a condamné sévèrement certaines pratiques sexuelles. La psychanalyse n'est pas une théorie de la libération, mais elle a mis en évidence le fait qu'un refoulement trop violent imposé de l'extérieur par une institution peut avoir des conséquences catastrophiques sur le psychisme humain. Y a-t-il là quelque chose d'intolérable pour l'Eglise ?*

J.-M. L. — La morale catholique n'est pas plus le refoulement que la psychanalyse n'est le défoulement. Il y a bien longtemps, l'un de mes amis analystes me signale l'arrivée à Paris de quelqu'un qu'il m'envoie pour l'aider spirituellement. Je lui demande une suggestion qui puisse être utile à son patient. Il me répond : « Culpabilise-le ! » C'était pourtant un psychanalyste orthodoxe ! Mais il considérait qu'il fallait absolument aider cette personne à se structurer et il ne confondait pas analyse et défoulement.

Cela dit, il existe une distance, irréductible, entre psychanalyse et religion. Etudier et soigner le psychisme humain est une chose, aider la liberté et la responsabilité morales en est une autre. Ce sont deux niveaux différents de l'agir et de l'être humain. Si l'analyse prétend se substituer à l'appréciation morale ou proposer une règle de responsabilité, elle commet un abus.

Comment traiter la culpabilité et en même temps donner droit à la liberté spirituelle et à l'appréciation morale des actes ? Telle est la vraie confrontation. L'action humaine trouve dans le champ spirituel et dans la norme morale une ressource qui, elle aussi, peut être thérapeutique. Mais, dans l'ensemble, le champ thérapeutique ne peut pas avoir de signification morale, et le champ moral ne doit pas se substituer au champ thérapeutique.

En principe la démarche thérapeutique vise le psychisme et ne peut tirer d'elle-même une évolution morale ; de même le jugement moral ne dispense ni de l'analyse ni de la thérapie des conflits psychiques. Mais l'action humaine trouve dans la norme morale et dans le champ spirituel des ressources dont la fécondité peut être aussi, comme par surcroît, thérapeutique.

III

LA RAISON, LA SCIENCE ET LA FOI

Les preuves de l'existence de Dieu

J.-L. MISSIKA. — *Peut-on démontrer, par l'usage de la raison humaine, que Dieu existe ?*

JEAN-MARIE LUSTIGER. — La réponse tombe presque comme un couperet puisqu'elle a fait l'objet d'un grand débat au XIXe siècle. Et le premier concile du Vatican a répondu oui. Pourquoi a-t-il répondu oui ? Parce que l'homme est créé à l'image et à la ressemblance de Dieu. Dieu a mis en l'homme un pouvoir raisonnable de connaissance de la vérité, qui doit lui permettre d'accéder à la vérité suprême qui est Dieu. Sinon, l'homme ne serait pas vraiment libre et responsable de sa propre vie face à Dieu. Dieu ne serait pas Dieu mais un tyran, une idole. Autrement dit, cette démonstration rationnelle doit être possible...

J.-L. M. — *« Doit être » possible ou « est » possible ?*

J.-M. L. — Une question est ouverte à ce propos ; j'y viendrai dans un instant. Mais je veux pour le moment montrer la portée d'une telle affirmation. Cette proposition est d'une audace formidable, « antiobscurantiste », car elle accepte la conséquence ultime de l'idée que Dieu est bon et créateur. L'idée de « mystère », c'est-à-dire de ce qui dépasse les prises de la raison humaine, ne se confond pas avec l'idée de « tabou », de savoir interdit. Dès le moment où l'homme est fait pour Dieu et où Dieu donne à l'homme raison, liberté et intelligence, Dieu donne à l'homme le pouvoir de le reconnaître. Au nom même de la foi, le croyant est amené à affirmer le pouvoir de la raison humaine. C'est extraordinaire ! Ce renversement, ce paradoxe, ne cesse de m'étonner. Ceci fonde l'optimisme anthropologique de la tradition révélée. Cette doctrine est dans la droite ligne des preuves de l'existence de Dieu chez saint Augustin et saint Anselme — la preuve dite ontologique — et chez saint Thomas.

Nous savons que Dieu existe même sans connaître ce qu'Il est, qui Il est. Car la pensée biblique, puis philosophique, sait que la seule définition de Dieu consiste à renoncer à toute définition possible à son sujet. Dans les termes de cette « théologie négative », rien de ce qu'on dit de Dieu n'est ce qu'Il est.

Il nous faut par ailleurs considérer la raison dans son exercice réel, dans l'histoire des hommes. La révélation renforce l'optimisme fondamental sur l'outil intellectuel et sur sa validité, mais elle dévoile que les hommes sont blessés dans leur liberté, leur conscience, leur raison. « L'insensé dit en son cœur : “ Dieu n'existe pas ” » (Ps. 14/13, 53/52). La raison a voulu être souveraine ; elle a voulu se donner à elle-même ses propres mesures, alors qu'elle demeure appelée à les recevoir dans le respect d'une objectivité donnée par ailleurs et d'une finalité originaire. La raison n'existe pas indépendamment des volontés, des désirs, des choix. Pour que l'homme se laisse convaincre par les preuves de l'existence de Dieu, il faut que sa raison purifiée et ordonnée accepte de se laisser convaincre. Le travail de la raison sur l'affirmation de Dieu reçoit toute sa force de conviction dans l'acte de foi, qui est lui-même le fruit d'une guérison de Dieu, d'une grâce.

Alors, la raison peut-elle accéder à son pouvoir propre si elle ne reçoit pas sa guérison de Dieu ? C'est la frontière — ou l'alliance — de la raison et de la foi. « Frontière irritante » pour le croyant comme pour l'incroyant. Le croyant ne peut renoncer à la raison, et en même temps il reconnaît dans la foi un surpassement de la raison. Une sagesse ou une lumière qui le dépasse et qui, en lui donnant accès à Dieu, le rend accessible à lui-même.

D. Wolton. — *En quoi votre conception d'une raison finalement dans les mains de Dieu est-elle possible pour un incroyant ou un agnostique ?*

J.-M. L. — D'après la situation dans laquelle il se trouve, il peut s'agir d'une humiliation. Car la raison est obligée d'admettre ce qu'elle ne peut pas se donner sans avoir été purifiée, rendue à elle-même. Comme s'il fallait une abdication de la raison pour admettre ce qui est éminemment rationnel, que Dieu existe. En fait, la raison est appelée, non pas à se nier, mais à se dessaisir d'elle-même pour gagner sa vérité la plus originelle. Et la source de la certitude lui échappe.

D. W. — *Pour franchir le seuil, il faut, je suppose, la grâce ?*

J.-M. L. — Dans la pratique, oui. J'ai employé le mot « guérison ».

D. W. — *Mais pour passer d'une démonstration rationnelle à une perspective plus compréhensive, il faut introduire une dimension liée à la grâce.*

J.-M. L. — On peut dire « la grâce » si vous voulez, mais ce mot appartient au vocabulaire technique des théologiens.

D. W. — *« Guérison » ne vaut guère mieux, le mot renvoie à la maladie.*

J.-L. M. — *Concevez-vous alors que la raison est la maladie de l'homme ?*

J.-M. L. — Non, mais l'impuissance à accueillir la vérité est la maladie de la raison. L'homme est blessé.

D. W. — *Blessé par la raison triomphante ?*

J.-M. L. — Non. Blessé par son péché et par sa condition déchirée jusqu'en sa raison. Vous n'aimerez peut-être pas ce vers romantique : « L'homme est un dieu tombé qui se souvient des cieux », qui dit la blessure de la raison, ou plutôt de la condition humaine.

J.-L. M. — *L'argumentation que vous développez est paradoxale, voire contradictoire. Elle conduit à penser qu'il faut être croyant pour démontrer rationnellement l'existence de Dieu. Ne serait-il pas plus simple de dire que, si l'on peut bien évidemment discuter rationnellement de l'existence de Dieu, la démonstration en est impossible et que cela trace la limite entre la raison et la foi ? Pourquoi vouloir à tout prix mettre en jeu la raison ?*

J.-M. L. — Cette discussion a deux enjeux importants. Le premier est le statut de la raison dans la pensée moderne. Le modèle le plus usuel de la raison à notre époque est le modèle technicien. Cette raison technicienne est extraordinairement puissante et inventive dans tous les domaines, mais en même temps elle est privée de sagesse, de la saveur du vrai et de la joie du bien. L'Eglise ne peut se résigner à adopter ce modèle de la raison opératoire sous prétexte qu'il est aujourd'hui dominant dans notre civilisation. L'Eglise demeure responsable et témoin d'une intelligence humaine nourrie de la Vérité et de son assimilation. Cette conception anthropologique est elle-même liée à la révélation de Dieu et de sa Parole et de son Esprit.

Le second enjeu est théologique. L'homme a été blessé dans sa dignité et nous ne pouvons cependant pas renoncer à espérer en lui. Là est le paradoxe. L'acte de foi nous apporte simultanément et la conviction que la bonté initiale de la création est constitutive de l'homme, et le constat que l'homme, pour en recevoir le bénéfice, a besoin, dans son histoire concrète, d'une délivrance, d'une libération. Pour atteindre à la sagesse et à la bonté premières, l'homme a besoin du Salut. Si les croyants ont un service à rendre à l'humanité entière, c'est de garder ce trésor que les hommes seraient tentés d'oublier. Face au désespoir latent du siècle d'Hiroshima et du goulag, nous gardons la foi, nous gardons l'affirmation originelle : « Cela est bon ! »

D. W. — *Qu'est-ce qui est bon ?*

J.-M. L. — Quand je dis « cela est bon », je reprends la traduction française de la première page de la Bible. Quand Dieu regarde sa création, il est écrit : « Dieu vit que cela était bon, et ce fut le premier jour. » C'est le problème même de la théodicée. Le mal est là et Dieu est bon. C'est le scandale de Job et la vanité du Qohelet. Cependant l'Eglise veille dans l'espérance ; elle maintient, dans les pires drames et les plus obscures folies, l'affirmation que l'existence de Dieu peut être admise de tous et que cette affirmation est raisonnable. Pourquoi ne jamais abdiquer cette prétention à la vérité universelle ? pourquoi ne pas se réfugier, vu le malheur de l'homme, dans la subjectivité mystique ou la conviction arbitraire mais consolante de la belle âme ? Simplement parce que Dieu, comme le dit la Bible, est le Dieu et le Sauveur de tous, et non pas simplement le Dieu de ceux qu'il choisit.

D. W. — *Un humanisme athée n'offre-t-il pas les ressources d'une croyance en l'homme ?*

J.-M. L. — Je ne suis pas en train de dire : « Voyez la perversité des athées et la grandeur des croyants. » Parmi mes amis incroyants, compagnons de longue date, certains ont un optimisme obstiné, désespéré — que je juge désespéré. Peut-être trouvent-ils ma position aussi désespérée. Ils gardent en tout cas une conviction inébranlable, acquise de haute lutte sur toutes les nausées et tous les découragements. Les questions que nous évoquons sont universelles. Chacun y est confronté un jour ou l'autre. Mais la plupart du temps, les gens ont autre chose à faire et mènent leur vie comme ils peuvent. Personne n'échappe à ces questions fondamentales. Mais les diverses réponses concrètes donnent leur figure à une société et à une culture. Certaines sociétés se suicident, deviennent perverses ou s'enferment « de bonne foi » dans des conduites destructrices de l'homme.

D. W. — *Ce sont parfois des sociétés très chrétiennes qui ont basculé dans la folie.*

J.-M. L. — Qu'appelez-vous des sociétés chrétiennes ? Avez-vous les bons indices pour en juger ? De plus, croire en Dieu, ce n'est pas comme un vaccin contre la rage ou la typhoïde.

D. W. — *Alors je ne comprends pas votre raisonnement. Vous évoquez ce risque pour les hommes ou les sociétés qui considèrent que le ciel est vide, mais il est le même dans les sociétés chrétiennes.*

J.-M. L. — C'est dans les sociétés qui ont été touchées par la grâce de la foi que se manifestent les risques les plus grands. Car ce sont les sociétés qui ont le plus évolué qui sont les plus menacées. Elles sont l'envers des sociétés archaïques, elles ont goûté à ce pouvoir enivrant d'une raison qui a trouvé en elle plus qu'elle-même. Les peuples et les cultures qui ont reçu les trésors de la lumière de Dieu sont ceux précisément qui sont tentés par les pires perversions. Peut-être direz-vous : dans ce cas, mieux vaut ne pas les connaître du tout. Comme dit Job : « Maudit soit le jour où je suis né, maudit soit le jour où ma mère m'a conçu... » Mais non, cette tentation ne peut conduire au refus pur et simple d'exister.

D. W. — *Ce sont les sociétés chrétiennes qui ont commis les plus grands massacres.*

J.-M. L. — C'est la société occidentale ! La nôtre. Qu'on le veuille ou non, la société athée est une société chrétienne. Cet athéisme est spécifique, il n'est pas la destruction des dieux, mais la négation de Dieu. Il ne s'agit pas simplement de rejeter les dieux, qui parfois se vengent en revenant en force et en masse. La civilisation moderne est inéluctablement marquée par la rencontre du vrai Dieu. La conséquence en a été le contact de l'intelligence humaine avec l'absolu, et la tentation prométhéenne de l'homme.

Je voudrais vous lire, à propos du problème de la raison et de Dieu, un texte : « A l'origine de cette putasserie (prostitution), il y a l'idée de fabriquer des images ; et leur découverte a entraîné la corruption de la vie. Elles n'existaient pas au commencement, pas plus qu'elles ne subsisteront indéfiniment. A cause du jugement superficiel des hommes, elles ont fait leur entrée dans le monde ; mais ne vous inquiétez pas, elles finiront très vite et une prompte fin leur a été assignée (première explication). Voici un père, il est affligé par un deuil prématuré ; il fait exécuter une image de son enfant enlevé à l'improviste, et ce qui n'était plus qu'un cadavre d'homme, il lui rend maintenant des honneurs comme à un dieu ; il transmet au ciel des mystères et des rites ; et puis, confortée par le temps, cette coutume impie, scandaleuse, fut observée comme une loi.

« Ou encore (deuxième explication), sur l'ordre des souverains, les images taillées devinrent l'objet d'un culte. Comme on ne pouvait honorer ces rois et ces princes en leur présence, à cause de la distance, pour asseoir leur pouvoir, on reproduisit leur apparence vue de loin et on fit faire une image visible du roi vénéré afin de témoigner une adulation empressée à l'absent comme s'il était présent. Même chez ceux qui ne le connaissaient pas, l'extension du culte fut stimulée par l'ambition de l'artiste. Celui-ci, voulant sans doute plaire au souverain (toujours la courtisanerie et l'aplatissement des hommes), força son art pour faire plus beau que ressemblant. Alors la foule fut séduite par le charme de l'œuvre, et cet homme, auquel naguère on rendait des honneurs, devint un objet d'adoration. Ainsi la vie humaine se laissa prendre au piège lorsque les hommes, victimes du malheur ou du pouvoir, attribuèrent à la pierre et au bois le Nom incommunicable. » De qui est-ce ? De Diderot ?

J.-L. M. — *Pourquoi toujours Diderot...*

J.-M. L. — Eh bien, c'est extrait de la Bible, du livre de la *Sagesse,* chapitre quatorzième, à partir du verset 12 jusqu'au verset 21. Toujours du même livre, un autre passage dit ceci : « Prenons par exemple ce potier : il pétrit laborieusement de la terre molle et c'est lui qui façonne chacun de nos objets domestiques. Avec la même glaise il modèle et les ustensiles destinés aux emplois nobles et ceux qui servent à des usages opposés, et le tout pareillement. Pas de distinction dans la fabrication. Mais quelle sera alors la fonction de chacun de ces objets ? C'est le potier qui en décide. Puis, se livrant à un méchant travail, il utilise la même glaise pour façonner un dieu illusoire alors que, tout juste né de la terre, lui-même né de la terre, il retournera bientôt à cette terre d'où il a été tiré quand on lui demandera de restituer son âme. Au lieu de songer à sa mort inéluctable et à la brièveté de sa vie, il rivalise avec les orfèvres et les fondeurs d'argent, imite ceux qui coulent le bronze et se fait gloire de fabriquer du faux. Son cœur n'est que cendre, son espérance est plus misérable que la terre et sa vie plus méprisable que la glaise, car il ignore celui qui l'a façonné, celui qui a soufflé en lui, qui a inspiré en lui une âme active et a insufflé un esprit, l'esprit qui fait vivre. A ses yeux, notre vie est un jeu, l'existence une foire d'empoigne. “ Il faut, dit-il, tirer profit de tout, même du mal. ” Cet homme-là sait mieux que personne qu'il pèche en fabriquant avec une matière terreuse des vases fragiles et des idoles » (Sg.15,7-13).

La liberté et la grâce

J.-L. M. — *La volonté divine détermine-t-elle l'homme de sorte qu'il n'a ni liberté ni responsabilité ?*

J.-M. L. — La volonté divine donne à l'homme sa liberté car l'homme se débat dans l'esclavage tant qu'il n'a pas été recueilli par Dieu.

Au cours de l'histoire, le débat entre la volonté divine et la liberté humaine a été souvent formulé dans des catégories abstraites. Le pouvoir de la liberté humaine, l'initiative de Dieu, la damnation et le salut ont été abordés sans référence aux situations historiques. La Bible au contraire pose le problème en termes concrets. L'idée générale, intemporelle, de gratuité est vérifiée dans l'histoire et dans le temps des hommes par le choix, par l'arbitraire d'un choix. Comment, comment Dieu se révèle-t-il à un peuple, parle-t-il à Abraham, et ne choisit pas un autre ? Dans le droit fil de l'élection en hébreu, en araméen, en grec, et non en chinois ou en sanscrit ? Pourquoi la Parole de Dieu s'est-elle faite chair dans la singularité d'une existence humaine déterminée ? C'est que l'universel est donné dans le singulier concret. Israël est élu en vue du salut de toutes les nations, de tous les hommes de tous les temps. Le Christ, Parole de Dieu et Fils de Dieu, venu dans la chair, est né pour le salut de tous les hommes. Ce qui est donné à une part de l'humanité n'est pas un privilège exorbitant, mais une mission qui est grâce surabondante de Dieu. Chaque homme peut avoir accès à l'amitié de Dieu comme Abraham. Ce qui a été donné dans la singularité de l'histoire est destiné à la totalité des hommes.

La toute-puissance divine est trop spontanément conçue par l'homme comme la toute-puissance d'un tyran qui serait homologue à l'homme. L'Ancien et le Nouveau Testament mettent en garde contre l'idée de ramener Dieu à n'être qu'un élément du monde, ou un partenaire à se ménager. Quand Dieu crée l'homme, il crée un vis-à-vis. Cet homme en vis-à-vis doit se comporter librement à l'égard de Dieu pour pouvoir être vraiment lui-même. Se comporter librement à l'égard de Dieu, c'est se reconnaître comme créature et, adopté dans la grâce, servir Dieu. Servir Dieu, c'est régner. Nous soumettre à Dieu, ce n'est pas nous avilir, mais nous recevoir de lui, la Source de notre liberté. « La Vérité vous rendra libres », dit Jésus (Jn. 8,32).

J.-L. M. — *Pourquoi l'oubli de l'histoire est-il dommageable?*

J.-M. L. — La grâce et la liberté ont été comprises comme des catégories métaphysiques surtout vers le XVIe siècle, comme s'il y avait eu momentanément occultation de l'histoire et de son récit. Cela a conduit à une interprétation métaphysique du rapport entre la toute-puissance divine et la liberté créée. On a oblitéré l'enracinement de ces catégories dans la révélation et l'Histoire du salut. La manière dont a été traitée à l'âge classique l'épître aux Romains atteste ce glissement. L'épître aux Romains aurait, en apparence, compris deux parties : la première traite de la grâce et de la foi, ou de la foi et des œuvres, et renvoie au grand débat qui s'est développé autour du luthéranisme et du jansénisme; la seconde traite du rapport d'Israël et des nations avec encore une longue conclusion parénétique sur la vie dans les communautés chrétiennes. Pour bon nombre de commentateurs modernes, ces deux parties représentent quasiment deux épîtres, qui peuvent être commentées séparément, alors qu'il y a une unité forte de la pensée de Paul. Car les « œuvres » suggèrent les observances de la Loi donnée à Israël, les « mitzvott », tandis que la « foi » est la foi au Christ Messie dans laquelle la Loi peut être accomplie par toutes les nations. La dialectique du juif et du païen (Ch.9-11) est celle de la justice et de la miséricorde au cœur de l'Amour de Dieu : c'est comme la démonstration par l'Histoire sainte de l'accomplissement de la Loi et de ses œuvres dans la foi au Christ, c'est-à-dire au Messie, Justice de Dieu.

Le débat métaphysique sur la liberté et la grâce n'en est pas vain pour autant, mais il ne peut trouver sa résolution que par la réinscription de ses termes dans l'Histoire du salut, où ces notions métaphysiques retrouvent leur sens originel. Au plan philosophique, cela correspondrait au problème du rapport entre métaphysique et histoire.

J.-L. M. — *Vous dites que la liberté est donnée par Dieu, mais cela ne résout pas la question. Qu'en est-il de l'intervention divine dans les affaires humaines et de la question de la grâce, justement, telle qu'elle est conçue par saint Augustin par exemple?*

J.-M. L. — Nous avons toujours une idée ou trop basse ou trop abstraite de Dieu : celle d'un partenaire dont on peut mobiliser les interventions, ou d'un adversaire contre qui l'on se bat. Le nominalisme a conçu Dieu et l'homme comme deux forces antagonistes : l'homme ne peut s'affirmer qu'en détruisant Dieu ; à l'inverse, Dieu ne peut triompher qu'en avilissant l'homme. Cette réduction à un conflit de pouvoir est déjà le résultat d'un obscurcissement du regard. Une partie de l'histoire spirituelle de l'Occident a été marquée par cette image de lutte de pouvoir. Mais la lutte spirituelle est une lutte avec Dieu, pour Dieu, contre notre propre dérive, contre les forces obscures qui nous habitent. Au jardin de Gethsémani, Jésus entre en « agonie ». Le mot *agôn* (Lc 22,44) ne signifie pas les derniers instants d'une vie, mais le combat, le conflit de la liberté humaine de Jésus avec la volonté du Père : « Abba ! Père ! s'il est possible que ce calice s'éloigne de moi, cependant non par ma volonté, mais par la tienne » (Mt. 26, 36-46). Dans cette acceptation, la liberté humaine est comme assumée en plénitude : c'est à la fois l'horreur devant le mal et le péché, la compassion pour tout homme pécheur, l'adoration et la soumission du fils fidèle qui veut obéir à la volonté paternelle. « Ma nourriture, dit Jésus, c'est de faire la volonté du Père » (Jn. 4,34).

Pour comprendre la conjonction de la liberté humaine croyante et aimante avec Dieu, il faut relire le Psaume 118/119. Ce psaume de la loi, Pascal l'appelait « l'escalier de l'amour divin ». Dans le droit romain, la loi connote l'asservissement de l'homme : *dura lex, sed lex*. Le psalmiste, lui, la chante comme la conjonction de deux libertés : elle est mes délices, ma nourriture, ma lumière ; je l'aime. C'est en obéissant à Dieu que l'homme reçoit sa liberté. Il obéit comme le fils à son père, comme une épouse à son époux, comme un ami à son ami. « Je ne vous appelle plus mes serviteurs, dit Jésus à ses disciples, mais mes amis » (Jn. 15, 15). La poétique biblique emploie toutes ces images relationnelles pour faire voir comment la liberté humaine est suprêmement exaltée au moment où elle accepte de se recevoir du plus grand qu'elle-même, de sa source.

J.-L. M. — *La parole du Christ sur la croix : « Père, pardonne-leur, car ils ne savent pas ce qu'ils font », n'exclut-elle pas la responsabilité et la liberté humaines ? Celui qui ne sait pas ce qu'il fait est irresponsable.*

J.-M. L. — L'écart entre la responsabilité immédiate et le jugement est évoqué expressément dans la Bible. Au quatrième chant du Serviteur (Is. 52,13-53,12), Israël dit du Serviteur : « Devant le Seigneur, celui-là végétait comme un rejet, comme une racine sortant d'une terre aride ; il n'avait ni aspect, ni prestance tels que nous le remarquions, ni apparence telle que nous le recherchions. Il était méprisé, laissé de côté par les hommes, homme de douleurs, familier de la souffrance, tel celui devant qui l'on cache son visage. Oui, méprisé, nous ne l'estimions nullement. En fait, ce sont nos souffrances qu'il a portées, ce sont nos douleurs qu'il a supportées, et nous l'estimions touché, frappé par Dieu et humilié... Dans ses plaies, se trouvait notre guérison. » Autrement dit, nous ne le savions pas. La vérité dépasse la compréhension immédiate des hommes. D'où comme une irresponsabilité immédiate. Mais qui n'est jamais responsable de ce qu'il n'a pas vu ou voulu voir ?

La parabole du jugement dernier au chapitre 25 de saint Matthieu montre le même écart entre ce que chacun sait et la portée de ses actes. Le Fils de l'homme est représenté sous la figure du Roi assis sur son trône de gloire : « Venez, les bénis de mon Père, prenez possession du royaume qui vous est destiné depuis la création du monde. Car j'ai eu faim et vous m'avez donné à manger ; j'ai eu soif et vous m'avez donné à boire... Les justes répondront : Quand, Seigneur, t'avons-nous vu avoir faim, avoir soif ? Le roi répondra : Oui, je vous le déclare, toutes les fois que vous l'avez fait à l'un de mes petits frères que voici, c'est à moi-même que vous l'avez fait. » Le Sujet messianique qui juge le monde de l'intérieur de l'histoire n'est pas forcément reconnu. Et les « petits », ses frères dont il est question, sont les disciples de Jésus qui partagent sa condition souffrante et rédemptrice, celle que décrivent les poèmes du Serviteur chez Isaïe.

Que signifie cet écart entre la responsabilité immédiate et la conscience ? La responsabilité humaine immédiate, telle que les hommes peuvent l'appréhender, n'est pas l'ultime jugement de toutes choses. Le jugement ultime n'appartient qu'à Dieu. La responsabilité dont il est ici question n'est pas la responsabilité civile qu'un jugement humain peut prononcer : « Les preuves sont péremptoires, un tel a commis tel crime. » Une chose échappe à ce jugement, c'est la conscience morale, la responsabilité morale. Pour que les hommes, tous les hommes, accèdent à la responsabilité pleine et totale, ils ont besoin de recevoir du Christ accomplissant sa mission de Serviteur souffrant la révélation de leur péché en même temps que le pardon. Le pécheur ne mesure son péché que dans le pardon qu'il en reçoit. Avant cela, il est esclave de son péché : son « regard est obscurci », son « cœur est endurci », comme le dit l'Ecriture. Quand le pécheur est prêt à demander pardon, c'est que déjà le pardon l'a touché : son cœur de pierre est brisé, broyé. Mais le prophète annonce aussi le pardon total qui fait la Nouvelle Alliance : « J'enlèverai leur cœur de pierre » (je ne me contenterai pas de le broyer pour le rendre sensible et perméable), « je mettrai à la place un cœur de chair qui sache écouter et suivre mes lois et mes commandements » (Ez. 36, 26-27 ; cf Jr. 31, 33). Le pardon est le don de l'innocence retrouvée. Quand Pascal, dans son Mémorial, écrit avoir entendu le Christ lui dire : « J'ai versé pour toi telle goutte de sang », j'ai envie de répondre : « Tu as écrit cela cette nuit-là ; que Dieu te bénisse, cela a été ta lumière. » J'entends plutôt : « J'ai versé pour toi tout mon sang, toute ma vie. » Tout homme, quel qu'il soit, a droit à tout. Dans cette délivrance, face à face, cœur à cœur avec le Messie crucifié, nous confessons la révélation de la justice suprême de Dieu dans le Crucifié-esclave reconnu roi d'Israël, et donc roi des nations. Le Messie humilié affirmé comme Roi rend à l'homme sa royauté, sa dignité, sa responsabilité.

Seul un homme de foi peut tenir ce langage, je vous l'accorde volontiers.

Les voies du Seigneur

J.-L. M. — *Peut-on décider de croire ou au contraire la foi est-elle une force qui s'impose à l'individu même contre son gré ?*

J.-M. L. — Celui qui hésite entre décider de croire ou attendre le foudroiement de Dieu est semblable à celui qui, dans une pièce obscure, recherche un interlocuteur inconnu et se voit pris dans une situation intolérable. Pourquoi celui vers qui il clame ne répond-il pas ? A qui me demande en cette situation : « Que faire ? », je suggère de prier conditionnellement : « Toi, Dieu que je cherche ou que je fuis, je ne sais si tu existes, mais donne-moi de te rencontrer et de te reconnaître. » En effet, celui qui est engagé dans ce débat est déjà situé par rapport à Dieu, même s'il ne sait pas ce qui doit encore mûrir en lui. « Tu ne me chercherais pas si tu ne m'avais déjà trouvé. » Cette phrase de Pascal exprime bien la situation de celui qui hésite devant Dieu. Mais il y a aussi le croyant qui traverse une période de doute ou d'obscurité. Celui qui a déjà reçu dans la foi quelque chose de la lumière de Dieu peut reconnaître que, dans la dérobade de sa raison, il y a plus qu'une simple faille de raisonnement, un vertige du cœur. Il est suffisamment averti pour reconnaître les ruses de l'esprit qui se dérobe devant Dieu, de la raison qui n'accepte pas ses propres limites, de la liberté tentée d'une façon ou de l'autre. Il est capable de soupçons sur lui-même et il peut faire dans l'obscurité l'acte de foi qui redit : je décide de me fier à Dieu qui n'a jamais été infidèle, Il ne m'a jamais trahi. Saint Polycarpe, pressé par ses bourreaux d'insulter le Christ pour pouvoir survivre, disait : « Voilà quatre-vingts ans que je le sers et jamais il ne m'a fait aucun mal. Pourquoi donc blasphémerais-je mon Roi et mon Sauveur ? »

J.-L. M. — *Vous, personnellement, avez-vous connu des moments de doute ou d'obscurité ?*

J.-M. L. — Des oscillations ? Certainement. Il m'est arrivé de traverser des périodes de ce genre. Les raisons de croire apparaissaient tantôt fortes, tantôt comme des plausibilités dont la fragilité était parfois menacée à la mesure de mes ignorances ou de mes faiblesses. La foi est une relation vitale à Dieu nécessairement éprouvée, tantôt par des questions sans réponse, tantôt par des questions qui dépassent notre situation intellectuelle. Nous parcourons dans ces dialogues, comme dans la vie, toute une série de soupçons, de la critique historique à la psychanalyse. On ne traverse pas tout cela sans douleur. Et aucun homme n'est capable de faire face avec une égale compétence à toutes les questions. Le martyr est celui qui rend témoignage à Dieu dans une situation où il doit passer par la mort s'il ne veut pas renier sa fidélité à Dieu. Le livre des *Maccabées* raconte la mort d'un vieillard à qui l'on dit : « Sacrifie aux dieux du roi, au roi, ainsi tu sauveras ta vie. » Et il répond : « Dieu m'a toujours été fidèle, pourquoi lui serais-je infidèle ? » Il est une forme de martyre qui consiste à s'en remettre à Dieu parce que Dieu seul est Dieu, et à passer ainsi au-delà de l'obscurité de la raison.

J.-L. M. — *L'autre cas de la découverte de la foi — qui est presque devenu un stéréotype — est l'illumination.*

J.-M. L. — Bien des spirituels et des mystiques ont décrit la relation à Dieu comme une illumination qui a bouleversé leur vie. La toute-puissance divine, disent-ils, s'est emparée de leur conscience et l'a envahie de ses dons de grâce, d'amour, de pardon, de joie et de lumière. Cette emprise permet à l'homme de donner beaucoup plus que ce qu'il imaginait pouvoir donner dans sa vie. Les témoignages qui nous sont parvenus de cette expérience sont une infime partie de ce qui se passe en vérité. Ma seule réserve est la suivante : il est dommage que les récits les plus remarqués soient ceux qui contiennent des phénomènes fabuleux ou extraordinaires. On est tenté de les interpréter dans des termes d'extase psychique et de phénomènes extra-sensoriels ou extra-corporels. Beaucoup de psychologues, au début du siècle, se sont penchés sur ce qu'on a appelé la psychologie des états mystiques. Certains se sont demandé s'il n'y avait pas une spécificité de la connaissance mystique ; Bergson l'a pressenti plus ou moins. Certains théologiens ont défini la vie mystique comme un mode de connaissance qui viendrait s'ajouter aux autres degrés du savoir. On a établi comme la carte des états mystiques, ce qui n'est sans doute pas dénué de sens, car il existe des repères, des chemins, et il faut être guidé. Mais ces réflexions et ces récits peuvent porter à l'illusion et faire oublier l'essentiel de la mystique, qui est la communion vive dans la foi au mystère de Dieu. Les « états » mystiques sont plus ordinaires et plus fréquents qu'on ne le pense dans la vie de foi. Cependant, quiconque a un jour éprouvé la joie de prier Dieu ne doit pas nécessairement se prendre pour sainte Thérèse d'Avila ! De même, tout chemin d'obscurité n'est pas forcément la « nuit obscure » de saint Jean de la Croix !

J.-L. M. — *Pascal conseillait aux libertins de pratiquer pour croire. Est-ce pour vous quelque chose de sérieux ou de l'ironie ?*

J.-M. L. — Ce n'est pas de l'ironie. Il existe un rapport profond entre la conduite morale et la découverte de Dieu, entre le bien et le vrai. Il m'est arrivé de voir des hommes, ou des femmes, qui tournaient autour de la découverte de Dieu, et de leur dire la phrase pascalienne ou son équivalent : « Je ne sais pas jusqu'où vous conduit aujourd'hui votre certitude, mais vous pouvez dès maintenant tenter de mettre votre vie en cohérence avec ce que vous pensez être le bien. » Car il y a un lien entre la conduite de l'homme et son accueil de la vérité. Quand Pascal dit aux libertins : « Mettez-vous à genoux et vous croirez... », c'est une boutade, c'est peut-être un geste d'exaspération devant l'orgueil, ou le dévergondage, ou la suffisance intellectuelle. Mais j'y vois aussi un chemin de conversion qui passe — pour parler comme Pascal — par la réforme des mœurs. Je me souviens de telle rencontre confiante où il m'est arrivé de demander à quelqu'un : « Quel jugement portez-vous sur votre vie aujourd'hui ? Qu'est-ce qui est bien ? Qu'est-ce qui est mal ? Est-il en votre pouvoir d'agir selon ce qui vous paraît bien aujourd'hui ? Si oui, tentez de le faire. C'est peut-être Dieu qui vous le demande. En faisant le bien, vous serez dans une autre attitude pour découvrir Celui qui est la Source du bien et vous accéderez à une autre relation avec Lui. » Ces phrases sont bien banales...

J.-L. M. — *Elles sont un peu contradictoires avec vos propos précédents. Faire les « œuvres », faire le bien ne garantit pas d'être sauvé, ni d'accéder à Dieu.*

J.-M. L. — Faire les œuvres et faire le bien sont chemins du salut dans la mesure où il s'agit d'une réponse et d'une fidélité au don de Dieu et à sa miséricorde. Nos actes sont méritoires, dit la théologie, s'ils sont reçus de Dieu...

D. W. — *Qu'entendez-vous par : « s'ils sont reçus de Dieu » ?*

J.-M. L. — Que l'homme ne donne pas un contenu prométhéen à son attitude morale, qu'il ne sculpte pas sa statue. Certains veulent faire le bien en donnant à leur conduite valeur d'affirmation de soi. Certes ce qui est bien est bien, et mieux vaut que quelqu'un se conduise correctement ! Mais sur le chemin de la conscience morale et de la relation à Dieu, il reste encore un pas énorme à franchir. Il ne suffirait pas de se conformer aux règles morales, même chrétiennes, il faut encore que cette perfection recherchée s'inscrive dans l'amour de Celui qui est la source de toute perfection. C'est Lui la source des bonnes actions que nous accomplissons. C'est son pardon qui rend à nouveau le pécheur capable de faire le bien. Le méconnaître, c'est s'enfermer dans sa propre vertu, courte et précaire. L'homme doit faire le bien avec la grâce de Dieu. Mais quand il aurait fait tout le bien possible, il aurait encore un acte suprême à accomplir, qui est la clé de tous les autres : ouvrir la « chambre forte » intérieure qu'il a gardée scellée et fermée, où il se mire en son miroir, et sortir de cette solitude radicale de l'orgueil pour accepter d'entrer en communion avec Celui qui est son vis-à-vis, son origine et sa Béatitude.

La place de la science

J.-L. M. — *C'est devenu un lieu commun de dire que la science occupe dans les sociétés occidentales la place qui était celle de la religion autrefois. Est-ce votre avis ?*

J.-M. L. — Certainement pas. Si elle le fait, c'est qu'elle n'est plus la science, mais une représentation idéologique de la science qui occupe la place d'une certaine idée sacrale ou religieuse.

J.-L. M. — *Bien sûr, nous parlons des représentations. Est-ce une mauvaise chose pour vous ?*

J.-M. L. — Oh ! c'est presque inéluctable, comme la saison des pluies en climat tropical. Ce phénomène fait partie des tentations endémiques des sociétés humaines. L'homme ne cesse de se battre contre les idoles et contre les dieux qu'il se façonne. Toute expérience de la foi vise à désensorceler le monde, alors que la tentation de l'homme est de prendre ses outils pour en faire des idoles. Je vous ai lu une page du livre de la *Sagesse*. Je ne trouve rien de nouveau dans la situation présente, elle est semblable à celle que décrivait ce texte : l'homme fasciné par ses outils leur fait occuper la place du sacré.

J.-L. M. — *A l'inverse, la religion, à une certaine époque, ne s'est-elle pas sentie menacée par la méthode scientifique? Je pense au procès de Galilée, ou à l'interdiction de disséquer les cadavres.*

J.-M. L. — Il faut faire la part d'une interprétation polémique et anticléricale de l'histoire des sciences.

J.-L. M. — *Vous avez raison, mais il s'est tout de même passé des choses...*

J.-M. L. — Mais aussi d'autres choses. Par exemple, les milieux d'Eglise sont à l'origine du développement des sciences expérimentales. Des ouvrages tels que ceux de Duhem l'attestent. Pour reprendre vos exemples, la dissection des cadavres posait de vraies questions. N'en pose-t-elle plus? Quant à l'affaire Galilée, des historiens l'ont montée en épingle. Les ouvrages récents sur la question le montrent, elle est moins évidente qu'il n'y paraît.

La raison scientifique a aussi prétendu dénoncer la religion comme une illusion, une supercherie. Je suis comme Cyrano à propos de son nez. « Je me les sers moi-même avec assez de verve, pour ne point tolérer qu'un autre me les serve! » Nous avons le droit, comme croyants, de nous demander pourquoi l'avènement du savoir scientifique a rencontré des résistances partout, aussi bien dans le corps des savants que dans celui des hommes d'Eglise — et les hommes d'Eglise faisaient parfois partie des savants, ou les savants faisaient partie des hommes d'Eglise — et de demander pourquoi, mais oui pourquoi, ce savoir s'est érigé en antagoniste de la religion!

D. W. — *N'existait-il pas au bout d'un moment une contradiction? L'Eglise avait imposé un corps de doctrine qui bloquait le progrès scientifique.*

J.-M. L. — Pascal était un bon mathématicien, et il a inventé la machine à calculer...

D. W. — *La religion et la science ont été très mêlées du XIIIe au XVIIe siècle, et souvent les religieux étaient en même temps des scientifiques. Mais depuis la révolution scientifique du XIXe siècle il y a eu une rupture. L'Eglise n'intervient plus sur les contenus scientifi-*

ques parce qu'elle considère qu'il y a eu séparation, et son intervention se situe aujourd'hui dans l'ordre de la morale.

J.-M. L. — La religion n'intervenait pas péremptoirement sur les contenus scientifiques quand Pascal faisait du calcul de probabilités ou quand les physiciens étudiaient la pression atmosphérique. Mais dans les débuts de la science expérimentale, entre le XIIIe et le XVIIe siècle, la question posée par la science était d'ordre philosophique (cosmologique, anthropologique), et les idées théologiques lui étaient intimement liées. La pensée scientifique et la pensée philosophique tendaient l'une et l'autre à une vision unificatrice du savoir humain et de la place de l'homme dans l'univers. Au XVIe siècle, il peut y avoir eu des conflits et des querelles entre la science et la foi, mais pas de rupture. Les jésuites vont en Chine ; ils y font de l'astronomie et des mathématiques. Pourquoi, à partir d'un certain moment, cette évolution s'est-elle transformée en combat ? D'où vient l'agression ? Pourquoi l'enjeu de la science a-t-il été l'athéisme ? Vous n'allez pas me faire croire que faire trôner une accorte demoiselle parisienne dans Notre-Dame en la nommant la déesse Raison faisait partie des sciences expérimentales.

J.-L. M. — *C'est différent, il s'agissait d'un événement politique et non pas scientifique...*

J.-M. L. — Exactement. L'enjeu dépassait la science. Il est absurde de réduire cette crise à un conflit entre la religion et la science. Depuis le XIXe siècle, après la crise révolutionnaire qui s'est inscrite ailleurs que sur le plan scientifique, s'est développée une « crise spirituelle de l'Occident » dont l'enjeu était le propos de l'entreprise athée : le salut de l'humanité par elle-même et l'avènement d'une société éclairée par la raison humaine. La science n'avait pas seulement un objet scientifique, elle comportait aussi un enjeu social, qui était l'utopie sociale. Aujourd'hui, les scientifiques disent : « Nous sommes dans nos laboratoires, nous faisons de la science, le problème politique n'est pas le nôtre. » Pouvons-nous oublier que toute l'entreprise scientifique a été d'abord commandée par des finalités étrangères à la science ? Il suffit de lire les Encyclopédistes. L'ambition des Lumières était bien de sauver l'humanité ! Sur ce terrain, le conflit a été formidable.

Il dure encore, mais le XXe siècle a été amené à réexaminer le problème des limites de la raison. Sur deux plans. Celui des finalités de l'humanité d'abord. Que veut dire une humanité heureuse ? Ce siècle est celui des plus grandes catastrophes et des plus grandes découvertes. Nous prenons conscience — à quel prix — que la raison doit apprendre à devenir sage. Deuxièmement, le plan méthodologique. Chaque savoir a dû apprendre à réfléchir sur lui-même et à déterminer ses propres limites, tant dans la détermination de son objet que dans la construction de ses résultats. Notre siècle a dû faire son apprentissage épistémologique, puis herméneutique, du savoir humain. Nous n'en sommes plus tout à fait à l' « Arbre du savoir » d'Auguste Comte. Actuellement, science et religion sont entrées dans le temps de la reconnaissance mutuelle. Comme si une bombe atomique avait explosé au milieu des deux parties, vitrifiant les personnages dans une espèce de désert intellectuel ; et quelques explorateurs, venus de part et d'autre, ont essayé d'aller voir ce qui s'était passé des deux côtés de l'explosion. Dans les années d'après-guerre, j'imaginais la fin du scientisme. En 1954, aumônier d'université et à la paroisse universitaire, je me suis aperçu avec stupéfaction que la majorité des étudiants de vingt ans était immergée dans le doute positiviste et scientiste. Et nous disposions de peu d'interlocuteurs qualifiés, à la fois véritablement scientifiques et véritablement croyants comme Louis de Broglie et Louis Leprince-Ringuet. Pour vous donner une idée du climat de l'époque, leurs noms servaient d'argument d'autorité pour dire : ce sont de grands savants et pourtant ils sont catholiques !

Depuis lors, un travail s'est fait au cours de l'après-guerre. Des générations nouvelles ont recueilli le fruit du bouleversement des esprits, les questions épistémologiques ont commencé à être posées, et nous sommes actuellement bénéficiaires de ce remue-ménage. Mais il n'est pas sûr que ces idées nouvelles soient très répandues.

Biologie et éthique

J.-L. M. — *Depuis quelques années, des discussions assez vives ont lieu sur la procréation artificielle, les manipulations génétiques, ou le génie génétique. Aux Etats-Unis et en France, à l'initiative des milieux scientifiques, des comités d'éthique sont nés. Considérez-vous que des prêtres doivent participer à ces comités d'éthique ?*

J.-M. L. — La gravité actuelle des enjeux est telle que la profession médicale se trouve devant une remise en question de ses propres normes et fait appel à la société pour établir une régulation qu'elle n'arrive plus à assurer. L'instinct de la recherche médicale est d'aller aussi loin qu'il est possible en se disant : de toute façon, ce qui sert au progrès de la science sert au progrès de l'humanité. Mais à quelle déontologie professionnelle doivent obéir des praticiens ou des chercheurs quand ils ont affaire aux sujets humains ? Normalement, le corps médical donnait une réponse fondée sur le serment d'Hippocrate et sur une certaine définition de l'homme, de son intégrité, de ses droits, qui faisait l'objet d'un consensus censé être universel. Le recours actuel à des comités d'éthique montre un craquement de ce cadre de référence. Cette rupture peut venir soit d'un débordement de la recherche au-delà de sa sphère habituelle, soit du déséquilibre interne d'une société moins assurée de ses convictions et de son unanimité. Il reste cependant que parfois la déontologie est tellement liée à la technicité de l'acte médical que seuls des professionnels, armés d'une certaine conception de l'homme et d'un certain jugement moral, peuvent l'élaborer. Cependant des juristes, des magistrats, des moralistes sans pratique médicale, doivent aussi former les consciences et donner des avis. Encore faut-il que les problèmes soient délimités, les données définies et le problème moral clairement posé.

C'est pourquoi je dis oui en principe aux comités consultatifs d'éthique. A plusieurs conditions. La première, que les représentants soient qualifiés par leur compétence et leur honnêteté. Que ce soient des prêtres ou des laïcs qui représentent les catholiques, peu importe, à condition qu'ils soient des catholiques convaincus et puissent être suffisamment avertis pour être des représentants authentiques du point de vue de la foi catholique. Sinon, qu'on ne dise pas : « Les catholiques sont représentés. »

D. W. — *Mais l'idée même de représentation a-t-elle un sens dans cette matière ? Qui représente quoi ?*

J.-M. L. — Certaines questions font l'objet d'un débat parmi les catholiques. C'est pourquoi la représentation de l'opinion catholique doit être assurée dans le meilleur respect de la doctrine catholique. La deuxième condition est que de pareils comités ne prétendent pas se substituer à la conscience, ni dispenser aucun des intervenants de sa responsabilité : ni le médecin, ni le politique, ni le citoyen. Troisièmement (puisqu'il y a fatalement contradiction entre les points de vue), on ne peut pas appliquer à un débat moral le mode politique d'arbitrage majorité/minorité. Nous sommes devant un problème moral : la majorité ne peut pas indiquer la vérité ni la minorité l'erreur. Si le consensus se fait sur une question morale, qu'il soit énoncé. S'il existe des divergences, qu'elles soient publiées également. S'il y a débat, que les termes en soient donnés. Les comités d'éthique ne peuvent pas être non plus des organes de décision politique. Ils peuvent donner des conseils, éclairer des enjeux. Cela ne décharge pas le pouvoir politique ni les citoyens de leurs propres responsabilités.

Etant donné la gravité des questions et le craquement d'un consensus sur ce que sont l'homme et ses droits, individuels et sociaux, le débat peut être sain, à condition qu'il ne tourne ni à la polémique, ni à la chasse aux sorcières, ni à la manipulation. Les comités d'éthique ne peuvent ressembler à des comités d'épuration. Une opinion majoritaire ne prouve rien quant à la validité morale de ce qui est décidé. Si, en 1939, on avait fait en Allemagne des comités d'éthique soigneusement composés, il n'est pas dit qu'ils n'auraient pas approuvé l'extermination des adultes mal formés. Le vrai débat moral, lui, est respectueux. Il vise non pas à arracher la décision, mais à faire réfléchir. Il n'enlève rien à la liberté ni à la capacité de la réflexion, mais il creuse une question restée obscure.

J.-L. M. — *Quel est, selon vous, l'enjeu de ce débat ?*

J.-M. L. — La science s'est développée en maîtrisant des objets de plus en plus nombreux, de façon de plus en plus efficace. J'éprouve une admiration éperdue devant la science médicale. Je trouve merveilleuses les inventions tantôt ingénieuses, tantôt profondes, des praticiens et des chercheurs. L'appareil à ultrasons qui permet de pulvériser les calculs rénaux sans chirurgie, c'est prodigieusement malin ! Le laser pour les opérations des yeux, c'est magnifique ! Mais voilà, cette science progresse en s'emparant du corps de l'homme comme d'un objet. Car le corps est aussi un objet et il y a des affinités entre la pratique du chirurgien et les métiers de menuisier, de couturier et parfois de mécanicien.

Depuis longtemps, les hommes avaient expérimenté — plus récemment ils maîtrisent — les mécanismes de la reproduction des espèces végétales et animales. La nouveauté de ces dernières années tient au fait que ce savoir-faire, jusqu'ici utilisé sur le règne animal ou végétal, on a osé l'appliquer sur l'espèce humaine, d'abord pour des fins thérapeutiques, puis pour des fins d'assistance dans les cas d'infécondité. Se pose alors une question redoutable : qu'est-ce que l'humanité de l'homme dans sa relation à son corps ? Jusqu'à la moitié de ce siècle, on pouvait avoir différentes définitions de l'homme. Mais une frontière infranchissable semblait indiquer pour tous ce qu'était un homme et ce que demandait le respect de son intégrité. Maintenant, le pouvoir technique paraît déborder la définition de l'homme, et il nous dit : « Pour faire des fécondations *in vitro*, nous sommes obligés de mettre en route des séries d'embryons que nous congelons. Que ferons-nous de ceux qui n'auront pas servi ? » Les scientifiques ont eu l'honnêteté de dire publiquement : « Nous ne pouvons prendre seuls la décision. »

Alors, que sont les embryons congelés ? Est-ce que ce sont des êtres humains ? La question n'est pas nouvelle. On trouve chez les auteurs anciens et médiévaux de longues discussions pour savoir à partir de quel moment un embryon humain peut être considéré comme un être humain avec une âme humaine. Les gens qui en débattaient le faisaient à la mesure de leurs savoirs. Or, actuellement, l'accumulation des connaissances sur la genèse de l'homme nous rend de plus en plus incertains sur ce point. J'adopte ici un point de vue strictement expérimental. Les recherches et les expérimentations qui marquent les progrès de la science affirment, avec de plus en plus de certitude, que l'embryon n'est pas seulement un amas de chair sans nom et sans portée, mais est déjà inscrit dans l'individualité et dans l'existence humaine : « ça » risque d'être un homme. Je dis simplement ici : le risque existe. Et ce risque m'oblige au respect absolu. Il faut être intransigeant sur le respect de l'homme, quitte à imposer aux scientifiques des détours qui leur coûteront peut-être toujours plus d'argent, d'énergie, de temps et d'intelligence.

D. W. — *Vous considérez qu'il faudrait d'une manière ou d'une autre imposer des contraintes à la recherche scientifique pour préserver la définition de l'humain ?*

J.-M. L. — Oui, il faut être ultra-rigoriste dès qu'il s'agit de la dignité de la personne humaine. Et ceci vaut en tout domaine. Car nous avons tous à l'esprit, quand nous évoquons ces problèmes, les rêves racistes et eugénistes qui ont déchiré l'Europe il y a quarante ans. Je pense aux expériences d'Auschwitz et pas seulement à Mengele. Cette folie, ce délire rationnel, la science-fiction s'en est inspirée, mais maintenant nous sommes au seuil du plausible, du possible. Il n'est pas impensable de pouvoir « tout » faire.

J.-L. M. — *Pour le moment, on ne peut pas « tout » faire.*

J.-M. L. — Non, mais il n'est pas impensable que vienne un moment où l'on pourra sinon tout faire, du moins faire beaucoup.

J.-L. M. — *Les biologistes ne sont pas d'accord sur ce point.*

J.-M. L. — Alors, prenons des hypothèses réalistes, le choix du sexe de l'enfant par exemple. Ni les biologistes ni les démographes n'ont encore expliqué pourquoi, globalement, il existe un équilibre statistique des hommes et des femmes. Rien n'empêche d'imaginer une société dont le désir se tourne tantôt vers l'image virile, tantôt vers l'image féminine, ce qui amènerait des déséquilibres aussi absurdes que ceux que l'on voit en matière d'économie ou d'agriculture dès que l'on dépasse les économies de subsistance. On peut arriver à des désordres fantastiques qu'on ne maîtrisera pas. Alors, il va falloir régler cette question par ordinateur ? Fixer des quotas ? Autre question : va-t-on pratiquer l'eugénisme ?

J.-L. M. — *Vous mélangez les problèmes...*

J.-M. L. — C'est peut-être une confusion grossière entre culture et génétique, mais je pose la question : à quel moment faudra-t-il dire « non » ? Une fois qu'on a cédé sur le respect dû à l'intégrité humaine, on sait qu'on cédera sur tout. Il faut donc maintenir la position dure qui oblige à la réflexion : c'est ce qu'a fait le Saint-Siège avec l'instruction sur *le don de la vie*. J'ai été frappé de voir que, dans le débat autour des mères de substitution, les psychanalystes ont adopté une position d'hostilité ferme. Ce n'est pas qu'ils aillent nécessairement dans le même sens, mais...

D. W. — *C'est une alliance objective...*

J.-M. L. — Une alliance tout à fait objective ! La psychanalyse a eu le mérite d'inscrire la condition humaine dans sa continuité historique. Du coup, elle laisse voir qu'une rationalité technique risque de détruire un élément déterminant de la condition humaine.

Comprenez-moi bien. Je ne m'oppose pas à la science. Je lui demande de ne pas dispenser la technique des obligations morales. Jusqu'à présent, la déontologie médicale sous tous ses aspects a pu le faire globalement. Tandis que des chercheurs qui s'adressaient à l'univers inanimé ou animé infrahumain n'avaient pas ce type de problèmes ; dans la médecine, la science est intégrée au service de l'art thérapeutique, c'est sa dignité et c'est sa contrainte. L'exigence éthique est imposée à la science comme le prix de son accès à la maîtrise de la condition biologique de la personne humaine. C'est pour la science une source de véritable progrès.

J'ai peut-être une formation trop classique, mais il me semble que les contraintes sont une source de liberté et de plus grande beauté. Le jour où un peintre n'est pas limité par sa toile ou par une surface déterminée, il est perdu. Le sculpteur doit respecter son chêne ou sa pierre pour faire une œuvre. Quand la contrainte disparaît, cela donne n'importe quoi. Exemple le béton armé ! Vous faites ce que vous voulez avec le béton et vous perdez l'avantage formidable de la discipline, de la convention, de la règle qui, en fait, structurent l'esprit humain. Par analogie, je vois dans l'exigence éthique et sa contrainte une condition du progrès scientifique. La question ici posée à notre culture et à notre civilisation est celle de l'homme : qu'est-ce que le bien de l'homme ? Cette question est métaphysique.

J.-L. M. — *Aux Etats-Unis, certains croyants réclament qu'une explication de type scientifique de la création de l'homme par Dieu, le « créationisme », soit enseignée dans les écoles, au même titre que le néodarwinisme, dans les cours d'histoire naturelle et non seulement ceux de catéchisme. Que pensez-vous de cette revendication ?*

J.-M. L. — Ce que j'en sais me paraît pour le moins naïf, pour ne pas dire abusif. Il y a là substitution d'un ordre de savoir à un autre. Le récit de la Bible dit que Dieu, l'Unique, est le créateur de toutes choses, que rien n'échappe à son acte plein de bonté par lequel ce monde existe en sa genèse et en son histoire, en son achèvement et en son espérance, et que l'homme a une vocation divine en ce monde. Ce message mérite d'être enseigné. Mais faire de cette doctrine un savoir empirique de type scientifique qui dispenserait l'esprit humain de sa recherche sur le devenir spatio-temporel du vivant et de l'homme, c'est abuser de la foi ; c'est un abus pour la raison. Il ne faut pas non plus manquer au respect civil des consciences.

Par ailleurs, rappelons le récit biblique de la création. L'acte créateur fait entrer le monde entier dans l'histoire et il situe l'homme qui se reçoit de Dieu dans la totalité de l'histoire : l'espèce humaine est unique dans sa vocation, et tous les hommes sont frères. (J'ai lu récemment un article d'un paléontologue de bon renom. Pour lui, la variété des différenciations humaines n'est pas semblable aux diversités des espèces animales. En fait, on aurait affaire scientifiquement aussi à une espèce unique en son genre.) On ne saurait trop insister sur la beauté du récit de la création qui inaugure la Bible. Il ne manque pas de force ni de polémique. Par exemple, au lieu de nommer la Lune et le Soleil, qui étaient des divinités pour les peuples environnants, l'auteur parle du petit et du grand luminaire. Cela revient à dire : « Vous prenez cela pour des dieux, ce ne sont que des lumignons. Dieu les a fixés à la voûte céleste au service de l'homme : ils indiquent les saisons et les jours, les jours et les nuits afin que l'homme puisse louer Dieu. » La façon de parler du récit de la création est pleine de beauté ; elle demeure parlante à l'homme d'aujourd'hui. Il n'est pas indifférent que l'homme aime la création, la respecte dans sa diversité et sa beauté et ne la considère pas seulement comme le matériau disponible à utiliser pour se servir. La création parle. Il est fascinant de penser à la parenté entre l'esprit et la matière. Du même caillou, vous pouvez faire une analyse au niveau moléculaire, géologique, y lire une trace de l'histoire de l'homme s'il est taillé, en faire une œuvre d'art, un message, une arme. La même chose est susceptible d'une pluralité prodigieuse de significations et de destinations. La science se place sur un autre registre, objectif et formel. Aujourd'hui, elle nous confronte à des représentations, à l'échelle du sens commun, incompréhensibles. Par exemple, un espace courbe et fini. Ou encore les découvertes d'un univers en expansion. L'homme du commun se demande : en expansion vers quoi ? Dans quoi ? De même la théorie du Big Bang originel, qu'est-ce que cela veut dire ? Et avant ? Faudrait-il imaginer une temporalité antérieure à la temporalité ?

Le récit de la *Genèse* nous enseigne que chaque élément du Tout se réfère au Créateur. Le cosmos, et l'homme en son milieu, ne cessent d'être tenus sous la souveraine liberté créatrice de Dieu qui donne sens et consistance. « Et Dieu vit que cela était bon ! » Mais le problème du mal et de la mort a inéluctablement heurté la conscience de tout être humain. La *Genèse* a vu le scandale : la vie est bonne puisqu'elle est un don de Dieu. On doit l'aimer et la servir, la sienne et celle des autres.

D. W. — *La* Genèse *ne doit donc pas être un chapitre des ouvrages de sciences naturelles ?*

J.-M. L. — Il est indispensable de distinguer le savoir scientifique et l'enseignement de la foi ! Substituer l'un à l'autre me paraît un « concordisme » (pour prendre un terme technique du début du siècle) pour le moins dangereux. Et pour aller jusqu'au bout de ma pensée, sans pour autant blesser personne, cela me paraît un peu naïf.

TROISIÈME PARTIE

L'Église et la société

I

AUMÔNIER A LA SORBONNE
(1954-1969)

En Solex, d'une école à l'autre

D. WOLTON. — *De 1954 à 1969, vous êtes aumônier à l'Université de Paris ; s'agit-il d'un choix ?*

JEAN-MARIE LUSTIGER. — Non, je ne l'ai pas choisi, mais je l'avais désiré. Pendant les sept années de ma formation de prêtre, j'étais resté en relation suivie avec les aumôniers de la Sorbonne, particulièrement l'abbé Charles, créateur du Centre Richelieu, et avec un certain nombre de camarades de faculté. J'avais noué de nouvelles connaissances parmi les étudiants des générations suivantes. Certains sont restés des amis très chers, en dépit de l'éloignement et du temps. Mais avant tout, j'étais profondément en accord avec la manière dont je voyais ces aumôniers d'étudiants vivre et exercer leur ministère de prêtres.

A vrai dire, je n'avais pratiquement pas fréquenté la vie paroissiale traditionnelle. Beaucoup de mes compagnons du séminaire des Carmes la redoutaient. Ils y voyaient une forme désuète de la vie de l'Eglise, manquant de souffle apostolique et spirituel. La plupart lorgnaient avec envie vers les exemples alors célèbres de rénovation de la vie paroissiale qui faisaient par ailleurs l'objet de nombreuses polémiques : Saint-Séverin, L'Haÿ-les-Roses, Colombes, etc.

J'ai mesuré plus tard à quel point j'étais alors ignorant de l'univers des paroisses. Nommé, par le cardinal Feltin, aumônier d'étudiants, je me retrouvais dans mon entourage familier, là où j'étais le plus à l'aise. Cependant, j'étais avant tout volontaire pour une manière bien déterminée de vivre et d'agir comme prêtre. Une manière de vivre communautaire. Nous logions dans un appartement, à cinq, mais comme des « moines » : chacun n'avait qu'une très petite chambre, les repas étaient pris en commun. Notre vie était rythmée par la prière de l'office. Nos maigres ressources financières étaient mises en commun. Notre action apostolique était concertée et réfléchie ensemble dans la prière. Les préférences personnelles s'effaçaient devant la priorité de la mission commune. Et surtout, notre foi partagée nourrissait l'enthousiasme de notre relative jeunesse — j'avais vingt-huit ans — et nous faisait encaisser les coups durs, surmonter les difficultés. Notre ministère auprès des étudiants était marqué par les intuitions premières de l'Action Catholique : apostolat des laïcs. Là j'ai pu voir et vivre la mise en œuvre aussi systématique et réussie de cette intuition, que Vatican II a fortement exposée et motivée. Les jeunes laïcs, garçons et filles à parité, ce qui n'était pas évident à une époque où l'éducation mixte n'était pas encore répandue, recevaient leur part de la responsabilité apostolique et spirituelle de l'Eglise. Il s'agissait d'un apostolat organisé, où l'annonce de l'Evangile centrée sur le milieu universitaire allait de pair avec la vie spirituelle et la formation théologique. Ce projet s'adressait à des jeunes, apprentis intellectuels. Les traditions, donc les pesanteurs, des paroisses d'adultes, ne venaient pas entraver la liberté de l'action et de l'invention ; partout ailleurs, il aurait fallu tenir compte des résistances et des coutumes.

Membre de l'équipe des aumôniers d'étudiants en Sorbonne, j'avais la charge particulière des littéraires classiques et modernes, des philosophes et psychologues, des mathématiciens. J'étais également chargé de l'Institut national d'orientation professionnelle, de l'Ecole des Chartes et de l'Ecole Spéciale d'Architecture, et aussi des étudiants étrangers de Paris. Nous organisions des rencontres entre croyants de différentes religions. J'ai commencé de découvrir, d'une façon autre que livresque, l'Islam dans sa diversité. Par ailleurs, le cardinal Feltin m'avait nommé aumônier pour l'Académie de Paris des enseignants de l'enseignement public, regroupés dans ce que les fondateurs, Joseph Lotte et le père Paris, avaient nommé la Paroisse Universitaire. J'avais pour supérieur une grande figure, le père Dabosville, oratorien, qui en était l'aumônier national. Celui-ci m'avait confié l'aumônerie de l'Ecole Normale Supérieure de Saint-Cloud et de celle de Fontenay.

D. W. — *Etait-ce possible d'assumer toutes ces tâches ?*

J.-M. L. — Je l'ai fait, grâce à mon Solex, et c'était passionnant. Une vingtaine de prêtres assuraient de façon variée la mission d'aumôniers d'étudiants à Paris. Les uns, à plein temps : des jésuites pour les grandes écoles et la médecine, des dominicains pour le droit, notre équipe pour les lettres et les sciences. Et d'autres qui le faisaient en plus de leur autre ministère, souvent d'enseignement ou de recherche.

Dans le même moment, j'ai aussi été l'aumônier de la J.E.C. de la Sorbonne. Il y avait eu une histoire orageuse et comme j'étais ancien de la J.E.C., j'étais un homme neuf qui apparaissait dans un contentieux aigu et qui pouvait aider...

D. W. — *Contentieux entre qui et qui ?*

J.-M. L. — Entre le Centre Richelieu et la J.E.C. La rupture datait de 1948. Je pouvais travailler à ce que des jeunes qui ne se comprenaient plus puissent, à nouveau, se rencontrer.

J'avais quitté, en 1949, une Sorbonne immuable depuis le début du siècle. J'y revenais en 1954 et rien n'avait changé, si ce n'est, en lettres, la création d'une licence de psychologie et d'une licence de lettres modernes. Les mêmes appariteurs maintenaient solidement l'Université. Il est vrai que le sol résonnait déjà du martèlement des pas des nouveaux bacheliers. L'année propédeutique allait être inventée. Le premier coup du glas de l'ancienne Université allait sonner.

J'ai donc vécu mes années d'apprentissage d'aumônier sur un fond d'immobilité, entre 54 et 59. Mes repères d'alors sont universitaires.

D. W. — *Oui, vous n'avez pas du tout parlé de Vatican II et surtout de ce qui l'a préparé dans ces années.*

J.-M. L. — Nous l'avons accueilli avec une espèce d'évidence sereine. Pour nous, Vatican II semblait mettre un point final aux débats, voire aux querelles qui divisaient les catholiques, et nous

nous sentions confortés dans les orientations que nous avions prises et aussi obligés d'élargir nos vues. Nous avons donc reçu Vatican II avec joie mais presque sans surprise. Un exemple : chaque année, le pèlerinage de Chartres rassemblait en moyenne douze mille étudiants en deux week-ends, dont six mille pour notre branche. En 62, le thème était : l'Eglise. Un ami très cher, prêtre et musicien, avait composé de très beaux chants qui convenaient à une liturgie de foule. L'un d'eux prenait pour refrain une phrase du chapitre 21 de l'Apocalypse : « Voici la demeure de Dieu parmi les hommes — Ils seront son peuple — Et Dieu avec eux sera leur Dieu. » « Peuple convoqué par la parole des prophètes — Peuple assemblé autour du Christ le Seigneur — Peuple qui écoute son Dieu — Eglise du Seigneur. » Le chapitre II de la Constitution *Lumen gentium* était à l'avance ramassé dans les couplets de ce chant. Ils énuméraient toutes les images bibliques qui désignent l'Eglise.

J.-L. MISSIKA. — *Avez-vous rencontré Jean XXIII ?*

J.-M. L. — Oui. C'était pendant les années du concile : il nous avait reçus avec un millier d'étudiants de Sorbonne dans la chapelle Sixtine. Nous y avions chanté un office de la Semaine Sainte. Et il est venu nous rejoindre. C'était une « première ». Le Pape, dans son discours, louait la manière dont nous chantions les psaumes en français. Il y a eu un coup de cœur entre Jean XXIII et nous. Il nous a réclamés dans son agonie d'une façon qui nous a bouleversés. Il voyait ces jeunes universitaires français comme un « modèle » de la jeunesse qu'il souhaitait pour l'avenir de l'Eglise.

L'anticléricalisme à l'Université

J.-L. M. — *A l'Université, avez-vous été confronté à l'anticléricalisme ?*

J.-M. L. — Oui, et j'en ai été surpris. Pour ma génération, l'anticléricalisme et le rationalisme primaire de l'avant-guerre, de la IIIe République, étaient complètement périmés, dépassés. J'ai été stupéfait de découvrir les jeunes générations catholiques, aussi bien que tous ceux qui se disaient plus ou moins non croyants, encore profondément marqués par cette problématique. Elle ne m'intéressait plus. J'étais obligé de revenir à un problème sinon résolu, du moins, pour moi, classé. Il fallait répondre aux objections incessantes de ces jeunes garçons et filles de dix-huit ans qui se présentaient à l'Université. Il fallait montrer que la foi n'était contradictoire ni avec la science, ni avec le développement de l'homme, ni avec sa liberté, ni avec la réussite personnelle ou collective, ni avec l'efficacité sociale (dont était crédité, à l'époque, le marxisme). Il fallait lever les hypothèques les plus persistantes du XIXe siècle sur la collusion du « parti prêtre » avec la « réaction ».

Il fallait montrer aussi que les exigences morales les plus rigoureuses n'étaient pas antinomiques avec l'épanouissement affectif et sexuel. Il fallait en quelque sorte épuiser tout cela avant d'aborder les questions les plus importantes et les plus vitales, à savoir que connaître Dieu et vivre avec lui, découvrir le don de la communion reçu dans l'Eglise, était un appel au sens fort du terme. Il donnait la joie de vivre une vie humaine dans sa vocation divine. Avec ces jeunes, nous devions énoncer, les premiers, leurs objections, sans les ridiculiser, pour éviter qu'ils ne vouent au silence ces questions qu'ils portaient en eux.

D W. — *Y avait-il de l'anticléricalisme de la part des enseignants ?*

J.-M. L. — Là aussi, ma surprise a été grande. Dans l'Université, je n'avais rencontré, me semblait-il, que des hommes et des femmes libres, indépendants d'esprit, aux opinions parfois tranchées, qui rendaient compte de leurs choix. Je n'avais jamais constaté de brimades ni de persécutions pour des raisons religieuses ou politiques. Bref, j'avais une vision on ne peut plus idyllique de la tolérance dans l'école publique et l'Université.

Des réflexions de professeurs, des confidences d'instituteurs m'ont fait découvrir une histoire difficile. Ce conflit allait jusqu'à compromettre la carrière des enseignants catholiques, qui aimaient pourtant l'Université et en étaient les fidèles serviteurs. Il fallait donc encore élaborer une conception de la laïcité acceptable à la fois par les catholiques et par le parti laïque. Un certain nombre d'universitaires de grand renom s'y efforçaient avec beaucoup d'intelligence et y avaient réussi, à mon avis.

J'ai été stupéfait, au moment de la querelle scolaire en 1982-

1984, de voir resurgir les idées les plus archaïques déjà périmées trente ans plus tôt.

La grande patience du savoir positif

J.-L. M. — *De façon plus générale, qu'avez-vous retiré de la fréquentation des scientifiques et des universitaires ?*

J.-M. L. — J'ai assisté à de nombreuses discussions et même à des querelles de chercheurs scientifiques. La science réelle, c'est le chercheur au quotidien. Des hommes et des femmes consacrent une vie entière à des opérations répétitives, à des explorations obstinées pour inventorier un court segment des connaissances et démontrer parfois qu'il n'y a rien à démontrer ; ce qui peut être un résultat important. L'énoncé d'une affirmation vérifiée peut coûter une vie, toute une vie !... Il faut bien de la patience et de l'honnêteté pour opérer cette accumulation de savoir positif. Cela demande au moins autant d'obstination et de solidarité que, par exemple, le défrichement de la forêt gauloise par les moines du Moyen Age ! On a souvent une vision mythique, magique, du savant et de la science. En fait, c'est un travail quotidien très ordinaire, souvent lent et « bricolé ». La réalité du travail scientifique est bien différente de l'image que s'en fait le public.

Ces années ont été pour moi des années exaltantes. Le Quartier Latin était mon village. Un village dont je n'avais pas bougé depuis l'âge de dix ans.

J.-L. M. — *Il est sûr que vous aviez envie d'être là !*

J.-M. L. — J'y étais aussi naturellement que les marronniers au Luxembourg.

D. W. — *Vous considériez-vous comme un intellectuel ?*

J.-M. L. — Non, je n'étais qu'un indigène du Quartier Latin. Cela ne suffit pas pour faire un universitaire, encore moins un intellectuel.

D. W. — *Quelle est la différence ?*

J.-M. L. — Devenir un universitaire digne de respect demande un travail austère considérable. Je suis trop paresseux pour cela ! En tout cas, ce n'est pas là que se manifeste mon courage...

J.-L. M. — *Mais cette carrière vous a-t-elle tenté?*

J.-M. L. — J'ai consacré mes forces à autre chose ; il y avait des gens plus compétents que moi pour le faire : c'est une forme de division du travail... Ce qui m'intéresse vraiment s'éprouve autant dans l'action et la réflexion sur l'action que dans le travail universitaire.

La guerre d'Algérie

D. W. — *Vous étiez aumônier pendant la guerre d'Algérie. Comment avez-vous vécu ces événements au contact des étudiants ?*

J.-M. L. — J'étais suffisamment proche d'eux par l'âge pour me sentir impliqué. J'aurais pu être rappelé comme officier en Algérie. Certains de mes amis séminaristes ou prêtres l'ont été. Les étudiants n'avaient pas des réactions fondamentalement différentes de celles de l'ensemble de la jeunesse. On trouvait les mêmes clivages, les mêmes oppositions que dans l'opinion nationale mais de façon très exagérée et passionnée. Tout prenait une intensité extrême et violente, alors que la masse de la population française « amortissait le choc ». Au fur et à mesure que le temps passait et que la guerre d'Algérie prenait un tour plus brutal, les passions s'exacerbaient. Les jeunes pieds-noirs étudiants à Paris, plus nombreux au fil des années, posaient le problème de façon suraiguë et dramatique. La gauche prenait position contre la torture. Le débat portait de plus en plus sur des questions morales. Du côté de l'Eglise, l'aumônerie des armées a fait un rapport sur la torture.

D. W. — *A ce sujet le cardinal Feltin avait remis un document aux pouvoirs publics. Pensez-vous que, s'il avait rendu publique sa prise de position, cela aurait évité une radicalisation de certains milieux chrétiens ?*

J.-M. L. — Ce rapport a fini par être connu. J'ai su après coup que le cardinal Feltin, qui était vicaire aux armées, n'avait pas voulu dramatiser le débat. Il cherchait à éviter que ce rapport soit utilisé à des fins polémiques. A-t-il eu tort ou raison? Pour répondre, il faudrait connaître toutes les circonstances de sa décision. Si je me trouvais dans une situation comparable, ce qui n'est pas exclu, je ne sais pas d'avance ce que je ferais. C'est le problème de l'action et de la responsabilité. La meilleure réaction n'est pas en tous les cas une déclaration publique. Dans telle situation particulière où il semble que le droit ou que la morale n'est pas respecté, il vaut mieux parfois parler avec conviction et autorité à ceux qui peuvent y remédier. C'est même la manière la plus logique de faire, car le but poursuivi n'est pas de discréditer qui que ce soit, mais de faire en sorte que le bien soit respecté.

D. W. — *Votre réaction ici est la même que celle que vous avez exprimée à propos de l'attitude de l'épiscopat pendant la guerre. Vous ne vous étonnez pas qu'il n'y ait pas eu d'intervention publique de l'Eglise.*

J.-M. L. — L'Eglise n'a pas, elle, à marquer des points. Passer à la prise de position publique signifie que le seul remède est l'appel à la conscience publique ou bien encore que le mal commis risque de pervertir le jugement moral d'une nation ou de ses responsables.

Dans les situations de ce genre — hélas fréquentes dans le monde — la crédibilité des témoignages pose un autre problème. Des responsables de haut niveau peuvent être l'objet d'une intoxication involontaire ou partisane. Contrôler et vérifier demande beaucoup de temps alors qu'il faudrait réagir vite. L'autorité risque de se faire « instrumentaliser », de servir à des stratégies de conquête d'opinion. A l'inverse, elle ne doit pas se dérober à une intervention par crainte d'être « récupérée ». Les autorités de l'Eglise doivent réunir les conditions d'une prise de parole qui sauvegarde leur indépendance dans la guerre verbale qu'est devenue la politique. Les partis politiques ne peuvent percevoir les différents partenaires qu'à l'intérieur de stratégies en « pour » et en « contre »; et une autorité spirituelle comme celle de l'Eglise, avec l'adhésion qu'elle entraîne de la part d'un certain nombre de fidèles, peut apparaître comme un terrain de choix pour ceux qui veulent conquérir le pouvoir.

L'Eglise a le devoir de se placer toujours d'une façon claire du point de vue non seulement de la conscience morale, mais aussi de la foi. Car l'Eglise n'a pas le monopole de la conscience morale. Dans notre pays, d'autres confessions, d'autres institutions peuvent et doivent s'exprimer en son nom. Un pays a besoin de magistratures morales. Montesquieu disait que la démocratie était le régime qui demandait le plus de vertu. Mais, pour l'Eglise, il y a plus encore : la lumière de la foi ; le primat de Dieu sur toutes choses humaines est ce dont nous avons à rendre témoignage. « Primat de Dieu sur toutes choses humaines », cela ne signifie pas du tout pouvoir théocratique s'affirmant sur les pouvoirs politiques, économiques ou sociaux, mais manifestation de la grandeur de Dieu, Source de la grandeur personnelle et morale de l'homme. Ainsi, l'égalité en dignité de tous les hommes est fondée sur le fait qu'ils sont tous créés par l'unique Créateur des cieux et rachetés par l'unique Rédempteur. Bien plus, jamais un adversaire ne peut être considéré comme un homme à abattre, puisque le Christ nous a dit : « Aimez vos ennemis. »

J.-L. M. — *Mais toute intervention morale se fait au nom de valeurs. En quoi celle de l'Eglise est-elle différente ?*

J.-M. L. — Parfois, la différence apparaît de façon éclatante. Mais pour en comprendre le bien-fondé, il faut savoir le travail spirituel considérable mais caché que cela exige des croyants. Pour « dire le bien », il ne suffit pas de faire un article ou une déclaration ; il faut prier, ne serait-ce que pour purifier son cœur de la haine, éclairer son regard. Les prises de position semblent évidentes une fois qu'elles sont dites, et pourtant, il n'est pas facile de les énoncer devant Dieu et devant les hommes. Les affirmations qui paraissent les plus simples demandent aussi une patiente prière et un grand travail sur soi-même. Cet apport spécifique et propre de l'Eglise la place au croisement de tous les problèmes humains. Mais les chrétiens peuvent — à leurs propres risques — prendre parti, sans que soit épuisée par leurs choix particuliers la source de courage, de réflexion, de liberté qu'est, dans la communion à Dieu, la lumière que l'Eglise apporte aux hommes.

D. W. — *Vous avez l'impression que tous les évêques ont la même éthique sur les prises de position publiques de l'Eglise ?*

J.-M. L. — Ce que je viens de dire exprime assez clairement, me semble-t-il, la position catholique. Pendant la guerre d'Algérie, ces questions se sont posées à nouveau de façon aiguë. La torture est parfaitement inacceptable. A mes yeux le jugement de la conscience morale est évident. A quoi certains officiers répondaient : « Mais si un type va faire sauter la casbah, il faut bien, pour savoir où il a mis la bombe, employer tous les moyens... »

J.-L. M. — *Et ce raisonnement, vous ne l'acceptez pas ?*

J.-M. L. — La réponse est simple et catégorique : non ! La fin ne justifie jamais les moyens. L'avilissement d'un homme par un autre homme pour quelque fin que ce soit est un scandale moral et spirituel, qu'il s'agisse de torture ou d'esclavage. Certes, c'est un difficile problème déontologique pour ceux qui ont la responsabilité de la sécurité de fixer la limite entre un interrogatoire « musclé » et la torture. L'objectivité du droit doit protéger tout homme de l'arbitraire. C'est à cela que se reconnaît un pays civilisé. La loi, la règle sont indispensables pour que le petit sadique de service ne soit pas légitimé, que les mœurs des gangsters ne deviennent pas le modèle à imiter. Une littérature trop répandue — les romans de gangsters, les récits sadiques de tortures — me semble extrêmement dangereuse.

J.-L. M. — *Que voulez-vous faire ? Vous voulez interdire à un romancier d'écrire ou instaurer une censure préalable ?*

J.-M. L. — Non, mais je vous signale que chacun est moralement responsable de ce qu'il dit, écrit et fait au regard d'autrui. Sinon, il n'y a plus de vie sociale.

D. W. — *C'est le problème de la liberté : vous passez d'un problème à l'autre.*

J.-M. L. — Non ! Je signale la gravité d'un fait de culture qui touche directement à votre question : la torture. Ce fait, c'est la banalisation mercantile du sadisme. Quand une telle littérature se vend et se répand avec succès, c'est un symptôme inquiétant. Ne pensez pas que l'on puisse impunément céder aux pulsions sadiques qui peuvent surgir dans toute conscience. J'ai reçu à cette époque, et plus tard encore, les confidences d'appelés, témoins d'actes de violence ou de torture, ou qui s'étaient laissé entraîner à les commettre eux-mêmes pour venger leurs camarades tués ou torturés. Ils avaient été pris dans un engrenage dont ils avaient honte et dont ils ne pouvaient pas parler. Nous pressentions que cette génération subissait un traumatisme grave. Personne n'avait la clé pour les aider à s'exprimer. C'est à ce mal et à cette plaie des sociétés que veut porter remède l'Action des Chrétiens pour l'Abolition de la Torture. Elle essaie d'agir en unissant ses membres à la souffrance du Christ par une prière commune entre chrétiens de différentes confessions. L'action extérieure sur l'opinion publique se nourrit de cet engagement intérieur. Et cela me semble très juste.

J.-L. M. — *Quelles actions avez-vous menées au cours de la guerre d'Algérie ?*

J.-M. L. — Il fallait non seulement écouter les jeunes pieds-noirs, mais les aider à s'intégrer dans la communauté nationale et leur permettre de dire ce qu'ils avaient à dire. Leur désespoir était absolu, déchirant ! Quatre problèmes moraux graves avaient une incidence politique claire : le droit à l'indépendance des Algériens ; les droits des pieds-noirs sur la même terre ; le problème français de l'unité nationale et de la paix civile ; et enfin le problème des « moyens » : guerre révolutionnaire, violence, terrorisme, torture. L'Eglise ne pouvait garder le silence.

Que pouvions-nous faire pour notre part ? Nous avons voulu provoquer des actes de réconciliation. Une guerre larvée, une guerre de religion se développait entre catholiques, au point qu'aucun langage commun n'existait plus. La référence spirituelle à la foi était vidée de sens. Il ne restait que le conflit. Dans la pratique, cela revenait à dire que Dieu n'existe pas ; même si chacun continuait à croire en Dieu, il ne pouvait le faire qu'à condition d'exclure ceux qui ne partageaient pas ses convictions. Cette violence était négatrice de Dieu. Il nous fallait conduire ceux qui se réclament de Dieu et du Christ à se retrouver et à reconnaître la Vérité qui leur est commune et qui surmonte le conflit inexpiable et apparemment sans solution dans lequel ils se trouvent engagés. La foi est vaine, vide de sens, si elle n'est pas capable d'affronter aussi un conflit mortel.

Trois années de suite, nous avons fait, en décembre, une série de veillées dont le thème a été la paix. La première d'entre elles a été « héroïque » : nous avons proposé à trois leaders chrétiens connus pour leurs antagonismes dans le conflit algérien de faire une prière commune à Notre-Dame. Nous avions demandé à chacun d'eux de composer une prière, et de prier côte à côte. Vous imaginez la difficulté de la négociation avec les responsables étudiants, car nous avions une organisation où la participation des laïcs étudiants à la responsabilité était considérable. Je garde l'image de deux responsables étudiants venus, les larmes aux yeux, l'un après l'autre se défendre contre ce projet. L'un était pied-noir, l'autre appartenait à une organisation de gauche. Ils étaient déchirés parce qu'ils savaient qu'ils allaient être considérés comme des traîtres par leurs compagnons de combat s'ils s'unissaient par la prière à l'ennemi dans cette guerre inexpiable; rencontrer l'adversaire, c'était renier le compagnon. Les trois personnalités qui ont accepté étaient François Mauriac, Georges Bidault et Edmond Michelet. L'affaire a été dure à mener. La police surveillait de près l'événement parce qu'elle craignait des explosions : c'était physiquement dangereux. Je ne nommerai pas, parce que cela appartient au secret des consciences, les personnalités auprès de qui j'avais fait des démarches et qui m'avaient dit : « Moi, me retrouver à côté de celui-là? Jamais! » Les textes de ces trois hommes étaient très beaux. Nous avons même eu droit à la « une » du *Canard enchaîné;* une caricature où les trois hommes étaient agenouillés côte à côte à Notre-Dame de Paris avec cette légende : « Seigneur, fais-leur ce qu'ils demandent pour moi. » J'étais fier que le *Canard* ait compris et l'ait dit à sa façon.

Nous n'avons pas essayé de jouer les bons offices entre des partis adverses. Nous voulions provoquer une réflexion qui visait un plus long terme et une plus grande profondeur. Nous savions bien qu'il y aurait des lendemains. Notre objectif, en tant que prêtres, était de préparer ces lendemains.

D. W. — *Est-ce que vous avez rencontré, à l'occasion de ces événements, les représentants du pouvoir politique et particulièrement le général de Gaulle?*

J.-M. L. — Oui, je l'ai rencontré une fois. Lors des « Veillées pour la paix », nous avions sollicité des messages des chefs d'Etat du monde entier, ainsi que du pape. Nous avons reçu un grand nombre de réponses. J'avais, un temps, imaginé qu'il y aurait une intervention à Notre-Dame de l'un ou l'autre d'entre eux. J'avais rencontré, à ce propos, le président Senghor lors de l'un de ses passages à Paris. La discussion avait été passionnante sur différents sujets, y compris l'africanité, le Sénégal et l'Islam. Quelque temps après, à l'occasion d'une réception à l'Elysée en l'honneur du président Senghor, celui-ci m'a fait mettre sur les listes.

Je suis donc allé pour la première fois de ma vie à l'Elysée. Vêtu de ma meilleure soutane, en retard, j'ai voulu prendre mon Solex. Mes amis m'ont dit de ne pas jouer à Don Camillo ! Pourtant, je me voyais bien franchissant le portail et le perron de l'Elysée de cette façon. Le général de Gaulle m'a retenu assez longtemps, eu égard à la file qui attendait. J'avais préparé ce que je souhaitais lui dire. Cela concernait le sort des étudiants africains à Paris — n'oubliez pas que j'étais aumônier des étudiants étrangers et le problème des Africains me tourmentait tout particulièrement. Je l'en ai entretenu, de façon circonstanciée et précise. Comment, de quelle façon, dans quelles conditions fallait-il, ou non, permettre à des étudiants africains francophones d'accéder à l'enseignement supérieur ? Quelle attitude la France pouvait-elle avoir à cet égard et que pouvait-on attendre des pouvoirs officiels ? J'avais développé ma thèse avec assez de force. Le Général m'a écouté avec beaucoup d'attention, du moins me semble-t-il. J'ai su qu'il y avait eu des retombées au ministère de la Coopération et au ministère de l'Education nationale. Il m'a posé deux ou trois questions et m'a encouragé, ayant bien repéré que j'étais aumônier des étudiants de la Sorbonne. Pour moi, de Gaulle était un personnage fabuleux, celui qui nous avait rendu l'honneur d'être français. J'ai été étonné de l'attention prêtée aux propos d'un jeune abbé qui lui arrivait dans la foule d'une réception.

Le Centre Richelieu

J.-L. M. — *Vous avez pris la direction du Centre Richelieu en 1959. Quelles étaient ses activités ?*

J.-M. L. — Il serait trop long de les décrire, je vous livre seulement une impression. Pour ceux qui en furent les participants, les témoins, qui y prirent part avec enthousiasme ou au contraire le quittèrent avec dégoût et hostilité, ce que je vais dire va paraître sommaire et probablement injuste.

Ç'a été une expérience d'Eglise exaltante, je veux dire belle, généreuse et probablement anticipatrice. Je me souviens d'une expression dont je me servais pour la décrire à des visiteurs étrangers. Je disais : « Nous sommes dans une Eglise à l'état naissant », comme on parle d'hydrogène à l'état naissant. Je ne pouvais pas employer l'expression la plus juste : Jeunesse de l'Eglise —, tout le monde se souvenait encore du titre de la revue, mais c'est l'expression qui me venait à l'esprit.

Pourquoi ? Tout d'abord une remarque de type sociologique nous n'avions aucune des contraintes institutionnelles communes. Groupement de volontaires dans une tranche d'âge déterminée, nous ignorions les passivités, les opacités, les résistances qui existent dans la paroisse d'un quartier ou d'un village. Ensuite, il y avait entre nous tous une exceptionnelle homogénéité d'âge, de langage et de culture. J'étais à peine plus âgé que ceux dont j'étais l'aumônier. Le renouvellement incessant des générations d'étudiants est à la fois épuisant et stimulant parce qu'il oblige à ne jamais s'installer, à toujours recommencer.

Même si le terme « déchristianisation » est ambigu, trop simple pour être exact, la ferveur chrétienne dans laquelle nous vivions ne reflétait pas celle de la société dans son ensemble. Nous avions bien conscience qu'en adoptant le point de vue de la foi avec tout ce qu'elle recèle d'exigences, de richesses, de joies et de contraintes, nous appartenions à une minorité. Trop peu de gens étaient convaincus d'emblée que le travail spirituel des chrétiens pour voir et reconnaître le don reçu est une tâche normale de l'Eglise. De même le témoignage apostolique auprès de ceux qui ne croient pas. La coïncidence entre le fait d'être chrétien et le fait d'être comme tout le monde était encore une idée reçue : nous savions que ce n'était pas vrai ! Notre première tâche était donc de préparer les jeunes à vivre dans cette Eglise en situation missionnaire. Cela correspondait à mon expérience personnelle. Ce qui avait été dit et écrit pendant la guerre avec des livres comme *France, pays de mission* ou *Paroisse, communauté missionnaire* correspondait à notre perception d'une Eglise obligée à d'autant plus de ferveur qu'elle ne pouvait être celle des « bien-pensants » stigmatisés par Léon Bloy et Bernanos.

D. W. — *Etiez-vous d'accord avec l'analyse de* France, pays de mission, *c'est-à-dire avec la nécessité d'une nouvelle évangélisation du pays ?*

J.-M. L. — J'avais très brièvement fait partie du monde ouvrier à Decazeville. Mais j'étais trop « titi parisien », enfant de Montmartre et de Montparnasse, pour adhérer en tout à la description donnée de l'incroyance... Cependant j'étais plutôt d'accord avec le diagnostic d'une Eglise minoritaire qui ne peut pas s'appuyer sur une situation sociale acquise. La frontière de l'incroyance est partout et nulle part. Il n'y a pas, d'un côté, la forteresse catholique et, de l'autre, un *no man's land* extérieur. Cette frontière passe à l'intérieur des consciences. Du coup cette situation missionnaire était l'évidence dans l'univers des étudiants, même si les étudiants catholiques n'en étaient pas tous conscients. S'ils acceptaient de parler avec leurs camarades d'amphi, ils ne pouvaient que mesurer cet écart.

Nous avons vécu une période de renouveau, une vie d'une ferveur religieuse intense qui se nourrissait du renouveau liturgique dont nous étions de fervents artisans. Nous avions la certitude, confirmée par les événements du Concile, de participer à la rénovation de l'Eglise. Sur le plan liturgique, nous avions des audaces, mais elles se situaient toujours dans l'obéissance, dans la fidélité à ce que demandait l'Eglise ; nous voulions respecter les règles, non par fétichisme, mais parce que nous savions que la liturgie ne nous appartenait pas.

D. W. — *Quelles audaces par exemple ?*

J.-M. L. — Des liturgies communautaires de pénitence ont été considérées, après Vatican II, comme la deuxième forme ordinaire du rituel du sacrement. Dans ces liturgies communautaires, les fidèles se réunissent pour prier ; ils demandent ensemble à Dieu la grâce de se laisser toucher par son amour et de reconnaître qu'ils ont péché ; ils peuvent ensuite aller dire leurs péchés dans le secret de la confidence auprès d'un des prêtres réunis pour la circonstance et recevoir l'absolution personnellement. Nous avions « inventé » cela — nous n'étions pas les seuls, bien sûr. Il y avait de nombreuses tentatives de ce genre dès les années quarante-cinq. Pour « inventer » cette forme tout en respectant la discipline ancienne, nous avions trouvé, dans le livre des cérémonies réservées à l'évêque, un rite de réconciliation publique des pénitents le jeudi saint, qui n'avait plus jamais été utilisé habituellement depuis le VIIIe siècle.

J'avais pris le texte de ce rituel pour faire un exposé aux étudiants. La beauté de ce geste antique de réconciliation trouvait un regain d'actualité : une assemblée entière avec l'évêque en son milieu attend le retour des exclus. L'évêque envoie le diacre dire aux pénitents qui sont à la porte et qui ont confessé publiquement leurs péchés : « Ne pleurez pas... patientez... » L'assemblée intensifie sa supplication. Puis l'évêque va les chercher. Tous les exclus, désormais réconciliés, entrent en farandole, conduits par l'évêque sous les acclamations de l'Assemblée : « Notre frère qui était perdu est retrouvé !... » tandis que le diacre chante le verset du prophète : « Je ne veux pas la mort du pécheur, mais qu'il se convertisse et qu'il vive... » Nous recherchions, dans la mémoire de l'Eglise, les éléments nécessaires à une rénovation fidèle.

Nous anticipions aussi en donnant à des laïcs accès à la théologie. De même, il existait une initiation à la prière et à la vie communautaire qui correspond à ce que d'autres générations découvrent aujourd'hui à neuf. Certains trouvaient cela déplacé ou peu convenable. Mais il régnait entre nous et entre les étudiants une fraternité dont je garde un souvenir ineffaçable. Je me souviens des visages et des noms que j'ai connus, et ils étaient des centaines et des centaines ! Les grands rassemblements comme Chartres ou les veillées pour la paix dont je vous ai parlé réunissaient des milliers d'étudiants qui n'étaient pas tous fervents ni croyants. Ce n'était pas rien à l'époque au regard du nombre des étudiants. La mission des laïcs était prise très au sérieux et le premier travail du prêtre consistait précisément à trouver, parmi les étudiants, des jeunes partageant la responsabilité apostolique de l'Eglise là où ils se trouvaient.

J.-L. M. — *Mais quels étaient vos objectifs dans un milieu tout de même déchristianisé, et souvent plus attiré par la politique que par la religion ?*

J.-M. L. — L'un de nos objectifs majeurs était en même temps d'aider de jeunes universitaires à unifier à la lumière de la foi la culture qu'ils recevaient. Cela exigeait un travail intellectuel en profondeur échelonné dans le temps. Il n'en était guère question dans les toutes premières années d'Université où il fallait d'abord permettre aux nouveaux étudiants de trouver un nouvel équilibre. Mais très vite chacun était marqué par la discipline scientifique ou littéraire dans laquelle il progressait. Vous m'obligeriez à tenir un discours encyclopédique si vous me demandiez d'évoquer les questions soulevées par des étudiants de troisième cycle de mathématiques, des géologues, des historiens, etc. Nous insistions sur les finalités de la culture, à la fois sociales (un métier ? lequel ?) et porteuses de sens (il n'y a de savoir que fait par l'homme pour l'homme : mais qu'est-ce que l'homme ?) Les exemples de débats ou de sessions sont innombrables, depuis des séminaires sur Hegel pour les agrégatifs de philosophie, jusqu'à des confrontations entre mathématiciens et philosophes au sujet du positivisme logique, sans oublier les « classiques » inusables : science et foi, psychanalyse et foi, etc. Ce travail permettait une confrontation permanente et libre entre les étudiants et leurs aînés enseignants ou chercheurs, confrontation que l'Université ne permettait pas alors. Et aussi une confrontation entre étudiants catholiques et non catholiques, croyants et incroyants, dont aussi les marxistes.

D. W. — *Un bref retour sur la guerre d'Algérie : y avait-il une participation de certains d'entre vous à des manifestations ?*

J.-M. L. — Nous avons toujours refusé de participer à des manifestations, par principe.

D. W. — *Pourquoi ?*

J.-M. L. — Parce que précisément nous nous situions à un autre niveau que celui des mouvements politiques.

D. W. — *Existait-il un accord dans le Centre à ce sujet ?*

J.-M. L. — Oui, sauf que l'accord devait être négocié. Cela

n'empêchait pas, bien au contraire, que des étudiants actifs au Centre Richelieu fassent par ailleurs partie d'autres organisations. Mais nous avions la volonté d'être « l'Eglise pour la Sorbonne ». Nos prises de position étaient réfléchies, parcimonieuses, quitte à nous tromper ou par excès ou par défaut. Ce qui était dit par ce groupe, comme tel, devait être acceptable pour l'Eglise, comme telle. Cela imposait à tous une discipline critique exigeante et formatrice.

D. W. — *Quelles étaient les relations du Centre avec les différents archevêques de Paris ?*

J.-M. L. — Ils nous ont toujours manifesté leur encouragement. Non qu'ils aient été au courant de tout ni tout approuvé à tout moment. Mais ils sont intervenus positivement au cours de périodes critiques à des moments où des enjeux majeurs risquaient de mettre en cause l'existence même de nos activités. Quand j'ai été nommé responsable, j'ai rendu visite au cardinal Feltin. Dans les années suivantes je l'ai rencontré à plusieurs reprises en lui rendant honnêtement compte de la situation, des enjeux ou des risques, et en lui demandant confirmation de la mission reçue.

Quand le cardinal Veuillot a été nommé archevêque de Paris, le fait que je le connaissais et que je n'avais jamais cessé de le voir avec liberté n'a entraîné de sa part aucun « favoritisme ». Il était au contraire homme à être plus rigoureux avec ceux qu'il aimait et qu'il connaissait. Je pouvais me permettre de ne pas contrôler mes réactions, sûr qu'il saurait toujours faire la part des choses. Il attendait de moi la franchise, fût-elle brutale, et lui, à son tour, ne mâchait pas ses mots. Il a fortement confirmé nos orientations. Cela se passait pendant le concile Vatican II. Et c'est à la lumière de Vatican II que le cardinal Veuillot a jaugé et apprécié ce que nous faisions.

Le regard des catholiques sur eux-mêmes

J.-L. M. — *Vous avez évoqué des conflits entre le Centre Richelieu et d'autres institutions. Pouvez-vous préciser la nature de ces conflits ?*

J.-M. L. — Il y a eu des conflits très durs. Si l'âge de sept ans est l'âge métaphysique, l'âge de dix-huit ans est l'âge sectaire ou l'âge de la guérilla. C'est celui des conflits les plus définitifs, celui où les gens se déchirent à belles dents pour des raisons idéologiques. Certains nous jugeaient trop à l'écoute de la jeunesse, d'autres trop soucieux de l'enracinement dans la tradition et la fidélité chrétiennes. Nous pouvions paraître étrangement contradictoires.

D. W. — *On ne vous trouvait pas assez engagés dans le siècle ?*

J.-M. L. — Le reproche nous en était fait. Pourquoi ? Peut-être parce que l'activité spirituelle paraissait aliénante, détournant des tâches séculières ? Peut-être aussi en raison d'une tentative pour identifier la substance du christianisme avec les tâches séculières ? A partir de ces manières de voir, tout accent mis sur des activités spécifiquement religieuses était critiquable.

J.-L. M. — *Pouvez-vous être plus précis ? De qui s'agissait-il ?*

J.-M. L. — C'était une tendance diffuse qui s'exprimait de différentes façons. Nous vivions une période de recherches et d'interrogations. Les positions étaient très éclatées, parfois confuses. Certains théorisaient l'effacement de l'Eglise devant sa mission, l'Eglise ne pouvant réaliser sa mission qu'au prix de sa propre disparition. La mort de l'Eglise devenait le symbole de la rédemption qu'elle devait annoncer. La mort de l'identité chrétienne avant que des théologiens américains ne théorisent « la mort de Dieu » et la « cité séculière » (vers les années 60).

D. W. — *Moins de visibilité...*

J.-M. L. — Non, pas de visibilité. Pour beaucoup le seul fait d'annoncer l'Evangile, le message du Christ, pouvait être une atteinte à la liberté d'autrui. Plus tard, après 68, a resurgi l'idée que chacun puisse dire ce qu'il pense sans que cela offense qui que ce soit, même dans la contradiction. Mais, à l'époque, on n'en était pas là !

J.-L. M. — *Il fallait se taire...*

J.-M. L. — Certains l'ont dit et écrit. Des théories spirituelles et théologiques du témoignage obligatoirement silencieux avaient été élaborées. L'Evangile vécu par le chrétien devait devenir lisible non par sa parole, mais par l'humble différence de son comportement.

D. W. — *N'y avait-il pas aussi l'idée, chez certains, que la différence devait se voir par l'engagement dans le siècle, dans les luttes des classes ?*

J.-M. L. — C'était un autre aspect. Les idées que je viens d'évoquer étaient parfois vécues de manière éminente, comme une vocation religieuse : des hommes et des femmes s'enfouissaient dans l'anonymat de la grande ville ou dans les couches pauvres de la population, comme d'autres s'enfouissaient dans la solitude du désert.

D. W. — *Une forme de monachisme...*

J.-M. L. — Si l'on veut. Il y a bien des interprétations possibles de ces positions. Mais à partir du moment où elles se constituent en théorie générale de l'apostolat de l'Eglise, elles deviennent inquiétantes. Elles aboutissent parfois au non-sens. Or, ces idées étaient assez souvent partagées, soit par des laïcs, soit par le clergé, et passaient pour les positions les plus avancées. En fait leur crédit venait d'une répulsion de bien des catholiques — répulsion que j'ai partagée d'ailleurs — à l'égard d'une représentation caricaturale et mythique de l'Eglise du XIXe siècle...

J.-L. M. — *Sûre d'elle-même et dominatrice...*

J.-M. L. — Il n'est pas facile d'expliquer pourquoi nous en étions venus là. Etait-ce par crainte de trop s'affirmer soi-même, par refus de ce que l'on nommera plus tard le triomphalisme de l'Eglise ? Ou bien au contraire était-ce la culpabilité ou le « ressentiment » d'être sans cesse accusé depuis le XIXe siècle d'avoir manqué les chances de réconciliation avec la société moderne ? Ou encore le désir inavoué de coïncider avec une société dans laquelle les signes visibles du christianisme s'effacent, pour en être enfin reconnus ?

J.-L. M. — *Plus précisément, d'où venait ce désir d'effacement ?*

J.-M. L. — Encore une fois, je propose une explication qui s'inscrit dans la longue durée. Un problème permanent des dirigeants de l'Eglise catholique, laïcs et clercs, a été l'écart entre l'image qu'ils se faisaient de l'Eglise dans la nation et la place réelle de cette Eglise dans la société française. L'image était que la culture française coïncidait avec l'identité religieuse, ou que l'identité nationale coïncidait avec la religion. La réalité était bien différente. Depuis la naissance de la France comme Etat nation, l'Eglise catholique n'a jamais vraiment coïncidé avec la totalité de la culture française. Dans la construction historique, culturelle, politique de la France, l'Eglise et le pouvoir politique ont été objectivement alliés par une même analyse implicite : l'un et l'autre voulaient obtenir la légitimité sociale et culturelle, et l'un comptait sur l'autre pour assurer sa propre victoire, faute de pouvoir l'obtenir par d'autres moyens.

D W. — *Un échange de bons procédés ?*

J.-M. L. — Un rapport de complicité rivale. La volonté de centraliser et d'unifier la nation exige le rassemblement et le nivellement des différentes cultures sous un pouvoir centralisé et fort. Pour ce faire, le pouvoir politique a constamment réclamé la légitimation religieuse de l'Eglise catholique. Il n'a jamais hésité à la servir pour s'en servir. A l'inverse, l'Eglise, les hommes d'Eglise, constataient que la coïncidence de la nation et de la culture avec la foi n'était pas acquise du fait non seulement des résistances et des dérobades, mais du paganisme persistant de zones entières de la société. Ils étaient fascinés à leur tour par le pouvoir du Prince, espérant que si le Prince est converti, la nation le sera.

D. W. — *Dès cette époque, vous n'étiez pas d'accord avec cette position. Pourquoi ?*

J.-M. L. — Je m'efforçais, non sans mal, de formuler les données du problème. Le projet d'occuper la centralité sociale dans une culture, dans une époque ou dans une nation n'est pas une ambition perverse du christianisme, sauf s'il se réduit à la stratégie de conquête du pouvoir politique. La réflexion sur l'évangélisation consiste à identifier le cœur de la culture et à chercher comment l'Evangile peut l'atteindre.

D. W. — *Vous avouerez que, pour un athée, la différence entre « évangélisation » et « prise de contrôle » est faible.*

J.-M. L. — C'est ce que pensent un certain nombre d'historiens ou de sociologues qui ne voient de l'Eglise que les contours socialement repérables et ce qui en résulte comme facteurs de force ou d'influence. Ils n'observent que les mécanismes de l'Eglise comme vecteur social. Mais un regard honnête doit aussi s'interroger sur le contenu que véhicule ce vecteur et son rôle dans les civilisations et les cultures. Il peut arriver que le système devienne une fin pour lui-même, trahissant ce qu'il devait servir. Il ne reste alors qu'une subversion ou une caricature du message chrétien. Il donne dès lors prise au soupçon radical. Dans l'histoire, des hommes d'Eglise ont cédé à l'ambition politique, c'est-à-dire à la tentation de penser politiquement leur fonction religieuse. Il arrive que des princes pensent religieusement, non sans abus, leur fonction politique.

D. W. — *Même aujourd'hui ?*

J.-M. L. — Tous les cas de figure sont possibles pour l'ambition d'occuper la centralité sociale. Après les épreuves, l'échec des tentatives de prise de pouvoir, l'échec des luttes anticléricales et la cuisante leçon qui en ressortait, les catholiques ont en quelque sorte renoncé à une position de force politique organisée. Ils ont cherché à occuper d'une autre façon l'espace social. Mais pour occuper malgré tout une position centrale, le prix à payer était la renonciation à leur identité propre.

D. W. — *Vous voulez dire que c'était la continuation de la même lutte par des moyens différents ?*

J.-M. L. — Le prix à payer était une sorte de suicide.

J.-L. M. — *Un prix exorbitant.*

J.-M. L. — Le regard que portaient sur eux-mêmes trop de catholiques était un regard sociologique, comme s'ils adoptaient le regard de l'autre, comme si au fond ils acceptaient de se voir comme « le parti catholique » — jusqu'au moment où, justement, ils n'ont plus supporté d'être « le parti catholique ». Il fallait donc se détruire soi-même comme groupe social pour détruire l'image réfléchie. Et comme il fallait justifier cet abandon, il fallait aussi fabriquer une théologie de l'anéantissement, de la kénose de l'Eglise — kénose est le mot grec qui signifie anéantissement et qui est dit du Christ en son abaissement et en sa passion (Ph. 2,7). L'auto-anéantissement devenait un schéma interprétatif qui permettait de justifier cette disparition de l'Eglise comme institution extérieure, nécessairement oppressive, offensante, chargée de tous les péchés, au profit d'une présence cachée, diffuse, secrète. Et ceux qui s'engageaient jusqu'au bout dans cette voie perdaient jusqu'à leur identité propre.

D. W. — *La position que vous décrivez là en faveur d'une sorte de présence cachée aurait été défendue par ceux qui souhaitaient garder à l'Eglise une place centrale dans la société. Mais ceux qui au contraire avaient une conception plus minoritaire de l'Eglise souhaitaient-ils une affirmation de leur différence ?*

J.-M. L. — Une telle opération, pour n'être pas vécue comme suicidaire, supposait une conviction implicite : malgré l'effacement institutionnel de l'Eglise, le christianisme demeurait la chose la plus communément partagée ; c'était oublier la fragilité sociale de l'héritage chrétien. Il s'agissait d'une inconscience semblable à celle qui s'applique à l'environnement. Ainsi, les pays riches abîment leurs paysages et gaspillent leurs ressources naturelles en les croyant inépuisables, alors qu'elles sont fragiles et ne subsistent que si, constamment, on les entretient pour leur permettre de se rénover.

De même le capital spirituel n'est pas inépuisable. Pour demeurer productif, il ne doit pas être gaspillé. Dire que la « France est un pays de mission » au même titre qu'un pays païen, au sens historique, est inexact. C'est une erreur de comparer une culture qui a historiquement été marquée par le christianisme et une culture qui ne l'a jamais été. La culture française est imprégnée de rémanences chrétiennes très profondes, même si, bien sûr, les Français sont loin d'être tous croyants. Mais...

D. W. — *C'est d'ailleurs pour cette raison que certains ont refusé le mot « mission » appliqué aux pays déjà christianisés ?*

J.-M. L. — Nous avons cependant accepté cette problématique parce qu'elle correspond à une situation de fait : nous avions bien conscience d'être minoritaires, ce qui est aujourd'hui une évidence. Nous n'étions pas les seuls à penser de la sorte. Dans bien des secteurs du catholicisme, il y avait des perceptions analogues.

La mort du cardinal Veuillot

J.-L. M. — *Vous avez fait allusion à votre amitié pour le cardinal Veuillot...*

J.-M. L. — L'arrivée à Paris de monseigneur Veuillot a représenté un grand espoir pour un certain nombre de gens qui le connaissaient. Il était un symbole de Vatican II ; un nouvel élan allait être donné à l'Eglise, à Paris et en France. Il disposait de l'énergie nécessaire pour s'attaquer aux problèmes dont nous étions nombreux à énoncer les termes : la vie du clergé, la marche des paroisses, l'apostolat, bref, tout ce qui pouvait être considéré comme le programme de Vatican II. Alors Veuillot plus le concile, le concile plus Veuillot, cela semblait vouloir dire : cette fois-ci nous y sommes ! Sa mort nous a paru incompréhensible et déroutante. Nous savions qu'un archevêque est mortel, et que toujours un autre le remplace. Mais nous avions mis en lui tant d'espérances concrètes, immédiates, tant d'amitié, de confiance, l'homme était si courageux, que notre douleur en fut aggravée.

Il est mort d'un cancer en février 1968. Jean XXIII était mort cinq ans plus tôt, et son agonie avait été « médiatisée », ce qui avait été à la fois bouleversant et inquiétant. Le monde avait perçu le message d'un homme qui livre l'ultime témoignage de sa remise à Dieu dans l'épreuve de sa mort. En même temps, cette médiatisation avait suscité dans certains milieux catholiques des réactions critiques. On avait parlé de « spectacle », parfois d' « impudeur ». Quand le cardinal Veuillot a su qu'il avait un cancer, il a courageusement pris la décision de travailler tant que ses forces le lui permettraient. Puis vint le moment où il fut hospitalisé et où nous savions qu'il allait mourir. Ce n'était plus qu'une question de semaines, voire de jours. Deux évêques auxiliaires avaient été ordonnés, Mgr Pézeril et Mgr Frossard, qui furent mes supérieurs et qui ont été mes évêques auxiliaires, mais surtout des pères et des amis. Quand le cardinal Veuillot est tombé malade, il y a eu de la part de son entourage le désir de le protéger pour qu'il ne subisse pas de dommages, peut-être aussi le désir de ne pas dramatiser, de ne pas « médiatiser » sa mort. Aussi le cardinal Veuillot a été constamment aidé et assisté dans sa maladie par ses proches, mais personne ne pouvait le voir.

Un matin, l'un de ses secrétaires me fait dire : « Le père Veuillot vous demande, venez. » C'était à l'hôpital Saint-Joseph. Il m'a fait entrer et je suis resté peut-être une heure, je suis incapable de vous dire le temps. C'était une chambre d'hôpital. Le père Veuillot était couché. Son visage était émacié, on voyait les traces de sa lutte contre la maladie. Proche de la mort, il avait encore tous ses moyens, toute sa conscience. Il m'a parlé presque sans discontinuer. A la sortie, son secrétaire m'a dit : « Notez, notez ce qu'il vous a dit, il le faut pour vous. Plus tard, vous en aurez besoin. » Je ne l'ai pas fait, tellement j'étais bouleversé : j'étais incapable de noter quoi que ce soit. Cette heure a donc passé sans que j'en retire autre chose qu'une impression extrêmement forte et quelques phrases. J'étais bouleversé par l'intense vérité, l'intense combat spirituel qui était le sien à ce moment-là. J'ai eu le sentiment qu'il se battait pour me transmettre quelque chose.

Spirituellement, il est l'un des hommes envers qui j'ai un devoir filial de respect et d'amour. J'ai retenu, de ce qu'il m'a dit, une longue méditation sur le mystère de la croix et de la souffrance. Il a parlé en phrases brèves, entrecoupées de silences, de son ministère, du sens de l'existence humaine à la lumière de la croix du Christ, du scandale et de la folie de la Croix. Il fallait qu'il approche de sa propre mort pour que lui soit donnée une nouvelle intelligence de ce qu'il avait lui-même prêché. En me faisant le témoin du chemin qu'il parcourait, il ne prétendait pas dispenser quiconque d'avoir à le faire à son tour. Bien au contraire.

J'avais très bien connu le père Veuillot. Il avait un humour ravageur. En général, il se maîtrisait et s'interdisait d'être méchant, mais parfois la balle partait malgré lui et frappait juste ! Il était très gai, bien que paraissant souvent engoncé dans son personnage. Certains le critiquaient en disant : quand Veuillot passe, c'est toujours « moi l'évêque ». En fait, c'était un homme plein d'humour, de gaieté, de simplicité, d'esprit parisien si l'on veut, en tout cas un esprit libre et direct. J'avais été frappé, au moment où il avait été nommé cardinal, par l'apparition chez lui d'un brin de vanité. C'est ainsi du moins que je l'avais perçu. J'étais libre avec lui et je le lui avais dit. Il ne l'avait pas mal pris, mais j'avais bien senti que c'était un peu déplacé de dire cela à un cardinal de l'Eglise romaine. Au moment de son agonie, il était comme purifié de tout cela et je me suis dit : voici l'archevêque qu'il nous faut, il est mûr ; et c'est juste à ce moment qu'il nous est enlevé. Cela m'a paru incompréhensible. Il a eu une autre parole sur l'Eglise. Il m'a dit trois fois — cette phrase s'est gravée mot à mot dans ma mémoire : « Pur, pur, pur, il faut que tout soit pur. » Et il a ajouté : « C'est une véritable révolution spirituelle qu'il faut faire. Le Pape le sait, peu de gens le mesurent, mais c'est cela qu'il faut pour l'Eglise. » Et puis il m'a béni et je l'ai quitté. J'étais bouleversé, hors de moi, et malgré le conseil que m'avait donné son secrétaire, je n'ai rien noté. Aujourd'hui je le regrette vivement.

Je ne vous cache pas qu'en 1981, lorsque j'ai été nommé archevêque de Paris, c'est à lui que j'ai pensé d'abord. Rien ne me préparait à devenir archevêque de Paris et cet entretien m'est revenu à l'esprit avec une très grande force. J'ai ressenti une responsabilité à l'égard de ce qu'il m'a dit. J'y vois comme une lumière pour ce que j'ai à faire et j'ai l'impression d'avoir reçu là, comme par anticipation, de façon incompréhensible pour moi et peut-être aussi pour lui, un très précieux trésor.

Les prémices de Mai 68

J.-L. M. — *Vous avez occupé un poste d'observation privilégié de l'Université. Avez-vous senti venir Mai 68 ?*

J.-M. L. — Dès 1965, j'en suis certain, nous avions pressenti la crise. J'étais à ce moment responsable de l'ensemble des aumôneries d'étudiants de la région parisienne. Les années 60-68 sont celles où l'Université commence à essaimer. Le projet de la faculté des Sciences prend corps à la Halle-aux-Vins. Le district de Paris est fondé depuis un moment, et on laisse entendre qu'il pourrait y avoir d'autres Universités dispersées dans la capitale ou dans son pourtour. Les idées de réforme de l'enseignement réapparaissent avec force. Et effectivement, la réforme de l'Université commençait à devenir urgente. J'étais préoccupé à ce moment-là de l'avenir de l'Université et de l'avenir des aumôneries dans l'Université. Il fallait que, dès la fondation des nouvelles facultés, des communautés chrétiennes puissent y naître, qu'elles aient donc un local et un aumônier.

J'ai découvert les projets grandioses des années 60 et j'ai partagé l'enthousiasme de leurs concepteurs. Les responsables de l'E.P.A.D. (Etablissement public d'aménagement de la Défense), ceux des villes nouvelles, du district de Paris me faisaient découvrir d'autres manières de réfléchir à l'avenir de la vie urbaine. Je me suis familiarisé avec leurs méthodes et ai côtoyé les étonnantes variétés de personnages qui travaillent à ces projets : les grands commis de l'Etat voués au bien public, les grands architectes, financiers et promoteurs immobiliers, entrepreneurs et ouvriers du bâtiment. Loin d'être indifférents à la place de l'Eglise dans le paysage urbain de l'avenir, tous — quelle qu'ait été leur position religieuse personnelle — y voyaient un élément indispensable de la symbolique sociale. J'avais un but plus modeste : trouver des locaux pour l'aumônerie des futures facultés. Je me suis accroché de toutes mes forces pour que quelque chose se fasse, et cela a réussi avec plus au moins de difficultés, plus ou moins de succès.

Quant à l'Université elle-même, elle était en train de « craquer ». On avait le sentiment d'une machine infernale, on entendait le tic-tac et il n'y avait pas moyen de le faire entendre à qui que ce soit parmi les responsables politiques. Nous savions que ça allait exploser ! Nous savions même la date, mais ce qu'allait être l'explosion et ce qu'elle allait donner, nous ne le savions pas.

D. W. — *Pourquoi l'explosion était-elle prévisible ?*

J.-M. L. — Deux congrès de professeurs, l'un à Caen et l'autre à Grenoble, en 64 et 65, me semble-t-il, ont pronostiqué, pour des raisons mécaniques, l'éclatement de l'Université. Je relève deux autres indices parmi beaucoup d'autres. D'abord ce qui s'était passé à Berkeley avec le mouvement hippy présageait largement ce qui allait se produire en France. Plusieurs professeurs et étudiants de Berkeley nous en avaient fait le récit détaillé. Ensuite, il y avait des préparations théoriques. Alors que « l'action psychologique » jetait ses derniers feux dans la guerre d'Algérie, les psycho-sociologues s'emparaient des leviers du syndicalisme étudiant. Deux articles parus vers 1962 dans *les Temps modernes* sous le titre « Vers un syndicalisme étudiant ? » sous la signature de Kravetz et Peninou théorisaient d'avance un nouveau type d'action révolutionnaire, incompréhensible pour la gauche classique, mais d'avance accordé au mode de pensée des futurs maoïstes.

Nous observions de près les statistiques universitaires qui montraient l'importance de l'accroissement démographique. Une Université construite sur une élite sociale et culturelle, plus culturelle que sociale, ne pouvait qu'exploser en devenant une Université de masse. L'Université formait un certain type d'hommes cultivés, aptes à un certain nombre de fonctions qui, en dehors de l'Université et de l'Education, étaient surtout politiques ou culturelles, alors que les débouchés industriels et administratifs étaient réservés aux grandes écoles. C'était un système clos. Brusquement, avec la scolarité obligatoire, une partie de la masse des jeunes, qui n'allait pas jusque-là au-delà du certificat d'études, débarquait à l'Université, et celle-ci ne supportait pas le choc. Elle était incapable de voir que le changement quantitatif exigeait un changement qualitatif. Dans l'impossibilité de changer sa logique, elle ne voulait pas être autre chose qu'elle-même, et la tâche qu'elle se donnait, c'est-à-dire de perdurer avec ses méthodes et ses finalités, entrait en contradiction avec le public dont on la chargeait. Ce public n'épousait pas ses finalités, était incapable de supporter ses méthodes ; ce qui engendrait des dysfonctionnements considérables, au prix d'une dépréciation des diplômes et de la qualité de l'enseignement.

Avec deux ou trois de mes confrères, nous avions commencé à rédiger un livre blanc sur les propédeutiques lettres et sciences, collectionnant les faits pour montrer quel gâchis c'était pour cette génération d'étudiants. Nous ne sommes pas allés au bout de cette initiative. J'avais tenté, de mon côté, d'alerter les enseignants qui me paraissaient les plus disponibles. J'ai rencontré de la part de jeunes et brillants normaliens, à l'époque déjà agrégés et qui se sont trouvés parmi les théoriciens de Mai 1968, un refus complet des faits, dès le moment où ceux-ci les concernaient dans la conduite personnelle de leur enseignement. Ils étaient prêts à faire la révolution, mais non à s'occuper des étudiants qu'on leur confiait. Avec l'un d'entre eux j'ai failli perdre mon sang-froid. Je l'ai même perdu pour de bon. J'ai apostrophé le jeune et brillant sujet que j'avais comme interlocuteur en lui disant qu'il était inconséquent et que ses discours révolutionnaires étaient irresponsables. Je lui ai fait remarquer qu'il ne devait pas traiter en khâgneux des étudiants qui avaient besoin d'une autre pédagogie, et qu'il ne fallait pas pour autant les mépriser. Telle était la réaction des enseignants les plus jeunes, de ceux qui allaient conduire le bouleversement de l'Université. Quant aux anciens, aux professeurs en titre, ils étaient souvent généreux, consciencieux et dépassés. Ils ne comprenaient guère ce qui se déroulait sous leurs yeux. La plupart des grands noms de l'Université ne faisaient pas de cours en propédeutique et étaient insensibles à des situations dont ils n'avaient pas l'expérience.

J.-L. M. — *Et du côté des hommes politiques ?*

J.-M. L. — J'ai aussi tenté d'alerter les responsables politiques. Leur réponse était en gros la suivante : la France est assez riche pour s'offrir un parking de deux ans pour sa jeunesse. Qu'ils fassent ce qu'ils veulent, ça ne leur fera pas de mal, et on verra après. Cette réponse était inconsciente des enjeux. Une France prospère et tranquille était incapable de voir venir l'orage.

D. W. — *Quelle était votre perception des idées de Mai 68 ?*

J.-M. L. — En un sens, elles étaient libératrices, par leur critique des idéologies. Même religieuse, l'idéologie est la pire dégradation de la foi et de la religion. Elle empêche le déploiement serein de l'expérience de la foi. C'est un termite intérieur qui dévore tout. Mai 68 était aussi le résultat des projets de groupes d'étudiants gauchistes que nous connaissions depuis plusieurs années.

J.-L. M. — *Comment les connaissiez-vous ?*

J.-M. L. — Nous étions en contact avec tout ce qui se passait à la Sorbonne et dans les Universités. Certains membres de ces groupes venaient discuter avec nous, ils essayaient de faire du recrutement auprès des étudiants catholiques. Il y avait des rencontres, des discussions. Je n'en croyais ni mes yeux ni mes oreilles ; mais d'où sortent-ils ? Cela me semblait d'un autre âge ! Même ma génération, qui avait été profondément séduite par le marxisme, n'aurait pas osé utiliser une telle logomachie. Leur radicalisme verbal me reportait aux souvenirs littéraires du XIXe siècle. C'était difficile à comprendre, et encore plus difficile à prendre au sérieux. Quand, par ailleurs, les normaliens nous racontaient ce qui se passait à la rue d'Ulm, nous restions ébahis. Certains nous racontaient la terreur qui régnait à l'Ecole par la prise de pouvoir de différents groupes gauchistes, des « althussériens », l'intrusion des méthodes de la révolution culturelle : l'affichage des slogans, les procès publics, les mises en accusation, toutes sortes de procédés de ce genre, qui s'attaquaient aux libertés. (Nous avons su, plus tard, que le futur second de Pol Pot faisait partie d'un de ces groupes.) Pour moi qui étais marqué depuis mon enfance par la persécution, le nazisme et le fascisme, la résurgence des mêmes phénomènes irrationnels et totalitaires était inconcevable. La persécution, l'atteinte aux libertés, le manque de respect des personnes, la tyrannie intellectuelle, me choquaient profondément. Nous ne voyions pas toute la portée de ce qui était en train de se passer.

J.-L. M. — *Quelle influence les idées gauchistes exerçaient-elles sur les étudiants chrétiens ?*

J.-M. L. — Dans les mêmes années, à Strasbourg, le mouvement « situationniste » prenait le pouvoir au sein de la « fédé », mouvement des étudiants protestants. Nous les connaissions par leurs publications et par les étudiants protestants de Paris de la rue de Vaugirard. On y trouvait le même système de provocation et de transgression, appliqué aux représentations religieuses, aux exigences morales, réputées puritaines et simplement chrétiennes. Les positions des situationnistes me semblaient fort étranges : un christianisme devenu surréalisme politique. Je n'avais pas plus envie de sympathiser avec cela que je n'ai eu envie de lire Lautréamont dans ma jeunesse : à dix-neuf ans je l'avais ouvert et je l'avais refermé. C'était peut-être génial mais sûrement blasphématoire.

D. W. — *Alliez-vous souvent à l'Université de Nanterre ?*

J.-M. L. — Pendant l'année scolaire 1967-68, nous avions installé une aumônerie à Nanterre. Un prêtre s'y consacrait à plein temps. Pour ma part je connaissais les principaux responsables catholiques. Nanterre était un étrange « petit paradis » universitaire. C'était la grâce des fondations malgré les conditions extrêmement défavorables. Dans cette banlieue sous-prolétarisée côtoyant le bidonville, les étudiants qui fréquentaient l'université étaient les plus bourgeois de Paris : l'Administration y inscrivait d'office ceux qui résidaient dans l'Ouest parisien. Sur l'invitation de la communauté chrétienne, le père Daniélou, un compagnon vraiment fidèle, allait faire des conférences dans un des plus grands amphis de Nanterre. Accueilli par les différents groupes gauchistes, Daniélou répondait avec brio aux agressions verbales. Il possédait toutes les qualités pour intervenir dans une « Assemblée générale » surchauffée, sans se laisser démonter par les imprévus. Tout cela avait un air de folklore sympathique, mais beaucoup s'interrogeaient sur la dérive de Nanterre après les résultats inattendus de la grève de l'automne 67. Les étudiants eux-mêmes étaient fascinés et heureux du rapprochement avec les enseignants qui en avait été la conséquence. Puis ce fut la journée du 22 mars. Je connaissais plusieurs étudiants du TP de sociologie d'où cet *acting out* est parti. Peu de temps avant Pâques, certains, ne sachant plus que penser, étaient venus me faire part de leurs hésitations devant les projets des leaders les plus affirmés du Mouvement du 22 mars. Il s'agissait d'une stratégie de la provocation-répression qui avait fait ses preuves à Berlin et qui les ferait de nouveau au mois de mai à Paris.

J.-L. M. — *Oui, mais le fait que des groupes ou des groupuscules fassent des plans de subversion n'a rien d'original. Ce qui est difficile à expliquer, c'est leurs succès.*

J.-M. L. — S'il y a eu de nombreuses stratégies subversives, il se trouve que l'une d'entre elles a pris, et qu'elle a pu catalyser tous les courants. J'ai fait dire aux responsables universitaires et politiques de ne pas traiter la crise étudiante par le mépris. J'ai obtenu deux types de réponses. La première : « Tu rêves, tu te laisses intoxiquer par la dramatisation des étudiants », et la seconde : « C'est un complot, ce sont les services secrets chinois »...

J.-L. M. — *Qui a dit cela ?*

J.-M. L. — Je ne peux pas le dire.

J.-L. M. — *Un politique ou un universitaire ?*

J.-M. L. — Un politique. Il faut se souvenir que dans le même moment se déroulaient à Paris les négociations de paix entre les Américains et le Nord-Vietnam.

D. W. — *Comment avez-vous vécu les événements de mai ? On a l'impression que vous ne les avez guère appréciés...*

J.-M. L. — Aucune explication de ces événements n'était satisfaisante, aucune ne s'enchaînait logiquement avec la précédente. La société a explosé par un phénomène de mise en résonance de tout le corps social. Certains ont parlé d' « événement spirituel ». Je n'ai pas fréquenté Maurice Clavel, mais je comprends son point de vue. Je pense que c'est un point de vue partiel, mais qui n'est pas plus éloigné d'une partie de la vérité de 68 que d'autres. Il en est même peut-être plus proche.

Au cours de la secousse elle-même, nous avons choisi une attitude précise. Nous avons pensé d'abord aux étudiants : le reste, à la limite, n'était pas notre affaire. Nous ne nous en sentions pas directement responsables : que chacun se garde et garde les siens. Nous nous sommes efforcés de rester des adultes, durant toute cette période où beaucoup de gens ont complètement perdu le sens des responsabilités. Il n'était pas si facile de demeurer des interlocuteurs pacifiques, critiques, proches par l'acceptation des événements, distants par le jugement, l'appel à la réflexion. Nous avons cherché à être un recours pour les jeunes que nous côtoyions, car, pour certains, les enfermer dans ce qu'ils étaient en train de vivre, c'était les acculer au désespoir.

Nous avons toujours célébré la messe, nous avons constamment prié, donné aux étudiants la possibilité de prier, de se confesser pour ceux qui le voulaient. Par contraste, les messes plongeaient dans le silence alors que d'habitude la liturgie était chantée. Il fallait cette espèce de respiration et de recueillement pour retrouver les affirmations chrétiennes fondamentales de l'Evangile : le respect d'autrui, l'amour du prochain, le refus de la violence comme moyen légitime, sauf quand il s'agissait de se défendre.

D. W. — *Vous aviez l'impression d'être entendus? Vous étiez en prise avec les événements et les acteurs?*

J.-M. L. — Nous étions certainement en prise avec ceux qui nous approchaient. Nous cherchions à donner la priorité à l'enjeu universitaire, à rendre un peu de cohérence et de raison à ceux qui partaient à la dérive, à aider ceux qui ne tenaient pas le coup.

D. W. — *Qu'entendez-vous par « ceux qui ne tenaient pas le coup »?*

J.-M. L. — Cela signifie qu'ils ont sombré dans le révolutionnarisme, ou ont fait une dépression, ou ont fichu le camp. Les effets de la déstructuration psychique, morale et sociale étaient redoutables.

J.-L. M. — *Quelle était votre analyse politique des événements?*

J.-M. L. — C'était un exercice difficile. Je me souviens très bien d'une discussion devant le cardinal Marty. J'avais dit qu'il y avait deux hypothèses envisageables pour l'issue des événements : ou le PC ou de Gaulle, et c'était certainement de Gaulle. Le reste ne tiendrait pas politiquement.

D. W. — *Vous n'avez donc pas craint, à un moment donné, une crise révolutionnaire?*

J.-M. L. — Je n'y ai jamais cru. Le véritable rapport de forces ne se lisait pas dans l'Université, mais dans l'ensemble de la société; et cela a abouti au compromis salarial de Grenelle. Par contre la crise étudiante m'est d'emblée apparue comme la résurgence de la fantasmagorie révolutionnaire de 1848. J'ai trouvé cela stupéfiant, inimaginable. Il suffisait de lire les graffiti avec leur mélange de blasphèmes et de sacré. A mes yeux, cela était dramatique. J'en ai parlé avec quelques universitaires déconcertés : « C'est la résurgence de l'irrationnel, leur ai-je dit, ils ne se rendent pas compte des symboles qu'ils manient. Ce peut être le début d'un vrai fascisme. Ce gauchisme nihiliste peut être l'image inversée du nihilisme nazi. »

D. W. — *C'était dur comme jugement.*

J.-M. L. — L'irruption de l'irrationnel ouvrait le chemin à la puissance aveugle et à la domination tyrannique des foules. La violence à l'état pur pouvait paraître.

J.-L. M. — *Mais vous oubliez qu'il existait aussi des éléments de critique rationnelle.*

J.-M. L. — Oui, il y avait la critique de la société de consommation. Tout le monde citait Marcuse et Reich, l'école de Francfort ; mais personne ne les avait encore lus. Il est d'autant plus étrange que ces idées se soient si vite diffusées. Elles rencontraient une thématique d'inspiration chrétienne que Clavel a relevée. Certains chrétiens ont aussi parlé d'une expérience de l'Esprit. Toute expérience de l'Esprit, toute expérience de Dieu, entraîne un déconditionnement parce que c'est une expérience de liberté, mais toute expérience de déconditionnement n'est pas forcément une expérience de l'Esprit Saint. Entre la licence et la liberté, ou entre les saturnales et l'explosion mystique de la joie, il suffit parfois d'un rien pour que les choses basculent d'un côté ou de l'autre.

D. W. — *En mai, vous étiez finalement plus sensible aux éléments défavorables qu'aux éléments favorables ?*

J.-M. L. — Je ne sais pas. Cette violence simulée me paraissait cependant insupportable. Pour moi, la violence avait un visage. A quoi sert de simuler le pire ? De jouer le carnaval révolutionnaire, de crier « CRS = SS » ? Nous savions ce qu'avaient été les SS, eux ne le savaient pas. Et des adultes se sont rendus complices d'une telle confusion. C'est criminel. Car c'est travestir l'histoire, avilir les mots, les souvenirs, et ne pas permettre à une génération de comprendre le passé et, du coup, d'être en garde pour l'avenir. A dévaloriser ainsi les symboles, on les vide de sens et on abaisse les défenses : à mon sens, c'est criminel. Une autre chose m'a surpris, c'est de voir à quel point la société était fragile. A certains moments, nous avons eu le sentiment qu'il n'y avait plus d'adultes nulle part !

J.-L. M. — *Des gens qui sachent dire non, qui sachent s'opposer ?*

J.-M. L. — Oui, qui osent ne pas tenir un langage démagogique. Je ne dis pas nécessairement « s'opposer », mais ne pas tenir un langage démagogique, ne pas dire : « Nous ferons ce que vous voudrez... » J'ai une trop noble idée de la politique, de l'arbitrage de la raison dans le sens du bien et de la vérité, pour tolérer la manipulation et la démagogie. J'ai vu des intellectuels, de grands esprits, complètement défaits, décomposés par les agressions verbales. Cette crise me paraissait mettre en évidence quelque chose dont j'ai déjà parlé : l'absence des pères. Il y a eu, si vous voulez, comme une espèce de raclage du fond, où tout apparaît : le meilleur et le pire. Certains jours, j'ai jubilé d'étonnement en voyant tel slogan surréaliste, ou telle merveilleuse invention poétique de la jeunesse réapparaître soudainement, mais le tout dans un tel climat de violence, de désordre et de déstructuration ! J'étais surtout très sensible au prix que payaient les jeunes.

D. W. — *Avez-vous pensé à un moment donné intervenir publiquement ?*

J.-M. L. — Je m'y suis refusé ! A partir du moment où le tourisme s'est organisé dans la cour de la Sorbonne, on nous a supplié de trente-six façons d'ouvrir un « stand ». Nous disposions de toutes les portes d'entrée, beaucoup plus que les gens qui débarquaient en enlevant vite leur veston et leur cravate. Je m'y suis refusé. L'Evangile n'avait pas sa place dans cette foire.

D. W. — *C'étaient les marchands du Temple ?*

J.-M. L. — Je ne regrette pas de ne pas l'avoir fait.

J.-L. M. — *Quelles étaient les répercussions de Mai 68 dans le milieu ecclésiastique ?*

J.-M. L. — J'ai été pris au dépourvu quand j'ai mesuré qu'une partie du milieu ecclésiastique entrait dans la même folie, utilisait les mêmes notions, transposait sur l'institution ecclésiale les mêmes catégories, les mêmes manipulations, en prenant comme objet l'Eglise elle-même et son fonctionnement. Je suis resté complètement désarmé. Je n'avais pas vu venir le coup et j'étais scandalisé à l'idée que des prêtres ou des laïcs traitent l'Eglise elle-même, et sa hiérarchie, comme les étudiants ou les groupes gauchistes traitaient l'institution universitaire. Cela me paraissait totalement incohérent et contradictoire. C'était un abandon de poste, au moment où les jeunes avaient besoin de notre présence et de notre liberté. Et cela n'a pas fini de se répercuter, parce qu'une bonne partie de ce que certains ont appelé péjorativement « l'après-concile », au moins en France, n'a rien à voir avec le concile œcuménique de Vatican II, mais dépend de « l'après 68 », de sa mythologie et de ses slogans.

J.-L. M. — *Si on pousse l'analogie, puisque vous pensez que la crise estudiantine a mis en lumière l'absence des pères, ne pourrait-on pas dire la même chose pour l'Eglise et le Mai 68 ecclésial ?*

J.-M. L. — La crise interne du corps catholique demeure pour moi une question ouverte. Jusqu'où faut-il faire remonter l'analyse de la crise ? Je ne crois pas au « malin génie » qui en l'espace de huit jours subvertit un édifice bien établi. C'est impossible. Les secousses ne font que mettre en lumière des failles.

D. W. — *Il y en avait donc dans le clergé français ?*

J.-M. L. — Il y en avait, non pas tellement dans le clergé que dans le catholicisme français, et depuis fort longtemps.

D. W. — *Vous avez dit que vous étiez inquiet du prix à payer par cette génération. Quel prix a-t-elle payé ?*

J.-M. L. — D'abord, le positif. Alors que les idéologies que l'on croyait mortes réapparaissaient de façon flamboyante, et que les mythologies et l'irrationnel faisaient à nouveau irruption, nous avons assisté à la fin de l'illusion du marxisme-léninisme, et à un début de critique des sociétés de consommation. On a osé dire à haute voix quantité de choses que personne n'avait dites jusque-là.

Mais le prix à payer, c'est l'expérience d'une déstructuration violente. Des jeunes qui auraient dû apprendre la liberté ont appris le déconditionnement.

J.-L. M. — *Qu'appelez-vous le déconditionnement ?*

J.-M. L. — Une personnalité est structurée par de multiples éléments qui fonctionnent comme des évidences, et tout cela vole en éclats. J'ai dit « une vraie expérience de Dieu et de liberté est source de déconditionnement », mais il y a des déconditionnements qui précisément ne vont pas vers la liberté, mais vers la déstructuration. Un psychologue, un psychothérapeute, peut très bien aider quelqu'un à construire et assumer sa liberté, ce qui entraînera des effets de déconditionnement mais lui rendra sa liberté. Il peut aussi, par une intervention maladroite ou sauvage, lui faire prendre conscience de la précarité de ses défenses et de ses repères. Alors le sujet peut s'effondrer et se croire libéré ; en fait il n'est que décomposé.

J.-L. M. — *Diriez-vous que la génération de Mai 68 est une génération perdue ?*

J.-M. L. — Non. Certains ont eu des blessures graves dont ils se sont mal guéris : des espérances ont été éveillées qui ne pouvaient en aucun cas être satisfaites. Certains l'ont payé au prix de la désillusion et du cynisme. Ces événements ont peut-être apporté quelque chose à la société. Peut-être a-t-il fallu cette secousse pour que certains retrouvent une plus grande liberté d'esprit. Mais je suis sûr que le prix payé est trop élevé par rapport à l'effet socialement réinvesti. De plus nos sociétés ont goûté à la drogue du terrorisme politique dont les effets et contre-effets ne sont pas terminés.

J.-L. M. — *Ces événements ont-ils modifié vos convictions politiques ?*

J.-M. L. — J'ai toujours été intéressé par la politique, mais jamais de façon politique. Le « politique d'abord » de Maurras, qui trouvera plus tard sa réplique exacte à gauche et qui consiste à réclamer non seulement l'autonomie du politique mais surtout sa primauté et son hégémonie, est une erreur et une faute. Le livre de Maritain, *Primauté du Spirituel*, que j'avais lu très tôt — à Orléans me semble-t-il (il date de 1937, et est postérieur à la condamnation de l'*Action française* par Rome) — m'avait paru lumineux. Il disait en substance ceci : contre toute théocratie, contre toute idée de parti religieux ou clérical s'emparant du pouvoir politique pour se le subordonner, il faut affirmer que la liberté de l'homme est garantie d'abord par sa relation à l'absolu qui est Dieu, et Dieu ne peut être récupéré par personne ; il n'est subordonné à personne, car seul Dieu est Dieu. C'est de cet absolu, dont il est le dépositaire et le bénéficiaire, que l'homme reçoit sa liberté. A partir du moment où le politique prétend se substituer à cette source de jugements de valeur, il devient non seulement idolâtrique, mais tyrannique et pervers. La foi relativise les positions idéologiques ou politiques, non pour les réduire et leur enlever toute consistance, mais pour leur rendre un espace de jeu et de liberté. La collusion entre une foi religieuse et une position politique déterminée débouche d'un côté sur le cléricalisme et de l'autre sur la croisade. L'Eglise se méfie de ces confusions, en notre siècle plus que jamais. Les condamnations en France du *Sillon* et de l'*Action française* en constituent deux démonstrations symétriques. Une partie des mises en garde les plus récentes du Saint-Siège à propos de certaines « théologies de la libération » ou à propos du rôle des prêtres dans les partis ou les fonctions politiques s'explique de la même façon.

II

POLITIQUE ET SACRÉ

« Rendre à César ce qui est à César »

J.-L. MISSIKA. — *Pouvez-vous commenter cette parole du Christ : « Il faut rendre à César ce qui est à César et à Dieu ce qui est à Dieu » ? Est-ce, pour vous, la première et la meilleure formulation du clivage entre le politique et le sacré ?*

JEAN-MARIE LUSTIGER. — C'est la manière dont le plus souvent on l'entend. Je ne me satisfais pas de l'explication classique dont on a souvent déduit un partage des domaines et des pouvoirs. Un exemple : « Messeigneurs, occupez-vous de vos oignons ! » Ou encore, en style plus noble : « Les curés, à la sacristie ! » Ou enfin en style populaire : « Mais de quoi se mêle le Pape ! »

La parabole vise la prétention de César de se mettre à la place de Dieu, comme parfois la prétention des représentants de Dieu de se mettre à la place de César. En fait, cette réponse est une réponse polémique de la part du Christ qui prend en défaut ses interlocuteurs...

J.-L. M. — *... qui veulent le faire trébucher...*

J.-M. L. — Il faut un minimum d'explications. Quand les juifs payaient leur impôt au Temple, ils devaient changer leurs pièces romaines contre la monnaie du Temple. En se faisant présenter la monnaie à l'effigie de César, Jésus rappelle à ses interlocuteurs que, libres devant Dieu, ils relèvent d'une autre autorité que celle de l'Empire. L'autorité de César sur Israël, réelle et pesante, n'est pas l'autorité divine. Jésus ne met donc pas Dieu et César à parité comme des homologues, à la manière du sacerdoce et de l'empire selon la vieille querelle païenne. Il ne partage pas le monde entre Dieu et César. Il affirme que tout appartient à Dieu et qu'il faut tout lui rendre. Il ne faut donner ensuite à César que ce qui lui est dû, mais rien que cela ; et ce qui est dû à Dieu, il faut le lui donner, c'est-à-dire tout.

Mais Dieu ne se comporte pas comme César, et il faut que César ne prétende pas se comporter comme Dieu, sinon il devient un tyran et une idole. En fait, c'est ici le principe de la liberté qui se trouve opposé à tous les totalitarismes et à tous les impérialismes, au sens le plus fort puisqu'il s'agissait là de l'empereur. L'Evangile affirme que le garant de l'homme et de sa liberté est précisément Celui qui est son créateur, Dieu lui-même. Aucune créature ne peut demander compte à l'homme de sa liberté si ce n'est dans une libre adhésion. L'autorité est toujours déléguée et vient de Dieu, donc elle a à rendre des comptes. C'est assurer, tout à la fois, l'autonomie de l'ordre politique et sa relativité ; c'est affirmer que les sujets de tous les empereurs ne sont jamais les esclaves, ni la propriété des empereurs. Ils ont des droits imprescriptibles.

D. Wolton. — *La collusion entre les deux débouche alors sur une théocratie ?*

J.-M. L. — Il en a existé et l'Eglise s'en est toujours méfiée ou défendue. Le pouvoir temporel des papes a été justifié en théorie comme une condition d'exercice du pouvoir spirituel de la papauté. Il a entraîné des dérives et des abus évidents, dont les historiens peuvent rendre compte de façon circonstanciée. Mais en même temps, chaque fois qu'il y a eu tentation de théocratie, au sens strict du mot, l'Eglise catholique a freiné en attirant l'attention sur le danger et l'illusion qu'elle représente. Un cas est resté très célèbre, celui des sociétés idéales que les jésuites avaient entrepris de construire en Amérique du Sud et qui ont été sanctionnées par l'autorité pontificale. Autrement dit, l'idéal d'une société politique chrétienne se confondant avec l'Eglise est une tentation d'une ambiguïté formidable, et ce fut le cas de tous les empires chrétiens. Cela ne veut pas dire que l'Eglise récuse l'idée qu'un peuple en sa culture et en ses institutions puisse se réclamer du christianisme. Mais se réclamer du christianisme au point de prétendre identifier une réalisation historique, sociale et politique avec le Règne de Dieu, cela ne se peut pas. Certains théoriciens du XIXe et du XXe siècle ont appelé la « chrétienté » un tel système politico-religieux. Dans la langue chrétienne antérieure, ce mot avait un sens plus concret : il désignait l'ensemble des peuples baptisés, membres de l'Eglise. Il désignait de façon concrète ce que nous appellerions aujourd'hui « le peuple de Dieu ». Il ne faut pas que les chrétiens confondent la vie de ce monde qui passe et qui change avec l'avènement du Royaume des Cieux. Même si, à un instant donné, tous les hommes d'un pays étaient sincèrement croyants, baptisés, désireux de la sainteté, pour autant les risques du péché demeureraient : l'histoire n'est pas finie.

D. W. — *Mais à l'inverse, une fois admise la sécularisation ou la séparation entre les deux cités, pensez-vous qu'il puisse y avoir une « politique chrétienne » ?*

J.-M. L. — Il peut y avoir des conduites politiques plus ou moins en contradiction ou en conformité avec une visée chrétienne...

D. W. — *Ce n'est pas la même question...*

J.-M. L. — ... mais cette conformité ou cette discordance ne suffit pas pour autant à garantir une bonne politique. Il faut croiser plusieurs facteurs ; le premier : dans une situation donnée, déterminer la « bonne » solution, c'est-à-dire sage et efficace ; le second : apprécier moralement les actes et les fins poursuivies ; le troisième : négocier le consensus des citoyens ; et d'autres facteurs encore. Ne me demandez pas de faire une analyse complète de la décision politique. En tout cas, il ne suffit pas en politique de bonnes intentions morales, même si celles-ci sont d'obligation ; l'information, le courage et la force, l'esprit de décision, l'intelligence, la compréhension des facteurs en jeu, ou le calcul des forces sont indispensables aux arbitrages pratiques rendus par la raison politique.

J.-L. M. — *Ceci correspond à l'opposition — ou à la distinction — entre politique et morale, c'est-à-dire que la politique n'est pas forcément une activité qui relève de la morale. Allons un peu plus loin : il existe des exemples historiques de décisions politiques qui, apparemment, s'opposaient à la morale et qui se sont révélées être de bonnes décisions politiques, acceptables du point de vue de ce que Weber appelle « l'éthique de la responsabilité ».*

J.-M. L. — On ne sait jamais ce qui se serait produit si on avait agi autrement. Le propre de l'histoire est d'être irréversible et on ne peut jamais l'expérimenter, au sens des sciences physiques. Chaque acte, chaque destin, est singulier et irréversible. Un homme ne remplace pas un autre homme. Chacun a sa vie dont il est responsable, comme il est responsable de l'humanité.

J'en viens maintenant à votre question. Qu'entendre par un acte « de bonne politique » ? En fait, la politique coûte toujours quelque chose, il y a toujours quelque part un débit et un crédit, un compte à solder. Celui qui se réclame comme principe d'action de la seule « Realpolitik » ou de la seule volonté de puissance d'un Etat pourra dire : « C'était un bon acte politique, c'était de bonne gestion. » Mais quel est le coût humain et parfois le coût moral ? Si vous obtenez l'empire, ou une victoire de type « impérialiste », c'est-à-dire la domination, l'empire d'une nation ou d'un parti sur un très grand nombre d'hommes ou sur de vastes territoires, que vaut cette victoire si elle est acquise au prix de la déchéance morale ou spirituelle de cette nation ou de ce parti ? Si vous faites une guerre de conquête et que, dans cette guerre, des générations de jeunes hommes apprennent la brutalité, la torture et ce qui dégrade les hommes, tôt ou tard la nation le paiera. Est-ce une bonne politique ? Cela a-t-il été « de bonne politique » pour l'Espagne ou le Portugal d'encourager la conquête du Nouveau Monde par des conquistadores aux ambitions mêlées... ? Qu'aurait-il fallu faire ? Aurait-il été possible de faire autrement ? Peut-être. Quel prix cela aurait-il coûté ? Ce sont des questions difficiles, mais qui montrent la nature de l'action politique dont la rationalité est beaucoup plus complexe que celle des sciences exactes. Car la rationalité de la conduite politique doit compter avec l'irrationnel de la violence et elle inclut nécessairement le jugement éthique.

J.-L. M. — *Oui, mais vous présentez les choses de façon globale. Or le problème de la politique est qu'il s'agit toujours de décisions « ici et maintenant ». C'est le problème de l'opportunité de la décision. Il y a un exemple relativement classique, celui de la réaction de la France à la remilitarisation de la Rhénanie en 1936. Certains historiens affirment que, si la France avait réagi militairement à cette remilitarisation, Hitler aurait sans doute reculé. Or, à l'époque, l'absence de réaction militaire de la France à l'occupation de la Rhénanie a été interprétée par quelques hommes politiques comme un acte de morale et de courage.*

J.-M. L. — Cela pouvait aussi bien être un acte de lâcheté. En quoi ne pas riposter à Hitler était-il, dans ce cas, un acte moralement meilleur ? C'est le problème de la conscience morale et du jugement pratique : voir où est le bien et quel bien est à faire. La règle première de la morale est qu'il faut faire le bien et éviter le mal. Dans ce cas, on pouvait dire que le bien c'était de vouloir la paix. Mais on pouvait dire aussi que le bien c'était de défendre le droit et d'imposer, par une mesure de force limitée, le respect d'un traité.

D. W. — *Oui, mais la question est justement l'appréciation des circonstances.*

J.-M. L. — Le jugement moral ne se confond pas avec une réaction sentimentale qui se superposerait au jugement politique, sinon, il résisterait mal aux calculs de la « Realpolitik ». Les mêmes responsables politiques et les mêmes peuples peuvent basculer, du jour au lendemain, des beaux sentiments au cynisme lâche de la « Realpolitik ». Une conduite politique fidèle à la morale exige des peuples et de leurs dirigeants plus de lucidité et de courage. A partir de quel moment doit-on dire : « Non, il vaut mieux obéir à Dieu qu'aux hommes. Quel qu'en soit le risque. Quel qu'en soit le prix » ? Quand les hommes ont assez de lucidité et d'honnêteté pour répondre : « Maintenant », ils doivent être prêts à en payer le prix : leur vie. « Plutôt perdre la vie que les raisons de vivre », disaient les anciens.

Peut-on fonder une politique chrétienne ?

D. W. — *Pendant longtemps il y a eu dans la chrétienté une superposition de l'ordre spirituel et de l'ordre temporel. Aujourd'hui, la règle est la séparation de l'Eglise et de l'Etat, et la religion chrétienne devient elle-même minoritaire. Ne pourrait-il pas y avoir une tentation que l'on a vu émerger en France entre les deux guerres, jusqu'aux années soixante, de construire une politique chrétienne avec des principes d'action et des objectifs politiques fondés sur la religion, dans le cadre d'un parti ? Pensez-vous que cela soit possible, ou bien, au contraire, ne serait-ce qu'une tentation ?*

J.-M. L. — Une remarque préalable au sujet des chrétiens qui seraient devenus minoritaires. En fait, ils n'ont cessé de se trouver dans cette situation au long de l'histoire des sociétés humaines. Pour ne citer que quelques exemples, je vous rappelle la confrontation avec d'autres religions, notamment avec l'islam, et la condition des chrétiens du Proche-Orient dans l'empire turc ou dans les différents empires musulmans... Les situations minoritaires ne caractérisent pas seulement les temps modernes et la situation tragique au Liban. L'idée que la chrétienté était complètement close et achevée est une reconstruction moderne. L'évangélisation n'a jamais cessé hors des frontières de ce qu'on appelait alors la chrétienté : perses, angles (anglais), peuples slaves, etc., et à l'intérieur de ses frontières. Les historiens nous rappellent que ce qui nous semble un fait nouveau en France existait déjà depuis des siècles. L'apport « missionnaire » du XVIIe siècle (saint Vincent de Paul, saint Jean Eudes et combien d'autres) et les « missions » paroissiales du XIXe siècle en sont la preuve.

Je reviens maintenant à votre question, c'est-à-dire à la tentative d'identifier le catholicisme à un parti déterminé dans un régime démocratique.

D. W. — *Ce besoin d'identification peut très bien exister également au sein d'une Eglise minoritaire, où l'on souhaite mobiliser plus fortement un comportement politique spécifique des chrétiens.*

J.-M. L. — Cela est apparu en Allemagne, d'abord avec le Zentrum, puis avec la démocratie chrétienne. Au XIXe siècle la création d'un parti catholique a pu signifier la crainte des vexations ou des persécutions du pouvoir de l'Etat. Les catholiques s'organisaient pour se défendre. Réaction logique et efficace conforme à la démocratie. Mais, en même temps, équivoque puisque le prix à payer est évident : laisser supposer qu'il n'y a qu'une seule attitude politique possible pour la vie et la survie de la communauté catholique.

C'est courir le risque d'une identification entre position religieuse et parti politique. Les régimes démocratiques contemporains ont permis que le domaine politique soit relativisé. Les clivages et les débats ne coïncident pas nécessairement avec les appartenances confessionnelles. Les mêmes principes moraux qui commandent une attitude chrétienne peuvent engendrer des politiques différentes. Les hommes politiques, s'ils sont chrétiens, reconnaissent la même source de jugements de valeur sur des actes humains et sur les finalités ultimes de la société, sans que pour autant leurs représentations du devenir social et leurs choix des moyens doivent nécessairement coïncider. L'Eglise propose une doctrine sur les fondements anthropologiques de la vie sociale et sur le devenir de la civilisation : la doctrine sociale de l'Eglise. Vouloir faire de l'enseignement social de l'Eglise non seulement le cœur et l'armature d'une entreprise politique mais aussi son programme, c'est faire jouer à la doctrine sociale de l'Eglise un rôle de suppléance par rapport aux doctrines économiques, aux risques et aux aléas des choix politiques.

J.-L. M. — *Vous ne regrettez pas l'absence d'un parti démocrate-chrétien en France ?*

J.-M. L. — C'est vraiment affaire de circonstances.

J.-L. M. — *Seulement ! Vous pourriez dire : ce qui se passe en Italie et en Allemagne, après tout, n'est pas si mal...*

J.-M. L. — Notre histoire nationale est bien différente.

D. W. — *Cela a quand même été tenté : c'était l'objectif du M.R.P. fondé en novembre 1944.*

J.-M. L. — Oui et non. En France, le parti démocrate-chrétien a été fondé avant la Deuxième Guerre mondiale. Son orientation politique s'inscrivait dans un débat interne au catholicisme. Il s'est opposé à la droite maurrassienne. Après 1940, dans la Résistance, ses militants projetaient un grand parti « démocrate-chrétien ». A la Libération, ce mouvement — grâce à la Résistance — a débouché sur la place publique. Malgré son succès électoral, le M.R.P. ne s'est pas appelé parti démocrate-chrétien. Ses dirigeants, dans une France encore proche de la France rurale du XIXe siècle, n'ont pas osé ce que De Gasperi a fait en Italie, ou Adenauer en Allemagne. Pourquoi ?

Leur programme s'inspirait d'une vision chrétienne de l'homme et de la société. Il était cependant de bonne santé intellectuelle et politique d'en reconnaître la contingence. Robert Schuman, le « père de l'Europe », en fut l'une des grandes figures. C'était un homme exceptionnel, d'une probité exemplaire, un homme de prière et de foi ; certains ont demandé sa canonisation. Il avait une conscience aiguë que son action politique ne pouvait pas se confondre avec la réalité spirituelle et institutionnelle de l'Eglise. Il reste que l'idée d'un parti démocrate-chrétien en France n'est pas complètement disparue puisque l'étiquette a été reprise récemment.

J.-L. M. — *Là, vous faites allusion au tout petit parti « démocrate-chrétien » ? Parce qu'il y a aussi le C.D.S. en France...*

J.-M. L. — Il ne se dit pas « chrétien »...

J.-L. M. — *Il ne se dit pas chrétien, mais il est l'héritier de ce courant.*

J.-M. L. — Même s'il y a des héritiers du courant démocrate-chrétien dans plusieurs groupes politiques actuels, la position de principe prise par l'épiscopat français est celle d'un pluralisme clairement affiché. L'Eglise refuse d'être identifiée à aucun parti politique. Il y a des catholiques convaincus dans à peu près tous les partis du pays.

D. W. — *Donc l'idée de compter politiquement les catholiques ne vous paraît pas une idée... lumineuse ?*

J.-M. L. — Je comprends qu'une vue simplifiée du « vote des catholiques » intéresse les spécialistes du marketing politique. Mais faute de prendre en compte la nature du fait religieux et de son incidence sur la vie sociale, ils risquent de graves mécomptes, même dans leurs prévisions électorales.

J.-L. M. — *Cependant, vous dites que le sacré et la politique ne sont pas complètement séparés. Je cite vos propos au cours d'une conférence à l'Ecole militaire : « Le pouvoir politique touche à l'essence d'un peuple, à son unité. Or, cela touche le sacré. » D'où la question : En quoi le sacré est-il en jeu dans la politique ?*

J.-M. L. — Je donne là au terme de « sacré » une acception compréhensive, large. On pourrait être tenté de faire de la politique une pure pratique rationnelle, une simple stratégie de l'action, un calcul des chances dont les données, à la limite, pourraient être mises sur ordinateur ! En réalité, dès que l'on touche au domaine social, quelque chose d'autre intervient : quelle est la réalité de la vie sociale ? Se ramène-t-elle au calculable ? Ou bien y a-t-il au centre de la vie sociale un noyau dur qui commande le reste et qu'on peut appeler « patrimoine symbolique » (ou « sacré » ou « représentation collective » ou « mémoire historique ») qui constitue l'unité et le consensus d'un peuple à un moment donné ? Dans ce patrimoine s'expriment les fins et les valeurs poursuivies par une civilisation et auxquelles chacun des citoyens participe avec plus ou moins d'adhésion. Ceci reste difficile à définir. Quand les historiens s'y essayent sur les sociétés du passé, leurs hypothèses sont multiples, les modes d'approche variés, et toujours l'essentiel échappe. Le fait social humain demeure extrêmement énigmatique. C'est en ce sens-là qu'il touche au sacré.

Le sacré, c'est la relation de l'homme à ce qui, parmi les hommes, les dépasse et qui leur permet d'exister et de se constituer en société. On peut en donner une définition purement sociologique, comme le faisait Durkheim. On trouverait d'autres formulations de la même idée chez Mauss ou chez des sociologues qui observent les sociétés dites primitives. Mais cette attribution du sacré à un état primitif de la société, dont sort la théorie moderne de la sécularisation, est la meilleure manière de ne pas comprendre les sociétés modernes. Si on fait de la sécularisation la négation du sacré, dit « archaïque », on méconnaît que, dans les sociétés sécularisées, le sacré s'est investi ailleurs. En effet, les hommes ne cessent pas d'être libres, ils ne cessent pas de conjuguer leurs libertés et n'échappent ni aux jugements de valeur morale ni à la mémoire qui les précède. Or, le sacré touche, d'une façon ou d'une autre, ce patrimoine symbolique, il concerne cette mémoire historique. La révélation chrétienne donne à la mémoire de l'humanité une ampleur et une dignité inouïes dès lors que cette mémoire n'est pas simplement la mémoire d'une ethnie ou d'une tribu, mais la mémoire universelle : elle inclut le moindre petit enfant qui inscrit sa destinée dans l'histoire de l'humanité, du commencement du monde à sa fin, lorsqu'il récite le Credo. Cet enfant prend place dans la solidarité de tous les hommes du monde entier, de tous les mondes imaginables ; il affirme ainsi l'unité de toutes les générations et l'Alliance de Dieu avec le genre humain. C'est un acte de mémoire et d'anticipation. Or la politique, à sa façon temporelle, dispense, elle aussi, mémoire et liberté. Les vrais hommes d'Etat sont capables de mobiliser ce patrimoine symbolique et de révéler à un peuple ce qu'il possède en lui-même.

Le sacré et le lien social

J.-L. M. — *On a longtemps dit — au moins depuis le début du siècle — que le sacré était en voie de disparition avec la laïcisation de la société. On réalise aujourd'hui que cette analyse est un peu insuffisante, le sacré n'a pas disparu mais il est incorporé directement par la société dans le lien social. En fin de compte, ce qui distingue les sociétés contemporaines des sociétés antérieures, n'est-ce pas que, dans les sociétés antérieures, il y avait une instance du sacré (la tradition, ce que faisaient les ancêtres et que l'on doit reproduire à l'identique) qui n'est plus autonome aujourd'hui ? A partir du moment où nos sociétés sont entrées dans l'histoire et fabriquent le lien social, il y a une espèce de fusion, d'incorporation du sacré dans le fonctionnement de la société elle-même, ce qui entraîne la disparition de l'instance extérieure qui, de façon extra-sociale, pouvait donner un sens au social.*

J'aimerais bien avoir votre avis sur ce genre d'analyses.

J.-M. L. — Je serais prêt, sous réserve de lectures plus approfondies, à admettre une part de cette thèse ; elle me paraît éclairer le rôle de l'Eglise dans des sociétés dites non sacrales et qui en fait réinvestissent ou redécouvrent le sacré autre part. Mais la question demeure : « Quelles sont la nature et la source du sacré dans ce cas ? » Quand le pouvoir politique usait des attributs religieux avec le sacre des rois ou, comme cela s'est produit, sans que l'on s'en rende compte, au XIXe siècle avec le pouvoir impérial ou le pouvoir républicain, il y avait collusion, confusion, ou compétition, entre le pouvoir de l'Eglise et le pouvoir temporel. C'est ce qui s'est fait dans le passé. Les princes se voulaient, à la limite, chefs de l'Eglise : Constantin a présidé le concile de Nicée ; Charlemagne se voyait comme le père protecteur de l'Eglise ; cela a été théorisé dans une théorie médiévale dite « des deux glaives ». Aujourd'hui même, le sacré réduit au fonctionnement social se trouve une référence ou un visage : c'est ainsi que les Césars se mettent souvent à singer Dieu, en voulant restaurer les religions ancestrales, à leur profit, de la façon la plus grossière. Les uniformes, les parades, les rites sociaux, les fêtes, les allégeances, tout cela n'a pas disparu du fonctionnement des régimes politiques en cette fin du XXe siècle. Les journalistes le perçoivent qui usent généreusement du vocabulaire chrétien pour décrire les manifestations de la vie politique. Jamais on n'avait autant parlé de « grand-messe » et d' « état de grâce » en ce domaine...

Dans cette perspective, la richesse symbolique de la mémoire de l'Eglise face aux mythologies apparaît avec une force beaucoup plus grande, et l'on voit plus nettement les différences entre les mythologies séculières et l'Histoire du Salut donné d'En-Haut. Le XIXe siècle occidental a pensé ranger la Bible dans le magasin des mythologies ; elle y mourrait de la même façon que les dieux. La fin du XXe siècle montre qu'il n'en est rien. Même s'il y a dans la Bible des expressions mythiques et légendaires, elle reste cette mémoire de l'humanité qui peut précisément accueillir tous les débris de la culture. Elle résiste au désenchantement du monde et à la perte de fascination du sacré identifié à la vie sociale.

Ce n'est pas sans raison que les Pères de l'Eglise ont, à un moment donné, réintégré dans l'Histoire sainte Platon, Homère et Virgile ; ce n'est pas sans raison qu'à la chapelle Sixtine, les sages païens, Socrate, Platon, Aristote, la Sibylle, figurent avec les prophètes dans cette synthèse de la « Renaissance » ; et ce n'est pas sans raison que l'on peut espérer voir la mémoire et la diversité des nations païennes recueillies, acceptées, maternellement transmuées par la mémoire vive du peuple de Dieu. Ce qui est un tout autre accueil que celui du Musée de l'Homme ou du Musée des Arts et des Traditions populaires. C'est l'accueil d'une mémoire vivante.

D. W. — *Comment expliquez-vous que, depuis une quarantaine d'années, l'Eglise ait été finalement si peu distancée par rapport aux idées de la société civile ? On la disait conservatrice, mais ses actes comme ses réformes ou ses discours semblent rétrospectivement avoir été beaucoup plus à l'unisson avec la société civile qu'en opposition avec elle. Comment expliquez-vous ce qui apparaît finalement comme un manque d'autonomie de l'Eglise à l'égard de la société ?*

J.-M. L. — Est-ce une réaction de défense ? Beaucoup de catholiques voulaient se justifier d'une critique et répondre aux attaques de l'esprit moderne à l'égard de l'Eglise.

A l'époque antérieure les contradictions et les conflits étaient internes au christianisme. Les théologiens et les penseurs chrétiens étaient parfois divisés par leurs grandes querelles, par leurs grandes disputes qui conduisaient parfois à des dérives ou à des hérésies. Mais, à chaque fois, même si cela était payé d'un certain prix intellectuel et spirituel, il y avait là une occasion de progrès ou de reformulation. Avec l'esprit moderne, au contraire, la critique a consisté à dire : « Vous êtes en retard, vous êtes, comme nous dirions aujourd'hui, obsolètes, désuets, finis », et les chrétiens se reprochaient indéfiniment d'avoir manqué les tournants ! L'Eglise et la pensée chrétienne avaient été à la source du progrès, du moins avaient toujours été une source féconde de la pensée, et elles se trouvaient brusquement dessaisies de l'initiative spirituelle et intellectuelle. Ces générations ont voulu retrouver une position dont l'Eglise se trouvait délogée.

Dans le même moment — c'est l'autre face, me semble-t-il, de la crise spirituelle — l'Eglise, tentée par autre chose qu'elle-même, pour montrer qu'elle était de son temps, a pu risquer de perdre quelque chose de sa propre identité. Trop de choix pastoraux, apostoliques, spirituels se sont opérés par rapport à l'extérieur. En réalité, les grands mouvements de réforme interne sont toujours, dans l'Eglise, nés de l'intérieur, lui apportant un surcroît de sainteté et de grâce. Les grandes figures fondatrices le montrent clairement. Au XVIe, c'est évident avec tous les maîtres spirituels de l'époque moderne, saint Ignace de Loyola, saint Jean de la Croix, sainte Thérèse d'Avila, l'Ecole française, saint François de Sales et saint Vincent de Paul, le jaillissement qui a suivi le concile de Trente avec la floraison extraordinaire du siècle mystique. C'était vrai déjà auparavant avec les grandes figures charismatiques de saint François d'Assise, saint Dominique, saint Bernard, etc.

D. W. — *Vous voulez dire que tous ces mouvements étaient d'abord intérieurs à l'Eglise, et non pas « importés » de l'extérieur ?*

J.-M. L. — Les nouvelles catégories de pensée naissaient de l'intérieur même de la substance chrétienne, tandis qu'aujourd'hui l'Eglise semble provoquée au changement par les chocs venus de l'extérieur. Telle est du moins la représentation que s'en font beaucoup de chrétiens. Ils réclament de l'Eglise qu'elle « s'adapte » enfin au « monde moderne » sans mesurer qu'il leur appartient de répondre à cette revendication non par un ajustage aux exigences de la mode, mais par un renouvellement de leur identité chrétienne. Il leur faut non s'adapter, mais dégager du sens, non s'aligner, mais créer des modes de pensée et de vivre jaillis de la nouveauté chrétienne. Là est leur responsabilité. L'Eglise, comme corps constitué, a puissamment entrepris cette tâche par la convocation du concile de Vatican II. C'est le sens exact de l' « aggiornamento » dont parlait Jean XXIII.

III

L'ÉGLISE ET LE POLITIQUE

Les droits de l'individu et les droits de la personne

D. WOLTON. — *Pourquoi l'Eglise, dans l'ensemble, est-elle réticente à l'égard de l'individualisme, et quelle différence fait-elle entre les droits de la personne et les droits de l'individu ? Les droits de l'individu sont issus de la pensée laïque du XVIII*[e] *siècle, et les droits de la personne relèvent plutôt du vocabulaire de l'Eglise. Quelle est la différence entre ces deux notions et, s'il y a une différence, pourquoi a-t-on l'impression que l'Eglise, aujourd'hui, se rallie à l'individualisme moderne ?*

JEAN-MARIE LUSTIGER. — L'individualisme fait de chaque sujet un souverain, indépendamment des conditions historiques dans lesquelles il est appelé à vivre. Indépendamment aussi de la relation fondamentale à Dieu, son créateur. Cette relation singulière à Dieu — qu'un mot de Newman résume admirablement : *Myself and my creator,* Moi et mon créateur — est propre à la personne ; et ce tête-à-tête de chaque homme, de tout homme, avec Dieu, inclut la solidarité de tous les hommes entre eux. Donc, la considération de la solidarité naturelle des hommes me paraît être un premier élément qui distingue les deux conceptions. La société n'est pas seulement une collection d'individus : il ne faut pas oublier son aspect communautaire d'initiation à une communion. Le père de Lubac indiquait ce point dans le sous-titre de son livre : *Catholicisme ou les aspects sociaux du dogme.* Au moment où le danger le plus grave était celui des totalitarismes, il discernait cet aspect social et communautaire du dogme pour revendiquer face aux totalitarismes, au nom de la notion chrétienne de personne, la défense des individus.

D'autre part, l'individualisme issu du Siècle des lumières et auquel l'Eglise s'est heurtée s'est affirmé comme un droit abstrait indépendant des conditions d'exercice concret de ce droit.

J.-L. MISSIKA. — *C'est justement toute la force de la théorie de l'individualisme telle qu'elle sort de la pensée libérale.*

J.-M. L. — Elle ne garantit qu'un droit théorique à chaque individu. En ne prenant pas en considération d'autres facteurs, bien commun, dignité inhérente à chaque personne, créature de Dieu, etc., la théorie libérale prive pratiquement de ce droit le plus faible au profit du plus habile, du plus fort. Autrement dit, une affirmation formelle d'égalité n'assure pas la défense effective du droit, car l'individu n'existe concrètement que comme un sujet en relation avec d'autres.

D. W. — *Y a-t-il pour vous d'autres différences entre le concept de personne et celui d'individu ?*

J.-M. L. — Oui, parce que le concept de personne est un concept d'origine théologique. Pardonnez-moi d'avance si ce que je vais dire vous paraît trop technique. Il y a en théologie une définition fine et rigoureuse, liée à la singularité qui, en même temps, implique une idée de relation. Dans le dogme christologique, le terme de personne désigne le Sujet divin singulier, le Fils de Dieu qui pour nous s'est fait homme. Suivant la confession trinitaire, il y a trois personnes en Dieu. Saint Thomas d'Aquin définit la personne comme une « relation subsistante ». Ce terme de relation fait partie, dans la doctrine catholique, de la notion de personne. Il n'y a qu'un seul Dieu en trois personnes, encore que dire « trois » introduise déjà un mot abstrait.

Le symbole le plus commun et le plus fondamental est suggéré par les noms mêmes que l'Ecriture a donnés à Dieu : Père, Fils et Esprit. « Ils reçoivent même adoration et même gloire », c'est pourquoi la foi chrétienne parle de trois personnes en Dieu alors qu'elle confesse le seul Dieu unique qui a parlé à Moïse, comme à son ami. Pour dire le mystère, selon l'Ecriture qui parle de l'envoi du Fils et de l'Esprit, la théologie parle de missions et d'origine. Le Père est la Source qui engendre éternellement le Fils, lequel n'est pas créé — cet engendrement n'étant pas à confondre avec un engendrement humain —, et l'Esprit procède du Père et du Fils, ou du Père par le Fils. Il y a donc une *taxis* comme on dit en grec, un ordre, suivant l'origine. Mais qui dit « ordre » ne dit pas « subordination » : les personnes divines sont égales en dignité dans la communion de l'amour. C'est une des apories de la pensée humaine, c'est le mystère de la vie et de l'amour divins, et seul Dieu révèle Dieu.

Cette révélation cependant trouve dans la création, y compris dans l'être humain, un reflet. L'homme cherche dans la compréhension de l'homme des éléments pour comprendre quelque chose de ce mystère de Dieu tel qu'il lui est révélé. Et la notion de personne est indissociable de cette révélation de Dieu comme génération et comme amour. En allant plus loin, rappelons la première page de la *Genèse*. « Dieu crée l'homme à son image et à sa ressemblance. » La créature humaine est à l'image de l'Image que Dieu se donne de Lui-même, son propre Fils. La condition humaine est filiale. Cette dignité et cette vocation filiales marquent l'être humain comme une personne singulière appelée à la communion. C'est dans la relation de l'homme comme personne à Dieu Trinité de Personnes, c'est par la communion dans l'Esprit à la Personne du Fils, que nous accédons au Père des cieux que nul n'a jamais vu. L'ordre éternel de la vie et de l'amour se reflète et se répète, si on ose ainsi parler, dans l'accès historique de l'humanité à la vie relationnelle, personnelle de Dieu. Le dessein de Dieu de diviniser l'homme se trouve préannoncé dans la découverte que l'homme fait de lui-même comme une personne. En se découvrant personne, il se découvre capable de rapports personnels avec Dieu, et quand le Mystère lui est révélé, il reconnaît Dieu comme son Père ; il espère dans le Fils qui lui est donné comme vis-à-vis, comme un Frère ; il se croit appelé à aimer comme Dieu aime, dans l'Esprit.

Ce que j'expose ici fait partie de l'héritage tout à fait commun des Eglises chrétiennes, avant les grandes divisions et les grands schismes des époques médiévale et moderne. Notre civilisation a peut-être consommé ces concepts plus avidement qu'elle ne les a reçus dans leur richesse. Il est remarquable que tous les mystiques chrétiens ont, d'une manière ou d'une autre, accédé à ce mystère d'union personnelle en Dieu et avec Dieu. Là est le centre vital où se nouent à la fois la découverte de Dieu dans la mystique chrétienne, la réalité de l'Eglise communion et la dignité de la personne humaine. Quand saint Paul, lui juif, écrit, avant l'an 70, à ceux qui n'ont aucun droit dans l'Empire romain, au rebut de l'humanité, aux esclaves : « Vous êtes le temple de l'Esprit Saint » (1 Co. 6,19), c'est une affirmation formidable de la dignité de chacun et du respect dû à la personne humaine.

D. W. — *Revenons à l'histoire. L'Eglise a, pendant près d'un siècle, dénoncé les illusions du libéralisme politique et économique. Pour être juste, il faut rappeler qu'elle dénonçait aussi la conception socialiste. En réalité, elle a été en porte-à-faux par rapport aux deux grands mouvements du XIXe siècle, sans jamais réussir à faire prévaloir le sien propre, autrement qu'en ayant tendance à soutenir des pensées et des régimes conservateurs qu'elle ne soutiendrait plus du tout aujourd'hui.*

J.-M. L. — Si on définit chaque individu humain comme une personne, c'est qu'il est un sujet responsable qui a valeur en lui-même, et dont l'identité spirituelle fait partie de la définition. Parler de personne, ce n'est pas seulement donner à la notion d'individu une définition extrinsèque et juridique, garantie par la positivité du droit, c'est également lui reconnaître et la dignité de créature voulue pour elle-même par Dieu, et sa vocation intégrale la plus profonde. Si on ne retenait que les droits des individus, les droits de l'homme revêtiraient un caractère arbitraire ; on pourrait notamment définir comme droits de l'homme ce que la majorité estime tel dans un pays donné, à une époque donnée. Donc, la question se pose immanquablement : « Quel est le fondement du droit ? Y a-t-il un fondement du droit qui soit universel ? » Je sais bien que la relativité des civilisations et des concepts fait hésiter, car ce qui paraissait acceptable ou inacceptable a varié selon les siècles et les lieux.

J.-L. M. — *Oui, c'est la fameuse phrase : « Non pas les droits de l'homme, mais les droits de l'Anglais et ceux du Français. »*

J.-M. L. — Il reste que la notion de personne prend ici toute sa valeur. On a dit « droits de l'homme » et non pas « droits de l'individu ». La notion de droits de l'homme implique en effet d'une façon ou d'une autre que les hommes sont assez humains pour avoir de l'humanité, pour reconnaître qu'un homme est un homme et n'est pas réductible à autre chose. Cette dignité naturelle inhérente aux êtres humains les manifeste comme des personnes dont la condition et la destinée sont communes. La dignité personnelle de l'humanité s'impose donc à tous au point que les hommes ne peuvent, arbitrairement, retirer l'humanité à un de leurs semblables ni le priver de ses droits fondamentaux.

J.-L. M. — *Dans la définition que vous donnez, il y a un élément qui fait clivage par rapport à la définition libérale de l'individualisme, c'est celui de bien commun de l'humanité. Dans le libéralisme et l'individualisme politiques, on parle au contraire de pluralisme des valeurs. Il me semble qu'il y a chez vous l'idée sous-jacente d'un bonheur qui est commun à l'ensemble des hommes, alors que, dans l'individualisme politique, le collectif a pour unique fonction de définir les règles à partir desquelles chaque individu se débrouille dans sa quête du bonheur puisqu'il y a pluralisme des valeurs et pluralisme des finalités. Il y a peut-être là une différence infranchissable entre les deux définitions.*

J.-M. L. — L'un des droits imprescriptibles de la personne humaine est la liberté de chaque homme à s'autodéterminer par rapport à sa propre fin : le Souverain Bien. Nul ne peut forcer quelqu'un, malgré lui, à choisir la liberté, ni à opter pour le Bien. Cette autodétermination de l'homme ne l'oppose pas à Dieu d'une façon prométhéenne. Dans la vision que le croyant a de la condition humaine, chaque homme est responsable de sa liberté, ultimement, « devant Dieu ». Dieu est l'ultime et absolue caution des droits de l'homme, l'ultime défenseur de l'homme. Il y a là un acte de foi en l'homme, tout à fait prodigieux. J'emploie cette formule, susceptible de méprise, et d'un sens blasphématoire, si on la comprenait comme suit : « Je crois en l'homme, donc je ne crois pas en Dieu. » Non ; quand je dis « Je crois en l'homme », cela signifie : « Je crois que Dieu donne à l'homme sa dignité personnelle, irrévocable. » Mon amour des hommes et mon espérance dans la destinée de l'espèce humaine tiennent à la foi que j'ai en Dieu qui nous crée, nous tient en sa main, et nous donne de nous reconnaître comme des hommes appelés à communier à sa

Vie. Quand je rencontre un être humain, j'espère découvrir un semblable, ou plutôt un frère, car précisément nous avons un Père commun.

Rappelez-vous l'ampleur de l'esclavage dans l'Antiquité. Si vous regardez la manière dont Paul parle des esclaves et de l'esclavage, vous vous apercevrez que, dès ce moment-là, le principe d'égalité en dignité, inscrit en filigrane dans la révélation biblique, était posé avec force par l'enseignement du Christ, par la pratique chrétienne. La Bible déjà refusait l'esclavage à l'intérieur du peuple juif.

J.-L. M. — *Oui, mais pour les esclaves juifs seulement.* .

J.-M. L. — Et désormais, en raison même de l'entrée des païens dans le peuple de l'Alliance, il s'agit d'une affirmation de la dignité humaine et de l'unité du genre humain en Adam, déjà incluse dans les prémices de la révélation, dès les premières pages de la Bible. Dès ce moment, le lecteur des épîtres de saint Paul sait que l'esclavage sera condamné à terme si cette religion s'impose dans le cœur et les esprits de ceux qui gèrent les cités, les royaumes, et les empires.

L'Eglise à la recherche d'une troisième voie ?

D. W. — *Depuis le* XIX*e siècle, l'Eglise a condamné le libéralisme, puis le communisme, et a longtemps prôné, sur le plan syndical et politique, la recherche d'une troisième voie, qu'elle a eu d'ailleurs du mal à trouver. Peut-elle encore prôner cette recherche d'une troisième voie entre le libéralisme et le marxisme, alors qu'elle semble en fait défendre, notamment au travers des droits de l'homme, une position de plus en plus libérale ?*

J.-M. L. — La position de l'Eglise a ceci de propre qu'elle adopte une problématique différente de celle de ses interlocuteurs. Le marxisme a besoin du capitalisme pour exister, ne serait-ce que par sa théorie du prolétariat. Et le libéralisme a eu besoin du socialisme sinon du marxisme pour exister comme théorie concrète et cohérente. Ce sont, en fait, deux frères ennemis qui ont besoin l'un de l'autre, à ceci près que le marxisme dira que le libéralisme n'existe pas, tandis que le libéralisme récusera le marxisme comme une idéologie totalitaire. Ce sont des positions faussement en miroir qui semblent se partager l'empire du monde et auxquelles sont identifiées les deux grandes puissances que sont l'Union soviétique et les Etats-Unis. Peut-on alors les renvoyer dos à dos ? L'Eglise s'en garde. Car ces deux modèles ne sont pas symétriques. D'autre part, la position de l'Eglise elle-même a développé progressivement des formulations différentes. Les grandes encycliques sociales du début du siècle ont été influencées par l'état des théories économiques et par les circonstances socio-politiques de l'époque. Il ne s'agit pas d'une doctrine intemporelle.

D. W. — *Mais vous êtes d'accord pour reconnaître qu'à l'époque l'Eglise refusait les deux modèles, libéral et socialiste ?*

J.-M. L. — Elle rejetait le libéralisme dans la mesure où il méconnaissait l'enracinement, les obligations, la condition incarnée de la liberté humaine. Elle condamnait, récusait le marxisme parce qu'athée, totalitaire et « dialectique », c'est-à-dire faisant de la lutte des classes et de sa violence le moteur de l'histoire. Mais ce n'est pas un rejet symétrique, puisque ces théories ne sont pas symétriquement opposées. Elles ne sont pas contradictoires, elles sont ennemies : ce n'est pas pareil. Et, dans la mesure où l'Eglise tentait d'énoncer un point de vue respectueux des devoirs comme des droits de la personne humaine, elle se situait de façon critique à l'égard de ses deux interlocuteurs. Ce n'est pas non plus renvoyer les deux adversaires en disant : « Vous avez tort l'un et l'autre. » C'est dire à l'un : « Vous oubliez le bien commun », ou : « Vous systématisez le principe de la liberté individuelle de telle façon que nous ne pouvons pas être d'accord avec le rejet au moins pratique du Créateur de tous », et à l'autre : « Vous déniez sa dignité morale à la personne et vous méconnaissez au nom des violences, instituées ou non, les puissances de communion à l'œuvre dans la création. »

D. W. — *L'Eglise a fait plus : elle a essayé d'inspirer un modèle politique, chrétien-démocrate, en allant très loin dans la recherche d'une organisation politique et sociale.*

J.-M. L. — Les chrétiens ont tenté de réaliser des modèles

opératoires à partir de cette source d'inspiration. Et ces modèles opératoires n'ont pas été uniques. Salazar et Franco se sont réclamés des principes chrétiens aussi bien que leurs adversaires démocrates-chrétiens. Les faits le montrent, les principes généraux énoncés par l'Eglise ne constituaient pas un programme d'action politique, ni la systématisation d'une théorie économique et politique. Elle ne pouvait prétendre le faire. Par contre, elle a énoncé dans des domaines définis une doctrine reconnaissant des droits et des devoirs, pour aider les responsables à prendre un certain nombre de décisions concrètes conformément aux exigences morales. Par exemple, l'Eglise dit qu'il est légitime, suivant la conscience morale, qu'en des circonstances déterminées les ouvriers fassent la grève ; il est légitime que son salaire permette à un homme de subvenir aux besoins de sa famille. Il s'agit de l'énoncé de droits et de jugements moraux déterminés, ou de principes plus généraux d'organisation de la vie sociale. Cette doctrine éthique ne concerne pas seulement le plan strictement politique. De même, rappeler que les prétendues lois de l'économie ne sont pas des déterminismes qui s'imposent au même titre que les lois physiques, et qu'elles doivent être subordonnées au respect et au droit des personnes humaines, relève du niveau d'intervention morale de l'Eglise.

Certains se sont fait un drapeau de la doctrine de l'Eglise, peut-être indûment, et ont voulu en tirer plus qu'elle n'a voulu donner : Paul VI l'a rappelé avec précision dans sa lettre de 1971 au cardinal Roy. Et quand le pape Jean-Paul II reprend, de façon expresse, les termes de « doctrine sociale de l'Eglise » pour caractériser cet enseignement, il mesure bien la modestie de notre propos face au savoir et aux difficiles problèmes que rencontre la société moderne, mais il entend dire les droits de la personne humaine avec force. Avec d'autant plus de fermeté qu'il fait face à un totalitarisme et à un économisme auxquels nous ne pouvons consentir sans faire courir à l'homme un risque grave. Car la personne possède des droits fondamentaux objectifs et inviolables que l'on doit reconnaître. Nous souhaitons, disent ceux qui sont responsables de l'Evangile, nous faire l'interprète des sans-voix, rappeler leurs exigences légitimes et demander à tous les hommes raisonnables de bien vouloir les respecter, même si les problèmes ne sont jamais résolus définitivement et si toute solution engendre de nouveaux problèmes.

Seuls les utopistes prétendent avoir dessiné le profil de la cité future, dont la construction aura résolu tous les problèmes.

D. W. — *Aujourd'hui, nous vivons dans une société « sécularisée » et dominée par le modèle démocratique, où l'Eglise a une influence moins grande qu'autrefois. Dans cette société, le poids de l'opinion publique est important. Que gagne l'Eglise à devenir un acteur parmi d'autres, aux yeux de l'opinion?*

J.-M. L. — Il ne faut pas que l'Eglise se voie uniquement dans l'image que l'opinion publique lui donne d'elle-même. Une société d'opinion dépend de son image réfléchie. Le meilleur modèle s'en trouve dans les sondages interactifs et instantanés présentés à la télévision. On vous suggère ce que vous pensez et de la sorte vous riez d'être « si belle en ce miroir ». Cette autorégulation de l'opinion par l'opinion elle-même est un autoconditionnement. Vous ne savez pas ce que vous pensez, mais vous allez le savoir, puisque, instantanément, vous savez ce que la majorité pense.

D. W. — *Mais on n'est pas obligé de penser comme la majorité.*

J.-M. L. — Mais c'est la majorité qui est l'opinion bonne, puisque majoritaire. Ce phénomène est nouveau en raison de son échelle, de son ampleur, des moyens qu'il met en œuvre.

D. W. — *Comment vous situez-vous, vous, par rapport au poids croissant de l'opinion publique?*

J.-M. L. — L'opinion publique a toujours existé.

D. W. — *Bien sûr, mais nous parlons du modèle actuel.*

J.-M. L. — Dans le modèle de fonctionnement actuel, il y a quelque chose d'extrêmement précieux, qui peut devenir une condition de liberté, et quelque chose d'extrêmement pervers, qui peut provoquer un recul de la capacité réflexive. Je vous renvoie — cela peut paraître un peu savant — à la sociologie de la connaissance. J'ai en tête Peter Berger et Luckmann; ils expliquent comment toute connaissance est un fait social. Pour être reconnue « vraie », une opinion doit être socialement admise. Dès le moment où une opinion n'est plus socialement admise, celui qui s'y réfère se sent devenir a-social, « fou ». L'importance du support social de la connaissance explique aujourd'hui le rôle des publicitaires, qui peuvent parfois conditionner l'opinion publique.

J.-L. M. — *Une objection : vous semblez considérer que les gens sont à la merci d'une manipulation par les médias, et de nombreux travaux sociologiques montrent que cette manipulation échoue la plupart du temps. L'idée que l'on puisse manipuler l'opinion, sur le plan commercial comme sur le plan politique, est une idée non démontrée bien qu'elle soit largement partagée.*

J.-M. L. — Bien sûr, mais c'est un jeu étrange qui consiste à utiliser les mouvements d'opinion au profit de l'annonceur comme le surfeur utilise la vague. Dans un système social soumis à l'opinion publique il manque un chaînon : le moment délibératif et argumenté, le moment critique. Ceux qui ont l'habitude des assemblées délibératives universitaires, ecclésiales, politiques, économiques ou sociales, savent bien qu'il y a des jeux et des ruses d'assemblées ; dans une vraie délibération grave et sérieuse, il faut avoir préparé ce que l'on veut dire, avoir réfléchi aux questions en débat pour savoir ensuite quelle position prendre. Sinon, on est à la merci du meilleur rhéteur, comme les Athéniens l'avaient compris. La rhétorique, qui était à cette époque l'art majeur de la politique, comportait en tout cas une médiation critique. Mais, dans ce régime d'opinions et de sondages instantanés, il manque l'instance critique. Des protagonistes s'envoient des arguments à la tête, personne n'est capable de vérifier les affirmations avancées. Si on fait intervenir un expert, il faut se fier simplement au sous-titre incrusté sur l'écran : « expert »

D. W. — *Mais plus géneralement, quelle analyse faites-vous de l'opinion publique qui joue un rôle essentiel dans le fonctionnement de la démocratie ? Le concept d'opinion publique est-il laïque ? Je précise : l'opinion qu'élaborent les citoyens d'une démocratie s'informant à l'aide des moyens de communication de masse.*

J.-M. L. — Ce système de miroir permet un pilotage de l'opinion ; l'opinion dominante devient le critère de la vérité. Il y a une espèce de bouclage, sauf quand de grandes vagues de fond entraînent les systèmes à réagir ou à basculer. Dans le domaine politique, par exemple, il arrive que des gouvernements pilotent par sondages. L'opinion publique catholique comme l'opinion publique non catholique auraient tendance à réclamer de l'Eglise un ajustage du même type. Ne pas le faire, n'est-ce pas se dérober au jugement démocratique de l'opinion ?

J.-L. M. — *Il y a une expression très ancienne :* Vox populi, vox Dei.

J.-M. L. — Le tout est de savoir si l'opinion est la *vox populi.* Est-ce la même chose ? Telle est la question.

J.-L. M. — *En revanche, vous êtes favorable à l'adage ?*

J.-M. L. — Sans réserve. Au sens où pouvait l'entendre saint Vincent de Lérins : le peuple de Dieu, c'est la totalité de l'Eglise, y compris sa hiérarchie et sa tradition

D. W. — *Cela peut correspondre a l'Eglise, mais pas à l'opinion publique !*

J.-M. L. — Autant il est nécessaire de prendre en compte les tendances de l'opinion publique, autant il me paraîtrait démissionnaire et démagogique d'en faire le critère principal du jugement et de l'appréciation. Je le vois au jour le jour dans les délibérations auxquelles je participe. Quand un mensonge est édité à cinq cent mille exemplaires, il devient « une vérité » qu'aucun démenti ne peut affaiblir.

Notre civilisation devra apprendre la maîtrise morale et intellectuelle des prodigieux moyens de communication qu'elle développe. Cela sera plus difficile que, par exemple, de maîtriser l'énergie nucléaire. Car la civilisation de communication qui s'instaure sous nos yeux aura des conséquences positives ou négatives sur l'existence physique, psychique, affective de tous. Conséquences qui ne peuvent être maîtrisées que par un apprentissage personnel de la liberté, si on ne veut pas laisser des groupes humains entiers tomber sous la dépendance des intérêts économiques engagés dans ces énormes investissements.

Liberté-Egalité-Fraternité : une formule chrétienne ?

D. W. — *L'Evangile contient le principe de l'égalité entre les hommes, mais quand les revendications de liberté et d'égalité apparaissent au* XVIII*e siècle, elles sont le fruit de la pensée laïque et sont même vécues en opposition complète à la religion.*

J.-M. L. — Le pape Jean-Paul II, venu en pèlerinage à Lourdes et accueilli par le président Mitterrand à l'aéroport de Tarbes, a commenté la devise : « Liberté-Egalité-Fraternité » en montrant les origines chrétiennes de ces trois termes. Votre objection, qui est très réelle, montre à quel point la crise de la Révolution française et des Lumières peut être comprise comme une sorte de nouveau schisme à l'intérieur de l'histoire de l'Occident. C'est une affaire interne à la pensée occidentale, donc chrétienne.

J.-L. M. — *Acceptez-vous tout de même qu'un système de pensée puisse exister hors de la religion ? Vous avez l'air de dire que toute pensée laïque est schismatique. Vous n'admettez pas qu'une nouvelle pensée puisse être athée, ou areligieuse, sereine à l'égard de la religion.*

J.-M. L. — Peut-être est-elle sereine aujourd'hui, mais elle ne l'a pas toujours été. Il reste que cette « nouvelle pensée athéiste ou areligieuse » est un produit de notre culture qui est chrétienne. Elle en porte la marque indélébile. A preuve vous définissez cette « nouvelle pensée » par la négation de ce qui la fait exister : athéiste, a-religieuse.

J.-L. M. — *Mais l'individualisme tel qu'il est conçu dans la pensée libérale du* XVIII*e siècle est, somme toute, relativement autonome par rapport à la définition que vous avez donnée de la personne dans la pensée chrétienne. Il est légitime de chercher des racines mais pas au point d'étouffer les idées nouvelles.*

J.-M. L. — Je le répète, je ne nie pas les ruptures, ni les négations, ni les contradictions, ni que celles-ci puissent un jour devenir durables dans les esprits. Mais qui fait une « histoire de la pensée de l'Occident » est bien obligé de rétablir les filiations. Même la philosophie se conçoit comme histoire de la philosophie, parce qu'il lui faut cette reprise perpétuelle des pensées et de leur genèse pour comprendre où elle va.

Le drame de l'époque moderne est que la revendication des droits de l'homme ne s'est jamais faite aussi urgente, aussi insistante, aussi universelle qu'au moment où les contradictions au sujet de leur définition et leur négation dans les faits ont été aussi fortes. Comme si l'homme était pris dans une contradiction infernale, la négation étant à la mesure de la revendication, et l'incertitude à la mesure de l'affirmation. L'eugénisme, l'euthanasie, les drames économiques, les victimes de la faim ou les guerres d'extermination, attestent à chaque instant cette même ambivalence.

D. W. — *C'est une chose de dire qu'il y a une difficulté à mettre en œuvre la défense des droits de l'homme, et c'en est une autre de dire que cette difficulté est la preuve du caractère bancal de ce concept.*

J.-M. L. — Ce que l'on croyait obsolète, à savoir une définition religieuse des droits de l'homme, est à la source de leur existence et réapparaît aujourd'hui avec une jeunesse et une actualité que l'on ne soupçonnait pas. La « mise en scène » de la raison triomphante s'est faite en prononçant la mort de Dieu et le renvoi de la religion dans les décors de l'histoire. Et voici que la scène jouée montre qu'il manque un partenaire et que ce partenaire devient nécessaire, simplement pour que l'acte entrepris puisse aller jusqu'au bout de lui-même. Autrement dit, la raison est obligée, pour assurer son triomphe, de vivre actuellement une péripétie qui lui échappe. Ce n'est pas le curé qui est sorti par la porte de gauche et qui rentre par la porte de droite, mais c'est, me semble-t-il, une réflexion plus profonde de la raison sur ses pouvoirs et sur sa vocation. Il faudra — selon une expression que j'ai déjà employée et qui vous a choqués — « sauver la raison d'elle-même pour que la raison triomphe ». C'est cela la question. Je le répète comme témoin de la foi et comme témoin de la dignité de l'homme : la révélation de ce qu'est l'homme comme créature de Dieu est le fondement ultime de la dignité de l'homme.

D. W. — *Aujourd'hui, après bien des guerres et des massacres, on en arrive à une sorte de consensus sur le principe des droits de l'homme. A ce moment-là, l'Eglise dit : « Oui, nous sommes tout à fait d'accord sur les droits de l'homme, nous pensons la même chose, et d'ailleurs, il faut retrouver une définition ontologique des droits de l'homme qui a toujours été la nôtre. » J'ai l'impression que l'Eglise, après s'être opposée aux deux systèmes philosophiques que sont le libéralisme et le socialisme, a finalement intégré la modernité et rejoint une certaine philosophie des droits de l'homme à l'occasion de Vatican II. Avec cependant l'affirmation d'une sorte de dimension supplémentaire. Vous acceptez le monde moderne après l'avoir combattu pendant un siècle : c'est une forme de récupération ; vous adhérez à cent cinquante années de pensée laïque !*

J.-M. L. — Non, vraiment, je n'arrive pas à souscrire entièrement à votre description de l'histoire. Le concept d'humanisme chrétien, comme les historiens de la pensée française l'ont montré, est beaucoup plus ancien. L'idée d'une éminente dignité de l'homme trouve sa substance très largement dans les racines bibliques. Ce que vous dites là, beaucoup le pensent, je le sais, mais c'est, à mon intime conviction, une vision idéologisée de l'histoire. C'est oublier nos racines et réduire le passé au conflit des partis aujourd'hui en présence.

D. W. — *Je vais prendre un autre exemple : la relation entre communauté et société. L'Eglise a toujours parlé des rapports entre la personne et la communauté. Or, depuis la fin du XIX*[e] *siècle, la société occidentale s'est profondément transformée et l'on est passé d'une société de petits groupes et de communautés restreintes à une société beaucoup plus anonyme, une société de masse. L'Eglise a condamné la transformation de cette société et continué à parler des rapports entre la personne et la communauté. Et puis d'un seul coup, depuis une vingtaine d'années, alors que la société de masse est devenue un fait, on a l'impression que le discours religieux admet cette transformation et s'y adapte. C'est le même problème que le rapport entre individu et personne.*

J.-M. L. — Les mots « communauté » et « société » sont fort anciens dans la langue théologique. Vous les trouvez déjà fortement affirmés dans saint Thomas, donc dans un contexte historique tout différent du nôtre. Le mot de communauté avait des acceptions logiques et métaphysiques ; il a pu aussi désigner de façon concrète les communautés religieuses. C'était devenu un concept juridique et non à proprement parler politique. Dans son usage actuel, Emmanuel Mounier l'a mis en valeur entre les deux guerres, pour faire face précisément aux contradictions du libéralisme et du marxisme. Mounier voulait réintroduire une vision sociale personnaliste ; la tentation de l'époque était de type totalitaire. Pris dans le dilemme « individu » et « masse » qui étaient les expressions employées (le mot « totalitarisme » n'était pas forcément un mot entièrement péjoratif dans toutes les langues), il a élaboré une doctrine « personnaliste et communautaire ». Gabriel Marcel y a apporté sa contribution originale. Entre personne et individu, communauté et société, les langues européennes ont des résonances différentes. La langue allemande est plus riche et plus nuancée de ce point de vue que la langue française.

L'origine chrétienne des droits de l'homme

D. W. — *Le thème des droits de l'homme — nous venons de l'évoquer — ne vient pas de l'Eglise, mais de la pensée politique laïque, issue de la Révolution du XVIIIe siècle. L'Eglise semble s'en être occupée un peu tard. Quelle est la spécificité de sa position par rapport à la manière dont la pensée politique moderne pose la question des droits de l'homme ?*

J.-M. L. — Les premières déclarations des droits de l'homme fondaient leur caractère inaliénable sur l'affirmation qu'il les reçoit de son créateur. L'humanisme est théiste. Il l'est resté aux Etats-Unis, dont la Révolution a précédé la nôtre. Très vite, en France, dans un contexte fortement polémique et antireligieux, les droits de l'homme ont été opposés aux droits de Dieu. Ils apparaissent comme une arme de combat contre l'Eglise sur la scène philosophique et politique française et continentale. L'Europe est alors en pleine crise d'enfantement de l'athéisme moderne. L'Eglise a donc d'abord une réaction de défense, une réaction négative par rapport à l'expression elle-même. Puis, avec deux siècles de distance — ce n'est pas long dans l'histoire de la pensée —, on voit un retournement complet des concepts et de leur fondement. Jean XXIII, Paul VI et Jean-Paul II utilisent l'expression dans une acception respectueuse de l'histoire et pleinement accordée à la doctrine la plus traditionnelle. Je suis obligé de revenir aux mêmes événements. Nous sommes à l'époque des totalitarismes et de la manipulation des droits de l'homme par des idéologies les plus contradictoires. Cette notion des droits de l'homme apparaît comme très fragile. Elle est invoquée par tous les Etats, même totalitaires, pour justifier leur conduite aux yeux de l'opinion publique internationale. Mais tout se justifie, y compris le mensonge ; les droits sont niés au nom des droits. Le seul fondement inébranlable des droits de l'homme, c'est précisément sa création par Dieu. Pour autant, cela n'impose pas à ceux qui veulent respecter ces droits de croire en Dieu. La confession de la foi permet de protéger l'énoncé de ces droits. Elle assure leur justification contre l'arbitraire de la mauvaise foi, et de la puissance des Etats, et des raisons d'Etat. Il y a dans l'homme quelque chose d'absolu, sa référence à l'Absolu que nous nommons Dieu. Servir l'homme et ses droits, c'est pour les croyants obéir à la loi divine, et donc aimer son prochain. Ceci ne relève pas simplement du bon sens ou de la logique ou de la rationalité, mais, pour le croyant en tout cas, cette conviction et ce respect reposent sur l'observation de la volonté et des commandements de Dieu. Cette raison d'être des droits de l'homme peut conduire le chrétien jusqu'au martyre.

D. W. — *Vous évoquez toujours les fondements des droits de l'homme dans une perspective religieuse, mais, du point de vue du contenu, quelle est aujourd'hui la spécificité de l'Eglise dans la défense des droits de l'homme ?*

J.-M. L. — Cela demanderait de longs développements. Tout d'abord, il y a des droits méconnus que l'Eglise affirme avec force.

Par exemple, la liberté des consciences qui inclut la liberté de culte, la liberté de pouvoir remplir ses devoirs envers Dieu. Cela peut paraître étrange à qui voit dans la liberté religieuse un droit privé permettant à chaque individu de faire chez lui ce qu'il veut, mais non pas un droit socialement admis et civilement reconnu. En fait, le respect par l'Etat de ce droit fondamental et objectif de la personne humaine constitue un test aux yeux de l'Eglise, et finalement de toutes les religions. L'homme est un être religieux ; la religion le met en relation avec ce qui le dépasse. Le reconnaître, c'est respecter la transcendance de la personne humaine. C'est ce principe qui empêche l'Etat, ou la nation, ou la tribu, ou la race, ou le parti, de se substituer à l'absolu, et par cette substitution d'aliéner l'homme. Ce droit de la conscience religieuse peut se définir de façon positive, comme l'Eglise le fait, en déclarant l'obligation morale de respecter juridiquement la liberté religieuse, mais on peut aussi le définir négativement en rappelant que rien n'est Dieu en ce monde, et que l'on ne peut pas obliger un homme à adorer qui ou quoi que ce soit, car il s'agirait alors d'une affreuse tyrannie. Le gage de la reconnaissance de la liberté des personnes et du respect des droits de l'homme, c'est qu'un Etat, une nation, une culture, un empire ne puissent ni utiliser, ni dénier l'exercice de cette liberté. Celle-ci est vraiment comme la garantie des garanties, la condition absolue de toutes les autres libertés. Je le répète, il y a deux formulations : une positive qui se réfère à Dieu, celle de l'Eglise. Mais des personnes qui ne croient pas en Dieu peuvent adopter la formulation négative. Car si nous pensons qu'il n'y a pas de Dieu, à coup sûr, l'Etat n'est pas Dieu, César n'est pas Dieu, et cela même doit fonder la liberté, pour ceux qui le veulent, d'adorer Dieu.

Reconnaître les droits de l'homme, c'est pour l'Eglise inclure une certaine vision de l'homme dans sa relation à lui-même, à sa propre existence et à son corps, au monde, à ses proches, aux autres hommes, à ses semblables. Sans vouloir inclure dans les droits de l'homme la totalité d'une éthique ou d'une morale chrétienne, il reste que le droit de l'homme à la vie se fonde dans sa condition corporelle de créature de Dieu. Dès sa conception, le plus faible a le droit de vivre et le devoir de vivre, parce qu'il a reçu la vie. Il ne peut s'agir ici de définir comme un « droit » seulement ce à quoi la majorité se rallie. Si une société, dans sa majorité, admettait comme légitime la torture, ni l'Eglise, ni la conscience morale ne diraient pour autant que torturer est un droit. Parler des droits de l'homme suppose le respect de ce qu'est l'homme et de l'ultime garant de l'humanité de l'homme ! Ainsi le droit de disposer de son corps au point de se suicider n'est pas un droit de l'homme.

J.-L. M. — *Pourquoi ?*

J.-M. L. — Parce que l'homme doit respecter la vie, sa vie.

J.-L. M. — *Peut-on être vraiment libre si l'on n'a pas cette liberté ultime ?*

J.-M. L. — Est-ce vraiment être libre que de nier la condition concrète dans laquelle on reçoit sa liberté ? L'homme se reçoit lui-même dans sa condition historique et charnelle, il reçoit sa vie comme un don dont il n'est pas le maître. Je conçois tout à fait que ce raisonnement ne convainque pas tout le monde, mais le droit au suicide ne peut pas être un droit : c'est rigoureusement contradictoire.

J.-L. M. — *Iriez-vous jusqu'à être favorable à une législation interdisant le suicide par exemple ?*

J.-M. L. — Je n'envisage ni une législation, ni une poursuite, ni une sanction pénale. En revanche, la responsabilité morale d'une société qui prônerait le droit au suicide serait grave. Elle développerait l'instinct de mort et encouragerait encore le non-respect de la vie. Ce n'est pas quelque chose d'inouï, ni d'impossible dans l'espèce humaine, y compris dans des civilisations raffinées : le stoïcisme a prôné le suicide, le Japon a élevé le suicide à l'égal d'un des beaux-arts.

J -L. M — *Sous certaines conditions seulement.*

J.-M. L. — Donc, le suicide aussi a été codifié. Mais c'est là que se situe la différence sur laquelle vous m'interrogiez. Il n'existe pas une énumération exhaustive de tous les droits possibles et imaginables. On peut concevoir un nouvel état de la civilisation où la réflexion ferait apparaître une nouvelle exigence liée à une détermination concrète de l'existence humaine. Mais dès aujourd'hui et de toujours, il existe une « loi non écrite », une règle interne gravée dans le cœur de l'homme, conforme à sa nature personnelle et expressive de sa dignité de créature.

Je suis convaincu qu'en ce siècle fascinant et parfois terrible qui est le nôtre, les hommes de foi reçoivent pour mission d'attester leur fidélité à Dieu non seulement en l'aimant et en le servant, mais aussi en défendant l'homme contre lui-même, en raison de la lumière qu'ils reçoivent de Dieu. Et ceci vaut pour tous ceux qui ont reçu la lumière de la révélation. Il ne s'agit pas d'une intrusion illégitime du religieux dans le rationnel. Dans l'autodétermination de la raison par elle-même, il faut bien que quelque part il y ait le

« nord », car elle ne peut s'autodéterminer comme liberté que si elle accepte de se recevoir d'une liberté plus grande qu'elle-même.

D. W. — *Je pense qu'un rationaliste ne pourra pas accepter cette dépendance de la raison par rapport à une liberté qui viendrait d'ailleurs. Un rationaliste dira : ce sera le travail des hommes d'arriver à...*

J.-M. L. — Oui, jusques et y compris — et nous en avons la preuve expérimentale — s'autodétruire. Nous y avons goûté, merci !

J.-L. M. — *Mettre sur le compte de la raison le génocide, le nazisme, voire le stalinisme, cela me paraît extravagant, je vous l'avoue, cela me paraît quelque chose d'inimaginable !*

J.-M. L. — Je n'invente rien. Hitler se voulait scientifique. Tout comme Staline, rationnel. C'est sauver l'honneur de la raison de reconnaître les dangers qu'elle court. Je les mets au compte du péché.

J.-L. M. — *Vous êtes trop bon ! Que les moyens techniques, mis au service de folies politiques qui ont existé de tout temps, permettent des crimes d'une ampleur inégalée, cela ne peut être mis au compte de la raison...*

J.-M. L. — Oui. Mais la raison peut être pécheresse, car c'est toujours la raison d'un homme concret, jouissant de liberté. La raison peut s'aveugler, peut commettre des erreurs.

J.-L. M. — *Polémique pour polémique, je vous dirai que les totalitarisme du XXe siècle sont le fruit de la quête du Salut...*

J.-M. L. — Je serais peut-être d'accord pour y lire des espoirs égarés, mais ce sont tout de même des péchés. Ce sont les conséquences de la perte de l'homme quand il abuse des dons qui lui sont faits. Je n'attribue pas ces fautes à la raison abstraite prise en son essence universelle ou imaginée comme une souveraine déité hors de tout contexte réel. Mais la raison est dans les hommes, qui en usent ou en abusent ! Et l'exercice de la raison est manifestement sujet à illusion et à l'erreur. Non seulement à l'erreur expérimentale, mais à l'illusion, à l'errance, à la perversion qui tiennent à la liberté elle-même et aux biens qu'elle poursuit ou récuse. La raison ne fonctionne pas indépendamment du bien que recherche l'homme. Concevoir une raison indépendante du mouvement du vouloir, c'est peut-être concevoir un ordinateur (vous le programmez, vous lui intégrez des données, il vous dit n'importe quoi et pourtant il est toujours logique), mais ce n'est plus considérer les hommes de chair et d'os. On en revient au même point, au sujet historique concret. Mon propos n'est pas de déprécier la raison, au contraire. J'ai une trop haute idée de la raison, car la raison est une des plus nobles capacités qui distinguent l'espèce humaine, et nous devons nous réjouir quand la raison triomphe. Mais je sais aussi — pour l'avoir vérifié sur le plan de la conscience personnelle, comme mes frères croyants, pour l'avoir observé dans les réalisations sociales de mon époque et de mon temps, pour l'avoir reconnu dans la réflexion sur l'histoire des hommes — je sais que la confession de la foi, l'acceptation de la révélation, l'accueil de la communion avec Dieu permettent à la personne humaine d'être gardée dans sa dignité et d'exercer ses plus nobles pouvoirs.

D. W. — *Ce qui est gênant dans votre manière de penser, c'est que vous considérez que toutes les tentatives pour essayer de garder une organisation sociale hors des valeurs chrétiennes ou bien ne sont pas possibles, ou bien sont déjà contenues dans le christianisme. Face à ces tentatives, vous dites par exemple : « Oui, ce sont des batailles difficiles, mais finalement, si on regarde les concepts mêmes de liberté, d'égalité et de fraternité, on voit leur filiation avec des concepts chrétiens, c'est moins une rupture qu'une filiation. » En outre, le bilan forcément nuancé de ces cent cinquante années de société laïque vous conduit à dire : « Toutes les limites du mouvement que vous observez ne peuvent s'expliquer que parce qu'on a refusé un principe transcendant, et réintroduire ce principe donnerait son sens à cette quête ! » Les racines d'un côté, le sens ultime de l'autre, j'ai l'impression qu'on ne peut pas échapper à cette chère Eglise catholique, apostolique et romaine.*

J.-M. L. — La Bible et l'Evangile sont inscrits dans notre civilisation occidentale, irrévocablement. Qu'on le veuille ou non. C'est clair. C'est faire un simple constat que de le dire. Il serait tout à fait absurde de le nier. Les gens qui ont essayé de déraciner le christianisme de la façon la plus violente, y compris par la force, ne pouvaient le faire qu'en empruntant les concepts et les mots à cela même qu'ils voulaient nier. Et il suffisait que l'orage passe pour que resurgissent du sol les plantes qu'on croyait avoir arrachées.

D. W. — *Donc, à l'Est, cela ne pourra pas davantage triompher ?*

J.-M. L. — Non ! C'est clair...

D. W. — *Vous trouvez que c'est déjà clair ?*

J.-M. L. — C'est très clair si l'on est attentif à ce qui bouge sous la chape de plomb de l'idéologie officielle.

J.-L. M. — *Y compris en Union soviétique ?*

J.-M. L. — Y compris en Union soviétique ! La seule force qui soit capable d'aller jusqu'au bout de l'épreuve, c'est la force spirituelle, la force mystique de la foi en Dieu. Et je ne suis pas surpris outre mesure — bien que ce soit étonnant quand on voit l'épaisseur, la longueur et la profondeur de la persécution — de voir cette floraison, parfois sauvage, soit dans le judaïsme, soit dans le catholicisme, soit dans l'orthodoxie, soit dans les Eglises protestantes. C'est exactement à l'opposé de toutes les théories, de combien de prévisions.

Devons-nous poser un regard aussi sévère sur le matérialisme pratique de la société occidentale ? J'ai parlé de « péché ». Appelez cela infidélité, si vous le voulez... C'est quand même la catégorie qui rendrait le mieux compte de ses erreurs multiples. Mais les fautes fondamentales, celles qui entraînent la division, sont permanentes : elles ne datent pas du XVIIIe siècle ! Je ne vois pas du tout la rupture en 1789.

J.-L. M. — *C'est pourtant comme cela que vous présentez les choses.*

J.-M. L. — Non... L'opposition entre l'Ancien Régime et la République ne me paraît pas pertinente pour la réflexion que nous menons.

J.-L. M. — *C'est-à-dire que la vigueur de l'attaque contre les Encyclopédistes et contre la raison était telle qu'on avait l'impression que...*

D. W. — *Que c'était le diable !*

J.-M. L. — Quand les juristes de Philippe le Bel mettent au service du roi de France les définitions païennes des juristes romains en réintroduisant la notion du droit absolu de l'Etat, ils sont à contre-courant de tout l'effort de réinterprétation du droit romain par les chrétiens. Ils réintroduisent dans le droit médiéval un principe séculier, déjà totalitaire, puisqu'il fait de l'Etat le souverain absolu de la condition humaine. Autrement dit, ils font de l'Etat le Dieu de l'homme. C'est déjà la déification de l'Etat. Ce n'est pas la même chose que la séparation du gouvernement temporel des peuples et de l'autorité spirituelle eclésiastique.

D. W. — *Mais vous comprenez bien que l'on passe facilement de l'un à l'autre.*

J.-M. L. — Certes. Mais à partir du moment où on réinvente la raison d'Etat païenne, on introduit dans la pensée, dans les ambitions politiques des nations occidentales un principe tel que l'ancienne idée d'arbitrage au nom des valeurs communes va se rompre.

D. W. — *Vous diriez que les fondements de la démocratie occidentale telle qu'on la conçoit aujourd'hui, à la fin du XXe siècle, ne peuvent exister qu'en acceptant leur filiation avec les valeurs chrétiennes ?*

J.-M. L. — D'une certaine façon, oui. D'autre part, il y a un travail de délivrance, d'élaboration ultérieure, qui reste à faire et dans lequel les chrétiens ont un rôle spécifique. J'ajoute un mot à propos du droit international. On a noté les nationalismes du XIXe siècle, à quoi s'est opposé l'internationalisme. Où situer l'Eglise dans cette affaire ? Elle défend le droit légitime des nations à exister, et cependant elle intervient comme un élément qui trouble la suffisance des nationalismes. La faille des nationalismes est d'établir une coïncidence entre l'affirmation nationale et l'affirmation d'un Etat souverain. Le défaut des nationalismes est d'avoir réintroduit la raison d'Etat, pour laquelle la nation et son Etat deviennent la valeur absolue à laquelle on doit tout sacrifier, y compris l'homme. Autant l'Eglise reconnaît la nation comme une donnée culturelle respectable au même titre que la famille, autant elle ne peut accepter, au nom même de la liberté de l'homme, qu'une autorité nationale se permette de tout demander à l'homme, sans se soumettre elle-même à la loi morale. La nation ou l'Etat peuvent demander à l'homme de sacrifier sa vie au nom de la solidarité ou du bien à défendre ; elles ne peuvent lui demander de trahir sa conscience au nom d'une « raison » dont elles ne rendent pas raison.

D. W. — *On en revient toujours à ce que vous appelez l'absence d'un principe de référence.*

J.-M. L. — Il doit y avoir un principe de référence et une règle de la moralité, au point que la conscience humaine et chrétienne puisse prôner l'insubordination à une loi moralement injuste. L'Etat n'est pas le souverain absolu ni la norme absolue des consciences et des sociétés.

IV

TRIOMPHE ET ILLUSIONS DE L'INDIVIDUALISME

Des interdits

D. WOLTON. — *Il y a au moins un point sur lequel vous n'êtes pas d'accord avec le libéralisme et l'individualisme, c'est, depuis les années 60, la revendication de la liberté individuelle, aussi bien pour la contraception, l'avortement que pour la liberté sexuelle et l'homosexualité.*

JEAN-MARIE LUSTIGER. — Le corps de l'homme est-il un objet, un matériau de ses projets ? Ou bien est-il constitutif du sujet personnel ? Et, dans ce cas, est-il lieu et enjeu de liberté et donc du bien et du mal ? C'est cela le premier débat de fond.

D. W. — *Pour vous.*

J.-M. L. — Et pour tout homme.

D. W. — *Oui, mais quelqu'un qui est favorable à davantage de liberté sexuelle ou de liberté individuelle n'ira jamais penser que son corps n'est qu'un objet !*

J.-M. L. — Le point est de savoir si l'être humain peut disposer de son corps comme d'un objet extérieur à sa liberté et donc naturellement étranger à la notion de bien et de mal. Si le domaine de la sexualité, comme d'autres d'ailleurs, reste extrinsèque à la détermination de la liberté, au domaine de la moralité, on ne voit pas en effet pourquoi limiter le droit d'user et d'abuser du corps propre et de ses capacités de jouissance au même titre que personne ne peut m'interdire de prendre ma montre et de la casser si cela me fait plaisir.

D. W. — *Certes, mais je crois que les tenants de la liberté de la contraception, de l'avortement ou d'une certaine conception de la liberté individuelle ne récusent pas les concepts de bien et de mal.*

J.-M. L. — Prononcer qu'il y a un bien et un mal ne peut se faire qu'au nom de deux critères. Ou bien c'est une détermination complètement extérieure à la liberté, c'est-à-dire un tabou social ou une prescription légale ; ou bien l'homme trouve, dans sa conscience, dans la détermination universelle du bien et du mal, dans sa foi, la capacité de choisir le bien et d'éviter le mal. Si la sexualité est intégrée à la vie de la liberté, à la conscience personnelle dans ce qu'elle a de plus noble, de plus spécifiquement humain, il en va alors du domaine de la sexualité comme il en va du domaine économique ou du domaine des relations humaines et politiques. Car rien d'humain ne doit rester étranger à la liberté et donc à la décision morale. L'ambition humaine est que rien n'échappe au mouvement profond de sa liberté. Sa vocation personnelle est d'intégrer à son humanité capable de choisir le bien la totalité de son existence, y compris bien sûr le corps et la sexualité.

Cette affirmation est présente dès la première page de la *Genèse*. Le Christ la cite pour éclairer des conflits moraux au sujet desquels on lui opposait des objections : « Homme et femme, il les créa. A son image et à sa ressemblance, Dieu les créa » (Gn. 1,27). La sexualité est régulée chez l'animal par les instincts et les pulsions, selon l'équilibre des espèces et leurs nécessités. Chez l'homme et la femme, elle est élevée, nous dit la Bible, à la dignité d'un reflet de Dieu, d'une image de Dieu. La sexualité humaine est ainsi dotée d'une souveraine dignité. Puisque l'homme est à l'image et à la ressemblance de Dieu, il doit agir comme Dieu agit.

D. W. — *La référence à Dieu pour tout ce qui concerne la sexualité ne risque pas d'être entendue comme une liberté, mais plutôt comme liée à des commandements !*

J.-M. L. — Les commandements moraux de la Bible ne

procèdent pas de cette logique. Une phrase clé l'explique, « Soyez saints parce que je suis saint » (Lv. 19,1). Jésus la reprend et la commente : « Soyez parfaits comme votre Père céleste est parfait. » Il s'agit donc pour l'homme d'agir « avec des mœurs divines », disaient les Pères de l'Eglise. La sexualité humaine est un lieu où l'homme s'exprime non seulement selon sa condition naturelle mais encore suivant sa vocation divine. La sexualité n'est pas seulement un lieu de liberté, mais encore de ressemblance à Dieu.

Et l'Autre souverain qui institue l'homme comme relation et différence, c'est Dieu lui-même. Les commandements sont toujours relationnels par rapport à Dieu et par rapport au semblable. C'est pourquoi la fécondité humaine présente une différence essentielle par rapport à la reproduction des espèces animales. Dans l'espèce humaine, chaque individu est lui-même en relation personnelle avec Dieu. Ce qui le constitue comme sujet en communion avec les autres êtres humains n'est pas simplement attirance sexuelle et reproduction spécifique, c'est la dignité d'un amour personnel et d'une procréation où chacun fait l'objet d'un choix personnel de Dieu lui-même. Autrement dit, chacun est voulu pour lui-même et créé par Dieu quand il est engendré par son père et sa mère.

D. W. — *C'est bien ce que je disais : introduire Dieu n'est pas simple dans un domaine qui ne l'est déjà pas beaucoup.*

J.-M. L. — Regardez la Bible. La promesse faite à Abraham d'une fécondité innombrable est d'avance une prophétie de l'ultime victoire sur la mort, un gage de la vocation à la vie de la personne humaine. La fécondité humaine a un caractère absolument sacré et unique, car ce qui est en cause, encore une fois, ce n'est pas la conservation ou la multiplication statistique d'une espèce, mais l'enfantement de sujets singuliers où Dieu lui-même engage sa responsabilité personnelle en leur donnant la possibilité d'exister personnellement. Les parents ne sont pas créateurs ; ils procréent. Ils ne donnent pas, ils transmettent la vie qu'ils ont reçue, et Dieu leur donne un enfant. Cette expression (qui semble archaïque) se trouve dans la Bible — où l'enfant est perçu comme un don de Dieu. Est-ce une naïveté, une naïveté anthropologique ? Si l'enfant est perçu comme un don de Dieu, c'est qu'il est lui-même une nouvelle personne humaine dont la dignité, unique, échappe complètement aux pouvoirs de l'homme et de la femme qui « font un enfant », selon l'expression courante. Cette expression me paraît d'ailleurs excessive, car ils ne « font » pas l'enfant, ils l'enfantent ou ils l'engendrent, ils procréent, et c'est Dieu Créateur qui donne à l'enfant d'exister comme personne. Telle est la conjonction de la fécondité humaine et de la vocation divine de l'homme.

D. W. — *Mais quel rapport y a-t-il, encore une fois, entre le développement que vous faites et la question posée concernant le refus d'une certaine conception de la liberté ?*

J.-L. Missika. — *Parce qu'au bout du compte, tout cela se traduit par des déclarations de l'Eglise qui énonce des interdits, des condamnations...*

D. W. — *Et elles ont été nombreuses ! C'est le domaine dans lequel elles ont été les plus nombreuses.*

J.-M. L. — La sexualité est un lieu éminent de significations et de valeurs, un gage et un enjeu de la liberté et de la moralité humaine. Pas plus que la liberté, elle ne s'épuise dans les relations entre les hommes ; comme la liberté, elle fait appel et référence à Celui qui l'institue dans la différence et la communion.

Le bien et le mal

D. W. — *Mais puisque l'homme est libre — cela est même réaffirmé plusieurs fois par l'Eglise —, pourquoi ne pas lui laisser le plein exercice de cette liberté ? Pourquoi a priori porter un jugement de valeur sur un certain nombre d'actes qu'il fait au nom de cette liberté, notamment dans le domaine sexuel ?*

J.-M. L. — L'homme est toujours libre, mais il est du devoir de l'Eglise, parlant au nom de Dieu, se faisant l'écho de la Parole reçue, il est de son devoir de rappeler le bien et le mal. L'Eglise ne prononce pas de sanctions civiles ou pénales ; elle apprend à la conscience morale et religieuse à nommer le bien et le mal.

D. W. — *Où y a-t-il du bien par exemple ?*

J.-M. L. — Proposer la monogamie et l'indissolubilité du mariage comme la vocation fondamentale de l'homme.

J.-L. M. — *Alors prenons cet exemple puisque vous le citez : le caractère indissoluble du mariage. Voilà quelque chose qui paraît étrange. La question de savoir si la relation nouée entre un homme et une femme peut disparaître un jour ne doit donc pas se poser ? Une fois marié, c'est pour toujours, même si on a cessé d'aimer ? Imaginez-vous le cas de figure où un homme cesse d'aimer une femme ou une femme cesse d'aimer un homme ?*

J.-M. L. — Je l'imagine d'autant plus que c'est monnaie courante et que j'en ai été le témoin ou le confident attristé. Votre question repose sur une évidence : l'union de l'homme et de la femme est tout entière basée sur une certaine expérience affective que nos sociétés appellent l'amour, selon une conception récente.

J.-L. M. — *Tout à fait. C'est lié, encore une fois, à l'individualisme du XVIIIe siècle.*

J.-M. L. — Mais vous savez que l'affectivité est façonnée par les représentations qu'en donnent, non plus seulement l'imaginaire romanesque ou théâtral, mais les images, les sensations combien plus puissantes du cinéma ou de la télévision...

D. W. — *Mais quel rapport avec la question ?*

J.-M. L. — Quand le seul critère de la stabilité de l'union de l'homme et de la femme est ce qu'on appelle l'amour, et que l'on voit la représentation qui en est socialement donnée à des adolescents ou à des jeunes, on est affligé pour eux ! Des couples se forment au nom de ce qu'ils nomment « amour » et chacun sait pertinemment qu'ils ne sont pas assurés de durer.

D. W. — *Mais pourquoi ne pas respecter la liberté de l'individu ? Pourquoi ne pas faire confiance à l'expérience ?*

J.-M. L. — Ce sentiment amoureux suffit-il pour fonder le bonheur proposé à l'homme et à la femme ? Pour fonder un foyer et une famille capables de transmettre, avec la vie, la culture et la moralité ? Pour créer cette union indissoluble qu'est précisément le mariage humain ?

D. W. — *Vous savez bien que de très nombreux enfants de divorcés préfèrent finalement la situation créée après le divorce — même si c'est toujours douloureux — à la situation qui le précède, très souvent traversée de conflits, où l'on essaye de préserver artificiellement la forme sacrée de la famille dont vous parliez.*

J.-M. L. — Vous posez la question sous l'angle plus étroit de la gestion d'une situation d'échec dans le fonctionnement actuel de la constitution des couples. Dans l'état présent des mœurs, le couple, dans les pays occidentaux les plus développés, est l'objet d'une espérance démesurée et donc la source de grandes désillusions et de grandes douleurs. Mais la loi de vie que l'Eglise rappelle n'est pas une censure absurde qui tomberait de haut et enfermerait les gens, sans qu'ils l'aient choisi ou voulu vraiment, dans leurs blessures. Autre chose d'ailleurs est de maintenir et de rappeler un principe dans une époque qui règle mal un problème...

D. W. — *Y a-t-il eu une époque où ce genre de problème a été bien réglé ?*

J.-M. L. — A quelles époques le problème a-t-il eu une ampleur comparable ?

D. W. — *C'est plutôt moins dramatique aujourd'hui qu'autrefois, même s'il y a beaucoup moins d'illusions sur le couple, et peut-être même à cause de cette moindre illusion.*

J.-M. L. — La culture actuelle se réfère à l'état de la société immédiatement antérieur plus ou moins mythifié ; c'est une rébellion contre le puritanisme et certains mensonges hypocrites du XIXe siècle. La connaissance littéraire que je peux avoir de ces mœurs ne m'amène pas à idéaliser la société bourgeoise du XIXe siècle, et je pense aussi à ce que certains écrivains pouvaient montrer des mœurs du sous-prolétariat, et en particulier aux descriptions par Zola de la condition ouvrière et de la condition de la femme ou de l'homme au XIXe siècle. Mais nous savons aussi que ce siècle a connu des bonheurs tranquilles et des vertus heureuses. Quoi qu'il en soit des générations passées, il y a là aujourd'hui un problème moral. Nous ne pouvons peut-être pas l'aborder de la même façon qu'au XIXe siècle. Les outils et les valeurs anthropologiques ne sont plus culturellement les mêmes. Le docteur Freud est passé par là. Une subversion des rites et des normes admises s'est opérée. Il y a eu là aussi une volonté délibérée de transgression, comme pour reconnaître malgré soi le lien de l'existence humaine avec le sacré.

Le rude devoir de l'Eglise

D. W. — *La position de l'Eglise depuis un siècle sur les questions de l'individu et de sa liberté n'est plus une défense du modèle du XIXe siècle, mais demeure négative à l'égard des pratiques actuelles : condamnation du divorce, condamnation de la contraception, condamnation de l'avortement, condamnation de l'homosexualité — cela fait tout de même beaucoup. C'est une chose de dire qu'il faut éviter une fuite éperdue vers l'hédonisme ou vers une illusion de la liberté individuelle, c'en est une autre de prendre systématiquement position contre toutes les tentatives d'exercice de la liberté individuelle. Vous dites « non, on ne condamne pas », mais dans l'ensemble, non seulement l'Eglise condamne, mais en plus elle prend position à chaque fois que des législations se mettent en place.*

J.-L. M. — *Puis-je dire un mot pour préciser la question ? Ce qui apparaît également frappant dans ces condamnations, c'est à quel point elles portent sur l'aspect extérieur du problème, donc l'aspect le moins important. En fin de compte, ce qui est décisif, c'est le caractère authentique ou inauthentique de ce que la personne vit. Une relation entre deux hommes, ou entre deux femmes, peut être authentique, un amour vrai et beau, alors qu'un mariage très catholique et très romain entre un homme et une femme peut être contracté pour des raisons sordides. J'ai l'impression que l'Eglise reste à la surface des choses, qu'elle ne tient pas compte du caractère individuel de la relation, du fait qu'à chaque fois il s'agit d'un problème particulier tandis qu'elle condamne de façon générale.*

D. W. — *Autrement dit, il y a peut-être d'autres manières de rappeler un certain nombre de positions fondamentales que de les rappeler sous forme de condamnations.*

J.-M. L. — Il ne s'agit pas de condamnations, il s'agit de rappels d'exigences fondamentales pour l'existence humaine, la vie, l'amour, la dignité naturelle de l'homme et sa vocation divine. Personne ne peut dire que c'est facile ou que cela se résout par un simple conformisme social. Plusieurs niveaux d'appréhension se mêlent où notre époque a introduit une très grande confusion.

Le premier niveau est celui que j'ai évoqué précédemment : le rappel d'une exigence dont le fondement est lié à la création et au dessein de Dieu sur l'homme. Le deuxième niveau — fort différent — est celui de la législation civile, à une époque donnée, dans un pays donné. Une législation doit arbitrer la gestion des conduites et leur rapport au socialement permis et au socialement défendu. Il y a encore un troisième élément, l'état concret des mœurs dans une société déterminée ; ce qui est représenté comme socialement admissible et qui est normatif de la crédibilité collective : « tout le monde le fait, donc c'est permis ». Enfin il y a l'itinéraire subjectif des individus, la conscience personnelle des gens qui sont pris dans cette situation de fait.

Il faut tenir compte de tous ces éléments rappelés : la loi morale comprise sous la lumière divine, l'état de la législation civile, l'état des mœurs et de l'opinion, les cheminements personnels.

D. W. — *Toutes les médiations que vous évoquez ici ne sont pratiquement jamais perçues dans les prises de position de l'Eglise sur ces questions.*

J.-M. L. — Elles sont toujours énoncées et toujours à respecter. Si j'ai énuméré les éléments qui éclairent la conscience morale, c'est qu'on s'en tient trop souvent à une opinion sociale. Beaucoup ont du mal à supporter les distorsions et les hiatus liés au simple énoncé de la distinction des niveaux évoqués. C'est pourquoi beaucoup revendiquent une transformation de l'énoncé du commandement reçu de Dieu pour l'accommoder à la situation de l'opinion majoritaire dans une société déterminée ou au jugement subjectif d'une conscience individuelle. C'est le rude devoir de l'Eglise, en cette matière comme en beaucoup d'autres, d'être fidèle à enseigner ce que Dieu lui fait connaître, même si cela est dur à entendre, voire dur à dire. Non pas dans une hypocrisie suffisante qui condamne, mais dans la compassion, la miséricorde et l'amour véritable des êtres humains. C'est un devoir pour l'Eglise de maintenir une exigence qu'elle a reçu mission de proclamer pour le bien des hommes, d'autant qu'une telle exigence morale peut être vécue dans une participation à l'acte de délivrance que Dieu opère par le Messie qu'il envoie aux hommes. Cette « expérience » mystique est salutaire dans le domaine éthique, dans celui de la conduite des libertés individuelles comme dans le champ social. La grâce de Dieu est donnée à l'homme pour atteindre, fût-ce au prix de la souffrance, l'idéal proposé d'En-Haut. Il serait parfaitement hypocrite de prétendre imposer par des normes sociales et coercitives ce qui ne peut être atteint que par la puissance du don de Dieu reçu par la liberté. On ne prescrit pas la sainteté par la loi civile ! En revanche, on doit s'interroger quand une société rend socialement normatives et donc légales des conduites contraires à la dignité de l'homme.

D. W. — *Quelles sont ces conduites contraires à la dignité humaine ?*

J.-M. L. — J'ai cité la contraception, le divorce, l'avortement.

J.-L. M. — *Mais enfin, ni la contraception, ni le divorce, ni l'homosexualité ne peuvent être considérés comme attentatoires à la dignité humaine.*

J.-M. L. — La question demeure de savoir ce qu'une société peut ou non légitimement autoriser ou proposer comme modèle social pour son propre bien et pour le bien des individus qui en sont membres.

Le véritable problème contemporain n'est pas celui de la libéralisation des mœurs face à la pruderie du XIXe siècle ; c'est celui de la maîtrise que donne sur la condition humaine la connaissance scientifique et technique, et j'inclus ici, avec la biologie, les outils de l'analyse psychologique et sociale, voire de l'ethnologie. Par les moyens de compréhension et d'intervention que l'état présent du savoir attribue à l'homme sur lui-même et sur sa sexualité, nos sociétés se trouvent dans la même attention que les nations européennes du XIXe siècle dans le domaine social du travail et de la condition ouvrière face à la découverte de l'outil industriel. Le prix payé pour le progrès technique et économique jusqu'à ce que les mécanismes rationnels en maîtrisent certains excès, le prix payé par les pays les plus développés — ne parlons pas des pays sous-développés — a été énorme et a eu des conséquences brutales et durables. Au vu des pouvoirs formidables acquis sur la vie et la procréation humaines grâce aux progrès de la science, il faut un surcroît de sagesse pour que le coût humain ne soit pas aussi féroce que celui de l'évolution économique ou industrielle. Je comprends que les rappels de l'Eglise apparaissent aux générations contemporaines aussi archaïques que les appels des hommes d'Eglise européens au début du développement industriel. Mais il faut redire les finalités et les valeurs morales qui doivent présider à l'intégration de cette puissance nouvelle que l'homme acquiert sur lui-même, sur son propre corps et sur sa sexualité.

D. W. — *Pourquoi pas ? Mais il y a au moins une objection : au début du XIXe siècle à propos du développement de la société industrielle, et aujourd'hui à propos du génie génétique ou de la maîtrise de la reproduction, s'il est du devoir de l'Eglise de mettre en garde contre certains dangers, pourquoi le fait-elle à partir d'une position de condamnation ou, au mieux, d'une position à la Cassandre ?*

J.-M. L. — La contribution que proposent les chrétiens en ce domaine est capitale, même si elle n'est pas toujours entendue et perçue. L'enseignement de l'Eglise ne se résume pas aux interdits ; bien plus, il demande aux chercheurs de toutes disciplines de prolonger leur effort pour intégrer les exigences morales dans les solutions qu'ils proposent. Bref en demandant que la technique soit subordonnée à l'homme et à sa vocation, il atteste que l'homme est appelé à communier à Dieu qui est Vie et qui est Amour. Mais la question demeure, insistante : pourquoi notre message est-il reçu comme une loi de mort, quand il propose sainteté et lumière ? Saint Paul déjà s'interrogeait.

QUATRIÈME PARTIE

Vers un renouveau spirituel

I

DU QUARTIER LATIN AU 16e ARRONDISSEMENT (1969-1979)

Quinze années de sacerdoce en milieu universitaire

D. WOLTON. — *Vous êtes nommé curé à Sainte-Jeanne-de-Chantal à Paris en octobre 69 après quinze ans de sacerdoce en milieu étudiant au Centre Richelieu. Quel bilan faites-vous de cette action au moment où votre ministère va changer profondément de forme ?*

JEAN-MARIE LUSTIGER. — J'avais la certitude d'avoir vécu la fécondité de l'Evangile dans la confrontation permanente avec la nouveauté et les convictions de notre temps. Je venais d'expérimenter comment l'Eglise se constitue : j'avais été le témoin de nombreuses conversions à la foi chrétienne d'intellectuels, d'artistes, jeunes ou vieux. J'avais eu la grâce de célébrer de nombreux baptêmes d'adultes. J'avais été non seulement témoin mais partenaire dans les débats décisifs de notre temps, et j'y avais vérifié la force et l'actualité du message chrétien. J'avais — davantage par la discussion et la réflexion que par l'étude livresque — beaucoup mûri dans l'intelligence théologique. J'avais rencontré une grande diversité d'acteurs sociaux, en dehors de l'Université, et mesuré les enjeux et les fragilités de la vie sociale et politique. J'avais enfin vécu ce que je pensais être la plus belle période de ma vie dans une réalisation, authentique à mes yeux, de fraternité chrétienne et de responsabilité partagée.

Alors que j'étais un adulte qui peu à peu prenait de l'âge, je isquais de m'enfermer dans la relative irresponsabilité d'une jeunesse qui n'est pas encore entrée dans les contraintes de la vie.

Cet âge reste exaltant parce que tout lui est possible, au moins verbalement. Ce pouvait être pour moi une source d'illusions, une source d'immaturité pour tout dire.

J'ai appris le prix à payer pour être loyal avec ce que l'on pense et croit vrai. Il fallait maintenir le dynamisme interne d'une vie chrétienne cohérente tentée de se défaire au fur et à mesure que la jeunesse devenait, dans la société, la caisse de résonance de toutes les contradictions affectives ou idéologiques, chrétiennes ou non.

D. W. — *Voulez-vous dire que votre foi vous incitait à assumer une fonction ecclésiale collective ?*

J.-M. L. — J'étais placé là, et tout m'incitait à y rester, même si cet apostolat n'était pas facile. Organiser chaque année le pèlerinage de Chartres avec cinq à six mille étudiants, cela ne se faisait pas en mettant une petite annonce dans un journal ! Il y fallait une volonté militante. Elle n'était pas du même ordre que celle des minorités politiques organisées que nous n'étions pas tentés d'imiter. En même temps nous devions nous garder d'une tentation opposée : l'effacement pur et simple qui aurait été une lâcheté impardonnable. Beaucoup de ces jeunes entraient dans l'anonymat de la vie urbaine et universitaire, dans ce bouillon de culture des grandes facultés de lettres et de sciences ; ils devaient être aidés. Notre tâche était bien différente de celle, par exemple, des aumôniers de l'Ecole polytechnique ou de l'Ecole centrale. Nous n'avions pas affaire à une promotion d'une centaine d'étudiants triés d'abord par les classes préparatoires, puis par les concours. Nous avions devant nous des milliers de garçons et de filles qui affluaient dans les propédeutiques, venant de partout et de nulle part. Quittant l'univers relativement stable des lycées, ils étaient plongés dans le grand gouffre des facultés, sans encadrement, sans repères, bref déconditionnés. Je pensais à ma propre jeunesse sur les mêmes bancs dans les mêmes facultés. L'expérience de liberté avait été pour moi grisante et le plus grand des bienfaits. Cette liberté-là, beaucoup d'entre eux ne l'aimaient pas : ils la percevaient comme un abandon.

J.-L. Missika. — *Cette perception n'était pas fausse, car les circonstances étaient différentes.*

J.-M. L. — J'avais connu les années enthousiasmantes de la découverte de la culture ; leurs études les ennuyaient... J'avais été durci par la guerre et les circonstances ; ils étaient dans l'incertitude d'une adolescence à peine finie. Nous aurions manqué à notre fonction et à notre mission si nous n'avions pas tout mis en œuvre pour eux, dans ce grand hall de gare, cette grande salle des pas perdus qu'étaient les facultés, spécialement celle de lettres.

D. W. — *Revenons à votre itinéraire spirituel et à votre choix apostolique.*

J.-M. L. — J'ai reçu durant toutes ces années, de l'exercice même de mon ministère sacerdotal, une joie que personne ne pouvait m'enlever en même temps que j'en subissais les contraintes, la fatigue, les contradictions. Il nous fallait traiter les étudiants en égaux et cependant ne pas abdiquer notre rôle de prêtre et d'adulte. La note juste n'était pas toujours facile à trouver.

D. W. — *Il y a à ce propos un thème dont on a peu parlé jusqu'à présent, celui de la « misère affective » ou de la « misère sexuelle », comme on disait à cette époque. Les revendications émergeaient. Comment les perceviez-vous à la Sorbonne ?*

J.-M. L. — Comme les problèmes normaux pour des jeunes entre dix-sept et vingt-cinq ans qui accèdent à la maîtrise de leur sexualité et de leur affectivité.

D. W. — *Dans votre souvenir, cela n'émerge pas comme un problème particulier ?*

J.-M. L. — Cette préoccupation tenait une place importante, mais ni plus ni moins que du temps de ma propre jeunesse, même si l'expression n'en était pas la même.

D. W. — *Pourtant, ce n'est pas comme cela que s'est construite l'imagerie historique et sociale des années 60. Il y a eu une rupture par rapport à la jeunesse de l'immédiat après-guerre, avec la montée de la revendication de libération sexuelle.*

J.-M. L. — La rupture s'est davantage manifestée dans les comportements de la société globale. L'univers étudiant était le reflet de ces comportements. Il les exagérait plutôt qu'il ne les produisait.

Pour revenir à la tâche apostolique, ceux pour qui j'étais prêtre devenaient pour moi un don merveilleux et irremplaçable. Inviter des jeunes à la découverte d'eux-mêmes et de Dieu était un stimulant inappréciable. La mission d'inviter à la prière nous rappelait le devoir de prier, même lorsque la prière est pauvre. La mission et le désir de célébrer l'Eucharistie conduisaient à une réflexion intense sur l'Eucharistie dans la vie de l'Eglise. Mais c'était aussi une période de durs affrontements. Les questions que vous me posez m'étaient constamment posées par toutes sortes d'interlocuteurs, parfois de façon féroce, parfois de façon complice, parfois de façon ambiguë. Et d'autres questions encore ! Et j'étais obligé de répondre, même quand ce n'étaient plus mes questions. Car il y a un moment où l'on a tourné la page, où une question paraît dépassée même si elle n'est pas épuisée ! En fait, j'ai aimé passionnément tous ces jeunes. Je m'en suis aperçu au moment de les quitter.

D. W. — *C'était pourtant une époque plutôt incertaine pour l'Eglise. Il y avait même une certaine indifférence à son égard.*

J.-M. L. — J'ai eu l'impression de vivre un temps de grâce prodigieux, même s'il était ailleurs perçu comme une époque d'effritement, de déstructuration. De fait, les témoignages de l'époque indiquent des remises en cause qui préfigurent les mouvements ultérieurs. Est-ce l'effet d'un aveuglement ou celui des protections et des mises à l'écart dont Dieu m'a gratifié ? Je n'en sais rien, mais je n'ai pas partagé le sentiment ambiant de doute. Par ailleurs, la lutte qu'impliquaient cet âge et le monde étudiant, je l'ai menée avec tout le courage dont je pouvais disposer. Mais je crois que ces combats multiples, cette atmosphère polémique, liée en partie à la tranche d'âge et au lieu universitaire, auraient fini par m'user. En revanche, il n'y avait aucune chance de s'endormir dans la routine !

La perception de Vatican II

D. W. — *Dans ce contexte, comment avez-vous reçu Vatican II ? Avez-vous été plus sensible au recentrage christologique de* Lumen gentium *ou à l'ouverture missionnaire de* Gaudium et spes *?*

J.-M. L. — Le concile a représenté un temps de grâce prodigieux, un temps de don de Dieu. J'ai décrit cette situation minoritaire de l'Eglise dans la société globale ; elle n'était pas perçue par l'ensemble des catholiques, ou ne l'était que partiellement. Ceux qui en avaient l'intuition avaient souvent les visées missionnaires les plus avouées. Mais certains, à cette époque, avaient emprunté des voies qui n'étaient pas les nôtres. Nous avions gardé très fortement la vision que l'Eglise doit se recevoir de Dieu dans sa réalité sacramentelle et dans la foi. D'autres, pour rejoindre ceux qui s'étaient éloignés, nous paraissaient tentés d'abandonner ce qui nous semblait essentiel.

J.-L. M. — *Par exemple ?*

J.-M. L. — La vie sacramentelle, la fidélité à la forme sacramentelle de la vie (trop perçue par certains comme appartenance sociologique) nous paraissait fondamentale. Ce que, d'une manière réductrice, on nommait le cultuel était parfois opposé au témoignage vivant de l'Evangile. Pour nous, la réalité sacramentelle n'était pas seulement d'ordre rituel : elle constitue l'un des lieux privilégiés où apparaît le mystère de Dieu se livrant et se donnant aux hommes.

J.-L. M. — *Mais vous avez cependant parlé de votre sentiment de solitude...*

J.-M. L. — Plutôt un sentiment de différence par rapport à des idées communément admises, à ce qui avait pignon sur rue. Les réconforts existaient. Bien que rares, ils étaient d'autant plus précieux. La mission sans cesse confirmée par les archevêques de Paris, la convergence de préoccupations avec des personnalités aussi différentes que La Pira, Mauriac, Guitton, Ricœur, Lichnerowicz et tant d'autres qui furent de merveilleux interlocuteurs, les rencontres avec les papes Jean XXIII, puis Paul VI. Le concile lui-même brisait les provincialismes de la vie de l'Eglise et élargissait les horizons. Nous étions particulièrement sensibles à l'évolution des idées et des pratiques dans l'Eglise d'un double point de vue : du point de vue de la cohérence spirituelle et chrétienne et du point de vue de la rigueur intellectuelle, notamment dans l'usage de l'Ecriture. Le secours a commencé à venir à partir des années 63-65. Des courants se sont dessinés chez les théologiens les plus avertis, pour critiquer, au nom d'une réflexion de type épistémologique, la confusion des concepts et cette identification trop simple de l'Evangile, sinon de l'absolu, avec le quotidien immédiat.

J.-L. M. — *Vous nous avez parlé de Mai 68 et de ses effets internes dans l'Eglise, mais vous ne nous avez pas dit quel était votre état d'esprit personnel. Avez-vous ressenti les effets du séisme dans l'Eglise ?*

J.-M. L. — Nous étions dans l'après-concile. Les théologies de « la mort de Dieu », de « la cité séculière » commençaient de parvenir en France. Je participais à l'air du temps. Mais je n'étais guère un bon observateur de ce qui se passait dans l'Eglise. J'étais absorbé par ma mission dans ce canton privilégié mais limité de la vie française et de la vie intellectuelle, et ne fréquentais guère d'autres milieux ecclésiastiques. Un contact important avait lieu quand nous demandions à une centaine de prêtres de venir nous aider pour les pèlerinages de Chartres. Ceux qui répondaient étaient plutôt accordés à notre action. Un décalage des sensibilités m'est apparu éclatant en 68. Et combien plus en 69, quand j'ai changé de fonctions.

D. W. — *Vous n'étiez pas en accord avec l'air du temps dans le genre « partage et fusion »...*

J.-M. L. — L'émotion, oui ; le pathos, non. L'affectivité, oui ; la confiture, non ! L'aspect « fusionnel » me paraissait douteux. La fréquentation des psychologues apprend à repérer l'aspect « archaïque » — au sens psychanalytique du mot — de phénomènes en principe religieux, mais incertains, sinon suspects, du point de vue de l'équilibre et de la rationalité. J'ai une trop haute idée du fait mystique, du fait spirituel, pour tout confondre. Les recherches sur les états de conscience religieux étaient une grande préoccupation de l'avant-guerre et de l'immédiat après-guerre. Les démarches fusionnelles semblaient plutôt des succédanés du religieux.

J.-L. M. — *Vous ne nous avez pas répondu tout à l'heure sur la manière dont vous avez reçu, dans ce contexte, Vatican II.*

J.-M. L. — Le concile apportait un appel à plus de liberté et de responsabilité chrétienne. Pour un certain nombre de catholiques, il était l'occasion d'un « déconditionnement », selon une expression que j'ai déjà employée. Et 1968 lui a été comme une contre-épreuve quand, pour de larges secteurs de la société, le déconditionnement a été vécu comme une expérience de liberté. J'ai reconnu dans le concile des pressentiments anciens, plus ou moins obscurs et, en même temps, la réaffirmation de la foi commune. Ainsi la déclaration sur les juifs. Je n'avais pas vu l'Eglise persécutrice, mais, sachant que les persécutions avaient existé et qu'elles comportaient une responsabilité des nations chrétiennes, je jugeais conforme à la cohérence interne de l'Eglise et à l'honneur des chrétiens qu'une telle déclaration soit faite. De même, nous connaissions le poids de l'histoire et je savais que l'Eglise avait pu, dans le passé, se montrer oppressive. Une déclaration des plus contestées, comme celle sur la liberté religieuse, représentait, malgré des imprécisions peut-être, une évidence enfin reconnue, enfin attestée. Ces textes apportaient la confirmation de ce qu'était effectivement l'Eglise, celle en laquelle j'avais cru. La constitution *Gaudium et spes* semblait mettre au clair de façon équilibrée les rapports entre le temporel et l'Eglise ; elle nous enseignait le respect de tous et la fierté de la foi ; c'était une parole de liberté adressée au monde entier. La visite de Paul VI à l'O.N.U. en était l'éclatante illustration, de même que, pour l'œcuménisme, la rencontre du Pape avec le patriarche Athénagoras. La constitution *Dei Verbum* faisait ressurgir au grand jour les sources chrétiennes qui semblaient enfouies. Quelque chose changeait...

Pour ma part, j'étais prêt à changer de ministère. La mort du cardinal Veuillot a bouleversé les prévisions. En effet, dès son arrivée à Paris, monseigneur Veuillot m'avait dit : « Vous avez été nommé en 59 responsable du Centre Richelieu, vous en partirez au plus tard en 69, plus probablement en 68. Qu'êtes-vous prêt à faire ensuite ? » Je lui avais répondu : « La vie urbaine, malgré sa monstruosité, me fascine, me séduit. J'aime la ville, j'aime Paris

Comment y faire vivre des communautés chrétiennes ? Quels changements doit entraîner pour elles, dans les nouvelles contraintes de la vie urbaine, l'appel au renouvellement de Vatican II ? » Je me demandais si l'intense expérience de participation des laïcs à la vie de l'Eglise était transposable hors du monde étudiant. Le cardinal Veuillot m'avait demandé de le revoir à ce sujet, un an avant le terme prévu.

J.-L. M. — *Avez-vous trouvé qu'il y avait un lien entre Vatican II et Mai 68 ? Comment l'Eglise a-t-elle digéré Mai 68 ?*

J.-M. L. — L'Eglise, en ses membres et en ses pasteurs, allait revivre ce que j'avais vécu de l'intérieur à l'Université. Les lendemains de Mai 68 transformaient l'espérance du Concile en son contraire exact. Au lieu d'un renouvellement de l'institution par un effort de conversion intérieure et de rajeunissement, on voyait un effet de déconditionnement de gens qui avaient vécu cet héritage comme une oppression et une aliénation. Ils se désaliénaient et ces gens allaient se décomposer d'une certaine manière. Ils « décompensaient », comme disent les médecins. Il était visible que se reproduisaient, dans l'institution cléricale, les mêmes mécanismes qui avaient joué dans l'institution universitaire.

J.-L. M. — *Ce jugement négatif sur la crise de l'Eglise vous a-t-il conduit à vous poser des questions — je dirais graves et sérieuses — sur votre itinéraire personnel ? Avez-vous à ce moment traversé une crise personnelle ? Vous êtes-vous demandé si vous ne vous étiez pas trompé de route ?*

J.-M. L. — Pas dans les termes où vous me posez la question. J'avais commencé à faire divers projets, vagues et flous, à présenter au cardinal Veuillot. Mais le cardinal Veuillot est mort. Il fallut alors s'accrocher à la tâche immédiate, d'autant que les événements de Mai 68 étaient arrivés sur ces entrefaites. Ce n'était plus le moment de rêver, il fallait tenir. Entre-temps, Mgr Pézeril, évêque auxiliaire de Paris, me disait : « Vous devez devenir curé de paroisse. » J'ai d'abord opposé une résistance farouche, puis, à la fin j'ai accepté sans discuter la paroisse que l'on m'a proposée.

D. W. — *Quel âge aviez-vous ?*

J.-M. L. — Je suis né en 1926 ; j'avais donc quarante-trois ans. C'était le changement immédiat. Pour la première fois depuis mon ordination j'avais un été libre, des vacances, puisque je n'avais plus de camp d'été ni de pèlerinage en Terre Sainte ni rien de ce genre à préparer. J'avais rendu les clés à mon successeur fin juin.

Un voyage aux Etats-Unis

D. W. — *Qu'avez-vous fait de ces vacances ?*

J.-M. L. — Je suis allé faire le tour des Etats-Unis en deux mois. Ce fut prodigieusement intéressant, surtout après 68. J'avais en tête une question, celle de la vie urbaine.

J.-L. M. — *Vous étiez tout seul ?*

J.-M. L. — Oui. J'ai rencontré des interlocuteurs passionnants qui m'ont permis de comprendre ce que je découvrais. C'était un miroir de l'Europe et aussi, me semblait-il, une certaine anticipation de son avenir, en certains domaines du moins. L'Eglise catholique américaine pouvait laisser pressentir ce qui risquait de se passer chez nous, en dépit de différences évidentes. J'y ai vu les effets ravageurs d'une secousse comparable à « Mai 68 » chez certains laïcs, une partie du clergé et des religieux américains, mais aussi des ressources spirituelles, un potentiel humain et religieux dont nous étions dépourvus, et dans des conflits parfois plus durs, une plus grande tolérance mutuelle.

D. W. — *Par rapport à votre intérêt pour les questions urbaines, ce voyage américain vous a-t-il séduit ?*

J.-M. L. — Ce fut une découverte d'autant plus importante qu'en Europe, et spécialement en France, la mode intellectuelle d'alors voulait que l'Eglise se calque sur le fonctionnalisme des urbanistes qui séparaient dans l'espace les grandes fonctions urbaines : habitat, travail, commerce, loisir, etc. Les distances étaient supposées ne plus imposer les mêmes contraintes que par le passé. Du coup, la paroisse, dont le modèle était le village rural, semblait complètement périmée ; la ville de demain regrouperait par centres d'intérêts une population plus libre et plus mobile. Ce fonctionnalisme avait déjà été appliqué à la réorganisation des lieux de culte dans quelques grandes villes européennes. L'observation de l'urbanisation américaine, qui pourtant ne manquait pas de moyens, montrait le caractère limité de ces théories. L'appropriation de l'espace était au contraire le facteur le plus important d'une urbanisation beaucoup moins planifiée que la nôtre. Les communautés territoriales se reforment inéluctablement dans le tissu urbain, s'adaptant à la mobilité et composant avec la fonctionalité des mégalopoles.

D. W. — *Quelle a été votre découverte intellectuelle ?*

J.-M. L. — La sociologie américaine avec son formidable appareil d'enquêtes. Je me suis particulièrement intéressé à la sociologie religieuse. J'ai rapporté une caisse de livres fort connus aux Etats-Unis et dont la plupart n'étaient pas traduits en français.

Les débats sur les thèmes de la cité séculière et la « mort de Dieu » étaient en France le dernier cri. Quelle ne fut pas ma surprise de constater qu'aux Etats-Unis, c'était une affaire déjà classée. Et bien d'autres choses encore : une réflexion sur le passé et le présent de la culture européenne et sa relation aux autres civilisations, plus lisible aux Etats-Unis ; la relativisation des pratiques psychologiques : je découvrais leur foisonnement hallucinant et leur emprise sur la nouvelle culture américaine. Dans le domaine spirituel, j'ai vu de près le renouveau charismatique catholique américain alors en pleine expansion et encore inconnu en Europe. Pour la vie des Eglises, entre autres expériences passionnantes, j'ai été très intéressé par les résultats d'un projet expérimental conduit par les Eglises protestantes pour la création de « nouveaux types de ministère pastoral ». Tout ce que l'on imaginerait et tenterait de faire en France dans les dix années suivantes était déjà énoncé et inventorié par ce projet dont les conclusions étaient plutôt négatives. Le seul « ministère pastoral » qui tenait la route était celui défini par ces données structurelles : relation à une communauté, service de la Parole, culte, organisation de la charité, relation personnelle aux fidèles, etc. Tout cela m'a fait gagner beaucoup de temps par la suite.

D. W. — *Quels étaient les arguments sur la mort de Dieu?*

J.-M. L. — Dans ce débat, il s'agissait de théoriser la disparition du religieux et de la transcendance dans un univers entièrement dominé par la rationalité. Le christianisme devait alors, par fidélité à lui-même, prononcer sa propre mort. L'avènement de l'esprit humain allait jusqu'à l'autodestruction de toute figuration du sacré ou de la divinité dans l'homme.

Paradoxalement, les Américains faisaient la théorie de la sécularisation, alors que leur civilisation est profondément imprégnée de religiosité et de tradition biblique. Beaucoup plus que la nôtre. Et la nôtre, en regard, m'apparaissait davantage coupée de ses racines bibliques et de ses références explicites au christianisme.

J.-L. M. — *N'avez-vous pas été touché par ces arguments?*

J.-M. L. — Non. Ma question était celle du diagnostic : qu'est-on en train de vivre? Que signifie cette secousse? Il me semblait que l'effort de rénovation espéré du Concile tournait au cauchemar d'une société en crise, en crise d'identité. J'avais connu cette phase adolescente dans le monde étudiant; mais, en s'appliquant à des corps sociaux comme le clergé ou les milieux catholiques traditionnels, elle prenait des proportions fantastiques, en profondeur, en ampleur, en enjeu. Je ne comprenais pas pourquoi, dans une épreuve dont les termes étaient par ailleurs relativement faciles à nommer, certains demeuraient alors que d'autres étaient emportés. Alors, j'ai éprouvé le besoin de me réenraciner dans ce qui faisait le fond même des choix de ma vie. J'ai remis à jour beaucoup de choses que, depuis mon ordination, pris par d'autres urgences, j'avais non pas oubliées, mais comme laissées de côté. Jamais je n'avais connu autant de remises en question externes, de la culture, de la société et surtout de l'Eglise. J'ai souvent pensé alors que la fidélité m'était donnée. Je ne pouvais d'aucune façon m'en attribuer le mérite; elle avait été payée par l'histoire dont j'étais l'héritier. Je me suis rappelé aussi ce mot : « Mais Dieu, lui, est fidèle » (2 Tm. 1, 13). « Les dons et l'appel de Dieu sont irrévocables. » C'est une citation de l'Epître aux Romains (11,29) elle-même reprise de l'Ancien Testament. Paul le réaffirme au moment où il va décrire les dons irrévocables faits à Israël. « Dieu est fidèle » était la devise épiscopale de Mgr Courcoux. Notre foi semblait mise à l'épreuve par la part de paganisme qui n'avait pas encore été convertie en chacun. J'avais l'impression d'être devant une tentation contre la fidélité à Dieu plutôt que devant une objection intellectuelle fortement articulée. Oui, comme une tentation d'idolâtrie. Cela était symptomatique d'une crise profonde de la société occidentale dont nous n'étions pas capables de voir les tenants et les aboutissants. Nous avons vécu dans l'illusion de la société optimiste.

D. W. — *Mais l'ébranlement dont vous nous avez parlé, vous l'associez à une crise de l'Eglise ou à une crise de la société ?*

J.-M. L. — La mise en cause opérée par 68 ne semblait pas ébranler la raison moderne ; la rationalité scientifique et les progrès technologiques ne risquaient pas d'être gravement subvertis par cet éternuement. Mais il y avait une crise des finalités de cette société. On commençait à voir que la phase d'expansion n'était pas irréversible. Et l'enthousiasme provoqué par l'événement du Concile semblait ne pas être assez reçu dans une France qui entrait soudainement dans une crise imprévue, et n'était guère capable d'accueillir la proposition que le Concile représentait.

Arrivée à Sainte-Jeanne-de-Chantal

D. WOLTON. — *On a l'impression que le passage du Quartier Latin au seizième arrondissement, du rôle d'aumônier à celui de curé de paroisse, n'a pas été simple, compte tenu de votre situation personnelle, dans l'après-Mai 68...*

JEAN-MARIE LUSTIGER. — En me retrouvant sur la rive droite, au bout du seizième arrondissement, je me suis senti déraciné de ma rive gauche. Il m'arrivait certains soirs de traverser Paris en Solex pour tourner vite, vite, vite, sans m'arrêter par peur d'être reconnu, dans les rues du Quartier Latin. Il me semblait que j'étais en terre étrangère, en terre d'exil. Dix ans plus tard, en 1979, lorsque j'ai dû quitter ma paroisse, j'ai à nouveau pleuré, tant je mesurais combien j'aimais ces paroissiens si divers dont je me séparais. J'avais appris à les connaître. J'étais lié à eux par une amitié réciproque, forte et ineffaçable.

Mais en 1969, le titre de curé avait théoriquement disparu des nomenclatures officielles. J'étais nommé « Responsable d'une Equipe Pastorale », je crois même « de base ». Cela donnait R.E.P..., ce qui, dans mes souvenirs de service militaire, signifiait « Régiment étranger de parachutistes ».

D. W. — *Comment expliquez-vous ce comportement « basiste » qui dominait alors dans l'Eglise ?*

J.-M. L. — Le refus des hiérarchies instituées était un phénomène commun au lendemain de 68, y compris dans le milieu clérical. Il fallait donc changer de vocabulaire. Cela marquait une volonté de nouveauté qui pouvait en théorie se défendre, à condition de respecter ce qui doit demeurer et ne peut être sacrifié à la nouveauté pour la nouveauté, à la différence pour la différence. J'ai docilement commencé à dire aux paroissiens qu'ils n'avaient plus un « curé », mais un R.E.P.

J.-L. M. — *Quelles furent leurs réactions ?*

J.-M. L. — Il m'a vite semblé plus sage d'accepter le titre de curé que donnaient spontanément les paroissiens. Il reste que, venu du Quartier Latin, je provenais d'un autre monde. J'ai eu l'impression de faire un bond en arrière d'au moins une génération. J'ai découvert non seulement les parents des étudiants, mais aussi leurs grands-parents. Et j'ai compris l'envers de ce que je n'avais pas vu aussi clairement tant que j'étais aumônier des étudiants : leurs racines familiales. J'ai éprouvé les lenteurs de la vie humaine et l'inertie des sociétés.

J.-L. M. — *Vous avez découvert le conformisme ?*

J.-M. L. — Il existait un conformisme étudiant et universitaire. J'en découvrais un autre auquel j'étais d'autant plus sensible qu'il ne m'était pas familier. J'ai rencontré des modes de vie sacerdotale que je n'avais pas connus jusque-là. Des écarts d'âge dans le clergé. Je devenais responsable d'un groupe de prêtres très différents de ceux avec qui j'avais jusque-là vécu et agi en équipe. Mes « vicaires » — j'étais peu habitué à cette expression — présentaient une grande diversité d'âge, d'expérience, d'origine, de formation... Très vite j'ai découvert l'abnégation propre au clergé parisien. Chacun, à sa façon, avait tenu dans sa mission, fidèle à sa vocation, Dieu savait à quel prix ! Les plus âgés m'ont, en particulier, fait découvrir la beauté d'une vie sacerdotale entièrement et humblement vouée au service d'un peuple. Il reste que cette première année a été difficile !

De plus, j'ai pris mes fonctions au moment où les décrets d'application de la réforme liturgique sont entrés en vigueur. Un certain nombre de paroissiens n'étaient pas préparés à cette mutation. D'aucuns m'ont attribué la responsabilité personnelle des changements de rites alors que j'appliquais, peut-être avec trop de rigueur, les textes officiels. Et encore, je puisais avec parcimonie dans mon expérience antérieure ! Dans beaucoup de domaines, je me suis heurté aux habitudes, aux manières de faire. J'étais « inadapté » ! Et, comme toujours, en des situations de ce genre, on a tendance à transférer sur l'entourage la responsabilité de sa propre inadaptation, en tout cas, à être injuste.

D. W. — *Quel sera finalement le plus grand enseignement de votre expérience de curé ?*

J.-M. L. — La paroisse m'a fait expérimenter un changement par la durée. La plupart des paroissiens habitaient ce quartier tranquille depuis longtemps alors que dans le monde étudiant j'avais affaire à des générations qui se renouvelaient tous les deux ou trois ans. Il y a des expériences qui ne peuvent se comprendre que sur la durée de la vie, de la naissance à la mort. Là, j'ai découvert, éprouvé la durée de la mémoire, la longue permanence des événements et leur transmission d'une génération à une autre. Je n'étais que le troisième curé de cette paroisse, aussi vieille que moi puisqu'elle avait été fondée vers 1926...

J'ai écouté avec un intérêt croissant ce que me racontaient tant de gens du quartier sur ce qui s'y était passé depuis un demi-siècle. J'ai tourné dans les rues souvent vides, découvrant peu à peu la vie réelle derrière les façades. Certes, j'étais dans le XVIe, au sud de l'ancien village d'Auteuil. Quelques rues prestigieuses et tranquilles, bordées d'immeubles bourgeois du XIXe siècle, abritaient des familles enracinées de manière durable. Mais le quartier était plus varié qu'il n'y paraissait au premier abord. Les restes du temps des Fortifs et de la Zone. Ce qui demeurait d'une banlieue pavillonnaire encore campagnarde dans l'avant-guerre : d'anciens lotissements populaires où parfois demeuraient encore les premiers occupants. Les constructions d'après-guerre qui avaient vu affluer vingt ans auparavant les jeunes ménages : leurs enfants commençaient à quitter le nid. Sans compter des couches variées d'immigrés : depuis les Alsaciens d'après 1870, les Russes d'après 1917, les Espagnols d'après 1936 et les Portugais qui affluaient maintenant. Enfin, je recueillais les échos épiques de la construction à peine achevée de l'église, ce grand bâtiment sur la place de la Porte de Saint-Cloud. Elle avait mobilisé tant d'énergie et de générosité de la part de toute la population pendant plusieurs dizaines d'années...

J.-L. M. — *Compte tenu des réticences qui ont accompagné votre arrivée, comment avez-vous réussi à transformer la situation ?*

J.-M. L. — Au lendemain de 1968, un bouillonnement d'idées accumulées depuis plus de vingt ans avait secoué les réflexions sur les paroisses. En bref — et je partageais ces préjugés —, tout ou presque de ce qui constituait classiquement la vie paroissiale devait être remis en cause : priorité territoriale par rapport à des groupes électifs ; valorisation de la vie privée et familiale au détriment des tâches professionnelles et des engagements sociaux ; prépondérance des actes du culte sur les autres formes de la vie chrétienne, etc. De plus, on allait répétant que les migrations des week-ends videraient de plus en plus les paroisses urbaines. A quoi il fallait ajouter la désaffection exprimée par des minorités actives à l'égard de l'anonymat, du formalisme de ces grandes assemblées dominicales. Les grand-messes n'avaient plus bonne presse...

Je me débattais avec ces pensées, cherchant à tâtons ce que pouvait être ma mission dans ce quartier de Paris dont je n'arrivais pas à saisir la cohérence sociale et religieuse au vu de l'émiettement des tâches qui étaient désormais les miennes.

D. W. — *Qu'avez-vous fait alors qui était différent de la mode de l'époque ?*

J.-M. L. — Le point de départ et le centre, ce fut la messe du dimanche. J'y étais conduit par une conviction et par un constat. Toute mon expérience antérieure m'avait appris — depuis mon propre baptême — l'extraordinaire puissance de l'action de Dieu dans les sacrements de l'Eglise. J'en avais fait aussi la lecture anthropologique. Je ne pouvais donc longtemps accepter que l'activité cultuelle d'une paroisse soit dépréciée aux yeux mêmes de ceux qui la vivaient. D'autre part, je faisais un constat : chaque dimanche, plusieurs milliers de personnes décidaient de consacrer une à deux heures pour « aller à la messe ». L'église n'était pas vide. Après le bureau de poste, c'était l'équipement du quartier qui avait le plus de « clients »... Et des « clients » dont les motivations devaient être fortes, même si elles étaient peu explicitées.

Je devais donc consacrer tous mes efforts à faire de cette messe du dimanche un moment privilégié, riche de sens, de joie, de beauté spirituelle. Il ne me paraissait pas exagéré de passer une journée entière à travailler pour préparer le dimanche par la réflexion et la prière. Je le devais à ces milliers de fidèles. Les conditions dans lesquelles se déroule la messe (chants, musique, participation des fidèles, implication du célébrant, etc.) doivent permettre à chacun de percevoir l'appel que Dieu lui adresse et d'y répondre dans la communauté réunie : rompre l'enfermement et la solitude des citadins qui s'ignorent les uns les autres sans leur refuser la liberté qu'ils cherchent légitimement. L'anonymat n'est pas de soi négatif. Il peut être une occasion favorable pour une décision libre. Dès lors, chaque dimanche fut une fête, pour moi et pour les paroissiens. Avec les années s'opéra une conjugaison des efforts et des talents de beaucoup (musiciens, etc.). Nous avons vécu au rythme de ces rendez-vous hebdomadaires où la Parole de Dieu créait l'événement. L'assemblée au fil du temps se renouvela au point que fut devenue sensible, même pour celui qui n'était que de passage, la joie de la rencontre. Pour ma part, j'y étais heureux.

Cette assemblée, si diverse, c'était la paroisse. Là était sa réalité avec ceux qui décidaient « d'en être ». Il restait à voir s'ils pouvaient faire plus et autre chose que de se retrouver pour ces célébrations.

D. W. — *Pendant votre passage à Sainte-Jeanne, avez-vous continué à avoir des relations avec le monde intellectuel ?*

J.-M. L. — Non. J'étais à l'autre bout de Paris. Pendant dix ans, je n'ai participé que de très loin au bouillonnement des idées.

Je me suis enfoncé dans un travail plus personnel, j'ai repris des lectures et je me suis choisi quelques interlocuteurs privilégiés dans le domaine des sciences humaines et de la théologie. Parmi les théologiens, Hans Urs von Balthasar. J'ai lu et travaillé l'Ecriture de façon plus intense. Cela m'a demandé un long et lent travail d'intériorisation et de méditation pendant dix ans. En réalité, j'étais à l'abri dans « le creux du rocher ». J'ai pu faire des rencontres neuves. J'ai également beaucoup lu à nouveau dans le domaine du judaïsme, relu beaucoup de choses d'abord lues trop vite. Finalement, au bout de quelques années, j'avais retrouvé un milieu aussi stimulant que celui que j'avais connu auparavant.

D. W. — *Et la paroisse, comment avez-vous réussi à y mener une action ?*

J.-M. L. — La difficulté était de trouver la forme de mobilisation adéquate. En une trentaine d'années, toutes sortes de modèles avaient influencé la pastorale française. Tous cherchaient à désenclaver les paroisses au profit d'une meilleure organisation de l'évangélisation. Et finalement, je le constatais, la paroisse longtemps et encore critiquée était la base de la mission. Mais elle ne pouvait plus se contenter de répéter ses manières de faire routinières. Il fallait les rénover, comme l'avait bien vu toute une génération de prêtres diversement marqués après la guerre par la renommée de Saint-Séverin, par le livre de Michonneau : *Paroisse, communauté missionnaire* ou par les réflexions de Jacques Loew sur son expérience marseillaise. Et par tant d'autres.

D. W. — *Quels étaient vos critères d'efficacité ?*

J.-M. L. — Bien sûr, il y a les chiffres : compter les participants aux messes, au catéchisme, aux sacrements, aux mouvements, etc. Mais ces critères quantitatifs sont loin de suffire et de convenir à ce que l'on veut mesurer : notre fidélité au contenu de la foi. La source véritable de notre efficacité doit donc dépendre de la foi. Non seulement celle des prêtres, mais aussi celle de tous les membres de l'Eglise. C'est pourquoi il nous paraissait prioritaire de remettre entre les mains de tous l'héritage qui nous est commun : la Parole de Dieu et son amour communiqués dans la vie sacramentelle.

Dans les pratiques courantes en France, ce patrimoine spirituel, scripturaire et dogmatique n'était habituellement accessible qu'aux clercs. Entre les prêtres et les laïcs, on était davantage accoutumé à partager les tâches, « pour aider Monsieur l'Abbé », qu'à partager le trésor commun de la foi. L'accès des laïcs à de véritables responsabilités supposait que nous nous mettions ensemble devant le don de la Parole de Dieu. Les critères d'efficacité ne dépendent plus du pouvoir social de chacun ou de ses compétences. Tous sont conduits à se demander : « Sommes-nous fidèles à la Parole reçue de Dieu ? » Les critères d'efficacité sont alors à chercher du côté de Dieu.

J.-L. M. — *Pourquoi la fidélité à la parole de Dieu doit-elle conduire à l'action? Pourquoi pas simplement la contemplation? D'autant plus qu'il n'y a pas de critère d'efficacité. Si la seule question est la fidélité, on ne comprend pas la logique d'action de l'Eglise catholique.*

J.-M. L. — Là se trouve l'originalité de la foi chrétienne. La Parole de Dieu, ce n'est pas un poème, des pensées, un livre laissé à la méditation des croyants. La Parole de Dieu, c'est Dieu lui-même qui me parle et agit pour que j'agisse et lui réponde. Dieu me rend la vie parce qu'il m'aime. Il me fait partager son amour pour tous les hommes mes frères. Il m'unit à son action. Cet acte de Dieu que je viens de dire en termes subjectifs, à la première personne du singulier, nous est donné par le Christ dans l'objectivité de l'histoire du Salut. Quand les membres de l'Eglise, prêtres et laïcs, reçoivent, partagent et transmettent cette Parole, ils se laissent saisir par l'action de Dieu qui les amène à transformer tous les domaines de l'existence — sociale, culturelle, familiale, etc. Le plus souvent cela provoque des chocs en eux-mêmes et avec la société ambiante. Ce n'est pas nouveau : du désert du Sinaï aux martyrs de Corée, la Parole vivante apprend à ceux qui l'écoutent et la mettent en pratique la difficile lucidité de ceux qui dans l'obscurité sont fidèles à la lumière.

Par exemple, quand des parents viennent présenter un petit enfant pour qu'il soit baptisé, il est très facile de dire que c'est un rite social, inscrit dans la tradition familiale, dans la tradition française, sans signification particulière : comment apprécier ce qui se passe dans le secret des consciences? N'est-il pas prétentieux de juger la vérité de la démarche religieuse d'autrui en prenant pour seul critère son jugement personnel et la mesure de son propre langage ? Des parents peuvent avoir un langage religieux différent, voire plus fruste que le nôtre. Mais les comportements sacramentels, les gestes de la foi sont irréductibles à une habitude sociale inscrite dans les mœurs. Nous ne serions pas croyants si nous n'en étions pas convaincus. En fait, ce petit enfant présenté au baptême, il est appelé par Dieu, il est choisi, dois-je me dire, au même titre que toi, tu as été appelé et choisi. Cet enfant est aimé de Dieu dès le sein de sa mère pour être inscrit parmi ceux qui auront en ce monde la figure du Messie.

J.-L. M. — *Mais alors, et les autres ? Que faites-vous de tous ceux qui ne sont pas amenés par leurs parents ?*

J.-M. L. — Tous les hommes sont appelés et aimés de Dieu, mais tous, pour autant, ne seront pas durant le temps de leur vie configurés au Messie, au Christ-Messie. Ceux qui le sont ont un rôle particulier dans l'histoire en dépit de leurs faiblesses et de leurs limites personnelles ; ils ne font qu'un avec le Christ pour travailler avec lui à ce que tous les hommes entrent dans l'amour filial de Dieu, du Père des hommes. L'élection d'Israël a été ouverte à toutes les nations, et ceux qui sont associés au Christ visiblement remplissent dans ce monde la mission que Dieu a éternellement donnée à son Fils bien-aimé. Ce sont les enfants de Dieu qui doivent dans ce monde attester que Dieu aime le monde, et que le monde n'est pas perdu ni abandonné à son néant. Quant à savoir qui, de ceux à qui nous sommes ainsi envoyés, répondra ou non à son appel, cela reste le secret de Dieu.

II

QU'EST-CE QU'ÊTRE CHRÉTIEN ?

La paroisse

D. W. — *Vous avez été curé de paroisse à un moment où la paroisse comme lieu d'identité des chrétiens était souvent critiquée au profit des mouvements apostoliques, spécialisés par classes d'âge ou milieux professionnels. Comment vous situez-vous par rapport à ce débat qui dure depuis une génération ?*

J.-M. L. — Hier, on critiquait vivement la paroisse : « C'est archaïque, c'est le village ! Elle n'a plus de raison d'être dans la ville, avec ses fonctions diversifiées, ses flux de circulation, etc. » Cette réflexion d'apparence sociologique cachait une difficulté : on peut « sacraliser » une organisation fonctionnelle et conflictuelle de la société, en renonçant à sa « recomposition » et à un minimum de communion pourtant avidement désiré par tous. L'expérience catholique de l'Eglise ne nie pas les différences, mais les assume et les oblige à se reconnaître et à s'accepter dans une fraternité qui surmonte les divisions. D'où l'importance pour la vie chrétienne comme pour la société contemporaine de ces lieux de « recomposition » chrétienne d'un corps social divisé et émietté. En y participant, chaque chrétien accède à la source de l'unité et de la communion avec ses frères quels qu'ils soient : il n'y a qu'un seul Corps, de même qu'il n'y a qu'un seul Esprit et un seul Dieu et Père.

J.-L. M. — *Vous faites une critique de la division fonctionnelle de la société, dont la paroisse serait un remède. Votre position est-elle partagée par le clergé et par une partie des fidèles ?*

J.-M. L. — Des gens qui ont des engagements civils, des responsabilités syndicales, professionnelles ou politiques souhaitent trouver des lieux de rencontre. Du point de vue catholique, actuellement, la spécialisation des mouvements en fonction de leurs objectifs, de leurs méthodes, de leurs options, de leur spiritualité, demeure. Mais en même temps, réapparaît le sentiment aigu que cette diversité légitime ne peut être féconde que si elle se recompose en une confrontation et un dialogue qui ne soient pas simplement l'équivalent des grandes négociations sociales dans le bureau du Premier ministre ! Il faut que ce soit un dialogue habituel, et un dialogue sacramentel. Il doit être admis comme normal que la même eucharistie rassemble effectivement, avec toute sa force symbolique, des gens qui par ailleurs auraient tendance à s'organiser en églises séparées. Il y a une seule Eglise.

On a constaté une évolution très intéressante à peu près depuis Vatican II. La doctrine répandue en France était à l'époque la division des fonctions. La paroisse assure la vie chrétienne « ordinaire » : administrer les sacrements, éduquer les enfants, s'occuper des vieilles personnes, célébrer la messe, les mariages, les enterrements, bref, la vie ordinaire, le culte, la catéchèse, l'enseignement de la foi, etc. Il y a par ailleurs l'apostolat, c'est-à-dire la présence au monde tel qu'il se donnait, tel qu'on le voyait, avec son organisation sociale. Au cours des vingt dernières années, on a vu un renversement se produire. La plupart des chrétiens les plus engagés ont pris conscience d'une façon beaucoup plus forte de l'athéisme ou de l'indifférence religieuse en France ; ils ont réévalué cette division entre la paroisse, lieu du cultuel traditionnel, et le mouvement, lieu de l'apostolat et de l'engagement. Les mouvements ont voulu retrouver à l'intérieur de leurs propres structures les données de la vie sacramentelle. C'est très général.

D. W. — *En est-on arrivé aujourd'hui au deuxième stade, qui est de retrouver l'intérêt de la paroisse ?*

J.-M. L. — A l'inverse, du côté des paroisses, des chrétiens qui ne souhaitent pas s'engager dans des structures trop rigides, ni recevoir des consignes trop contraignantes, ont pris des responsabilités variées dans différents domaines de l'action sociale. La crise postérieure à 68 a remis en cause des classifications dont on a découvert l'insuffisance.

Aujourd'hui, il apparaît clairement que la vie sacramentelle, la prière, qui forme le cœur du christianisme, ne se réduit pas à un cultuel opposé à la vie : c'est la vie chrétienne elle-même qui rend possible l'action des croyants dans le monde. Les paroisses ont à être les lieux où ces diversités d'engagement et de prise de responsabilité doivent être rassemblées dans l'unité réelle de l'Eucharistie et du sacrement. Faute de quoi, il n'y a plus d'Eglise.

Liturgie, symbolisme, sacrements

D. W. — *Vous avez souvent parlé de l'importance de la liturgie, tant comme aumônier que comme curé. Est-ce parce qu'elle permet de mettre en scène l'invisible ?*

J.-M. L. — La liturgie n'est pas la mise en scène de l'invisible, elle est l'actualisation de ce qui s'est rendu visible. Dieu, personne ne l'a vu, ni ne peut le voir. Mais il se donne à entendre. Par la transmission de sa Parole, il se donne à voir : la présence de Dieu s'est inscrite dans l'histoire des hommes. Le peuple de ceux que Dieu a appelés à ne faire qu'un avec le Christ devient, au cours de sa vie temporelle, participant de sa mission d'éternité. Nous avons à participer à cette action par laquelle Dieu s'est donné à voir, et la liturgie est l'acte par lequel ceux qui y ont été appelés reçoivent comme une grâce et vivent comme une eucharistie ce que Dieu a donné une fois pour toutes. L'Eucharistie que le Christ a célébrée la veille de sa passion, c'est le rituel de la Pâque juive. Jésus, le Messie, donne à cette célébration un sens nouveau, un prix éternel dans la mesure où lui-même s'identifie à l'Agneau offert pour le salut du monde. Pour lui, le Messie, et pour les chrétiens, ses disciples, l'Eucharistie est le sacrifice de la réconciliation et de la délivrance, elle est l'entrée dans la Terre promise ; elle donne accès à Dieu qui a fait grâce. De ce même acte, Jésus lui-même, selon la tradition, nous l'a dit : « Vous le ferez en mémoire de moi. » Ainsi, quand les chrétiens célèbrent la messe, en célébrant eux-mêmes le mémorial institué par Jésus, ils deviennent participants de son offrande et communient à sa révélation. Ainsi ce qui est sien devient nôtre et ce qui est nôtre devient sien. C'est la présence à tous les moments de l'histoire et à tous les hommes de l'acte unique de Jésus-Christ accompli dans l'histoire, au temps de sa vie mortelle.

D. W. — *La liturgie chrétienne est liée à une symbolique particulière. En quoi se distingue-t-elle des symbolismes qui jalonnent l'histoire de l'humanité ?*

J.-M. L. — La symbolique chrétienne, comme la symbolique juive, est d'abord historique. Cependant, les symboles sont toujours liés à la condition biologique et naturelle de l'homme. Les symboles cosmiques sont universels et on les retrouve dans toutes les civilisations : le soleil, la lune, l'eau, le feu... La tradition juive et chrétienne réinterprète ces symbolismes cosmiques comme mémorial des événements historiques du Salut. En cela elle présente une complète originalité dans l'histoire comparée des religions.

J.-L. M. — *Vous avez des exemples ?*

J.-M. L. — Les bains rituels, les gestes d'ablution sacrée existent dans toutes les religions. Le baptême du Baptiste est le geste rabbinique d'admission des païens dans l'Alliance. Il symbolise déjà le passage de la mer Rouge par les enfants d'Israël et le franchissement du Jourdain pour entrer en Terre promise. Jésus, le Christ, a voulu recevoir ce baptême reçu dans le Jourdain avant d'être, comme le dit l'Evangile, baptisé du baptême de sa propre mort. Dès lors, quand un chrétien est baptisé avec de l'eau dans la foi de l'Eglise au Seigneur ressuscité, quand un petit bébé est baptisé, le geste sacramentel du prêtre rappelle ce qu'a fait Jean quand il a baptisé Jésus dans le Jourdain. Ce baptême dans le Jourdain prophétise et atteste la mort et la résurrection du Christ. Dès lors Paul l'enseigne : par le baptême, « nous avons été plongés dans la mort et dans la résurrection » du Christ. Le rituel cosmique du bain (purification, engloutissement et renaissance) est devenu second ; il a été assumé dans la signification messianique et dans la vie de l'Esprit Saint donnée par la mort et la résurrection du Christ.

Autre exemple, la célébration de la Pâque décrite dans la Bible rassemble deux rituels : celui des premières moissons, l'offrande des galettes de pain, un rituel agraire. Et aussi un rituel de nomades, l'offrande de l'agneau, des premiers-nés... Cela se trouve partout, chez les Africains, chez les Peuls... En Israël, ce rituel repris de la tradition agraire et nomade est devenu le mémorial de la sortie d'Egypte et de l'Alliance conclue au Sinaï. Et, dans la tradition chrétienne, ce mémorial de la sortie d'Egypte est devenu le mémorial de la Pâque célébrée par Jésus dans son unique Sacrifice. L'historicisation des rites cosmiques est redoublée.

J'insiste sur ce point. Nous sommes entrés dans une époque où le rapport au cosmos et au sacré antique a été détruit par la prise de possession rationnelle et scientifique du monde. La lune aujourd'hui n'est pas celle de l'Antiquité : l'homme l'a conquise. Même le corps de l'homme est devenu objet de maîtrise technique. Beaucoup ont fait ces observations et ont dit : « Le monde symbolique de l'homme est désenchanté, il a perdu son enchantement primitif. L'homme continue d'utiliser ces symboles originaires, mais il ne sait plus très bien qu'en faire. Cela devient un jeu. Le symbole a perdu sa fascination et sa puissance. Du coup, le monde est vidé du sacré ; les dieux sont morts. Le grand Pan est mort. L'ancien monde n'est plus. Où se situent encore la poésie et la religion d'un monde privé de symboles ? » Mais en fait cet enracinement symbolique de l'homme dans sa condition corporelle et cosmique fait partie d'un patrimoine inaliénable. Même si celui-ci a perdu sa force d'attraction et de répulsion immédiates, les symboles demeurent les fruits et les germes, les gages et les témoins de ce qui nous dépasse tous et fait vivre chacun. Ce que le symbole peut perdre de naïveté, il le gagne et le donne en raison et en sagesse. L'idée que le monde est « créature » de Dieu, et donc langage intelligible, a permis à l'astronaute ou à l'astrophysicien de dire, comme le psalmiste : « Les cieux chantent la gloire de Dieu. »

Les symbolismes cosmiques et anthropologiques désacralisés sont réassumés dans la mémoire historique et intégrés dans l'histoire du Salut qui garde et donne sens aujourd'hui, y compris pour la forme moderne de la raison. La symbolique biblique et la symbolique chrétienne des sacrements ne sont pas entamées par la désacralisation du cosmos, car elles sont un mémorial historique et spirituel. Bien plus, elles rendent au cosmos la beauté qu'il reçoit de son Créateur.

D. W. — *Avez-vous le sentiment qu'après le triomphe de la raison, il y a, dans l'Eglise, une redécouverte de la nécessité de cette assomption et de l'importance des symbolismes ?*

J.-M. L. — On commence à peine à s'en rendre compte, car on a cédé à la fascination rationnelle. Dans la réforme liturgique, on a cédé à la griserie de la modernité en éliminant trop de symbolismes naturels, en estimant qu'ils étaient païens, ne voulaient rien dire et devaient faire place à « un nouveau langage » encore à inventer, notamment pour les jeunes. Mais ce nouveau langage peut être très décevant quand il n'a aucune dimension historique et eschatologique. On a eu trop tendance à penser que réformer signifiait faire table rase des enracinements et tout réinventer à neuf. C'est aussi compréhensible, mais aussi contraire à la condition de l'homme que l'attitude des révolutionnaires les plus radicaux, qui, en urbanisme ou ailleurs, disent : « Table rase du passé ! » C'est une méconnaissance de l'histoire.

J.-L. M. — *Mais le symbolisme, même lié à l'histoire, ne perd-il pas de sa saveur dans un monde désenchanté ?*

J.-M. L. — Il ne peut plus avoir la même saveur, car l'histoire humaine est irréversible. Mais ne peut-il en gagner ? ou désespérez-vous de la création ?

D. W. — *Ce qui a manqué — je complète la question de Jean-Louis Missika — ce qui manque aujourd'hui, c'est un travail de réinterprétation des symboles.*

J.-M. L. — Les symboles cosmiques sont devenus, dans la tradition juive et chrétienne, des gestes historiques. En fait, c'est la révélation biblique qui sauve le patrimoine du paganisme dont elle rejette les fascinations idolâtres. La Bible délivre l'homme des idoles du paganisme, mais en même temps elle sauve les débris de celui-ci et en restitue les symboles.

J.-L. M. — *Oui, mais cela ne répond pas à la question que je vous ai posée : l'homme moderne, quand il accomplit un acte symbolique, a tout à fait conscience de ce qu'il fait, et cela constitue une différence entre lui et les anciens.*

J.-M. L. — Certes, ce n'est pas la même chose. Lorsqu'on célèbre aujourd'hui la Pâque en utilisant à nouveau le pain non levé, quand on dit la messe avec le pain non levé et avec une coupe de vin, le fruit de la vigne, quand on reprend les palmes pour les Rameaux, ou quand on utilise l'eau, le symbolisme de l'ablution, pour le baptême ou, comme à la veillée pascale, pour l'aspersion des fidèles, on ne conçoit probablement pas les gestes et les paroles comme pouvaient les comprendre les anciens. Mais nous posons encore les gestes et prononçons les paroles et par le fait même une part du patrimoine antique est réintégrée dans notre conscience actuelle et ce que nous trouvons dans les symboles n'est pas mesuré par nos interprétations. Le rituel qui les garde en mémoire est préférable aux récupérations sauvages, irrationnelles, dans lesquelles notre civilisation hyperrationnelle, mais dionysiaque, risque de sombrer. Ce sauvetage des anciens symbolismes est salubre, alors que leur réapparition non contrôlée, au sens strict superstitieuse, dans cet univers hyperrationnel, peut produire des effets contraires.

D. W. — *Pourquoi finalement avez-vous accordé autant d'importance à la liturgie quand vous étiez à Sainte-Jeanne ?*

J.-M. L. — Parce que la liturgie chrétienne n'est pas d'abord l'accomplissement de rites ; elle est acte historique comme lieu de la rédemption, du salut et de la présence de Dieu ; elle est geste de participation des disciples du Christ à son unique histoire. Il n'y a pas d'existence chrétienne sans les sacrements et sans la liturgie ; sinon le christianisme ne serait qu'une idéologie.

D. W. — *La liturgie empêche la transformation éventuelle du christianisme en idéologie ?*

J.-M. L. — Certainement. La preuve peut en être faite négativement : toute dérive idéologisante du christianisme déforme ou élimine la liturgie et les sacrements. Car la liturgie est le lieu où la Parole de Dieu est donnée comme une vie transmise, comme venant de Dieu et prononcée par le Christ sous la puissance de l'Esprit.

D. W. — *Est-ce à cause de cela que la vie sacramentelle est importante ?*

J.-M. L. — Toute culture a besoin de sacré, et il y a une appropriation par les cultures de la foi catholique ; mais en même temps les sacrements sont la garantie que cette appropriation ne va pas se refermer sur elle-même. Je prends un exemple qui fait partie des enjeux majeurs de l'universalisme catholique. La religion chrétienne est née dans une aire géographique qui est celle du bassin méditerranéen, l'aire du blé et du vin. Partout, depuis les origines, de tous les pays de l'Asie centrale aux brumes de l'Ecosse, le rituel catholique a gardé les éléments du rituel de la Pâque, du pain et du vin, en référence à l'Exode. Aujourd'hui, on se trouve à nouveau dans des civilisations très différentes, celles du mil ou du riz. Pourquoi dès lors ne pas prendre ces nourritures simples et fondamentales pour célébrer ce rituel de la Pâque ? Pourquoi garder le pain et le vin ? Est-ce par conservatisme étroit ? Non, mais le rite oblige tous les peuples, dans la diversité de leurs cultures, à reconnaître que l'Absolu qui leur a été donné comme l'espérance de leur salut est apparu en un point déterminé de l'espace et du temps, en un peuple déterminé de l'histoire. Nous l'avons déjà dit : Jésus est né à Bethléem de Judée. Il n'est pas né à Tombouctou, ni au Tibet, ni à Caen. Il est né sous César Auguste, non sous Tamerlan ou Napoléon...

D. W. — *Vous voulez dire que l'accès à l'universalisme passe par l'acceptation...*

J.-M. L. — ... de cette singularité. Du coup, personne ne peut se l'approprier.

J.-L. M. — *Oui, sauf les Occidentaux qui se le sont tout de même approprié, pendant une bonne dizaine de siècles.*

J.-M. L. — Oui, mais ils en sont désappropriés.

D. W. — *Peut-être, mais cela fait peu de temps qu'ils s'y résignent... Et ce n'est pas de bon gré.*

J.-M. L. — Personne ne le fait de bon gré, jamais.

D. W. — *Il y avait donc un accès universel, par l'intermédiaire d'une identité particulière, celle des Occidentaux. Ceux-ci, pour des raisons de pouvoir, se sont approprié cet accès pendant une dizaine de siècles ; et il y aurait, aujourd'hui, une certaine désappropriation ?*

J.-M. L. — L'appropriation s'est faite vingt fois, trente fois, cent fois en quinze siècles. Vous dites cela parce que vous oubliez le passé. Quand le peuple d'Israël a dû accepter que des païens entrent dans l'Alliance, son Messie ne lui a pas été enlevé, mais il lui a fallu accepter que la famille soit plus grande qu'il ne pensait. Quand les Grecs eurent fini par recevoir ce Messie en leur langue, ils ont dû accepter que les Latins donnent la langue à l'Eglise et changent les perspectives théologiques. Dans les six ou sept premiers siècles de l'histoire chrétienne en dehors de l'aire gréco-latine, vous avez des liturgies aussi originales et distinctes que les liturgies syriaque, chaldéenne, arménienne, copte, les rites d'origine syrienne répandus jusqu'en Inde avec des langues différentes. Il y eut ensuite les liturgies germaniques et l'évangélisation des Slaves avec l'invention de l'écriture par Cyrille et Méthode. Comme il fut difficile pour ces peuples de se sentir à tour de rôle dépossédés !

D. W. — *Pour en revenir aux sacrements, avez-vous le sentiment qu'ils sont moins importants ou plus visibles aujourd'hui ? Depuis Vatican II, il y a une tendance à les rendre moins mystérieux, et plus intelligibles, alors même que les intégristes réaffirment la nécessité du mystère.*

J.-M. L. — Il y a une tentation perpétuelle ; elle ne date pas de Vatican II mais de l'origine de toute liturgie : il y a toujours la tentation de l'explication. Comme ces professeurs qui prétendent prendre un poème de Baudelaire et l'expliquer de A à Z ; il n'y aurait plus de mystère. Mais il n'y aurait plus de poème, il n'y aurait plus d'autres lectures possibles ! La liturgie est un acte concret qui fait appel au patrimoine symbolique et historique et dont le sens n'est pas réductible à ce que pense celui qui la pratique. Le rite porte un mystère dont la richesse symbolique est à la mesure de la Parole de Dieu et du mystère de l'histoire. Ramener la liturgie à ce qu'une génération peut en comprendre, c'est en faire un cérémonial des Jeux olympiques, ou bien un défilé du 14 Juillet. Vous n'avez plus qu'à prendre un commentateur à la voix chaleureuse et chaude ; il vous expliquera tout ce qu'il faut comprendre !

D. W. — *Vous êtes plutôt favorable au latin par conséquent ?*

J.-M. L. — Pas nécessairement.

D. W. — *Pas nécessairement, mais vous n'y êtes pas hostile ?*

J.-M. L. — Non, le latin marque une certaine continuité dans une aire culturelle déterminée. Les peuples germaniques et les peuples anglo-saxons, qui ont été beaucoup moins marqués par la latinité, ont très vite adopté un autre système linguistique pour exprimer la liturgie. Et les peuples slaves, au IXe siècle, eux qui étaient étrangers à Byzance, au monde grec et au monde latin, ont gardé la langue qui était la leur, le vieux slavon. La langue liturgique n'est pas une question de doctrine, mais ce n'est pas non plus parce que le célébrant parle la langue vernaculaire qu'il communique mieux avec l'assemblée.

J.-L. M. — *D'une façon plus générale, vous êtes plutôt favorable à la conservation, et plutôt hostile à des changements dans les rites ?*

J.-M. L. — Cela dépend des changements. Nous n'avons pas assisté à la première réforme liturgique de l'histoire, loin de là, mais c'est la première qui ait été aussi radicale dans le rite latin.

D. W. — *En quoi a-t-elle été un changement radical ?*

J.-M. L. — La Constitution conciliaire sur la liturgie en est restée à des principes généraux, mais il faut considérer les applications ultérieures. Ce sont des universitaires, des professeurs, qui ont conçu cette réforme. Elle a été précédée d'un travail scientifique très remarquable. L'érudition historique moderne sur la liturgie s'est constituée à partir du XVIIIe siècle. Peu à peu, il s'est instauré une critique historique et « génétique » des sources. Entre les années 1930 et le Concile, les spécialistes de la liturgie ont généralement donné en modèle la liturgie basilicale de la belle époque, entre le IVe et le Ve siècle : c'était l'idéal qu'il fallait reconstituer ! Et on a fait de la reconstitution. C'était intelligent, mais il n'est pas sûr qu'une évolution plus lente, moins volontariste, plus respectueuse des permanences et des continuités n'aurait pas donné aux fidèles eux-mêmes le sentiment d'un traumatisme moins grave. Si l'on avait mieux mesuré la portée des rites comme mémoire historique inscrite au cours des générations, on aurait probablement avancé plus lentement dans la réforme liturgique.

D. W. — *Oui, mais certains voyaient une « démocratisation » dans cette volonté de rendre la liturgie et la vie sacramentelle plus accessibles, plus participatives.*

J.-M. L. — Démocratisation ? Cela allait à rebours du désir de la majorité des gens.

D. W. — *On pourrait répondre qu'il y avait dans le sentiment populaire une sorte d'obscurantisme que la réforme de la liturgie devait permettre de réduire.*

J.-M. L. — Cela allait au rebours du désir majoritaire des fidèles. La plupart des gens souhaitaient finalement le silence, la musique, le rite ancré dans la mémoire. C'est une idée très volontaire que celle de la « participation active » qui a été l'un des objectifs du Concile. Mais fallait-il poursuivre cet objectif à la manière de la révolution culturelle de Mao, avec des obligations de participation ? ou bien valait-il mieux la gérer avec infiniment plus de lenteur ? Nous avons géré cette mutation d'une façon peut-être volontariste et arbitraire qui a produit l'effet opposé, et cela révèle un manque de sens historique, me semble-t-il.

Les artisans de la réforme liturgique trouvaient, non sans raison, que les rites étaient devenus obscurs parce qu'on ne savait plus pourquoi ils étaient là et ce qu'ils signifiaient. On accusait, non sans raison, la langue, mais il ne suffisait pas de traduire. On a donc voulu, pour rendre les rites de nouveau « performants », leur donner plus de transparence. Souvent on a substitué l'explication au rite, le commentaire au symbole. Un rite, un symbole doit être porté historiquement et avoir une certaine universalité sociale. Ce n'est pas un prêtre ni un groupe de gens qui peuvent inventer un symbole. D'ailleurs inventer des symboles, cela n'a littéralement pas de sens. Les grandes révolutions ont voulu inventer des symboles ; seuls, ont « pris » ceux qui furent repris et enrichis par l'histoire et la mémoire des peuples. La reprise des symboles cosmiques dans la tradition juive et chrétienne vient de l'histoire, et si cela devient porteur d'une force symbolique, c'est que l'histoire des générations humaines conduites par l'Esprit a, dans la mémoire, une puissance d'identification et de percussion inouïe.

J.-L. M. — *Seriez-vous favorable à redonner un aspect corporel à la foi, comme le jeûne ou d'autres pratiques qui ont beaucoup reculé depuis une vingtaine d'années ?*

J.-M. L. — Tout le mouvement de la culture contemporaine nous y pousse. L'attention au corps, une nouvelle sensibilité qui majore les modes d'expression sensible, chant, gestuation, peinture, etc., en les rendant accessibles à tous. Cela nous permet de nouveau de comprendre la haute valeur spirituelle de l'existence corporelle de l'homme : Dieu s'est fait homme. La chair dit la Parole. Il en ressort que l'ascèse chrétienne, loin d'être un mépris du corps, lui assigne, au contraire, sa vraie destinée. Il est le temple de l'Esprit. Les jeunes générations retrouvent ce que nous avions cru désuet, même si elles le réinventent parfois bien, parfois mal. Pourquoi notre génération a-t-elle été traumatisée et blessée par ces pratiques qui lui avaient été transmises, au point de s'en débarrasser ? Que s'est-il donc passé en Occident pendant un demi-siècle ?

D. W. — *Etes-vous d'accord avec cette phrase du cardinal Ratzinger à propos de la liturgie : « Pour le catholique, la liturgie est la patrie commune, elle est la source même de son identité. C'est pourquoi elle doit être prédéterminée, invariante, pour qu'à travers le rite se manifeste la sainteté de Dieu » ?*

J.-M. L. — Oui, fondamentalement. Invariante ne veut pas dire uniforme. La liturgie, de toujours, a pris des formes multiples et elle en prendra d'autres encore. Mais la liturgie a ceci de particulier qu'elle est une expression objectivée du don que Dieu a fait à son Eglise. Un chanteur, un artiste exprime sa subjectivité face à une assemblée qui se reconnaît ou non en lui, qui s'identifie ou ne s'identifie pas à lui. Cela fait ou non son succès ; sa force d'expression vient d'abord de sa subjectivité et de la manière dont il sera capable de la traduire. Mais dans le rite chrétien, le célébrant est d'abord porteur d'une signification qui ne lui appartient pas ; elle ne dépend pas de sa subjectivité ; c'est un geste auquel obéissent et consentent ceux qui sont réunis. Quand le prêtre célèbre l'Eucharistie, c'est lui qui parle et pose les gestes, mais il célèbre l'Eucharistie au nom du Christ Tête de l'assemblée, et les gens ne viennent pas pour le voir, mais pour célébrer l'Eucharistie du Seigneur. Le spectacle comprend acteurs et spectateurs. Dans la liturgie, tous sont et acteurs, coopérateurs de Dieu, et aussi spectateurs de l'œuvre de Dieu en eux.

J.-L. M. — *Mais les prêtres savent-ils toujours expliquer cette signification de la liturgie ?*

J.-M. L. — Le prêtre, s'il n'accédait pas à une compréhension savoureuse et vivante de la foi, pourrait avoir le sentiment de n'être qu'un fabricant de cérémonies, un prestataire de services parmi d'autres, pour les rites sociaux. Par exemple, dans la célébration d'un mariage, il peut lui sembler, à tort ou à raison, qu'il lui est d'abord demandé un certain décorum et que l'aspect proprement religieux qui engage sa conviction la plus profonde passe au second plan.

D. W. — *Mais l'idée de réformer la liturgie n'est-elle pas venue du fait qu'une partie des fidèles ne voyait plus la richesse de sens des sacrements ?*

J.-M. L. — En partie. La simplification devait permettre aux prêtres d'engager un dialogue plus authentique. Mais par contrecoup les fidèles ont trouvé que les curés en faisaient trop, demandaient trop de choses. Je me suis entendu dire quand j'étais curé : « Soyez déjà bien content que l'on vienne vous voir. Si vous nous ennuyez trop, on ne viendra plus. » Notre objectif, et sa difficulté, était de rendre vie au rituel, donc de l'insérer davantage dans la vie ; mais comment ? jusqu'où ? Nous avions le sentiment, parfois un peu faux, qu'il y avait d'un côté la sacristie et de l'autre la place publique ; la foi, la religion, la fidélité au Christ, n'étaient-elles pas prisonnières de la sacristie ? Il fallait donc l'en sortir sur la place publique et recréer l'unité de la vie et de la foi.

Une deuxième tentative a consisté à majorer la vie ordinaire, « la vie de tous les jours », mot passe-partout dans la langue ecclésiastique. On parlait de la vie quotidienne comme du lieu où pouvaient se révéler le sacré et Dieu. Ce n'est pas non plus tout à fait faux. Mais il ne faut pas pour autant oublier que l'univers moderne connaît d'autres modèles. La vie de tous les jours, c'est « métro, boulot, dodo » ! C'est l'usine, le grand magasin, le bureau ; c'est la vie organisée selon les fonctions de la société : le réfrigérateur, le surgelé, la télévision, l'aspirateur, les synthétiques, le week-end ici ou là. Or, cette vie sociale ne s'est pas faite toute seule ; elle a été organisée en fonction de choix et de rationalités qui ne laissent pas forcément leur place à d'autres significations. Ainsi une usine, c'est d'abord fait pour produire au meilleur coût, au meilleur prix, pour faire de l'argent, à la rigueur pour distribuer des salaires, peut-être pour engendrer de meilleurs rapports sociaux ; mais ce n'est pas fait pour exprimer des états d'âme ! Finalement les individus doivent se réfugier dans leur vie privée pour retrouver un peu de liberté. Les différents champs de l'existence humaine sont pris dans des réseaux organisationnels où la symbolique de la vie est réduite, mesurée et polarisée en fonction de finalités bien précises, de projets exigeants et d'objectifs souvent économiques. Quand, témoins du Christ, nous avons adopté cette rationalité en prétendant faire entrer dans cet univers rationnel la foi et sa symbolique, nous avons pris la voie la plus difficile. Il n'y a pas là de lieu propre pour l'expression de la symbolique religieuse, puisque, par hypothèse, elle en est expulsée ou y est récupérée.

J.-L. M. — *Vous êtes plutôt pour le maintien de lieux et de moments séparés où puisse s'exprimer la symbolique religieuse ?*

J.-M. L. — Mais on est obligé de le faire ! Les événements ponctuels que sont la naissance, la mort, le mariage, sont précisément les points de rupture de la vie ordinaire, où des hommes et des femmes pris dans la mécanique impitoyable du quotidien peuvent retrouver ce qu'ils ne découvrent nulle part ailleurs. Un homme ou une femme, dans sa vie, n'a pas tellement d'instants de liberté, d'instants où les choix orientent gravement l'avenir. Or, les moments dont on vient de parler en font certainement partie. Nous sommes, nous pasteurs, placés au bord de la route. Nous voyons apparaître, pour des moments furtifs mais décisifs, des hommes et des femmes demandeurs de quelque chose qu'ils ne peuvent souvent guère exprimer. Cela exige beaucoup de disponibilité de la part des prêtres, car ces moments sont brefs, même s'ils ont une signification formidable pour qui se présente devant nous. Il faut alors faire et donner quelque chose qui n'est justement pas ce que ces individus font par ailleurs dans leur vie de tous les jours.

D. W — *Vous êtes donc opposé à ce que l'on pourrait appeler l'idéologie de la participation qui a voulu pendant un certain nombre d'années réduire la séparation entre la vie quotidienne et les lieux et moments de la prière ?*

J.-M. L. — Il ne peut y avoir de vraie participation que s'il y a d'abord une différenciation. Sinon la participation est archaïque, fusionnelle, régressive ; la participation que nous devons espérer et vers laquelle nous devons tendre sans cesse suppose précisément la mise en évidence des différences.

D. W. — *Pourtant on associe rarement communion et différenciation. On la comprend en général comme synonyme de fusion.*

J.-M. L. — C'est un aspect de notre mission que d'empêcher cette régression, surtout si l'on prête attention à ce que représente le symbolisme de l'Eglise et de la paroisse.

D. W. — *Oui, mais les prêtres ont joué un rôle considérable dans le sens du désir de participation et de désacralisation. On a dit : « A bas l'archaïsme des rites et des cultes, incompréhensibles pour la population. Banalisons-les, ouvrons-les »...*

J.-M. L. — Ce ne fut pas seulement le fait d'une mode ou d'une pratique répandue par le clergé, mais aussi d'un certain nombre de fidèles qui le réclamaient. C'est l'erreur d'une société qui, dans la confusion, risque de se détruire elle-même.

D. W. — *Vous avez conscience qu'en disant cela, on peut justifier une société, disons, plus hiérarchique. On peut passer de la nécessité de maintenir des différences à la vision d'un ordre — que l'on a connu — beaucoup plus rigide et hiérarchisé.*

J.-M. L. — Je vois bien comment mon propos pourrait être entendu de la sorte. De la même façon, le discours fusionnel peut être compris de façon anarchique ou fasciste. En fait, je plaide au contraire pour une véritable démocratie au sens le plus fort. Qui dit démocratie — c'est du moins la conception que j'en ai — dit idéal de la responsabilité et donc de la personnalisation. Qui dit personnalisation dit distinction et différenciation des fonctions et des rôles, différenciation aussi du sacré. Il ne peut y avoir de communion sans acceptation de l'autre. Considérer que la distance dans laquelle l'autre se constitue est une négation de la communion, c'est littéralement nier l'autre. Ce serait le ramener au même. Il ne peut y avoir de véritable communion à autrui sans accepter qu'il soit autre et sans le respecter dans son altérité. C'est vrai de l'homme et de la femme. C'est vrai des parents et des enfants : si les parents ne jouent pas le rôle de parents, les enfants ne peuvent exister comme enfants.

Pratique et morale chrétiennes

D. W. — *Que se passe-t-il pendant la messe ?*

J.-M. L. — La messe est l'acte d'une assemblée : *ekklèsia,* mot grec qui traduit le mot hébreu *qahal* et qui a donné le mot « église ». Tous les membres de cette assemblée sont « convoqués » par Dieu. L'Eglise-assemblée est un corps structuré avec une tête et des membres ; et sa structure est « apostolique ». Par les apôtres du Christ et leurs successeurs, tous les gestes de la messe nous donnent part à des gestes accomplis historiquement par le Christ lui-même et enracinés dans la tradition d'Israël. La liturgie chrétienne de la messe réunit et la liturgie de la Parole empruntée au culte synagogal, et celle du repas tirée du rituel familial du repas pascal.

Le célébrant est face à l'assemblée. Il la préside et la salue au nom du Christ. Après avoir demandé le pardon des péchés, l'assemblée écoute la proclamation de la Parole vivante de Dieu : Ancien Testament, écrits apostoliques et Evangile.

J.-L. M. — *Et le sermon ?*

J.-M. L. — Celui qui a lu l'Evangile le prolonge par un commentaire. Puis l'assemblée confesse la foi de l'Eglise, le Credo, et intercède pour les besoins du monde et de l'Eglise.

Le célébrant présente le pain et le vin et prononce sur eux une bénédiction : « Tu es béni, Dieu de l'univers, Toi qui nous donnes ce pain, fruit de la terre et du travail des hommes. Nous te le présentons, il deviendra le pain de la vie. » « Tu es béni, Dieu de l'univers, Toi qui nous donnes ce vin, fruit de la vie et du travail des hommes ; nous te le présentons : il deviendra le vin du Royaume éternel. »

L'autel est à la fois la table du festin et le lieu du sacrifice. Au début de la prière eucharistique, le célébrant appelle l'assemblée à rendre grâce au Père des Cieux au nom du Christ, rappelant l'histoire du Salut depuis la Création jusqu'à la venue du Christ en ce monde. Puis la prière eucharistique invoque la puissance de l'Esprit et le célébrant, suivant les récits du Nouveau Testament, dit les paroles de Jésus à la Cène sur le pain et le vin. L'assemblée s'incline et fait mémoire du Sacrifice du Christ rendu présent dans son Corps et son Sang. Le mémorial de la libre offrande de sa vie inclut les vivants et les morts dans une supplication pour l'Eglise.

Le rite de la communion commence par la récitation du Notre Père, prière de tous les chrétiens. Le célébrant fractionne le pain consacré, y communie et le distribue aux fidèles ; il boit le vin consacré. Après une prière d'action de grâce pour le don reçu, il envoie l'assemblée en mission : ceux qui ont été incorporés au Christ par le sacrement eucharistique doivent accomplir dans leur vie ce qu'ils ont reçu dans le sacrement.

D. W. — *Que se passe-t-il pendant la semaine sainte ?*

J.-M. L. — Le *Journal de voyage d'Egérie*, une femme du IVe siècle, nous relate son pèlerinage à Jérusalem et les liturgies de la semaine sainte telles qu'elle les a vécues. Ce sont ces liturgies qui se sont répandues dans l'univers catholique tout entier. Le jour des Rameaux, la liturgie de Jérusalem rassemblait les chrétiens de la ville au sommet du mont des Oliviers et ils entraient à nouveau dans Jérusalem, comme Jésus dans le récit des Evangiles. La procession aboutissait au Saint-Sépulcre, lieu de la mort et de la résurrection du Christ.

Les trois derniers jours de la semaine sainte, jeudi saint, vendredi saint, samedi saint, nous font suivre historiquement et pas à pas la dernière Pâque que le Christ a vécue. Dans la messe du jeudi saint, la liturgie inclut le geste du lavement des pieds (Jn. 13). Jésus s'est fait l'esclave de ses disciples en leur lavant les pieds, prenant ainsi la figure du Serviteur souffrant d'Isaïe. La nuit du jeudi au vendredi, l'Eglise demeure en prière, partageant ce que Jésus a vécu cette nuit-là : la descente dans la vallée du Cédron, le combat de Gethsémani, son arrestation, le procès et les outrages.

Le vendredi, au jour de la mort du Seigneur, l'Eglise célèbre une liturgie austère. Les fidèles écoutent d'abord le récit de la Passion selon saint Jean, puis le célébrant les invite à une solennelle intercession pour l'Eglise et l'humanité entière. Alors, il leur présente la Croix pour qu'ils la vénèrent. Elle était l'instrument ordinaire de la mise à mort des condamnés de droit commun par l'autorité romaine. Eclairés par le récit de la Passion, les chrétiens voient dans la Croix un signe de l'amour, de la vie, de la victoire, de la plénitude donnés par Dieu. Elle revêt dès lors une extraordinaire richesse symbolique. Le bois de la Croix est rapproché de l'arbre de vie de la *Genèse,* et ses quatre dimensions revêtent un sens cosmique. Après la vénération de la Croix, la communion se fait à l'Eucharistie consacrée la veille.

Suit alors un silence de vingt-quatre heures. La nuit du samedi au dimanche est la grande vigile pascale. Elle commence par une liturgie d'illumination. Le cierge pascal symbolise le Christ sortant de la mort, lumière du monde, qui illumine tous ses frères. La liturgie de lectures bibliques, très longue, va du récit de la création au récit de la résurrection en passant par l'Exode, les prophètes et saint Paul. C'est la nuit de Pâques que sont célébrés les baptêmes des catéchumènes. Du moins tous les fidèles y renouvellent la profession de foi de leur baptême, avant la liturgie eucharistique.

J.-L. M. — *A quoi reconnaissez-vous un chrétien?*

J.-M. L. — J'appelle chrétien celui qui est baptisé. Le chrétien, c'est celui qui a été baptisé, c'est-à-dire celui qui a été identifié au Christ par l'acte qui l'a fait naître à la condition d'enfant de Dieu en lui donnant part au baptême du Christ, c'est-à-dire à sa mort et à sa résurrection. Dès lors, irrévocablement, le chrétien a reçu la vocation de devenir ce à quoi il a été appelé. Il a été enfanté : à lui maintenant de vivre. Voilà la définition du chrétien. On n'est pas plus ou moins chrétien selon que l'on pratique ou que l'on ne pratique pas. Dès le moment où on l'est, on le demeure.

J.-L. M. — *Mais les sociologues et les politologues pourraient répondre qu'ils ont découvert des différences significatives, par exemple pour le vote, entre les pratiquants et les non-pratiquants, ou pour les opinions sur les questions fondamentales telles que l'avortement, le mariage...*

J.-M. L. — La question est de savoir ce qui est déterminant : l'appartenance chrétienne est-elle identifiée à une certaine forme de culture ? A un moment donné, les Latins, les peuples de l'Empire romain, étaient chrétiens et les Barbares ne l'étaient pas. On pouvait donc considérer que les différences entre les Barbares et les Romains devaient être attribuées au christianisme, et les caractéristiques des Barbares pouvaient être attribuées à l'absence de christianisme. Plus tard, quand les Barbares sont devenus chrétiens, voire catholiques, les différences entre les Barbares et les Romains subsistaient, même s'ils étaient tous catholiques.

D. W. — *Mais à quoi pourrait-on, « phénoménologiquement », reconnaître un chrétien ?*

J.-M. L. — Un chrétien ne doit pas vouloir se donner l'air d'être chrétien ; il ne serait alors qu'un comédien, un Tartuffe, qui fait tout ce qu'il faut pour ne pas l'être en voulant avoir l'air de l'être. Vous connaissez le grand jeu du défi ! « Je croirais davantage à leur résurrection s'ils avaient l'air sauvés. » Devant cette accusation nietzschéenne, les chrétiens ont voulu avoir l'air d'être sauvés ! Mais cela ne sert à rien d'avoir l'air : il faut être. Et si l'on se fait reconnaître, c'est par ce que Dieu fait de nous, et non pas par l'air qu'on veut s'en donner. Dans l'Evangile, le Christ dit à ses disciples : « On vous reconnaîtra à ceci que vous vous aimerez les uns les autres », et il ajoute : « Aimez-vous les uns les autres, comme je vous ai aimés. » Cette phrase est tout à fait décisive et correspond à la réponse déjà faite, mais elle est susceptible d'être mal entendue. Je veux dire : que signifie « s'aimer les uns les autres » ? Quand on regarde les sociétés chrétiennes au cours de l'histoire, on s'aperçoit, non qu'elles ont eu le monopole de la haine ou des divisions, mais qu'il y a eu chez elles aussi de la haine, des divisions et des conflits.

D. W. — *Disons que la différence par rapport aux autres sociétés ne saute pas aux yeux.*

J.-M. L. — Soit. En tout cas, une société chrétienne n'est pas une société paradisiaque. L'exemple d'amour qui nous a été donné n'est pas un modèle fusionnel de bonne entente mutuelle, d'une société dont les conflits auraient, comme par enchantement, disparu grâce à des procédés faciles.

Le modèle, l'archétype de l'amour proposé, c'est celui que le Christ vit, c'est-à-dire sa Passion, sa mort sur la Croix qui assume la haine et le refus d'aimer, c'est-à-dire le péché. « Il n'y a pas de plus grand amour que de donner sa vie pour ceux qu'on aime. » Ce qui doit être entendu, dans la bouche du Christ, non comme le sacrifice suicidaire du héros qui se détruit pour défendre l'honneur, mais à l'inverse, comme l'oubli de soi-même jusqu'à l'enfouissement dans la mort pour donner la vie.

De même, quand les disciples de Jésus sont appelés à s'aimer les uns les autres comme le Christ nous a aimés, ils ont à surmonter toutes les sources de divisions qui existent entre les hommes et donc entre eux, tous les conflits qui séparent les chrétiens en ethnies et en nations. On ne voit pas pourquoi, brusquement, il y aurait une humanité autre qu'elle n'est. Mais elle reçoit la force messianique de se battre contre ses divisions. Les sacrements sont la source, les gages, les signes, les instruments de cette force. Ils nous rendent capables de supporter les divisions et de les transformer, devenant, comme dit le prophète, des « réparateurs de brèches ». Les mots-clés sont amour, pardon, miséricorde et passion, la passion du Christ. Le signe auquel se reconnaissent les chrétiens entre eux et que le monde peut parfois discerner, c'est qu'ils sont devenus semblables au Christ dans leur amour mutuel qui les identifie au Christ dans sa passion.

Le chapitre 25 de saint Matthieu consacré au Jugement Dernier nous rapporte une parabole sur le jugement des nations à qui l'Evangile n'aura pas été annoncé. Elles seront jugées sur la manière dont elles auront traité les frères du Messie. Les frères du Messie ont faim, ont soif, souffrent, ils sont en prison, ils sont persécutés. Et, à la fin des temps, le Messie dit aux nations païennes : « Venez les bénis de mon Père. J'ai eu faim, vous m'avez donné à manger. J'ai eu soif, vous m'avez donné à boire. J'ai été en prison, vous m'avez visité. » Et les nations, les *goims*, disent : « Mais quand avons-nous fait cela ? On ne t'a jamais vu, on ne te connaît pas. » La réponse du maître est : « Ce que vous avez fait au plus petit de mes frères, c'est à moi que vous l'avez fait. » Et, à l'inverse : « Allez-vous-en, maudits. J'ai eu faim, vous ne m'avez pas donné à manger. J'ai été en prison, vous ne m'avez pas visité. » Et les autres disent : « Mais quand cela s'est-il passé ? On ne te connaît pas. » La réponse est la même : « Ce que vous n'avez pas fait au plus petit de mes frères, c'est à moi que vous ne l'avez pas fait. » Le chrétien est identifié au Christ et doit remplir en ce monde la fonction messianique sur laquelle le monde pivote et est jugé.

D. W. — *Y a-t-il une morale chrétienne ?*

J.-M. L. — Le premier mot de la morale chrétienne est de se fier entièrement aux commandements de Dieu. Parce qu'il a été créé à l'image et à la ressemblance de Dieu, l'homme doit vivre comme Dieu vit, agir comme Dieu agit, et les commandements de l'Alliance disent les règles de l'action de l'homme à la mesure de sa vocation divine qui le rend semblable à Dieu, l'unit à Dieu, le met en communion avec Dieu. Le croyant doit agir suivant les commandements de Dieu : voilà l'exigence fondamentale permanente dans la condition humaine historique, changeante et précaire.

J.-L. M. — *Y a-t-il un absolu de la morale ?*

J.-M. L. — Il y a un absolu de la morale : les commandements de Dieu, donnés comme paroles de vie et comme exigences. Les commandements révèlent aux hommes leur impuissance, alors que le Christ les a accomplis jusqu'au don de sa vie. Dès lors, Notre Seigneur nous donne la force de les accomplir en lui, par lui et avec lui, grâce à la force de l'Esprit Saint qui nous a été donné. L'assurance chrétienne est que la sainteté est possible ici-bas, même si les hommes sont pécheurs, parce que le pardon est sans cesse donné et rendu par Dieu.

Un tel idéal de la vie humaine, dans la communion avec le Christ par le don de l'Esprit, est propre aux chrétiens et il est doté d'une portée universelle. Les chrétiens n'ont pas à l'imposer par la force ou la contrainte à ceux qui ne partageraient pas leurs convictions, mais en même temps ils ont le devoir d'annoncer à tous les hommes l'exigence qui les habite comme une révélation et une grâce données pour l'humanité entière.

III

LE QUESTIONNEMENT THÉOLOGIQUE

Parler de Dieu

D. Wolton. — *Parler de Dieu suppose qu'on peut s'adresser à lui et donc en avoir une représentation. Celle-ci a évolué dans l'histoire en passant d'une représentation purement symbolique à une représentation de plus en plus anthropomorphique. Quel sens faut-il donner à cette évolution entre plusieurs formes de représentations de Dieu, dont chacun sait bien qu'elles ont une incidence sur la manière de lui parler et de concevoir son rôle ? La communication, même sacrée, suppose une identification de l'autre.*

Jean-Marie Lustiger. — Je ne veux pas ouvrir la discussion sur les représentations du divin à travers les civilisations. Les ethnologues sont devenus très prudents. Je ne pense pas qu'ils souscriraient à ce que vous venez de dire. Je m'en tiens ici aux problèmes posés par la symbolisation de Dieu dans la tradition juive et chrétienne. La figuration dans la tradition chrétienne a varié au cours des siècles et traîne en elle-même des équivoques. Cela a été jusqu'au point d'une crise formidable dénouée en principe au second concile de Nicée, en 787, qui a statué sur la légitimité des icônes. Il s'agissait de savoir si l'on peut ou non figurer les personnages de l'Histoire sainte, et, en premier lieu, le Christ. Cette crise spirituelle, esthétique, symbolique est à rapprocher, d'une certaine façon, de la question actuelle en Occident de la peinture non figurative. Je crois vous l'avoir déjà dit : il y a une analogie avec l'art abstrait et le démantèlement de la figuration humaine. On peut éclairer probablement la crise présente de la figuration en se référant à l'iconoclasme, car il y a analogie entre la figure de Dieu et la figure de l'homme.

Dans la tradition juive, Dieu n'est jamais représenté alors que toutes les religions païennes du Proche-Orient figuraient leurs divinités. Cependant, contrairement à ce qui est dit fréquemment, la tradition juive connaît une certaine figuration. La preuve en est donnée par des mosaïques du Proche-Orient, entre le IIe siècle avant Jésus-Christ et le IIe siècle après Jésus-Christ. Pendant quatre siècles, il y a eu un art juif, varié et étonnant. Je pense à une mosaïque singulière, découverte en Galilée. Elle représente le sacrifice d'Isaac ; elle date de la période hellénistique et doit être du IIe siècle. Différente de l'art hellénistique d'autres synagogues voisines, elle ressemble un peu aux fresques romanes de Catalogne. Et ce n'est pas de l'art naïf car manifestement il y a un grand savoir-faire esthétique. Comme si l'artiste avait volontairement défiguré pour ne pas faire tout à fait une image. C'est exactement le même problème que celui de la peinture moderne.

La figuration de Dieu le Père, jusqu'à une période récente que l'on peut faire remonter au baroque, au XVIIe siècle, était toujours représentée par un signe : le tétragramme sacré (les quatre lettres hébraïques du Nom divin), le rayon, le soleil, la main, autrement dit, par des symboles abstraits, car le Père n'est pas figurable. En revanche le Christ, le Fils de Dieu qui a pris chair et figure humaines, est figuré suivant une esthétique symbolique, rarement réaliste sauf à partir du XIIIe et XIVe siècle, en Occident surtout. Toute l'iconographie byzantine donne une figure humaine fortement symbolisée. Ce qui est ainsi figuré est un sacrement et un mystère, car les gestes et les paroles du Christ dans la chair sont des prophéties de ce qui s'accomplit en ses frères au cours des temps tout au long de l'histoire. Cette figuration a fait comme partie du mystère de la Parole de Dieu faite chair. Elle s'inscrit dans la continuité de la célébration de l'Eucharistie. Le programme iconographique des églises obéissait, jusqu'à la Renaissance, à des règles très strictement définies selon une cohérence théologique. Les peintres ou les sculpteurs se soumettaient à une très rigoureuse discipline spirituelle qui commandait l'apprentissage et l'exercice de leur métier. Il n'y avait pas d' « artistes », mais des croyants — le plus souvent, des moines — qui fabriquaient des signes, des « icônes » comme d'autres copiaient l'Ecriture.

Dans le judaïsme antique, la représentation des scènes de la Bible dans les synagogues n'apparaissait pas blasphématoire dès lors que ceux qui étaient réunis n'avaient pas l'intention d'adorer l'image. L'image n'était là que comme un signe, une référence, liée à la parole vivante. C'était une parole peinte, ce n'était pas une idole. A l'époque médiévale, la tradition occidentale surtout a osé représenter Dieu le Père d'après les noms qu'il porte dans l'Ecriture : créateur, maître, l'Ancien des jours. On a franchi une barrière en représentant le Père invisible par l'image du vieillard. Cette évolution est intéressante d'un point de vue culturel, mais elle n'exténue pas la foi de l'Eglise.

J.-L. MISSIKA. — *Etes-vous choqué que l'on représente physiquement Dieu sous une forme humaine ?*

J.-M. L. — Le Père, oui. Parce que cela me paraît moins respectueux de l'Economie du Salut. Vous connaissez la phrase de l'Evangile dans le prologue de saint Jean : « Dieu, personne ne l'a jamais vu. » (1,18)

D. W. — *Vous préférez le symbole ?*

J.-M. L. — C'est clair. Les milieux monastiques des XIVe et XVe siècles ont connu une symbolique extrêmement raffinée.

D. W. — *Non seulement il existe un problème de représentation, mais également un problème d'adresse et d'image mentale.*

J.-M. L. — Si l'on réduit Dieu à ce que l'on en conçoit, ce n'est plus Dieu, dit saint Augustin. Il faut inverser le problème. C'est Dieu qui donne à l'homme la possibilité d'exister et de se poser en vis-à-vis comme sujet, personnel. Il lui donne la parole qui permet de parler à Dieu. C'est Dieu lui-même qui, en se révélant, permet à l'homme de le nommer. En se nommant, il donne à l'homme sa parole et les mots pour s'adresser à lui. Dès l'Ancien Testament, Dieu parle. Cette parole se fait entendre, et dès le moment où elle se fait entendre et est reçue, elle devient parole humaine. Cette parole qui se donne à l'homme lui permet de connaître le Dieu invisible et de le nommer. C'est l'Esprit qui ouvre les oreilles et qui donne de parler : il crée un langage pour l'homme qui sans lui ne peut pas nommer Dieu. Dans la tradition chrétienne, si nous pouvons nous adresser au Père invisible, c'est unis à la prière du Fils, de Jésus en son humanité, par la force de l'Esprit Saint. Le Christ lui-même, quand il nous donne la formule de la prière, dit : « Quand vous prierez, vous direz : " Notre Père " », et nous employons le mot « Notre Père » qui est le mot noble repris à la Bible ; Jésus, lui, a dit un mot qui n'a pas été repris, que la liturgie n'a jamais osé reprendre. Il disait : « Abba », ce qui en araméen signifie « Papa ». Donc, il y a, dans la personne du Messie, une espèce de familiarité inouïe, singulière, unique à l'égard de Dieu Père. Il a lui-même enseigné : « Vous direz " Notre Père qui es aux cieux, que ton Nom soit sanctifié, que ton Règne vienne ". » Ces formules du Notre Père, reprises des « Dix-huit bénédictions » du *kaddish,* de la prière rituelle d'Israël, prennent leur portée chrétienne parce qu'elles sont dites avec le Fils dans la présence de l'Esprit Saint.

J.-L. M. — *S'adresse-t-on de la même manière au Père et au Fils ?*

J.-M. L. — On ne prie pas le Père comme on prie le Fils, et l'Esprit est celui qui nous donne d'accéder au Fils et de reconnaître Dieu, Père. Nous avons accès à Dieu et à son mystère de Père par le Fils et dans la familiarité mystérieuse de l'Esprit : quand nous sommes introduits dans cette relation filiale, nous sommes à notre place véritable d'être un avec le Fils, par la force de l'Esprit, tournés vers le Père. Celui qui va vers le Christ, même sans le connaître exactement, finira un jour par reconnaître dans le Christ le Père invisible qui lui révèle la force de l'Esprit. Il y a un ordre de l'Economie divine et de l'accès à Dieu. La prière n'est pas représentation mentale ou fantasmatique, elle est d'abord un acte, la part prise à l'acte du Christ qui se tourne vers Dieu, son Père et notre Père. C'est en cela que la prière chrétienne est spécifique par rapport à une contemplation de type noétique ou au recueillement de l'introspection. Dans la tradition juive et chrétienne, la prière inclut ces dimensions mais comme à la marge ; la prière est d'abord la part prise par l'homme à la vie et à l'action de Dieu ; elle est acte de liberté et d'amour, coopération à l'Œuvre de Dieu dans l'histoire.

J.-L. M. — *Dans la prière, vous considérez que ce n'est pas le chrétien qui s'adresse à Dieu, mais plutôt l'inverse ?*

J.-M. L. — Pour que l'homme connaisse Dieu, il faut que Dieu se soit fait connaître. Cette première connaissance, l'homme la reçoit comme une révélation : il a été créé lui-même à l'image et à la ressemblance de Dieu. Les premières pages de la *Genèse* sont inépuisables. C'est la Parole créatrice qui donne consistance à l'homme et c'est elle encore qui rend l'homme capable de parler, c'est-à-dire de parler à Dieu. L'homme, par rapport à la connaissance de Dieu et à l'accès à Dieu, est un paralysé qui ne peut ni marcher ni avancer sur la route. Il est muet, il ne peut pas chanter, il ne peut rien dire, il est privé de langage. Il est aveugle, il ne peut voir. Il est sourd, il ne peut pas entendre. Il est blessé, il est comme mort. Il est impur, au sens de la Bible. Il faut que Dieu se fasse connaître pour que l'homme puisse devenir ce qu'il est dès l'origine : lui qui était devenu aveugle pour qu'il voie, lui qui était rendu sourd pour qu'il entende, lui qui était paralysé pour qu'il marche, et de la sorte qu'il devienne un homme qui parle. Le langage lui est rendu. C'est ce que signifient les miracles de Jésus qui, selon la parole d'Isaïe, fait voir les aveugles, entendre les sourds, parler les muets, marcher les paralytiques, relever les morts. Les miracles sont une parole en acte. Le problème du langage est majeur dans la Révélation. La parole ne peut être détachée de celui qui parle, ni de Dieu, ni de l'homme, même si le locuteur humain est tenté de faire de sa parole quelque chose de complètement insignifiant. Quand le Christ dit : « Que votre oui soit oui, que votre non soit non », ou « un compte sera demandé aux hommes de toute parole qu'ils auront dite », il restitue à la parole humaine sa dignité d'être expression de la liberté et de l'action de l'homme. Cela est tellement vrai qu'à l'inverse, il y a des paroles qui tuent. La Parole de Dieu donne la vie, elle nous donne parole et pardon, elle est plus forte que la mort.

Vérité et liberté dans l'apostolat

D. W. — *Concernant les rapports entre morale et vérité, je voudrais que vous nous commentiez cette phrase d'une déclaration de Vatican II : « La vérité chrétienne ne doit s'imposer que par la force de la vérité elle-même. »*

J.-M. L. — C'est toujours une tentation pour les hommes, quand ils pensent posséder la vérité, de vouloir l'imposer, alors qu'ils sont d'abord dépossédés par elle. La phrase de Vatican II dit ce qui ne devrait être qu'un truisme. Dès que l'on évoque la vérité, on touche à la liberté. Jésus a dit : « La vérité vous rendra libres. » On ne peut accéder à la vérité que dans le respect de la liberté, et personne ne devient libre que dans l'accès à la vérité. Toute violence faite à la conscience humaine, même pour son bien, produit l'effet opposé.

D. W. — *La tradition de l'Eglise considère que la vocation chrétienne est nécessairement apostolique. Mais tout non-croyant se demande au nom de quoi l'Eglise s'autorise à transmettre à tous les hommes la bonne parole de l'Evangile et celle du salut apporté par le Christ*

J.-M. L. — Une caricature du prosélytisme consiste à vouloir ramener tout le monde à une même opinion par tous les moyens de la persuasion, y compris par la manipulation ouverte ou clandestine. Ce modèle est celui des systèmes totalitaires et des idéologies. Il n'en va pas ainsi de la vérité divine qui se livre à l'homme. La vérité divine ne se réduit pas à une définition formelle de ce qui est vrai et de ce qui est faux. La vérité divine n'est pas une vérité abstraite et hypostasiée. Elle appelle une tout autre « définition » : Dieu est la source de la vie et du sens ! En lui il n'y a ni ombre ni ténèbres. Il met l'homme dans la vérité dès le moment où il l'arrache au mensonge et lui permet de communier à la source éternelle de toute sagesse.

La phrase de Jésus, « La vérité vous rendra libres », le suggère : quand la vérité s'atteste dans l'homme, elle inverse la volonté de puissance. « Le Fils de Dieu n'est pas venu pour être servi, mais pour servir et donner la vie en rançon pour la multitude... Chez les païens, les princes dominent avec puissance et se font appeler bienfaiteurs. Chez vous, qu'il n'en soit pas ainsi » (Mt. 20, 28, 25-26). Ce sont toujours les paroles du Christ : « Celui qui veut être le premier, qu'il se fasse le dernier. Celui qui veut être le plus grand, qu'il se fasse le serviteur de tous » (Mt. 20, 26-27). La vérité s'atteste dans la négation absolue de la volonté de puissance. C'est à son condamné que Pilate demande : « Qu'est-ce que la vérité ? » (Jn. 18,38) ; et, quand il contemple le Christ mort, le centurion dit : « Vraiment, en vérité, cet homme était le Fils de Dieu » (Mc. 15, 39).

L'attestation de la vérité, l'apostolat, ce n'est pas la persuasion clandestine ni la propagande, ce n'est pas la mise en place d'un système de contrôle de l'opinion, ce n'est pas un conditionnement, une « pub », du marketing, c'est, comme le Christ, au prix de sa vie, « rendre témoignage à la vérité » (Jn. 18, 37). Le prophète, saisi par la vérité divine, accepte d'être mis à mort pour elle et pour ses frères. La vérité s'atteste par là et elle n'a accès au cœur des hommes qu'en les délivrant. L'apostolat est d'abord amour, amour du frère, vouloir qu'à son tour il connaisse la délivrance, désir que ce trésor reçu porte fruit et lui soit également accessible. Il ne peut y avoir d'adhésion chrétienne qui ne soit pas une adhésion libre. Quiconque voudrait employer la coercition et les moyens de ce monde pour imposer aux consciences la vérité chrétienne serait dans l'erreur.

J.-L. M. — *Cette tentation est plus forte quand l'Eglise est majoritaire.*

J.-M. L. — Quand l'Eglise est majoritaire dans une société, une première tentation est d'identifier une forme de culture avec le tout du christianisme, mais on voit par la mémoire historique que cette confusion ne peut tenir. Israël avait déjà fait cette expérience, et l'Eglise l'a refaite à nouveau. Israël n'a jamais connu de période idéale, jamais ; le désert où Dieu se révèle et où l'homme se révolte précède l'entrée dans la Terre promise. David était un pécheur. Après Salomon, c'est le schisme. Le Royaume est eschatologique et ne peut se réaliser sous une forme immédiate et terrestre, même si chacun doit sans cesse y travailler dans les conditions de l'histoire.

Une deuxième tentation d'une Eglise en position de force sociale est d'utiliser les moyens de la puissance humaine au service de ce qu'elle croit une bonne cause. Les mouvements de réforme à l'intérieur de l'Eglise ont toujours visé à échapper à cette tentation.

D. W. — *Reste la question, toujours la même, de l'apostolat. Au nom de quoi aller porter la bonne parole à ceux qui ne demandent rien ?*

J.-M. L. — Au nom simplement de cette évidence : l'homme a

besoin d'être sauvé. Il n'y a qu'un seul amour : l'amour pour les frères que fait naître l'amour pour Dieu, car Il nous a aimés au point de se donner à nous en son Fils. L'apostolat est la manifestation de cet amour qui vient de Dieu et qui s'exprime en un amour fraternel. Il ne doit pas faire violence aux hommes.

Ancien et Nouveau Testament

D. W. — *Pourquoi le catholicisme donne-t-il une place plus importante à l'amour que le judaïsme et le protestantisme ?*

J.-M. L. — L'amour est au centre de la révélation biblique, et donc du judaïsme. Ce mot est au centre des commandements : « Ecoute, Israël : le Seigneur notre Dieu est le Seigneur Un. Tu *aimeras* le Seigneur ton Dieu de tout ton cœur, de tout ton être et de toute ta force. » C'est au chapitre sixième du *Deutéronome* (6,4), et encore « Tu *aimeras* ton prochain comme toi-même » (Lv. 19,18). La révélation de Dieu comme amour est au centre de la prédication prophétique, comme dans le *Deutéronome*.

Dans le Nouveau Testament, Jésus commente ces deux commandements en disant que toute la Loi et tous les prophètes y sont suspendus (Mt. 22,34-40). La définition « Dieu est amour » est littéralement sous la plume de saint Jean (1 Jn. 4,8), et saint Paul chante la charité divine (1 Co. 13). Dire que le protestantisme se distinguerait du catholicisme par un moindre accent mis sur l'amour, au bénéfice peut-être de la foi, me paraît inexact.

J.-L. M. — *Dès que l'on veut vous faire préciser la spécificité du catholicisme par rapport aux autres religions, vous récusez avec force toute coupure. De façon générale, vous considérez qu'il n'y a pas de rupture entre le Nouveau Testament et l'Ancien ?*

J.-M. L. — Je comprends votre surprise, parce que la différence, je devrais dire plutôt la nouveauté — et les ruptures qui ont suivi — ne se trouve pas là où, assez communément, on la place.

On juge trop l'histoire en fonction de polémiques ultérieures, qui ont créé des images opposées par le jeu de caricatures mutuelles. Vatican II a appelé à un travail de réévaluation du rapport entre juifs et chrétiens, afin de le remettre dans sa vérité. Où se trouve la différence ? Où se trouve la nouveauté ? En Celui par qui la promesse est tenue, et la prophétie accomplie.

La Bible exprime parfois cet accomplissement attendu en termes de « nouvelle création ». Je cite Isaïe : « Ne vous souvenez pas des premiers commencements. Ne vous rappelez pas les jours d'autrefois. Voici que je fais une création nouvelle. Ne la voyez-vous pas, elle surgit déjà ? » (43,18-19). Il y a dans les prophètes l'annonce de l'intervention ultime de Dieu comme d'une nouvelle création ; elle renouvelle à la fois la première création de l'homme et la libération du peuple, et elle accorde à tous les dons promis au peuple d'Israël pour le salut du monde.

La nouveauté de l'Evangile, c'est que « les temps sont accomplis ». C'est la parole de Jean-Baptiste et celle de Jésus lui-même. « Le Royaume de Dieu s'est approché ; convertissez-vous et croyez à la Bonne Nouvelle. » Par la foi, nous sommes entrés dans la phase ultime de l'histoire où l'homme a rencontré son Dieu venu parmi les siens. Pour ceux des juifs qui ne l'ont pas reçu, le temps n'a pas trouvé son accomplissement messianique ; de même l'histoire reste indéfiniment en sursis pour les païens qui ne se sont pas convertis de leurs idoles au Dieu vivant et véritable. Quand Jésus dit : « Les temps sont accomplis », il proclame qu'est venu le temps où Dieu manifeste en son Messie ce qu'il avait d'avance annoncé. Cette annonce-là, Israël en est porteur, même si le judaïsme ne reconnaît pas dans l'Evangile du Christ la présence réelle et immédiate de son espérance. « Les temps sont accomplis », « le Royaume de Dieu est là ». La notion de « Règne de Dieu » est absolument biblique, et son contenu est déterminé par la foi. C'est le temps où Dieu manifeste à tous les peuples qui Il est en dévoilant cette royauté divine qui n'est pas à la manière des royautés humaines. Le Règne de Dieu, c'est le temps où l'homme est sauvé par Dieu et restauré dans sa plénitude de souverain de l'univers, parce que Dieu est seul roi et que l'homme reçoit de lui le pouvoir d'accomplir sa volonté ; c'est le temps où l'homme est délivré par le Ressuscité de l'esclavage du péché. Le Royaume de Dieu, c'est le lieu où l'Esprit Saint est donné, car l'Esprit Saint est promis comme le don ultime, c'est le lieu où tous les peuples de l'univers reçoivent et reconnaissent le Dieu unique. Comme dit le prophète Zacharie, « l'Eternel sera un, et un sera son Nom ».

L'une des énigmes insupportables pour la conscience d'Israël, c'est que le Dieu unique ne soit pas reconnu parmi les nations païennes ; l'une des souffrances de la conscience d'Israël, ce sont ses propres infidélités dans le service de Dieu. L'Eglise éprouve la même souffrance et est affrontée au même mystère d'incompréhension. Ou plutôt, le mystère à ses yeux se redouble et la souffrance est sans mesure de ce que tant de juifs zélés n'ont pas cru dans l'Envoyé du Père et de ce que tant de nations n'ont pas accédé, par Lui, à l'héritage des promesses. Israël est par rapport à Dieu dans une situation filiale. Israël est un fils aîné, un fils bien-aimé, et cette relation filiale est vécue en sa plénitude mystérieuse par son Messie, le Fils unique de Dieu. Avec lui est venu le don spirituel de l'adoption divine pour tous les fils d'Adam. L'espérance des nations, l'objet de la supplication d'Israël, s'est manifestée dans la personne de Jésus.

D. W. — *Les chrétiens considèrent que la venue de Jésus-Christ donne naissance à une nouvelle alliance.*

J.-M. L. — Ce que Jésus a prêché avait été formulé et figuré d'avance, dans le *Deutéronome*, dans Jérémie et les autres prophètes. Mais l'éternelle nouveauté, c'est que Jésus a renouvelé l'Alliance en son Sang, qu'il l'a restaurée en sa propre Vie. Jésus vit, actualise, donne chair et sang aux paroles de l'Alliance qui ne passera pas : en s'y soumettant lui-même. Il la rend à jamais normative pour ses disciples, source de sens et de compréhension. Le même acte d'Alliance qui a constitué Israël se renouvelle et s'accomplit dans le Christ-Messie ; non pas en reniant Israël et la fidélité de Dieu à ceux qu'il a appelés les premiers, mais en ouvrant l'Alliance à tous ceux que Dieu appelle désormais de toutes les nations. Selon la promesse. Le Christ, que Dieu a fait Seigneur de tous et Premier-né d'entre les morts, ne se substitue pas à Israël, il en est la suprême figure et le fruit parfait. Il n'est pas la négation d'Israël ; il est sa rédemption ; il est son exaltation dans sa propre personne de Fils éternel. Et si quelqu'un dit « Mais les temps ne sont pas accomplis. La preuve, c'est que la mort existe toujours, la justice ne règne pas dans le monde. Les hommes sont pécheurs, l'humanité est toujours livrée à elle-même, à ses erreurs et à son idolâtrie. La preuve, c'est qu'Israël est persécuté ou qu'Israël n'est pas saint et que les enfants dispersés ne sont pas rassemblés », notre réponse n'est pas de nier la force de l'objection, mais d'en entendre le cri en la voyant portée dans la passion du Christ-Messie. Pour ceux qui l'ont reconnu, pour les chrétiens, Jésus ressuscité, Christ et Seigneur, est le signe et le gage des temps nouveaux. Les juifs l'annoncent, et tant d'entre eux ne le croient pas.

D. W. — *Aujourd'hui, il n'y a plus d' « excommunication » des juifs qui ont rallié le christianisme. D'un point de vue théologique, quelle est l'attitude que prend le rabbinat?*

J.-M. L. — La *Halakha* dit que la condition juive ne se perd pas, elle est donnée une fois pour toutes par la naissance de mère juive. La judéité n'est pas un privilège ethnique, mais elle fait elle-même partie d'une vocation. C'est une grâce historique, elle est irrévocable.

D. W. — *Il n'y a donc pas d'exclusion possible?*

J.-M. L. — Aucune. Les rabbins ont-ils le pouvoir d'exclure quiconque du peuple d'Israël ? Les rabbins ont sauvé le judaïsme dans sa spécificité. Il est légitime que les rabbins disent ce qui à leurs yeux constitue un juif en accord avec la synagogue.

D. W. — *Considérez-vous que l'on puisse être à la fois juif et chrétien?*

J.-M. L. — Si l'affirmation de l'identité juive revenait à nier la grâce spécifique donnée par le Christ à son Eglise, alors, évidemment, elle serait incompatible avec le christianisme. Mais il y a des juifs qui croient au Christ-Messie et qui se disent juifs : ils le sont. Appartiennent-ils à l'Eglise ? Certains le refusent. D'autres veulent en faire partie et se font baptiser : ils sont chrétiens.

Péché et liberté

D. W. — *Du point de vue de la foi, quel est le rapport entre le péché et la faute?*

J.-M. L. — Le péché ne se conçoit que par rapport à Dieu,

qu'au regard de Dieu. « Au regard de Dieu » veut dire sous le regard de Dieu et en regardant Dieu. Il ne dépend pas seulement d'une appréciation de l'homme sur sa propre conduite, fût-ce même par rapport à une norme morale socialement admise. La référence à la loi et au jugement de la conscience morale reste fragile. Pourquoi ? Parce que, dans la vision chrétienne, la conscience, qui, en principe, est une lumière donnée à tous et sur laquelle les hommes doivent être jugés par Dieu, peut elle-même être aveuglée. Le péché ne peut se comprendre qu'à l'intérieur de la foi, comme un manquement à l'amour dont on a d'abord eu la révélation. Et prendre conscience de son péché, c'est comprendre que l'on est aimé de Dieu et qu'on ne l'a pas vraiment aimé.

Prenons une comparaison. L'infidélité dans l'amour ne se conçoit que par rapport à un amour qui a d'abord voulu la fidélité. Sinon, un homme et une femme qui s'aimeraient sans l'idée qu'ils se doivent mutuellement une fidélité absolue ne concevraient pas l'infidélité comme un manquement à quoi que ce soit. C'est la révélation de l'amour qui donne la révélation du péché. Et qui dit péché et conscience d'un péché personnel invoque aussi l'espérance du pardon.

D. W. — *Et le péché originel ?*

J.-M. L. — La conscience de l'homme a été enténébrée et sa volonté blessée. L'homme est en état de rupture avec Dieu et il est blessé en ses propres forces. Il est capable de vouloir le Bien, mais sa volonté défaille. Il est capable d'entrevoir la lumière et il va vers les ténèbres. L'homme est ainsi ; tous les hommes, depuis toujours, dès l'origine, sont ainsi blessés dans leur condition historique. L'homme créé par Dieu s'est détourné de Dieu, et sa condition historique marquée par une déchéance et par la déréliction ne correspond pas à sa vocation originelle. C'est Dieu lui-même qui va prendre l'initiative de sortir l'homme de cette situation. C'est à l'opposé, disons, d'un rousseauisme naïf.

D. W. — *Peut-il y avoir une sotériologie qui ne serait pas d'abord située par rapport à la faute ? On oppose assez souvent une conception de l'Orient qui serait plus platonicienne, moins tournée vers la faute, et une conception de l'Occident qui serait plus liée au salut comme rédemption du péché.*

J.-M. L. — Il y a un mouvement irrépressible de l'intelligence humaine vers le divin comme vers un horizon. Et la tentation vient à l'homme qui aspire au divin comme à son Autre de se délivrer de ce qui ne serait pas divin en l'homme. Cette tentation, que l'on peut appeler grossièrement gnostique, est nourrie du soupçon secret que Dieu serait contraire à l'homme et qu'il faudrait pour trouver Dieu renier le meilleur de notre humanité. Le projet impossible échoue perpétuellement, aussi bien dans le champ philosophique que dans le champ religieux. C'est une tentative désespérée. C'est ce que Pascal a parfaitement vu en une formule lapidaire : « L'homme n'est ni ange ni bête, et qui veut faire l'ange fait la bête. »

D. W. — *Par rapport à ce que vous appelez le « risque de l'homme » qui pense pouvoir faire son salut par lui-même, estimez-vous qu'il faille redonner une plus grande place au péché originel ?*

J.-M. L. — On ne découvre le sens de la condition blessée de l'homme — on peut désigner ainsi le péché originel — que dans la confession d'un drame : l'homme s'est perdu en s'éloignant de Dieu, perdu pour lui-même, perdu pour ses frères. Le péché originel éclaire la condition historique de l'homme, car l'homme est à lui-même une énigme, une énigme insurmontable. Et il ne la déchiffre qu'en recevant la grâce du salut ; il lui faut reconnaître qu'il a été trouvé et retrouvé par Dieu pour confesser ensuite qu'il s'était perdu. La conscience que les hommes ont d'eux-mêmes est si affreusement pessimiste...

J.-L. M. — *Mais cette conscience pessimiste des hommes peut s'expliquer sans référence au péché.*

J.-M. L. — Ils peuvent l'expliquer de bien des façons, mais l'optimisme naïf d'une humanité « bonne par nature » qui aurait le bonheur à l'horizon, ou en tout cas à portée de main, n'est pas perçu ainsi par les hommes et les femmes des différentes aires culturelles ! Les hommes ont aujourd'hui davantage conscience des espoirs contradictoires, des désespoirs et des malheurs qui les oppriment ; la conscience historique de l'humanité est une conscience malheureuse. Il ne faut pas rendre à l'homme un espoir illusoire, il faut lui proposer le Salut grâce auquel l'intelligence de sa condition blessée lui devient accessible. Or, dire le péché originel, c'est annoncer que l'homme peut être sauvé. L'homme serait sans recours contre les fatalités de l'histoire ; mais le péché peut toujours être remis.

J.-L. M. — *Vous voulez dire que la condition de l'espoir est d'avoir conscience du péché ?*

J.-M. L. — Quelqu'un pourrait dire : « L'état présent de l'humanité est son état normal, il en sera toujours ainsi, parce que telle est la condition humaine, inéluctablement. Le reste n'est qu'utopies ou rêves ; il n'y a d'autre espoir que modeste et à court terme, toujours compensé par le secret désespoir, par la résignation. » Mais parler de la condition humaine en termes de péché originel signifie, au contraire, que la vocation de l'homme ne se confond pas avec son destin tel que lui-même peut le formuler et le vivre. Il y a eu quelque part un champ de liberté ouvert à l'origine de l'humanité, et par la grâce de Dieu cette liberté nous demeure toujours offerte comme une espérance.

D. W. — *Oui, mais — l'objection est classique d'un point de vue philosophique — qu'en est-il de la liberté humaine si celle-ci dépend en définitive de la grâce de Dieu ?*

J.-M. L. — Le propre de la liberté est de ne pas être abstraite, hors de l'histoire. Nous acceptons tout à fait aujourd'hui de considérer que la liberté humaine soit limitée par des déterminismes sociologiques que l'on peut énoncer, codifier, repérer, voire manipuler. Il faut oser dire encore que la liberté humaine est en elle-même blessée, qu'elle est prisonnière et qu'elle a besoin d'être délivrée du mal. « La vérité vous rendra libres » : autrement dit, Dieu lui rendra sa liberté. Et le salut accorde à l'homme une liberté délivrée de la fausse culpabilité, au fait de la vraie mesure de son péché, et donc de la grâce et du pardon. Ce n'est pas nier la liberté de l'homme que de reconnaître qu'elle est en partie aliénée, non seulement par des causes économiques, mais aussi par des causes spirituelles.

D. W. — *On pourrait au contraire penser que cette aliénation est beaucoup plus grave !*

J.-M. L. — Oui, mais c'est en même temps énoncer les conditions de possibilité d'une désaliénation : le salut et la rédemption.

D. W. — *Oui, mais cela suppose de croire en Dieu.*

J.-M. L. — Oui.

J.-L. M. — *Ce qui n'est pas évident !*

J.-M. L. — Mais on ne demande à personne de croire ce qu'il ne veut pas croire ou ne peut pas croire... Puisque vous me le demandez, je réponds du point de vue de la foi. Je ne suis pas dans la conscience de l'athée. Je ne peux donc choisir à sa place les chemins de sa liberté. Sa condition humaine est la même que la mienne. Ma liberté à moi aussi est blessée, comme la sienne. Comme moi, il se trouvera un jour face à face avec Dieu.

D. W. — *Certains courants théologiques ont insisté sur une conception, disons, plus socio-politique du salut.*

J.-M. L. — Comprendre le Salut de Dieu dans les termes étroits de l'histoire humaine fait partie d'une tentation perpétuelle que la tradition juive et chrétienne ne cesse de combattre. Cette réduction socio-politique du Salut est du même ordre que celle des césarismes qui consistent à confondre le christianisme avec une puissance temporelle. Que l'on remplace l'empereur Constantin par Marx ou le prolétariat, c'est la même illusion. Celle des messianismes temporels.

J.-L. M. — *Il n'y a donc pas de différence fondamentale entre une révolution de masse et un pouvoir incarné par un homme ?*

J.-M. L. — Franchement, pour moi c'est blanc bonnet et bonnet blanc, parce que la perversion est la même. L'agir du chrétien doit assumer les exigences éthiques de la condition humaine ; il doit en prendre les risques et en courir les périls, sans prétendre réaliser ici-bas le Royaume de Dieu. Le Christ dit dans le discours apocalyptique : « Ne croyez pas ceux qui disent : “ le Messie est ici ou là. ” Il se présentera beaucoup de faux messies » (Mt. 24,23). D'avance, le Christ a désacralisé l'histoire : il nous en rend responsables, alors que les messianismes temporels sacralisent l'histoire en absolutisant les contraintes et les espoirs, et nous déchargent de notre responsabilité morale et politique. Prétendre localiser le Royaume ici ou là, c'est du même coup mettre les bons d'un côté et les méchants de l'autre. Les méchants, on peut les tuer et les bons, c'est nous. Voilà le manichéisme ou la dialectique dans lesquels on veut nous enfermer. Un chrétien ne peut pas accepter une pareille dérive. Ce n'est pas possible !

D. W. — *Mais ce sont parfois les chrétiens eux-mêmes qui font cette dérive, que vous appelez antichrétienne.*

J.-M. L. — Ils sont alors pécheurs ou dans l'erreur. Mais c'est une des grandes tentations idéologiques de notre monde présent.

Vatican II, un concile doctrinal ou pastoral ?

D. W. — *On a parfois dit qu'une des faiblesses de Vatican II avait été que ce concile était plus pastoral que doctrinal.*

J.-M. L. — Vatican II occupe une place originale dans la série des conciles. Vatican II ne prononce pas des anathèmes, c'est-à-dire des formulations négatives selon lesquelles celui qui nie ou affirme telle ou telie proposition — touchant la foi chrétienne évidemment — est exclu de la pleine communion catholique. Une définition négative a le mérite de laisser ouvert un champ très vaste à la recherche et à l'interprétation. Elle se contente simplement de limiter la zone récusée comme infidèle à la tradition. Cependant il y a de toute évidence une crise de la pensée moderne, et il demeure utile de redéfinir un équilibre philosophique et théologique par rapport à des questions majeures. Le Concile a tenté de s'exprimer positivement sur un certain nombre de questions au lieu de dénoncer, négativement, les erreurs. Cette volonté d'une contribution positive a été définie comme « pastorale ».

Que signifie le mot « pastoral » ? Il se réfère à un symbole bien précis : c'est l'image du berger, de Dieu berger de son peuple. Jésus se présente comme le vrai berger, celui qui guide le peuple au nom de Dieu, selon la volonté de Dieu, selon la voie, la vérité et la vie. Les Apôtres et les évêques, leurs successeurs, ont reçu une charge pastorale au nom du Christ berger. Mais le peuple ne leur appartient pas ; les chrétiens ne sont pas les brebis de leurs prêtres, ce sont les brebis du Christ. Et le Christ dit à Pierre, quand il lui confie cette charge pastorale : « Pierre, m'aimes-tu ? — Oui, Seigneur, tu sais que je t'aime », et Jésus ajoute : « Sois le pasteur de mes brebis » (Jn. 21,16). De « *mes* brebis ». Dire que le concile s'est voulu pastoral, c'est rappeler qu'il a voulu définir positivement des orientations et des choix, y compris sur le terrain doctrinal, en vue du bien du troupeau de Dieu. Sur certains sujets très controversés comme la théologie de l'histoire, la relation du singulier à l'universel dans l'Economie du Salut, le Concile n'a pas voulu se prononcer. Il parlait au nom de la foi. Il a choisi des formulations équilibrées, en deçà ou au-delà des controverses, sans les résoudre, mais en donnant aux fidèles, pour leur bien, les repères tirés de la tradition de l'Eglise. C'est dans ce sens que le concile s'est voulu pastoral. Mais parce qu'il est pastoral, il enseigne la vérité, le dogme et la morale.

D. W. — *La comparaison entre Vatican II et Vatican I montre que Vatican I était centré plutôt sur une théologie de Dieu, sur la foi, tandis que Vatican II, avec cette approche « pastorale », était beaucoup plus centré sur l'Eglise elle-même, donc sur l'ecclésiologie. Mais à l'inverse, il y a une phrase du père de Lubac qui dit : « Vatican II est une opération de concentration christologique. »*

J.-M. L. — Les centres d'intérêt des contemporains de Vatican II étaient, pour une part, les problèmes du fonctionnement de la société ecclésiale dans la société moderne. Ils concernaient les problèmes de pouvoir, les relations dans l'Eglise entre les parties et le tout, les différentes strates de sa hiérarchie, ses relations avec les sociétés civiles et les Etats. Il y avait là une ligne de force qui correspond au prodigieux intérêt de notre siècle pour la vie sociale devenue un objet majeur des préoccupations, des recherches et des enquêtes. Beaucoup de contemporains de Vatican I déjà, de Vatican II ensuite, ont été fascinés par ces problèmes. Si Vatican I a étudié le problème de la foi et de la connaissance de Dieu, plusieurs n'en ont retenu que la définition de la primauté et de l'infaillibilité pontificales. De même pour Vatican II, certains auteurs et bien des commentateurs n'ont su en retenir que ses enseignements sur les dimensions sociales, voire fonctionnelles de l'Eglise : son fonctionnement interne, l'autorité du collège du Pape et des évêques, la responsabilité des laïcs et leur organisation, etc. Beaucoup ont fait écho aussi à la condition de l'Eglise dans le monde de ce temps, à ses exigences morales en matière sociale et politique, notamment pour le respect civil des consciences et de leur liberté eu égard à la Vérité de Dieu. En fait, si l'on regarde les textes publiés et quels que soient les centres d'intérêt de l'opinion publique, le Concile a fait bien d'autres choses encore. Il a dévoilé le véritable mystère de l'Eglise en montrant comment elle se reçoit et ne se conçoit que dans la figure du Christ, Lumière des nations, *Lumen gentium*.

La mise en évidence du mystère de l'Eglise a consisté, selon la volonté de Paul VI, dans une méditation et comme un dévoilement de la relation vivante de l'Eglise au Christ. Il faut d'ailleurs aller jusqu'au bout : il n'y a de véritable « concentration christologique » — pour prendre ces deux mots qui font formule — que dans l'élucidation de la relation à Dieu, Père de son Peuple. C'est là que la relation avec Vatican I et sa doctrine de la révélation divine demeure importante. Par ailleurs, les textes de Vatican II ont évoqué discrètement le rôle de l'Esprit Saint, et de ses charismes ; ce qui, dans ces dernières décennies, est apparu comme l'un des dons majeurs issus de l'événement spirituel du Concile.

D. W. — *Vous dites que Vatican II avait voulu insister sur la notion de pasteur. Mais il y a des conflits d'interprétation. Le Concile a mis l'accent notamment sur l'Eglise, comme « peuple de Dieu », ce qui est plutôt une définition de l'Ancien Testament. Mais ne parle-t-on pas classiquement de l'Eglise comme Corps du Christ ? Quelle différence de nature y a-t-il entre ces deux définitions ?*

J.-M. L. — L'utilisation exclusive de l'expression « peuple de Dieu » serait tout à fait étonnante ! Cette expression scripturaire n'est employée littéralement qu'à peine sept fois, autant que je m'en souvienne, dans le Nouveau Testament, et elle désigne de façon à peu près certaine, à chaque fois, le peuple d'Israël. Car la notion de peuple de Dieu se définit d'abord par l'élection divine :

le peuple de Dieu, c'est ceux que Dieu a rassemblés et qui ne sont devenus un peuple que parce que Dieu les a choisis pour qu'ils obéissent à Dieu. D'ailleurs le chapitre sur le peuple de Dieu commence par le rappel de la vocation d'Israël. Mais le Concile a employé tout un jeu d'images pour décrire l'Eglise : il a constitué un florilège de toutes les figures et de tous les symboles qui ont désigné l'Eglise dans l'Ecriture et la tradition. Parmi ces titres de l'Eglise, trois indiquent la relation de l'Eglise à chacune des personnes divines. Le père Congar qui fut l'un des inspirateurs de ce texte les a mis en relief : « Peuple de Dieu »-« Corps du Christ »-« Temple de l'Esprit ».

L'opinion publique a compris « peuple de Dieu » comme on dit « le peuple souverain », « au nom du peuple français ». Or, la notion de peuple de Dieu se réfère au Père qui appelle et rassemble, à travers l'histoire et les cultures, les enfants de Dieu dispersés. Aussi l'Eglise ne peut s'appeler « peuple de Dieu » que si elle est le « Corps du Christ » ; elle ne devient peuple de Dieu qu'en devenant participant du Christ-Messie. C'est en communiant par la foi à la passion et à la résurrection du Christ que les membres de l'humanité, appelés par la grâce, deviennent peuple de Dieu, c'est-à-dire « enfants du Père ». Appartenir au peuple de Dieu, c'est devenir Corps du Christ, en participant à sa passion et à sa résurrection et en entrant dans sa grâce ; c'est devenir, en lui, « Temple de l'Esprit Saint », appelé à être le lieu où Dieu va faire sa demeure.

D. W. — *Pourquoi l'expression Temple de l'Esprit Saint est-elle si peu utilisée ?*

J.-M. L. — Je ne sais pas.

J.-L. M. — *Il y a suremploi du premier mot Peuple de Dieu...*

J.-M. L. — La notion de Corps du Christ est aussi ancienne que l'Eglise. Elle est l'un des centres de gravité de la pensée de saint Paul. Il est un peu nouveau d'avoir revalorisé l'expression biblique de Peuple de Dieu.

D. W. — *J'insiste, pourquoi la dimension de l'Esprit Saint a-t-elle été si peu présente depuis une vingtaine d'années ?*

J.-M. L. — La chose a frappé dès le temps de Vatican II : la notion de l'Esprit Saint se retrouve évidemment dans les textes conciliaires, mais elle n'a peut-être pas été assez mise en valeur, même par les Pères du Concile. C'est peut-être l'une des carences de l'Occident, alors que les Eglises d'Orient, depuis toujours, sont extrêmement sensibles à cette présence de l'Esprit Saint. Mais nous voyons aujourd'hui un mouvement de renouveau rappeler dans l'Eglise la présence active et les dons inattendus de l'Esprit Saint, « qui est Seigneur et qui donne la vie ».

IV

PRÊTRES ET LAÏCS

Retour sur la crise spirituelle

D. WOLTON. — *Depuis la fin de la guerre, il y a une crise des vocations et un certain nombre de travaux de sociologie religieuse essaient d'en analyser les causes. Tiennent-elles à l'évolution de la société ou plutôt à des raisons proprement religieuses internes à l'évolution de l'Eglise ?*

JEAN-MARIE LUSTIGER. — C'est un phénomène qui s'étend sur une très longue durée. Pour avoir des courbes significatives, il faut les prolonger dans le passé, autant que faire se peut jusqu'au moment de la Révolution française. Cela conduit à des considérations sur le prêtre comme personnage social et sur sa place dans la société française. Au fur et à mesure que se défaisait un certain rôle social, la capacité de recrutement s'est peu à peu amenuisée. Mais est-ce que cela suffit à tout expliquer ? Non, parce que le sacerdoce dans l'Eglise catholique n'est pas uniquement une fonction sociale, mais il est en dépendance de la santé spirituelle d'un peuple chrétien.

Prenons les choses autrement, à la racine, non pas d'abord dans la fonction sociale du prêtre, mais dans la générosité qu'elle mobilise. La crise des prêtres et des vocations sacerdotales est un indice qui ne trompe pas d'une crise interne de la totalité du corps chrétien. Ce n'est donc pas d'une crise des vocations qu'il faut parler, mais de la crise spirituelle des catholiques à l'intérieur de la société française. Arrivé à ce point, on dit souvent : mais ce n'est pas une crise de l'Eglise, c'est une crise de la société. J'accepte le propos, mais à condition de le comprendre au sens le plus fort. S'il y a une crise spirituelle dans le groupe catholique, c'est que celui-ci est significatif de la vitalité spirituelle de la société tout entière.

J.-L. MISSIKA. — *Cette explication me laisse sur ma faim. Vous avez tendance à appeler « crise » ce que nous appellerions « évolution », ou peut-être même, en ce qui concerne la place de l'Eglise dans la société, « déclin ». Pourquoi vouloir à tout prix considérer la laïcisation ou la montée de l'athéisme comme un élément dramatique ou de crise dans la société française ou dans les sociétés occidentales ?*

D. W. — *Si je peux me permettre un complément à l'objection... Vous avez parlé de la crise de l'Europe technicienne et conquérante du XIXe-XXe siècle, liée au progrès du rationalisme. Mais si on prend l'Europe du XVIe siècle, tout aussi conquérante, avec l'Espagne et le Portugal, il s'agissait de nations chrétiennes par excellence.*

J.-M. L. — Je dis que la société occidentale est en crise ; elle oscille sur ses propres bases et remet en question tous ses systèmes de valeurs. Pour autant, ce qui précédait n'en était pas nécessairement ni pire ni meilleur. Un constat spirituel suffit : notre époque est une période de choix extrêmement grave. La société moderne est tentée sur tous ses nouveaux pouvoirs, avivés par la maîtrise des moyens médiatiques qui soumettent à une épreuve beaucoup plus grande un plus grand nombre de gens.

J.-L. M. — *Cela n'a-t-il pas été le cas de tout temps ? La notion de crise n'est-elle pas un peu passe-partout ?*

J.-M. L. — L'usage du mot « crise » doit être précisé ; je comprends votre objection. En raison des innovations et des mutations intervenues, il y a une mise à l'épreuve spirituelle des choix et des valeurs, et de façon beaucoup plus explicite et plus chargée d'effets qu'au temps où l'univers était cloisonné. Quand les habitants des bords de la Seine ne communiquaient pas avec ceux des bords de Loire et encore moins avec ceux de la Garonne, les conséquences des choix des habitants d'Ile-de-France n'avaient pas le même impact. Nous sommes aujourd'hui dans un nouveau système d'interaction des hommes entre eux, de communication des pensées et des choix. Ce n'est pas seulement un problème technique à traiter par des ingénieurs ; ce qui est mis en cause, profondément, ce sont les libertés et leurs valeurs. Pour la foi, devant Dieu, cela s'appelle une « crise » spirituelle.

D. W. — *Quelles sont les caractéristiques de cette crise spirituelle ?*

J.-M. L. — Elle met en œuvre d'une façon beaucoup plus grandiose et plus brutale les conséquences des choix fondamentaux de la liberté humaine ! Ces options se trouvent énoncées dans la typologie de l'Exode. Elles se retrouvent dans les tentations du Christ : la maîtrise de sa propre vie, l'appropriation du monde, la volonté de puissance, le défi à Dieu. Les enjeux sont toujours les mêmes, à toutes les générations, et aucun homme au monde n'échappe à de pareils choix. En ce sens, nous ne sommes pas plus ou moins tentés qu'il y a trois siècles. Toutes les libertés humaines sont toujours spirituellement éprouvées sur ce registre fondamental où se déploie l'existence humaine.

Mais notre époque a ses caractéristiques propres. Au XVIe-XVIIe siècle sans doute, un monde s'est écroulé. Il est peut-être mort par obsolescence inévitable, car c'est une illusion d'imaginer un empire, une civilisation qui puisse durer toujours. Il y a des civilisations immobiles, archaïques ; mais toutes sont mortelles. Dans nos civilisations d'Europe occidentale, nous n'avons cessé d'évoluer, autant que la mémoire humaine puisse le mesurer. Nos civilisations ont constamment été en enfantement d'elles-mêmes, par des changements et des confrontations incessantes, des invasions et des fécondations mutuelles. Au XVIe siècle, il y a eu une épreuve terrible. Cette époque est passionnante parce qu'elle est vraiment l'aube des temps modernes, avec à la fois le pire et le meilleur. C'est quand même l'époque de l'avidité de l'or, des conquistadores qui opèrent par le feu et le sang, l'époque d'une renaissance de l'esclavage… Mais c'est en même temps l'époque où l'expérience mystique se fait flamboyante.

D. W. — *C'est en cela que vous parlez d'une crise ?*

J.-M. L. — Oui. C'est l'époque de la renaissance catholique, du « printemps mystique » français et de la grande spiritualité espagnole et italienne. Mais cette même période a vu la scission interne de l'Europe occidentale au point de vue religieux, avec la Réforme. Il y avait la nécessité d'une réforme évangélique et spirituelle à l'intérieur de l'Eglise ; et tout le monde la réclamait. Mais comment les meilleures intentions ont-elles engendré de si grands maux ? On a créé des divisions spirituelles qui ont, ensuite, épousé les frontières nationales et ont été sources de conflits et de guerres.

D. W. — *Vous dites que ce qui s'est joué au* XVI*e*-XVII*e siècle, à l'aube des temps modernes, a eu des conséquences considérables bien au-delà de la spiritualité. Mais on peut se poser la même question, aujourd'hui, au* XX*e siècle, pour des sociétés beaucoup plus sécularisées. La crise du champ religieux n'aura-t-elle pas plus de répercussions sur la société civile qu'autrefois, bien que cette société soit beaucoup plus « laïcisée » ?*

J.-M. L. — Un énorme appel d'air est en train de se produire dans l'histoire de l'humanité. Il y a une mise à l'épreuve brûlante de l'homme occidental pour les dons qu'il a reçus, d'intelligence, de connaissance et de maîtrise du monde. De la même façon, un retournement, une conversion, un renouvellement s'opère chez certains. Seront-ils reconnus, écoutés et entendus de la même façon qu'au XVIe siècle ? C'était déjà le vieux débat, devant Sodome et Gomorrhe, d'Abraham avec Dieu. Le tout est de savoir s'il y aura dix justes. Et de croire que les justes peuvent sauver la ville.

La crise des vocations en France

D. W. — *La crise des vocations est souvent mise en relation avec cette triple revendication : le droit au travail, le droit au mariage et le droit à l'engagement politique.*

J.-M. L. — Ce n'est pas d'abord du fait des prêtres, c'est un fait d'opinion publique.

D. W. — *Enfin, des prêtres ont eux-mêmes souvent exprimé ces trois types de revendication...*

J.-M. L. — Oui, et cela relève d'une explication donnée

précédemment : le cas particulier des prêtres reflète la grave crise de conscience du groupe des catholiques — et de toute la société globale —, dans trois domaines : le domaine économique, le domaine de la sexualité et le domaine de la politique. Sur ces trois sujets, le groupe des chrétiens se trouve affronté à une contradiction complète entre d'une part les valeurs fondamentales que lui donne sa foi avec ses implications concrètes et, d'autre part, l'opinion dominante sur laquelle, sans même s'en rendre compte, il s'aligne. Ce sont là les trois domaines où l'Absolu de la foi au Christ-Messie crucifié et ressuscité suppose une conversion du désir de l'homme. Il est tout à fait compréhensible qu'une société spirituellement en crise mette d'abord en cause ceux qui sont porteurs de la plus haute symbolique dans chacun de ces domaines. Car il y a une crise de l'économie, une crise de la sexualité et il y a une crise de la politique dans la société contemporaine. Et le groupe des catholiques n'est pas exempt, sur ces points, d'oscillations fondamentales. Il partage l'hésitation de la société contemporaine dont l'interrogation vise d'abord ceux qui en supportent le poids symbolique de la façon la plus explicite par une renonciation consentie, en raison de l'appel reçu et de la mission confiée. Renoncement économique, pour montrer dans notre société marchande que l'homme ne s'achève pas dans les biens qu'il produit et qu'il consomme. Renoncement au mariage, pour manifester l'accomplissement eschatologique de la sexualité. Renoncement à la volonté de puissance, pour manifester que le politique n'assume pas la totalité de la vision de l'homme. En fait, c'est sur la figure de l'homme serviteur de Dieu, pauvre, chaste, sans pouvoir, que porte la critique d'une société avide de la possession des biens, de la maîtrise de la sexualité et de la jouissance, et de la volonté de puissance.

D. W. — *Votre réponse consiste à renverser la charge de la preuve ! Vous dites : le désarroi des prêtres dans ces trois domaines n'est que le lieu de lecture d'une épreuve de la société. Mais ce qui est ennuyeux dans votre réponse, c'est qu'elle fait l'économie de ce qui est proprement interne à l'Eglise.*

J.-M. L. — Pour percevoir les causes internes, il faut d'abord bien se rendre compte à quel point la France constitue un cas exceptionnel par rapport aux statistiques mondiales.

J.-L. M. — *Vous voulez dire que la baisse des vocations est moins forte ailleurs ?*

J.-M. L. — Il y a des pays où elles n'ont jamais baissé et où elles n'ont fait qu'augmenter, comme en Pologne. En Afrique, la croissance des vocations est très réelle, alors qu'elles ne conduisent plus au gouvernement ni à la domination politique. L'Amérique du Sud, en position coloniale par rapport aux vocations jusqu'à ces dernières années, a maintenant inversé le mouvement et cela commence par l'élite intellectuelle dans les Universités. Nous sommes actuellement en France autour de cent ordinations sacerdotales par an pour les diocèses, et il y a probablement un nombre sensiblement moins élevé d'ordinations de religieux. Alors qu'il y a trente ans, pour l'ensemble de la France, on comptait plus de mille ordinations de prêtres séculiers par an. Depuis la Révolution française, jamais il n'y a eu une cassure aussi grande, aussi marquée en chiffres, et aussi longue. En France, le clergé, proportionnellement au nombre de pratiquants, était numériquement très supérieur à celui de quasi tous les pays du monde. Un calcul simple servira d'exemple. Les chiffres d'avant l'épreuve actuelle se trouvent dans le livre de Boulard, *Essor et déclin du clergé français*, qui date de 1950. Il y avait en France un prêtre, y compris les religieux, pour huit cent vingt-trois habitants, dont six cent quatre-vingt-six catholiques. Soit, avec une moyenne nationale d'environ vingt pour cent de pratiquants, un prêtre pour cent quarante pratiquants. Ou encore, un prêtre pour soixante-dix adultes pratiquants. Soit enfin un prêtre pour trente-cinq hommes adultes pratiquants ! Et encore, sans compter les nombreux religieux partis comme missionnaires dans le monde entier.

Dans le même moment, la Pologne avait un prêtre pour deux mille cent quatre-vingt-quatorze habitants, dont deux mille cent trente-quatre catholiques pour la plupart pratiquants. De même, dans des proportions très variées, pour toutes les autres nations. Le cas de figure français était unique au monde et tout à fait original ; du moins si l'on fait comme ici une moyenne nationale, sans tenir compte des différences de pratique, très sensibles alors, entre les régions françaises. Comment expliquer cette surabondance de vocations dans l'un des pays les plus riches d'Europe et le plus anciennement laïcisé ? Il n'y a pas de réponse vraiment satisfaisante. On doit en tout cas prendre acte d'une conséquence : au lendemain de la guerre, la moitié des missionnaires, prêtres et religieux, dans le monde, étaient français.

D. W. — *La France était, comme on dit si joliment, « la fille aînée de l'Eglise ».*

J.-M. L. — Une telle chose n'est possible que dans les périodes d'extrême ferveur, dans des populations relativement circonscrites, et cela représente un don de grâce absolument prodigieux. Il y a parfois des périodes de l'humanité, des secteurs d'une société, où l'on trouve une floraison de personnalités riches ou de génies littéraires, ou de génies de l'art ou de la sainteté. Un indice ne trompe pas, et cela les étrangers nous le disent tant et plus : « Vous êtes le pays des saints. » Il y a eu en effet, en deux siècles, depuis le XVIIe, une période mystique française étonnante. Et la question que je me pose, comme Français et héritier spirituel de cette situation, c'est : « Qu'avons-nous fait de ces dons extraordinaires ? » Je vous disais qu'on est toujours tenté sur les dons reçus ; c'est vrai des dons matériels, mais ça l'est aussi des dons spirituels. Le tournant a sans doute été pris, suivant certaines statistiques, au moment de la séparation de l'Eglise et de l'Etat, au début de ce siècle, quand le rôle social du prêtre a été menacé. Ce fut une espèce d'épuration, bonne ou mauvaise, je ne sais pas.

Une deuxième secousse s'est produite quand le ministère des prêtres a perdu une part de sa signification sacramentelle et mystique aux yeux mêmes de beaucoup de chrétiens. Tant qu'il était porté par un terreau chrétien mystique et fort, le prêtre a tenu. Mais il s'est retrouvé bien souvent largué seul sur le bord du rivage. Le *Journal d'un curé de campagne* de Bernanos en est un remarquable témoignage.

D. W. — *Diriez-vous que la tentation de sécularisation du prêtre est d'autant plus forte que le terreau spirituel du pays est faible. La tentation de l'engagement politique des prêtres en serait alors une conséquence ?*

J.-M. L. — Le prêtre est fait pour un peuple à qui il est envoyé et qu'il sert. Réciproquement le peuple marque « son » prêtre comme l'on dit. Que veut le peuple ? Le prêtre ne peut échapper à cette question, lui qui, comme saint Paul, veut se faire « tout à tous »...

D. W. — *Vous voulez dire qu'ils ont été à ce moment-là aspirés par des revendications socio-politiques auxquelles ils ont été d'autant plus réceptifs qu'ils ne trouvaient plus leurs racines ?*

J.-M. L. — Ils y ont été d'autant plus réceptifs qu'ils étaient habités par le désir passionné de transmettre l'amour du Christ aux hommes et aux femmes les plus pauvres et les plus éloignés de l'Eglise. Ils avaient le sentiment de devoir quitter le rivage familier pour aller vers des terres non chrétiennes. C'est ce qu'exprimait le livre immédiatement célèbre de Godin et Daniel, *France, pays de mission*, paru en 1941.

Quand Paul de Tarse dit : « Il faut que je passe en Macédoine, je vois un Macédonien qui m'appelle », il ne perd rien de la communion de l'Eglise ; il la transporte avec lui. Saint François-Xavier, poussé jusqu'aux rivages de Chine, n'abandonne rien de ce qui le constitue. Il est seul, mais il est porté par la prière de ceux qui l'ont enfanté, et il ne cesse de la nourrir à l'intérieur de lui-même. Quand il est déculturé, quand il est devenu un étranger, il est le plus lui-même, comme chrétien et comme prêtre. Saint François-Xavier et le père de Foucauld ont été des hommes complètement isolés, arrachés du contexte qui permet habituellement à un homme de subsister. Ce deux personnalités extraordinaires ont été capables de vivre dans la solitude personnelle et une rupture pratiquement totale des liens sociaux qui assurent normalement les convictions personnelles. Vous imaginez, au XVIe siècle, ce voyage à l'autre bout du monde, dans des terres inconnues, avec des langues inconnues. Vous voyez le père de Foucauld, en pays arabe, au milieu des Touareg, dans la solitude du désert... Or, plus ces hommes sont loin, privés de leurs liens sociaux habituels, plus ils s'approchent de l'étranger en s'identifiant à lui, plus les voici spirituellement fidèles à eux-mêmes et à ce qui les a constitués ; ils se construisent au lieu de se détruire. Leur identification à l'étranger, leur transculturation, les rend encore plus eux-mêmes qu'ils ne l'étaient peut-être au départ de leur route, au point d'apparaître, au terme de ce chemin, comme plus semblables au Christ, y compris dans sa passion et dans leur mort.

L'expérience de la mutation culturelle, du passage culturel du milieu catholique à un milieu qui ne l'est pas, a pesé sur une génération de nos prêtres. Cette expérience a produit des saints; elle a parfois abouti à ce que l'on a jugé un effet inverse. Vous vous souvenez peut-être du titre d'un roman célèbre de Cesbron, *Les saints vont en enfer*. Ils se sont « naturalisés », comme nous l'avons dit à l'époque. Il fallait adopter le monde moderne, ou la classe ouvrière, ou ce qu'on supposait être le milieu païen, comme on adoptait une autre nationalité, comme pour se faire « naturaliser » chez l' « autre ».

J.-L. M. — *Le problème était-il alors celui d'une crise mystique plutôt que celui d'une crise sociale?*

J.-M. L. — La crise sociale ne fait que catalyser et mettre en évidence la crise mystique. Un autre indice concerne le XVIe siècle, une très bonne période de référence. C'est la période où les plus grands mystiques développent la théologie négative. Saint Jean de la Croix, sainte Thérèse d'Avila, en s'approchant du mystère de Dieu, le décrivent comme une « nuée obscure » au-delà de la connaissance et de toute expérience. On a utilisé ces catégories et ce langage en l'identifiant à l'athéisme, qui est exactement son inverse. Car la théologie négative n'est pas l'athéisme : ils se frôlent peut-être comme des abîmes; ils sont opposés. Il est vrai que le plus grand mystique peut mieux comprendre l'athée et l'athée le plus profond peut toujours devenir un mystique. Mais en même temps, il ne faut pas dire que le mystique qui aime Dieu est un athée et que l'homme privé de Dieu est initié à son mystère.

Si, comme je viens de le dire, la crise sociale ne fait que catalyser et mettre en évidence la crise mystique, les seuls changements en profondeur, positifs, à espérer dans le statut, le ministère et la vie des prêtres seront les fruits d'une nouvelle floraison mystique dans le peuple chrétien.

Où apparaissent aujourd'hui les vocations en France? On serait tenté de définir socialement leur origine. Mais, précisément, elle ne peut plus raisonnablement être interprétée comme un déterminisme. Jadis, on créditait le nombre élevé des vocations au désir de promotion sociale d'une paysannerie chrétienne. Quelle promotion peuvent donc espérer des jeunes hommes qui ont pour la plupart des qualifications professionnelles élevées? Puisque tel est le nouveau profil de ceux qui se proposent aujourd'hui. Nous sommes en présence d'une nouveauté considérable en France, que les chiffres ne permettent pas de déceler. C'est la vigueur spirituelle, la santé morale et la fidélité chrétienne de ces jeunes hommes, de leur famille et aussi la ferveur et la foi qu'ils ont pu rencontrer et partager dans l'Eglise, qui fondent leur vocation.

D. W. — *Dans les trois revendications, l'engagement politique, l'engagement dans le travail et l'engagement dans le mariage, il semble que ce soit le mariage, ou plutôt la question de la procréation, qui soit la chose la plus difficile à admettre, surtout dans une religion où effectivement il n'est question que de filiation, de père et de fils.*

J.-M. L. — Ce n'est pas déterminant par rapport aux vocations et ce n'est pas là le problème décisif. Voyez la contre-épreuve expérimentale : l'anglicanisme, où les prêtres peuvent être célibataires mais aussi être ordonnés mariés; ils ont d'ailleurs un traitement convenable comme les luthériens allemands. Considérez encore les Eglises orientales, orthodoxes ou unies à Rome. Voilà trois Eglises, l'une réformée, l'autre de tradition qui se dit elle-même catholique comme l'anglicanisme, l'autre de tradition orientale unie à Rome ou non, où on ordonne des hommes mariés. Dans les trois cas, il n'y a aucune corrélation entre vocations et mariage. La baisse des vocations, dans l'Eglise anglicane, est plus grande que dans l'Eglise catholique. Et la baisse des vocations de pasteurs mariés luthériens est aussi grande, sinon plus grande, que celle des prêtres catholiques célibataires en Allemagne. Le nombre des prêtres célibataires est en augmentation dans toutes les Eglises d'Orient. L'argumentation, employée en France de façon massive, est contredite par les faits. Il faut donc expliquer autrement cette revendication d'un clergé marié. C'est là qu'il nous faut revenir à une explication spirituelle globale. Notre société est tentée sur la sexualité, et ceux qui sont appelés par vocation au célibat, à la chasteté pour le Royaume, sont eux-mêmes éprouvés. C'est parmi eux que l'Eglise choisit ses prêtres. Et il est normal que dans ce cas-là l'attention s'arrête sur le point le plus visible. Et il est normal que ces hommes subissent le choc de l'épreuve plus que d'autres, parce qu'ils occupent la position la plus risquée, la plus avancée.

Maintenant, sur la question canonique, tout le monde sait qu'il y a deux problèmes tout à fait différents, celui du mariage des prêtres et celui de l'ordination d'hommes mariés. Le mariage d'un prêtre pose le problème de la vocation d'un homme qui a déjà engagé toute sa vie en connaissance de cause. Ayant choisi de consacrer toute sa vie dans le célibat pour le service du Royaume de Dieu, il a dû le faire en liberté, et en réponse à un appel de Dieu. S'il y a eu erreur dans ce choix, de sa part ou de la part de l'Eglise, l'Eglise peut le relever de l'engagement en disant : « Il y a eu erreur, nous devons être honnêtes, et dans ce cas vous reprenez la vie laïque. Certes, vous avez reçu le sacrement de l'ordre. A jamais. Mais que Dieu nous pardonne aux uns et aux autres l'erreur commise. Soyez en paix. » S'il n'y a pas eu erreur, il faut appeler les choses par leur nom : cela veut dire qu'un homme éprouvé ou tenté a manqué à ce qui lui avait été donné. Dieu jugera. De là à le juger, nous, c'est une autre affaire. Mais marier les prêtres, c'est ce qui s'est passé à chaque crise révolutionnaire ! Et parfois de force ! Rappelez-vous la Révolution française Pourquoi cela ?

J.-L. M. — *Et pourquoi pas l'ordination d'hommes mariés ?*

J.-M. L. — L'Eglise catholique d'Occident, vous le savez, a fait le choix spirituel de prendre ses prêtres parmi les hommes qui ont reçu le charisme du célibat. C'est plus qu'une discipline canonique : c'est une option inspirée par l'amour du Christ. Mais l'Eglise catholique maintient et rappelle aussi la possibilité et son droit d'ordonner des hommes mariés. C'est la tradition des Eglises d'Orient. On voit d'ailleurs apparaître de façon insistante et significative des vocations de prêtres célibataires dans les Eglises qui admettent comme canoniquement légitime l'ordination d'hommes mariés. Vous retrouvez ce phénomène depuis un siècle dans l'anglicanisme et dans le luthéranisme allemand et chez certains protestants français. Cela, on ne le dit jamais : on dit toujours le contraire. Le faisceau de la publicité est braqué sur la face opposée des choses.

D. W. — *Mais le renoncement à la paternité n'est-il pas plus difficile que le renoncement à la vie conjugale ?*

J.-M. L. — Une phrase de l'Evangile est à citer ici : « Seigneur, qu'adviendra-t-il pour nous qui avons tout quitté pour te suivre ? » Alors le Christ lui-même répond — car cette invitation à tout quitter pour suivre le Messie dans son chemin n'est pas une invention de l'Eglise : « Celui qui aura quitté pour moi père, mère, femme, enfants, maison, terre, recevra le centuple sur cette terre (avec des persécutions, précise saint Marc, 10, 30) et le Royaume de Dieu en héritage ». L'exercice du ministère sacerdotal, qu'il s'agisse du prêtre religieux ou diocésain, introduit au mystère de la paternité divine ; au prêtre est confié, comme un surcroît de fécondité et d'amour, l'enfantement spirituel des enfants de Dieu. Cela suppose un grand désintéressement, parfois plus grand, plus immédiat et plus radical que celui des parents ; mais tous les parents savent aussi que leurs enfants partiront.

J.-L. M. — *Oui, mais entre-temps, s'écoule une vingtaine d'années au cours desquelles existent un certain nombre de plaisirs et de peines.*

J.-M. L. — De plaisirs ou d'illusions, de conflits et de souffrances. L'engendrement spirituel peut être le centuple promis. C'est vrai, je peux en témoigner. Ce sont des notions difficiles à manier parce qu'elles peuvent être abusives. Freud nous a rendus soupçonneux sur ce genre d'histoires, on n'aime pas trop s'aventurer sans précaution sur des terrains où la symbolique peut être aussi menteuse. Mais il reste, et je vous donne mon témoignage personnel de prêtre, la réalité de la paternité spirituelle. Pour un grand nombre de personnes, le prêtre est auprès d'eux l'instrument de la paternité spirituelle de Dieu. Sans le vouloir et peut-être même sans le savoir, il peut restaurer chez certains l'image paternelle blessée par leur père humain. C'est une très grande joie à condition d'en accepter la limite. Dès le moment où le prêtre voudrait s'approprier une paternité humaine, il la détruit, et il perd la grâce dont il est le témoin. Mais s'il en accepte la distance et la frustration, il en reçoit la joie. Cette joie n'est pas imaginaire et fait que tout cela est viable. Vraiment, vous ne pouvez vous figurer à quel point ! Un point fondamental de mon expérience de prêtre, c'est de mesurer combien j'ai aimé les gens à qui j'ai été envoyé, même s'ils ont disparu à l'horizon. Et je les aime toujours. Et je sais qu'ils m'aiment aussi. Quand ils m'attaquent ou qu'ils m'agressent, je sais qu'ils comptent sur mon amour.

D. W. — *Ce que vous dites renvoie à quelque chose dont on a peu parlé : vos choix affectifs pendant votre adolescence ou votre enfance, et ce d'autant plus que vous avez souhaité devenir prêtre très tôt.*

J.-M. L. — Comme pour tout être humain, c'est une question de choix, de discipline et de raison des choix. J'ai été un lecteur assidu de Stendhal. Vous vous souvenez peut-être de sa théorie de la cristallisation affective dans la description du sentiment amoureux. On ne devient amoureux que si on le veut, si on y consent. L'ascèse, à partir du moment où quelqu'un se croit appelé à se donner à Dieu, consiste à éviter cet engrenage. Il ne s'agit pas de se rendre insensible, mais on sait qu'il y a un enchaînement du désir et de l'affectivité, qui conduit, si on n'y prend garde, à cette « cristallisation », à ce qu'un jour brusquement le héros tombe amoureux de son héroïne. Comme aumônier de jeunes, j'ai été pendant quinze ans le témoin de la vie affective et relationnelle d'étudiants de dix-huit à vingt-cinq ans, et j'ai vu comment ils tombaient amoureux. A la limite, on pouvait presque prévoir dans quelles circonstances déterminées !

Le clergé français : plus à gauche et plus communautaire ?

D. W. — *Si l'on observe l'évolution du clergé français depuis la fin de la guerre, on remarque un lent mouvement aussi bien des prêtres que de la hiérarchie vers la gauche. Comment expliquer ce phénomène ?*

J.-M. L. — Cela correspond aux avatars de la société française. Il y a eu l'énorme secousse de la guerre... Rappelez-vous : l'ensemble de la France a été pétainiste, toute la mémoire traditionnelle de la France s'est retrouvée, au moins pour un instant, au début de l'occupation, comme coagulée en ce sentiment. C'est un douloureux moment pour l'histoire française, plein de mauvaise conscience. Un renversement a suivi la Libération, pour essayer de restaurer la conscience française, de la guérir. Ce fut un mouvement de bascule, au moins apparent, et l'Eglise a été prise dans ce mouvement. Mais il y a des causes historiques plus anciennes. On peut signaler par exemple l'influence, entre les deux guerres, de l'Action française et la manière dont elle a pu influer sur un certain nombre de catholiques. Il a fallu du temps pour que la condamnation de 1926 porte son effet, qui a aussi compris la dérive opposée. Il n'y a là rien de très étonnant. L'explication est liée aux circonstances historiques de l'évolution de la France.

D. W. — *On a aussi assisté à la montée du mot « communautaire », parfois d'ailleurs en opposition à la hiérarchie. Les prêtres ont progressivement refusé le statut d'élite pour se situer davantage comme pasteurs, voire comme animateurs.*

J.-M. L. — Le mouvement communautaire est un mouvement typique de l'époque d'urbanisation intense dans laquelle nous avons vécu depuis cinquante ans. Car jadis, quand les communautés existaient, on n'en parlait pas. Personne n'en faisait la théorie, car elles correspondaient à des modes d'intégration normale de l'existence sociale, qu'il s'agisse des communautés villageoises ou des paroisses urbaines. Les urbanistes d'il y a quarante ans ont pris, pour désigner la structuration urbaine, le terme de « paroisse » et l'ont employé pour désigner un regroupement de l'ordre de deux cents, deux cent cinquante familles. Le mouvement communautaire est né à partir du moment où les communautés ont cessé d'exister. C'est devenu un idéal chargé de nostalgie et d'espérance. A l'époque où les villages ont commencé à disparaître, on a inventé les kibboutzim ou les kolkhozes ou les sovkhozes. Le mouvement personnaliste et communautaire né en France, avec Mounier notamment, a pris son essor au lendemain de la guerre avec l'hyperurbanisation des années 50. On a remplacé le mot « paroisse » par celui de « communauté », chargé d'un potentiel affectif formidable, alors que jadis l'usage spécifique du mot désignait les communautés monastiques, c'est-à-dire des communautés beaucoup plus « communautaires », et en même temps plus structurées et hiérarchisées.

J.-L. M. — *Oui, on oublie souvent que les communautés étaient structurées et hiérarchisées !*

J.-M. L. — Très structurées et hiérarchisées, tout en vivant sous un régime démocratique. J'appelle régime démocratique celui où l'autorité est régulièrement élue, ce qui est le cas de tous les univers monastiques. Tous les membres de la communauté y ont statutairement des droits définis d'élection. Le mot communauté était réservé dans la langue religieuse à ces communautés religieuses. Si on disait naguère : « Où est la communauté ? », on pensait aux religieuses ou aux moines, alors qu'aujourd'hui partout des jeunes parlent de vie communautaire. Quelles fonctions sociales remplit cette idéologie et quel rôle peut-elle jouer ? Le rôle du prêtre a simplement suivi cette évolution et a été affecté par tous ces facteurs — si l'ultime sens de votre question porte sur un refus de la différenciation des rôles, ce qui n'est pas exclu, je pense, de votre esprit.

D. W. — *Ce refus de la différenciation est un aspect implicite de ma question...*

J.-M. L. — On peut en faire le constat et ranger cette donnée parmi les observations déjà faites. Cela rejoint les aspects régressifs et fusionnels de la société contemporaine ; ils affectent aussi le domaine religieux. Ceci est peut-être à mettre en relation avec la baisse relative des vocations. Quand il n'y a plus de différence, comment voulez-vous qu'il y ait identification d'un appel à une fonction qui n'apparaît plus distinctement ? Il en va de même pour la natalité : si les images paternelles ont été détruites, les fils sans image paternelle n'ont peut-être pas envie de faire des enfants.

Les laïcs, les églises, la paroisse

J.-L. M. — *Considérez-vous que le rôle croissant des laïcs soit lié à la baisse des vocations religieuses ou à d'autres causes ?*

J.-M. L. — Prenons l'exemple qui nous est le plus familier, la France du XXe siècle. Le renouveau des vocations sacerdotales, les ordinations nombreuses apparaissent avec évidence comme la conséquence du renouveau de la vie chrétienne chez les laïcs. C'est à la période où les initiatives apostoliques des laïcs sont les plus nombreuses, les plus variées et les plus novatrices pour le service de l'Evangile (du renouveau des patronages aux multiples fondations dans tous les domaines : Paroisse universitaire, Semaines sociales, Syndicats chrétiens, Equipes sociales, etc.), à la période où les mouvements d'apostolat laïcs se développent dans la ferveur spirituelle et l'enthousiasme (scoutisme, Cœurs vaillants, J.O.C., J.A.C. et tous les autres mouvements d'Action Catholique,

Equipes Notre-Dame, etc. ; et je ne mentionne pas les innombrables fondations qui, pour n'avoir pas eu la même notoriété durable, n'en ont pas pour autant eu moins d'influence), à la période enfin d'un puissant renouveau intellectuel du christianisme dont les grands noms furent des laïcs (de Blondel à Maritain et Gilson, de Léon Bloy à Péguy, Bernanos, Mauriac, Claudel et tant d'autres...), c'est à ce moment que l'appel pour les vocations sacerdotales a été le mieux entendu dans l'Eglise. Et ne pensez pas que les générations de laïcs que je viens d'évoquer n'aient pas eu une pleine et totale initiative dans leur domaine.

C'est souvent dans les mêmes familles que se rencontraient les vocations de prêtres, de religieux, de religieuses et les vocations à une vie apostolique laïque. C'est des mouvements laïcs que venaient les futurs prêtres. De même que les militaires se recrutent parmi les civils... Lorsque survient la baisse des vocations sacerdotales et religieuses, il serait de bonne méthode pour en déceler les causes de s'interroger sur la vitalité religieuse de l'ensemble des baptisés. Pour vivre de la foi et pour l'annoncer, les disciples du Christ doivent puiser à la même source de l'amour de Dieu, qu'ils soient prêtres ou laïcs. Et j'aurais pu faire la même démonstration par les faits en prenant l'exemple du XVIIe siècle ou du XIXe siècle français pour ne parler que de la période moderne. C'est donc une affirmation extravagante que d'attribuer à Vatican II la responsabilité de l'« effet de balançoire », suivant lequel le rôle des prêtres diminue, quand celui des laïcs augmente.

D. W. — *Mais les choses sont perçues ainsi : Vatican II est considéré comme un concile de progrès, de changement, qui a revalorisé le statut des laïcs, peut-être en partie contre les prêtres et la hiérarchie. Vous connaissez ce discours...*

J.-M. L. — Somme toute, une nuit du 4 Août ? Je vois bien le clergé et le Tiers-Etat-Laïcat. Et donc, allons jusqu'au bout : « Qu'est-ce que le Tiers-Etat-Laïcat ? — Rien. Que doit-il être ? — Tout. » Mais où est la noblesse qui renonce à ses privilèges ? A moins qu'il ne s'agisse des doctes, des commentateurs et des faiseurs d'opinion ? Vous avez certainement entendu les nombreux et abondants commentaires de la constitution *Lumen Gentium* qui la réduisent à une inversion de la structure « pyramidale » de l'Eglise. Jusqu'à Vatican I inclus, on partait du sommet, le Pape. A partir de Vatican II, on part de la base, le Peuple. Mais c'est toujours une pyramide. A moins que l'on ne réussisse d'un coup sec à aplatir le sommet au centre de la base... Ces propos ne sont qu'une mauvaise plaisanterie.

La foi chrétienne présente, pour l'histoire des religions, un caractère absolument original dont la formulation est reprise par saint Pierre du livre de l'*Exode :* « Vous êtes, écrit-il aux chrétiens, la race élue, la communauté sacerdotale du Roi, la nation sainte, le peuple que Dieu s'est acquis pour que vous proclamiez les hauts faits de celui qui vous a appelés des ténèbres à son admirable lumière » (1 P. 2,9). Il les nomme encore « une sainte communauté sacerdotale » destinée à « offrir des sacrifices spirituels agréables à Dieu par Jésus-Christ » (1 P. 2,5). Les religions païennes ont pour caractéristique de réserver la perfection de leur idéal à un nombre restreint de parfaits. La foi chrétienne met la source de cette perfection dans l'union au Christ donnée par le baptême. La sainteté est donc, au départ de la foi, la vocation personnelle de chacun des chrétiens et leur bien commun qui les constitue en peuple saint. Le ministère des prêtres, son originalité irréductible et son autorité, est au service de cette vocation commune de tous, le peuple saint et sacerdotal, *laos* en grec, d'où l'on a forgé le mot de « laïc », comme le P. Congar le rappelle à juste raison.

Au temps de la Réforme, le concile de Trente a défini le caractère sacramentel de la mission du prêtre et de son autorité. Vatican II achève cette longue méditation de l'Eglise sur sa propre nature en montrant la singulière correspondance des sacrements : d'une part, le baptême et la confirmation qui constituent le peuple de Dieu et de ses fidèles, et permettent de comprendre et de célébrer la mission sacerdotale eucharistique de l'Eglise entière ; d'autre part, le sacrement de l'Ordre (le collège des évêques dont le Pape est le chef, et ceux qu'ils ordonnent pour le ministère presbytéral et diaconal) est, dans et pour ce peuple des baptisés, le signe efficace et personnel de la présence du Christ, prêtre et tête de son corps : « Voici que je suis avec vous, tous les jours, jusqu'à la fin des temps » (Mt. 28,20). Vatican II est allé jusqu'au bout de l'œuvre commencée par le concile de Trente : définir l'originalité sacramentelle de la vie chrétienne et de l'Eglise ; prendre distance à l'égard des différents modèles sociaux et politiques pour affirmer la spécificité de la communion catholique et de son fonctionnement. L'Eglise a forgé les principaux concepts qui lui permettent d'affronter les grands bouleversements des sociétés modernes. Dès lors, la mise en évidence des conflits de statut et des compétitions de pouvoir auxquels nous sommes habitués par l'analyse sociale ne donne pas la bonne clé de compréhension du rapport des laïcs avec les prêtres et la hiérarchie.

D. W. — *En dépit de votre analyse de la continuité, la plupart des textes que nous avons lus présentent Vatican II comme une rupture « démocratique », valorisant la place des laïcs, qui jouaient de toute façon un rôle de plus en plus important dans l'Eglise notamment au travers des mouvements d'Action Catholique.*

J.-M. L. — Sérions les problèmes : le ou les modèles de fonctionnement de l'institution ecclésiale ; la part que peuvent et doivent prendre les fidèles laïcs dans un certain nombre de tâches que la pratique récente avait concentrées entre les mains du clergé ou des religieuses : préparation aux sacrements, catéchèse, éducation, assistance aux malades et aux mourants, organisation du partage avec les plus pauvres, gestion des biens de l'Eglise, etc. ; les tâches chrétiennes liées à la condition « séculière », c'est-à-dire caractérisée par l'activité professionnelle, sociale et politique et, éventuellement, par le mariage. Chacun de ces trois problèmes appelle des réponses concrètes et variables selon les pays et les époques. Bien que liés les uns aux autres, ces problèmes demandent à être traités distinctement. Enfin, tous trois cernent des contours de la mission de l'Eglise dans le monde sans pour autant la définir ni l'épuiser.

Cette mission trouve sa formulation dans les derniers chapitres de la constitution *Lumen gentium* de Vatican II. Ils définissent la vocation historique de l'Eglise entière et donc de chacun de ses membres par l'appel à la sainteté qui doit travailler sans relâche à la transformation de notre monde, selon le dessein de Dieu pour le salut, pour le bonheur des hommes et pour sa gloire. Ces chapitres inscrivent cette vocation dans sa vraie durée, non celle d'une culture, d'une civilisation ou d'une patrie tout aussi mortelles que les hommes, mais dans la durée, assignée comme une espérance à l'humanité entière, et dont la plénitude est la fin des temps.

J.-L. M. — *Considérez-vous qu'il faille aujourd'hui construire des églises en France ?*

J.-M. L. — Il faut construire des églises, car il y a eu en quelques dizaines d'années une énorme concentration de la population française vers les espaces urbains. Les villages où, dans les siècles passés, les églises furent construites se sont vidés. Mais il faut construire des églises à la mesure de nos moyens et non pas des églises de huit cents places. Il faut construire des églises comme le font les Allemands, les Anglais et les Américains, pour deux cents fidèles. Ce sont des équipements moins onéreux et plus souples, plus légers ; ils sont nécessaires.

Pour la région parisienne, il y a une inégalité criante de la présence des équipements religieux. Et nous n'avons peut-être pas su prévoir et organiser à temps. Les générations futures nous accuseront d'inconscience ou d'imprévoyance. Nous avons hérité des équipements disproportionnés du XIXe siècle. Il y a eu, à certains endroits, un gigantisme présomptueux, et à d'autres nous avons laissé en friche...

L'église est un lieu d'ordre sacramentel, elle est le lieu d'intégration de toutes les fonctions et de toutes les dimensions de la vie chrétienne qui s'organise d'abord autour de l'Eucharistie. Une église, une paroisse, c'est d'abord un lieu, au sens géographique et symbolique tout ensemble. C'est une *ekklèsia*, un rassemblement du peuple de Dieu par l'Eucharistie, dont découle la totalité des tâches et des missions auxquelles prêtres et laïcs sont associés dans la vie paroissiale. L'église, la paroisse, est d'abord le lieu de la charité, prise au sens le plus fort de l'amour. Qui dit Eucharistie dit amour fraternel entre ceux qui sont appelés en cet endroit, même s'ils ne se sont pas choisis et surtout parce qu'ils ne se sont pas choisis : « Si vous aimez ceux qui vous aiment, quel gré vous en saura-t-on ? Même les païens en font autant » (Mt.-5,46). « Aimez vos ennemis » (Mt.-5,44), dit Jésus. L'église et la paroisse sont les lieux où doivent s'aimer ceux qui sont réunis, les lieux aussi de la solidarité, de la charité à l'égard de tout frère qui se présente. Il ne faut pas oublier le commandement à l'égard de l'immigré, tel qu'il est formulé dans la Bible — c'est un commandement de Dieu, ce n'est pas une théorie sociologique : l'étranger, l'autre, celui qui est de passage, celui qui est sans feu ni lieu, l'exilé, le pauvre, le prisonnier, doit être accueilli comme un frère. Et il faut bien que cela se mette en pratique quelque part.

La réflexion sur la paroisse implique une prise de position ferme à l'égard du fonctionnalisme de la société moderne. Il est normal et nécessaire qu'il existe de grands services et des fonctions sociales. Mais la paroisse est un lieu où peut être vécue une nécessaire « déspécialisation » de la société et des rapports sociaux. Les générations y sont liées les unes aux autres, dans la vie sacramentelle. La naissance et la mort, ces deux extrêmes, y sont portées par une communauté qui en reçoit la grâce par le don des sacrements. L'église de la paroisse est le lieu où sont baptisés les enfants, et c'est le lieu aussi où la communauté prie pour les vivants et pour les morts. Le pardon de Dieu y est donné, la réconciliation accordée sous la forme du sacrement de pénitence par le ministère des prêtres, et le pardon mutuel des chrétiens exercé dans l'Esprit comme une force de communion pour le tissu social où ils sont placés. La paroisse est encore le lieu de la transmission et de l'annonce de la foi dans les mystères célébrés, car la foi ne s'y présente pas comme une idéologie ou une conviction subjective, mais dans la réalité concrète et charnelle d'un peuple rassemblé qui vit ce qu'il annonce et ce qui lui est annoncé. C'est encore un lieu où la Parole, la Bible, cesse d'être une parole abstraite livrée au scalpel des professeurs ou des archéologues, pour être donnée bouche à bouche comme une nourriture et une Parole de vie, partagée comme une Parole vivante. La paroisse est le lieu où la communauté eucharistique nourrie du Corps du Christ devient son Corps qui est l'Eglise. Dans l'Eucharistie, la communauté particulière figure et rend présente l'universalité de l'Eglise. Car il n'est pas d'assemblée ou de paroisse qui n'existe par le ministère du prêtre, grâce auquel cette communauté de baptisés reçoit sa dimension et assume sa responsabilité catholique. Le prêtre, en effet, est envoyé par l'évêque, lequel n'existe que dans la communion de tous les évêques du monde entier. Et ceux-ci sont ensemble le signe concret et charnel, historique et personnel de la catholicité de l'Eglise.

CINQUIÈME PARTIE

L'Église universelle

1

QU'EST-CE QU'UN PASTEUR D'ÉGLISE ?

Evêque d'Orléans, archevêque de Paris

J.-L. Missika. — *Vous êtes nommé évêque d'Orléans en décembre 1979. Qu'a représenté pour vous cette nomination ? Orléans, c'est le retour au lieu de votre conversion.*

Jean-Marie Lustiger. — Dieu posait un sceau sur ma propre histoire, puisque je me retrouvais dans une mission d'apôtre et de prêtre à l'un des lieux les plus décisifs de toute ma vie. Quand l'annonce m'a été faite que le pape me nommait évêque à Orléans, je n'ai d'abord littéralement pas entendu la phrase qui m'était dite, je ne l'ai littéralement pas comprise, et il a fallu me la répéter deux fois, trois fois, pour que je la comprenne. Puis, il m'est apparu que Dieu me le demandait. J'ai du mal à entrer dans des confidences, par pudeur. Et puis cela ne me paraît pas nécessaire à la compréhension des choses. Mais, je vous l'avoue, de me retrouver dans la cathédrale d'Orléans, à l'endroit exact où, pour la première fois, j'avais eu l'intuition de ce mystère : le Messie souffrant, son corps livré et son sang versé, sa présence en ses frères et en l'Eucharistie, de me retrouver aux endroits où j'avais pris forme et où ma vie s'était orientée, cela donnait à chaque détail, mais vraiment à chaque détail, de mon existence à Orléans une intensité extraordinaire. Je m'interdisais d'y trop réfléchir par crainte que ma tête n'éclate, tant, dans le présent, me rejoignait le passé avec tout ce qu'il comptait de souvenirs, de souvenirs personnels et de richesses symboliques. Le bureau où l'évêque d'Orléans,

Mgr Courcoux, m'avait instruit du christianisme devenait mon bureau ; je célébrais la messe dans la chapelle même où j'avais été baptisé. Je retrouvais des prêtres ou des laïcs qui avaient été mes camarades de classe, et voici que je les retrouvais comme leur pasteur, comme apôtre. Dieu me demandait de leur donner ce que j'avais reçu d'eux.

Quelque chose dans cette situation demeurait étrangement déroutant. J'étais chez moi et je savais bien que j'étais d'ailleurs puisque j'y étais arrivé comme persécuté, clandestin, quasi étranger, rejeté de la communauté nationale par les lois de Vichy. En outre, j'étais pris sous les feux de la presse qui, immédiatement, dévoila à tout le monde ce que je gardais par pudeur et par respect comme mon histoire privée. Jusqu'alors, j'étais libre de dire ce que je voulais à qui je voulais. Je ne me suis jamais caché mais je ne me suis jamais montré. Cette fois, j'étais obligé de prendre les devants... Les médias ne m'ont pas fait cadeau du silence... Non par malveillance, bien au contraire. Je ne le leur reproche pas ; c'est ainsi que marchent les choses. Ce que je gardais comme une histoire personnelle à confier à un ami devait être livré à tous. Evêque à Orléans, c'était tout cela, et tant de choses d'une richesse si insoutenable que je ne puis l'expliquer davantage. Des circonstances fortuites, à peine communicables — un coin de rue, un bout de ciel, un paysage, un souvenir, un arbre, une pierre —, renvoyaient à tout, à mon histoire et à celle des miens, à l'histoire de la France, à ma place dans cette histoire et à la mission que je devais désormais remplir. Ma mémoire se nourrissait de cette charge affective et symbolique qui habitait cette mission. J'y étais porté bien au-delà de moi-même. Ce n'était pas moi qui avais choisi un pareil destin, je n'aurais jamais pu inventer une telle situation, je ne l'avais d'aucune façon désirée, et je me trouvais là, exactement comme une pièce de bois insérée dans un coin de la charpente. Ce bout de bois, cette poutre semblable à toutes les autres et qui n'a rien demandé, placée à l'endroit où se rejoint la charpente et obligée d'y être sous peine qu'elle s'écroule. La cathédrale Sainte-Croix d'Orléans, dit la légende, a été dédicacée, non par les hommes, mais par la main de Dieu. Cette main venait me prendre pour m'y ramener. Il fallait donc être là, et j'y étais avec d'autant plus de force intérieure que je m'appuyais sur ce qui m'apparaissait un dessein providentiel, sur la volonté de Dieu.

J'étais habité à la fois par l'indicible douleur de la mémoire et par une allégresse intense de pouvoir rendre, servir et donner. Je me trouvais comme pris au mot par Dieu. « Pris au mot ? » Depuis des dizaines d'années, je n'avais cessé de méditer, de réfléchir aux problèmes de l'Eglise, à son rapport à la société moderne et à sa fidélité à la parole de l'Evangile : un surcroît de fidélité et un surcroît de liberté étaient demandés à l'Eglise d'aujourd'hui. Or je devenais, par la mission apostolique confiée, responsable de ce qu'il m'avait été donné de voir. Voilà que la Providence me disait : « Ce qu'il t'a été donné de percevoir vivement, il faut maintenant que tu le fasses. » Si une lumière m'avait été accordée, c'était pour y répondre par la fidélité.

J'ai été ordonné évêque le 8 décembre 1979 dans la cathédrale d'Orléans. Le 8 décembre est la fête de l'Immaculée Conception, une fête de l'Eglise catholique dont la richesse symbolique m'est apparue ce jour-là avec une force inouïe, ne serait-ce qu'en raison des textes de la liturgie. C'est une fête de la Vierge, figure anticipée de l'Eglise ; elle reçoit, comme d'avance, le don du salut de celui qui lui sera donné comme Fils. L'Eglise célèbre dans la prière et dans la vénération Marie fille de Sion. En effet, de même que l'élection d'Israël précède dans le temps le Messie qui lui est donné, de même Marie, fille de Sion et figure de l'Eglise, reçoit d'avance le salut qui lui permet d'enfanter son Sauveur. En Marie, la fille de Sion (Is. 62), l'Eglise précède celui qui la constitue. C'est ainsi que cette liturgie reçoit une ampleur cosmique et historique aux limites de l'histoire. La liturgie commence par le récit de la *Genèse* et de nos commencements. La lecture suivante est tirée de l'Epître aux Ephésiens où sont présentés les rapports mutuels des juifs et des païens dans l'Eglise de Dieu, réconciliés les uns et les autres avec Dieu par la Croix de son Fils ; les premiers ont été en Lui choisis de toute éternité pour être d'avance ceux que Dieu aime et appelle à le servir, et désormais les seconds, ceux qui étaient loin, sont appelés à leur tour à être proches et à entrer dans la même communion. Dans cette « convocation », dans cette Eglise, la figure mariale est la figure du peuple composé de juifs et des païens. Enfin, l'Evangile de l'Annonciation contient et condense, avec une force prophétique et symbolique extraordinaire, toute l'histoire du Salut.

J.-L. M. — *Comme évêque, quelle devise avez-vous choisie ?*

J.-M. L. — Je n'en avais pas. Je m'étais refusé à avoir des armes, un blason héraldique. Je n'avais pas vraiment réfléchi à une devise, et voilà comment les choses se sont passées. Dans cet Evangile de l'Annonciation, Marie, devant l'annonce de la naissance du Messie, dit à l'envoyé de Dieu : « Mais comment cela se fera-t-il, je ne connais point d'homme », et l'ange répond : « Tout est possible à Dieu. » C'est déjà la phrase de l'ange à Abraham pour la naissance d'Isaac. C'est une phrase reprise dans l'Evangile par Jésus lui-même, quand il rappelle à ses disciples les exigences du Salut (Mt. 19, 26). J'avais l'habitude, dans ma paroisse, de préparer des feuilles liturgiques où je mettais comme titre une phrase centrale des lectures de la liturgie. Ce jour-là j'ai choisi : « Tout est possible à Dieu. » Cela résumait pour moi la liturgie de ce 8 décembre. J'étais habité par le sentiment de l'incroyable défi de ma nomination. Je ne sais pas comment le Pape a pu prendre une pareille décision, mais cela me paraissait un défi auquel je ne pouvais me dérober.

J.-L. M. — *Vous parlez de votre nomination comme évêque d'Orléans ou comme archevêque de Paris ?*

J.-M. L. — Des deux. J'avais donc écrit en tête de la feuille liturgique « Tout est possible à Dieu. » Les journalistes d'Orléans, pleins d'attentions à mon égard, m'ont dit : « Votre devise, la voici : " Tout est possible à Dieu " ». Et c'est ainsi que ces journalistes ont trouvé la devise que je devais prendre.

J.-L. M. — *Vous êtes resté très peu de temps à Orléans ?*

J.-M. L. — Moins de deux ans. Un an et trois mois. J'étais persuadé que je resterais à Orléans, que j'étais arrivé au port. Mais, dès le premier jour, j'ai été saisi par un sentiment d'urgence. Je devais agir vite. Je ne savais pas pourquoi. Je voulais faire vite. Est-ce mon tempérament ? Heureusement, je ne savais pas que le temps m'était compté, beaucoup plus qu'à Mgr Riobé, mon prédécesseur, dont je découvrais, peu à peu, la profondeur spirituelle.

Ma nomination à Paris, plusieurs personnes m'en avaient parlé avant la décision du Pape. Le bruit en a circulé. Je l'ai démenti avec une sérénité impavide, me fondant sur le raisonnement suivant : le Pape est un pasteur, il sait ce qu'est un diocèse ;

comment voudrait-il que j'abandonne un diocèse où j'ai commencé mon travail pour aller dans un autre ? Cela ne me paraissait pas possible. Alors, inutile de vous dire que lorsqu'on m'a annoncé que j'étais nommé à Paris, j'ai d'abord été profondément attristé de devoir quitter de nouveau Orléans. Puis, j'ai mesuré les difficultés qui m'attendaient à Paris. J'y allais vraiment... je n'ose pas dire comme à une mission impossible, mais à peu près. J'estimais ne pas être l'homme le plus apte à ces tâches. J'aurais vu des hommes mieux adaptés à cette situation, préparés davantage de l'intérieur. Et dans la mesure où il y avait des difficultés évidentes et connues, cela paraissait un peu un défi que de me demander d'aller presque à l'opposé de mon tempérament et de mon expérience.

Ma nomination à Paris coïncidait avec une autre fête, celle du 2 février : c'est la Présentation de Jésus au Temple et, là encore, c'est une fête de la Vierge et une fête du Christ en même temps. La signification spirituelle de cette fête est, elle aussi, d'une richesse extrême. La Vierge sanctifiée d'avance, délivrée du péché, et donc espérance pour Israël et pour les nations d'une humanité transfigurée, porte elle-même, dans la maison du Père, le Messie enfant, la Parole vivante et encore muette. Là dans le Temple, tous les prophètes d'Israël, rassemblés dans les figures de Siméon et d'Anne, jour et nuit, rendent grâce à Dieu. C'est là que le vieillard Siméon dit à Marie : « Un glaive transpercera ton cœur, car l'enfant sera un signe de contradiction pour le relèvement et la chute de beaucoup en Israël, et il sera lumière des nations. » La figure du Messie souffrant est ainsi proclamée dans le Temple, lieu de la demeure de Dieu.

Je le voyais bien : ce qui m'était demandé en devenant évêque touchait à mon engagement personnel le plus profond. J'avais un grand amour pour ce peuple qui était là, l'amour que le Christ lui porte ; et beaucoup me témoignaient une très grande amitié. Mais je voyais aussi, sans céder à l'imaginaire, que ce serait pour moi une manière de prendre part à la passion du Christ, je n'avais aucune illusion là-dessus. Quand j'avais été nommé à Orléans, ma première pensée avait été que la cathédrale d'Orléans est dédiée à la sainte Croix. Cela aussi paraissait faire partie des logiques les plus intimes et j'en avais une conscience suraiguë.

D. Wolton. — *Avez-vous encore aujourd'hui ce sentiment de participation à la Passion ?*

J.-M. L. — Oui, clairement. Cela est demandé d'une manière ou d'une autre à tous les disciples et plus particulièrement à ceux qui reçoivent la mission apostolique. Quand je suis arrivé à Paris comme archevêque, un intime du cardinal Veuillot m'a dit : « C'est à cause de lui que vous êtes ici. » Le souvenir du moment où, avant de mourir, le cardinal Veuillot m'avait fait venir auprès de lui ne me quittait pas. Ce qu'il m'a dit à ce moment-là avait, à cette époque, le sens d'une confidence reçue, maintenant cela s'inscrit dans une mission transmise.

Dernière chose et j'en aurai terminé sur ce point, j'avais été sensibilisé par une objection rencontrée en 1946 quand j'étais entré au séminaire, celle de « l'Eglise comme système social de promotion, comme système de puissance ». J'en avais tiré conséquence pour vivre au net en cette matière et savoir ce que j'avais à faire. Jamais, de quelque façon que ce soit, je ne me mettrais dans des positions qui favorisent ce qui, aux yeux des systèmes administratifs ou sociaux, s'appelle la « promotion ». Jamais je n'entrerais dans ces circuits. Jamais je ne ferais aucune concession dans aucun de ces domaines. Cela prévenait toute espèce d'équivoque ou de complicité intérieure. Evidemment, pourriez-vous me dire, j'aurais pu refuser cette nomination. Mais cela ne m'est pas venu un instant à l'idée, tellement tout me paraissait venu de Dieu. A ce propos, on peut ensuite se poser des questions : le jugement d'autrui sur toi n'est-il pas trop favorable ? Sur quels jugements humains, sur quel système de cooptation ce choix repose-t-il ? Les gens se trompent, ils ne savent pas qui tu es, ils surestiment tes qualités ou sous-estiment tes défauts. On peut toujours se dire ces choses. Une confidence m'a été faite plus tard, qui a constitué pour moi une délivrance. L'un des familiers du Pape m'a dit : « Ecoutez, votre nomination est le fruit de la prière du Pape. Le Pape a longtemps hésité, il a longuement prié pour savoir qui il devait nommer. » J'ai compris alors : la manière dont la décision a été prise par celui qui en a la responsabilité obéit à la logique de la prière et de la disponibilité à Dieu. Ce n'est pas pour autant une décision infaillible, mais c'est une décision bien prise. Je me suis dit encore : ce qui t'est demandé, c'est de rester toi-même. Tu n'as pas à être un autre que tu n'es, il t'est demandé de rester qui tu es. Le cardinal Marty nous en avait donné l'exemple en une période délicate. Il me fallait à mon tour apprendre ce qu'il avait appris : aller là où je ne voulais pas aller.

D. W. — *Là, vous parlez de votre nomination à Paris ?*

J.-M. L. — Oui. Mais implicitement je me l'étais dit dès Orléans. Cette mise en lumière et ce surcroît de responsabilité m'ont donné, à tout prendre, une plus grande sérénité intérieure, une plus grande sécurité, dans la mesure où j'étais porté par la prière de l'Eglise et par une décision prise sous le regard de Dieu. Par conséquent, en dépit de mes faiblesses personnelles, dans la mesure où Dieu m'exposait, je serais protégé. De même que personne de raisonnable et de responsable n'envoie quelqu'un au casse-pipe sans lui donner les moyens de survivre, de même, je le savais, je recevrais ce qui m'était nécessaire pour remplir le moins mal possible la mission qui m'était demandée. Ce qui a le plus frappé l'opinion publique, c'est l'aspect singulier de ma biographie. Pendant trois ans, j'ai été « le Polonais ». De là à imaginer un lien antérieur avec le Pape, il n'y avait qu'un pas qui a été allégrement franchi.

J.-L. M. — *Ce n'était pas seulement le Polonais, mais aussi « le juif polonais ».*

J.-M. L. — J'ai immédiatement et publiquement déclaré que j'étais « juif et fils d'immigré ». C'était à moi et à personne d'autre de le dire. Mais beaucoup n'ont retenu que la Pologne. Certains encore me disent avec sympathie, parlant de la Pologne : « votre patrie », « vos compatriotes »... C'est étonnant.

D. W. — *Mais l'autre aspect, l'origine juive, doit tout de même irriter certains...*

J.-M. L. — Je le sais, je suis une provocation vivante qui oblige à s'interroger sur la figure historique du Messie. J'en porte une parcelle par mon histoire. Cette provocation demeure salutaire pour l'Eglise. Indépendamment de mon « cas », indépendamment de ma personne.

D. W. — *Le Pape voulait-il tout cela ?*

J.-M. L. — Qui pourrait le dire ?

D. W. — *Et depuis ? En avez-vous reparlé avec lui ?*

J.-M. L. — Oui, dans la mesure où cela regarde le bien de l'Eglise et des hommes. De toute façon, le Pape n'ignorait rien de moi. Rien n'a été caché. Et il n'a pas agi par inadvertance.

J.-L. M. — *Avez-vous le sentiment d'être controversé dans l'Eglise de France à cause de cela ?*

J.-M. L. — A cause de cela ? Je n'en sais rien.

D. W. — *Peut-être cela vous est-il égal ?*

J.-M. L. — Je ne sais pas. Je découvre à ce propos des attitudes contrastées. Certaines me touchent profondément, car elles montrent, chez les catholiques, une intelligence du mystère d'Israël qui se rouvre comme une source. C'est à mes yeux un signe de la vitalité de la foi catholique. Cette intelligence est souvent liée au sens spirituel profond, vif, authentique, de chrétiens qui connaissent ou découvrent l'amour du Christ en sa condition humaine, la prière avec la Vierge Marie, l'amour de l'Eglise. Ceux-là sont reconnaissants à Dieu de la grâce faite au peuple juif, et en même temps, sensibles, comme blessés d'avance par l'antisémitisme. Il y a aussi l'attitude inverse, souvent d'une bassesse et d'une grossièreté qui me surprennent. Car j'avais bénéficié d'un aveuglement providentiel. Je n'avais guère perçu jusque-là ce genre de propos.

D. W. — *L'antisémitisme ?*

J.-M. L. — Oui. Je le connaissais, mais ailleurs.

D. W. — *Pas sur vous ?*

J.-L. M. — *Pas dans l'Eglise ?*

J.-M. L. — Sur moi, si, mais pas dans l'Eglise, pas dans l'Eglise que je connaissais. J'avais lu Drumont, il était catholique. Je connaissais l'affaire Dreyfus et ce qu'avait écrit *la Croix*.

J.-L. M. — *Et depuis lors ?*

J.-M. L. — Depuis lors, je le devine, dans des pamphlets, dans des écrits...

J.-L. M. — *Quand Jean-Marie Le Pen cite votre nom en même temps que celui de quatre journalistes juifs, y voyez-vous une allusion antisémite ?*

J.-M. L. — S'il y a une allusion antisémite, j'en suis très honoré ; elle vise l'archevêque de Paris en communion avec le Pape et avec le collège des évêques. Je disais que ma nomination était une provocation ; elle portait le fer dans la plaie ; elle obligeait les gens à réfléchir et à savoir la vérité. Ma seule présence dans cette charge d'archevêque de Paris dévoile de façon évidente, éclatante, la vraie nature de l'antisémitisme ; celui-ci est une forme d'antichristianisme et un blasphème contre Dieu. L'antisémitisme n'est pas simplement une variante de la xénophobie : il est le refus de quelque chose qui appartient au Christ et qui est du Christ. C'est un test. Comme la teinture de tournesol qui sert de révélateur.

D. W. — *Oui, mais tous les antisémites ne sont pas des chrétiens. Quand il s'agit d'un chrétien, qu'est-ce que cela veut dire aujourd'hui ?*

J.-M. L. — C'est un test, je le répète. L'antisémitisme nazi ou communiste en révèle la vraie nature. La tactique consiste à demander aux populations de tradition chrétienne de se désolidariser des juifs ; c'est la manière d'attaquer leur foi chrétienne en la coupant de sa racine, sans que les gens s'en rendent compte : c'est pervers. Il n'est pas étonnant que les athéismes totalitaires de type nazi ou communiste aient toujours une composante antisémite. C'est très clair ; si l'on prend le cas de la Pologne, il est plus simple de s'attaquer aux juifs présents dans Solidarité que de s'attaquer de front à Solidarité. Mais ce serait une naïveté de ne pas comprendre qu'en s'attaquant aux juifs dans Solidarité, c'est au christianisme comme source de Solidarité qu'on s'attaque.

Les pouvoirs d'un archevêque

J.-L. M. — *Quelle est la nature de votre pouvoir en tant qu'archevêque ?*

J.-M. L. — Je suis successeur des Apôtres et d'abord responsable, devant Dieu, devant l'Eglise et mes frères évêques, de la fidélité d'un peuple à l'Evangile de Jésus-Christ et à la constitution de son Corps qui est l'Eglise.

D. W. — *Pour nous, ce n'est pas très concret.*

J.-M. L. — Mais votre question de « pouvoir » me déconcerte. Regardez le Code de Droit canonique, si cela vous intéresse.

J.-L. M. — *Soit. Mais, dans l'Eglise, il y a quand même une hiérarchie. Qui dit hiérarchie dit qu'il y a des gens placés dans une situation de commandement par rapport à d'autres.*

J.-M. L. — Voici pourquoi je réagis de cette façon. Dans l'Evangile, quand les fils de Zébédée demandent à siéger à la droite et à la gauche du Christ dans son Royaume, Jésus leur répond : « Ceux que l'on regarde comme les chefs des nations les tiennent sous leur pouvoir, et les grands sous leur domination. Chez vous, il n'en est pas ainsi. Au contraire, si quelqu'un veut être grand parmi vous, qu'il soit votre serviteur. Et si quelqu'un veut être le premier parmi vous, qu'il soit l'esclave de tous. » La question du pouvoir est ainsi traitée explicitement par Jésus parlant à ses Apôtres. Elle est prise de front pour montrer que l'exercice du pouvoir est d'abord une identification au Christ serviteur. Je sais bien que l'empereur Napoléon a identifié l'évêque au préfet et au général, intégrant le corps épiscopal dans l'ensemble des corps constitués. Cela fonctionne ainsi pour une part. Mais, successeur des Apôtres, tout évêque ne peut que refuser une identification réductrice. J'ai répondu à votre question en termes de devoir plutôt qu'en termes de pouvoir.

J.-L. M. — *Oui, mais il vous arrive quelquefois de prendre des décisions d'autorité.*

J.-M. L. — Le pouvoir est celui que le Christ donne. C'est le pouvoir de pardonner les péchés, de conférer les sacrements du salut, et ainsi de constituer l'Eglise ; c'est le pouvoir et le devoir d'attester la Parole de Dieu ; le pouvoir de donner les sacrements de la résurrection et de rassembler les enfants de Dieu dispersés. Ce sont les pouvoirs spirituels du Christ, de Celui qui est le Pasteur, et l'autorité propre de l'évêque se situe dans cette mouvance sacramentelle du service de la charité divine.

D. W. — *Parlons un peu plus concrètement. Par exemple, avez-vous le pouvoir de nommer des prêtres, de les affecter à certaines paroisses ? Comment cela se passe-t-il ?*

J.-M. L. — Un évêque porte la responsabilité apostolique d'une Eglise déterminée. Il doit pourvoir à ce que cette Eglise reçoive ce que le Christ veut donner à son peuple. Et il en a l'autorité. Pour cela, il est assisté de différents conseils dont la constitution et les pouvoirs sont définis par le droit. Ainsi l'évêque nomme librement les responsables des charges pastorales, prêtres, diacres ou laïcs. Selon les charges, des conditions diverses sont posées par le droit. Ainsi, en France, un curé doit être nommé pour six années pendant lesquelles il ne peut être révoqué que pour des motifs graves et déterminés en suivant une procédure juridique.

L'évêque doit veiller à ce que cette Eglise reçoive la Parole de Dieu. Fidèlement. Il a autorité pour être le garant de la foi. Suffit-il qu'un évêque ouvre la bouche pour que la vérité catholique en sorte ? Non. Des règles d'obéissance mesurent l'autorité de sa parole. Un évêque dit de façon infaillible la vérité catholique lorsque, solidaire de la totalité du collège apostolique uni au Pape, il veut parler en témoin de la foi. La vérité de la foi coïncide avec son universalité dans l'espace et le temps, avec la communion de tous. Les hommes sont toujours tentés de particulariser leurs opinions ; et ce qu'on appelle tolérance ou pluralisme consiste trop souvent à dire « pense ce que tu peux, je pense ce que je veux », donc : « à chacun sa vérité ». Mais dans l'Eglise, on ne joue pas du Pirandello. La vérité est d'abord communion à la Vérité qui nous dépasse tous, dans le respect de chacun et de ses particularités. L'évêque est chargé, et il a autorité pour ce faire, d'être le témoin habituel de la communion habituelle de tous les fidèles dans la foi de l'Eglise.

D. W. — *L'évêque peut donc rappeler à l'ordre certains prêtres s'il a le sentiment que ceux-ci s'éloignent de la parole commune ?*

J.-M. L. — Ni spécialement ni exclusivement « certains prêtres ». Nous sommes actuellement dans un système d'opinion très fragile puisqu'il suffit que les sondages bougent pour qu'une pensée apparaisse comme la vérité du moment. J'ai donc le devoir de rappeler, au milieu du flux des opinions, les vérités premières et inaliénables de la foi, non pas tellement en « tirant les oreilles » de qui aurait dévié de la « ligne », mais en prenant moi-même le plus souvent la charge de dire publiquement la vérité que j'ai reçue pour la transmettre.

D. W. — *Dans une société d'opinion, quand on prend la parole publiquement, on n'a pas d'autre pouvoir que celui de la conviction et de l'influence ! N'y a-t-il pas d'autre pouvoir à l'intérieur de l'Eglise que celui de la conviction ? Avez-vous un pouvoir de sanction, par exemple ?*

J.-M. L. — J'ai un pouvoir de sanction, déterminé et limité par le droit. Il faudrait préciser les circonstances et les modalités très définies de son exercice et vous réciter trente pages du Code de Droit canonique. Car, contrairement à ce que certains pensent et à l'image parfois donnée, l'Eglise n'est pas une société soumise à l'arbitraire. Au risque de lenteurs parfois déroutantes, elle veille à ce que le droit des personnes soit respecté.

Il appartient à l'Eglise de vérifier si telle pensée, telle recherche, telle expression de la foi appartient à la communion catholique ou non. Les procédures employées sont plus respectueuses et temporisatrices que des procédures universitaires ou judiciaires. Un certain jeu de l'opinion publique a consisté à présenter comme des martyrs, objets de dénis de justice, tels prêtres ou théologiens. Ce jeu fait partie de la situation créée par les moyens actuels de l'opinion publique.

D. W. — *L'image qui domine est celle d'un système sanction-*

nant la déviance, et oubliant la complexité et le caractère ouvert de la discussion.

J.-L. M. — *C'est la question de la parole légitime, de la parole autorisée qui fait difficulté. Dans une société d'opinion, où toutes les opinions sont légitimes, on a du mal à comprendre que certaines déclarations, certains discours, puissent être « condamnés » parce qu'une autorité hiérarchique les juge inadéquats ou contraires au dogme, à la règle de la foi.*

J.-M. L. — Le modèle que nous avons aujourd'hui comme référence est le modèle politique d'une idéologie qui maintient sa ligne de manière autoritaire et exclusive.

J.-L. M. — *Exactement. Le modèle communiste.*

J.-M. L. — J'ai rencontré deux types de personnes qui intuitivement comprennent la différence entre l'obéissance de la foi et le conformisme idéologique. Les premiers ont une culture historique suffisante pour connaître le foisonnement de la pensée occidentale et chrétienne : même s'ils ne sont pas croyants, ils perçoivent comment une source, invariante, sert de référence à une pensée vivante, et comment l'Eglise est, au fond, dans son autorité, dans sa hiérarchie, dans son magistère, le garant et l'expression de cette Source unique. Ceux qui ont une perception assez fine peuvent voir comment ce magistère s'est exercé tantôt étroitement, tantôt plus intelligemment. A certains moments, en effet, l'autorité peut être abusivement restrictive et tomber dans les défauts de la raideur ou de l'étroitesse de jugement. L'histoire montre que c'est loin d'être le cas le plus fréquent.

Les seconds, ce sont les cœurs purs et les mystiques. Ils discernent spontanément les voix de la Tradition vivante et les signes de l'Esprit. Avec beaucoup de liberté. Ils ont l'intuition de la fidélité. Il est étonnant — et c'est un phénomène propre au christianisme et à la tradition biblique — de voir des simples aller au cœur des choses avec plus de profondeur que les savants. Et les travaux de ces simples deviennent de manière inattendue source de progrès et de savoir. Exemples modernes typiques, sainte Thérèse de l'Enfant-Jésus, le curé d'Ars aussi, sainte Bernadette, etc.

D. W. — *Avez-vous eu, depuis que vous remplissez votre fonction, des décisions difficiles ou douloureuses à prendre ?*

J.-M. L. — Non pas sous une forme juridique. Mais dans l'état actuel des souverainetés d'opinion, les fidèles comme les prêtres ont le droit de savoir ce que croit l'Eglise ; et pour moi, c'est un devoir de le dire. Je n'ai pas été amené à l'attester en sanctionnant nommément telle ou telle personne pour telle ou telle idée. En revanche, je l'ai fait positivement, proclamant de façon parfois forte la foi de l'Eglise. Pour qu'une réflexion, parfois critique, soit utile, il faut que celui à qui elle est faite vive la foi dans un bon équilibre spirituel. Si certains n'ont pas la perception effective de la vérité reçue de Dieu, vous pourrez passer votre temps à « corriger la copie », cela ne changera rien. Mais il se peut que je me trouve dans des circonstances, devant des cas plus éclatants ou plus graves qui m'obligent à prendre position dans les formes prévues par le droit de l'Eglise.

D. W. — *Avez-vous le sentiment que depuis trente ans les rappels au dogme sont plus nombreux ou, au contraire, moins nombreux ?*

J.-M. L. — On a vécu une période d'oscillation considérable au cours des trente dernières années. L'Eglise a été sensible au procès qui lui était fait par l'opinion. Et une confusion s'est parfois établie entre ce qu'on appelle le *sensus fidelium,* expression latine qui désigne le sens de la foi, partagé par l'ensemble des croyants et, par ailleurs, l'opinion publique. Pourquoi privilégier ce sens commun de la foi ? Parce que l'Eglise croit que, comme Corps, elle est habitée par l'Esprit de Dieu qui permet à ses fidèles de découvrir et de comprendre la parole qui lui est donnée en communion. Par conséquent, le sens commun des fidèles est un des critères par lesquels se vérifie la fidélité vivante à la foi. Mais on a confondu ce *sensus fidelium* avec l'opinion publique, et l'opinion publique avec les campagnes médiatiques. Autrement dit, il suffirait de quatre articles écrits dans les bons journaux pour dire que le « sens des fidèles » réclame telle ou telle chose. On se trouve donc dans une situation étrange où nous sommes mis en porte à faux par des procédures de pression d'opinion qui ne peuvent être confondues avec les procédures de vérification traditionnelles dans l'Eglise. La règle de saint Vincent de Lérins, qui date du VIe siècle, dit qu'est tenu pour vérité catholique ce qui a été tenu par tous, toujours et partout. C'est le principe du consensus dans la foi, de la communion dans la foi.

J.-L. M. — *Il y a une objection traditionnelle qui est celle-ci : votre définition renvoie en quelque sorte à ce qu'est la volonté générale chez Jean-Jacques Rousseau. Il peut y avoir conflit entre l'opinion publique, qui suppose une majorité et une minorité, et la volonté générale, qui suppose l'unanimité.*

J.-M. L. — Vous posez au fond la question de la liberté. La foi désigne la relation personnelle de l'homme à Dieu. Elle conduit à la liberté. Les données de la foi, reçues et transmises par l'Eglise, posent les conditions de son expérience. A celui qui les considère de l'extérieur, elles peuvent apparaître comme des contraintes arbitraires jusqu'au moment où le croyant aperçoit le champ de liberté qu'elles définissent. Observez la fascination qu'exerce aujourd'hui la souveraine liberté spirituelle de saint Jean de la Croix, docteur de l'Eglise, sur tant d'incroyants. Observez comment la même fidélité à ces « données » de la foi se retrouve chez des tempéraments aussi différents que sainte Thérèse d'Avila, saint Ignace de Loyola, si l'on s'en tient au XVIe siècle espagnol. La vérité, reçue et transmise par l'Eglise selon l'autorité qui lui est propre, fonde la communion de l'Eglise et la liberté des croyants.

Garantir la fidélité à Dieu et à sa Parole, assurer l'authenticité catholique de la compréhension que les fidèles doivent en avoir, telle est la mission apostolique des évêques. Les hommes qui exercent de telles missions peuvent en abuser. Ces péchés, ces erreurs et ces abus ne peuvent pas prévaloir sur la foi de l'Eglise, plus forte que les fautes et les étroitesses des hommes, fussent-ils revêtus d'autorité. Eux aussi sont pécheurs. Comme tous. Cela n'a pas fait se démentir la fidélité de Dieu à son Eglise. C'est pourquoi nous croyons l'Eglise fidèle à la vérité de Dieu et gardée par Dieu de l'erreur dans la prédication et la définition de la foi.

J.-L. M. — *Quand on observe, comme nous l'avons fait, vos activités d'archevêque de Paris, on s'aperçoit qu'elles ressemblent beaucoup à celles d'un responsable politique. Vous avez des réunions, vous recevez des gens, vous répondez à des journalistes. Qu'est-ce qui vous différencie fondamentalement de cette catégorie d'hommes publics qui font de la politique ou qui sont des chefs d'entreprise ?*

J.-M. L. — En fait, je passe à peu près un tiers de mon temps — puisque cela représente au moins deux jours pleins par semaine en additionnant les heures les unes aux autres — dans la célébration de l'Eucharistie, dans la prédication de la Parole de Dieu, dans la rencontre sacramentelle du peuple chrétien. Et je ne parle pas ici de ma prière personnelle, lorsque je suis seul. Je parle des actes publics de ma mission d'évêque. C'est cela le plus important de ma tâche. Tout le reste est au service de cette mission originelle. Dans ce reste j'inclus le second tiers de mon temps : il est consacré à rencontrer d'autres évêques, des prêtres, ou à travailler avec certains d'entre eux pour accomplir, grâce à eux, la mission reçue.

Quand l'évêque prêche la Parole de Dieu, il n'est pas un professeur qui fait son cours, un maître qui enseigne, ni non plus un homme politique qui harangue les foules. Dans le moment de la prédication, l'évêque participe à l'acte par lequel Dieu lui-même partage le pain de la Parole à ceux et celles qu'Il a appelés à Le connaître. L'image qui conviendrait pour éclairer cette prédication, c'est celle du bon intendant ; il donne en son temps la nourriture voulue à ceux qui lui ont été confiés et il rendra compte de la manière dont il a effectué le partage. Cette Parole juge l'évêque qui la prêche et juge les fidèles qui la reçoivent. C'est une Parole active qui appelle à la conversion et provoque le retournement vers Dieu. De même, quand l'évêque célèbre l'Eucharistie et les sacrements, il est lui-même inscrit dans l'œuvre du Christ qui sanctifie son peuple. Voilà le principal de mon temps, et le reste de mon travail, l'aspect gestionnaire, est au service de cette liturgie de la Parole et de ses sacrements.

J.-L. M. — *Parlons un peu de gestion. Quelle est la situation financière de l'Eglise de France ?*

J.-M. L. — D'abord, le patrimoine immobilier. Au début du siècle, la loi de séparation de l'Eglise et de l'Etat a remis à l'Etat et aux communes la plus grande partie des biens immobiliers qui étaient la propriété de l'Eglise : tel est le cas des églises bâties avant cette date. Désormais, c'est la puissance publique qui en a toutes les charges du propriétaire ; une partie cependant est le plus souvent payée par l'Eglise catholique, c'est-à-dire par la générosité des fidèles. En effet, en contrepartie de ce qui fut à l'époque ressenti par la masse des catholiques comme une injuste spoliation, ces églises sont affectées par la loi, de façon irrévocable, au culte catholique. Une abondante jurisprudence, unanime depuis lors, a précisé que l'affectataire est le curé catholique à la tête de ses fidèles. Les tribunaux ont déterminé ce qu'il fallait entendre par « catholique » : le curé nommé, selon le code de l'Eglise, par l'évêque en communion avec le Pape. Le droit d'usage de l'affectataire est exclusif et sans réserve dès lors qu'il respecte l'utilisation cultuelle de l'édifice. Par ailleurs, la loi de séparation interdit à toute autorité civile d'affecter à un culte quelconque un bien public par respect de la laïcité de l'Etat.

C'est donc un équilibre subtil dans lequel l'Eglise et l'Etat ont appris à vivre depuis plus de quatre-vingts ans. Il serait extrêmement dangereux, pour la paix civile, de toucher au statu quo patiemment élaboré. D'autant qu'il garde à des édifices historiques leur vie et leur signification dans le patrimoine de la nation, au lieu de les réduire à n'être que des monuments-musées pour le tourisme international.

D. W. — *Actuellement, tous les bâtiments religieux sont entretenus par l'Etat ?*

J.-M. L. — Ceux qui sont antérieurs à la loi de Séparation. Cependant, le bouleversement de l'habitat en France, le début de concentration urbaine de l'avant-guerre et, depuis quarante ans, la prodigieuse concentration de la population française naguère rurale dans les nouvelles constructions urbaines, ont obligé les catholiques à entreprendre, à leurs frais, la construction de nouvelles églises. Trop peu en vérité, car il fallait, en l'espace d'une génération, accomplir une œuvre qui avait demandé pour les églises anciennes l'accumulation des moyens de plusieurs siècles.

Par ailleurs, depuis le début du siècle, l'Eglise a reçu, le plus souvent sous forme de legs, un certain patrimoine immobilier dont on a souvent exagéré l'ampleur. Les ordres religieux, qui de ce point de vue sont totalement indépendants des évêques, ont reçu de leur côté des propriétés destinées à des services multiples (hôpitaux, écoles, dispensaires, orphelinats, patronages, etc.). Il faut constater que ce patrimoine, pour important qu'il soit, n'est pas une source notable de revenus. Au mieux, il équilibre son entretien. Il a surtout une valeur d'usage. Ce qui justifie son existence.

Quant à ce que des comptables nomment « comptes d'exploitation », l'Eglise en France n'a aucune autre ressource que les dons des fidèles. C'est sur leur générosité que repose le financement de toute l'action de l'Eglise, y compris les initiatives nouvelles. En comparaison avec l'Eglise d'Allemagne où l'Etat perçoit un impôt destiné aux Eglises ou aux œuvres sociales, selon le choix du contribuable, notre situation semble précaire et misérable.

Le clergé français suscite dans le monde entier une vive admiration parce qu'il est pauvre. En fait, il a été souvent misérable. Depuis plusieurs dizaines d'années, un système national de répartition des ressources se met peu à peu en place, non sans de redoutables difficultés.

J.-L. M. — *Combien gagne un prêtre par exemple ?*

J.-M. L. — Le Smic. Mais il est difficile de comptabiliser de façon exacte et homogène les avantages en nature et les frais de fonction.

D. W — *Et un évêque ?*

J.-M. L. — Le Smic, les ressources personnelles sont les mêmes. A ceci près que le plus souvent il habite un immeuble dont il ne pourrait pas payer le loyer. Et que ses frais de fonction sont plus importants.

L'Eglise et le pouvoir politique

D. W. — *Vous venez de nous dire que vous récusiez les catégories politiques pour qualifier l'intervention et le rôle de l'Eglise. Quel est alors le type d'autorité dont l'Eglise use quand elle conteste les décisions du pouvoir politique ?*

J.-M. L. — Elle exprime à haute voix un critère éthique ou moral. C'est le critère au nom duquel elle peut parler à tous. Elle a le devoir de le faire. Non pas qu'elle se présente comme un tribunal ou un censeur universel, mais elle reçoit de Dieu une lumière sur l'homme et sur Dieu de qui découlent, à ses yeux, les droits et les devoirs de l'homme.

J.-L. M. — *L'Eglise intervient donc dans les affaires politiques au nom de la morale dont elle se considère porteuse ?*

J.-M. L. — Dans la mesure où elle se considère comme responsable non seulement de son bien particulier, mais du bien de tous. Par exemple, supposons un pays où l'Eglise serait protégée, tandis qu'une autre minorité serait persécutée. L'Eglise doit, au nom même de ses convictions, demander le respect des droits de chacun. En particulier le droit civil à la liberté religieuse doit être reconnu par tous et pour tous.

D. W. — *Je ne comprends pas bien comment le particularisme de la foi permet de déboucher sur un universel de la morale.*

J.-M. L. — Regardez les discours de Paul VI ou de Jean-Paul II à l'O.N.U. Le Pape dit qu'il va parler, au nom de ce qu'il est, comme disciple et apôtre du Christ. Et c'est à partir de cette particularité qu'il croit pouvoir énoncer une vérité universelle sur l'homme. Autrement dit, le Pape distingue la source de la vérité de l'énoncé lui-même.

D. W. — *Si la source est particulière, comment la Parole peut-elle être universelle ?*

J.-M. L. — Mais la revendication de l'universalité, le Pape en paie le prix en se reconnaissant disciple du Christ. En réenracinant dans l'expérience chrétienne et dans la particularité de la condition messianique la vérité universelle sur l'homme, celui qui l'énonce ne se satisfait pas d'une énonciation abstraite et générale, il accepte d'abord d'être identifié avec le Fils de l'Homme pour recevoir de lui la vérité qui appartient à tout homme. A l'âge classique, la prédication de l'Eglise a pu se donner des références dans un ordre rationnel et religieux habituellement présupposé. L'Eglise pense toujours, au nom de la foi, qu'il y a un ordre universel de la raison, de droit accessible à tout homme. Mais, dans une période où l'humanisme conteste ses propres fondements, cette affirmation se fait plus modeste et se paie d'un prix plus élevé : il faut confesser le Salut du Christ pour rendre l'homme à sa vérité première et commune.

J.-L. M. — *Etes-vous d'accord avec l'idée, assez largement partagée aujourd'hui, que l'Eglise fonctionne dans le domaine politique comme un groupe de pression ?*

J.-M. L. — Je conçois très bien que certains gouvernants pensent cela...

J.-L. M. — *Il y a des sociologues qui le pensent aussi.*

J.-M. L. — L'Eglise gère-t-elle ainsi sa propre action ? L'Eglise ne se perçoit pas comme un groupe de pression particulier ; elle sait par sa foi qu'elle dispose d'une « ressource » d'humanité nécessaire à tous les hommes et qu'elle a le devoir de la mobiliser dans les situations où l'humanité est blessée. Ce qui se passe en Pologne en est un exemple, très particulier il est vrai. Que fait l'Eglise là-bas ? Elle apparaît comme le seul recours possible.

J.-L. M. — *L'Eglise, en France, joue-t-elle le même rôle ?*

J.-M. L. — Dans les deux cas, l'Eglise permet de mettre à jour des facteurs spécifiquement humains. Bien sûr, en Pologne, l'Eglise apparaît comme le refuge de la seule opposition possible, ce qui est tout à fait différent de la situation française. Mais voyez ce que n'a cessé de marteler délibérément le Pape Jean-Paul II en Pologne, comme le faisait le cardinal Wyszynski, et maintenant le cardinal Glemp. Chacun joue la musique à la façon de son instrument. En fait, au nom de l'Eglise, ils mettent en lumière des enjeux, des forces qui ne relèvent pas d'une analyse du conflit social. Et quelle est cette force ? C'est l'humanité de l'homme en sa dignité spirituelle. La force que l'Eglise met en jeu et en lumière est une force impossible à réduire en esclavage sauf si on arrive à faire sombrer les citoyens dans le péché, le désespoir et l'infidélité, sauf si on arrive à avilir les hommes. On peut tenter de leur faire perdre leur âme en les affamant, parce qu'ils vont devenir avides, en encourageant subrepticement l'ivrognerie ou les avortements, ou le mensonge, autrement dit par la perversion. C'est ce qu'ont tenté de faire les nazis dans les camps de concentration, et parmi les peuples occupés, en essayant de briser la résistance spirituelle. Tant qu'un peuple n'est pas devenu complice de celui qui veut l'avilir, il n'est pas vaincu. Cela peut durer des siècles et c'est une force à laquelle aucun tyran ne peut résister. La Pologne est un pays dont la faillite économique est délibérée, car les pays du glacis est-européen étaient économiquement développés, proches de notre niveau de vie occidental. A quoi ont-ils été réduits ? L'Eglise y a fait apparaître une force spirituelle que les politiciens n'arrivent pas à étouffer.

D. W. — *Mais l'Eglise fait apparaître une force spirituelle dont elle n'est ni détentrice ni propriétaire.*

J.-M. L. — Non, elle appartient à Dieu qui la donne à l'Eglise entière. Non à la seule hiérarchie, qui doit en être le porte-parole, plus ou moins fidèle, plus ou moins inspiré. Il peut y avoir des circonstances où il y a défaillance de la part de la hiérarchie. Et dans ce cas, la force d'un peuple est comme engluée, emprisonnée : il n'a plus les repères dont il a besoin.

Prenons, à l'autre extrême, le cas de la France et de l'affaire scolaire en 1983-1984. Nous sommes là bien loin de la Pologne où existe une autre coïncidence entre la nation, les valeurs religieuses, la société civile, la vie politique. Notre histoire est différente : l'Eglise a été naguère compromise ou enfermée dans des prises de position politiques, de son plein gré ou du fait de ses adversaires. La situation était d'autant plus difficile à gérer que l'affaire scolaire était au cœur de cette dispute depuis plus d'un siècle. En 1983-1984 se jouait un certain rapport entre la société civile et l'Etat. L'Eglise, paradoxalement, pouvait en cette circonstance apparaître comme le porte-parole crédible d'une revendication de la société civile au sujet de l'éducation de la jeunesse, alors que les partis politiques se laissaient déborder ou voulaient seulement récupérer le mouvement. Ce vide, ou ce désaccord des politiques avec la société civile, est toujours dangereux, et peut-être saura-t-on gré à l'Eglise d'avoir su faire preuve de sagesse pour éviter que ne soit réduit à un enjeu politique un des plus graves problèmes de la société civile.

D. W. — *Je comprends bien votre argument, mais le conflit scolaire peut aussi se lire politiquement, comme un antagonisme entre la droite et la gauche.*

J.-M. L. — C'est là une analyse classique du jeu des forces politiques en France. On nous en a voulu à gauche comme à droite, pour des motifs différents, parfois identiques, au même moment.

D. W. — *Disons que la gauche a plutôt campé sur ses positions traditionnelles et a considéré que la position de l'Eglise consistait simplement à défendre l'école privée, comme toujours.*

J.-M. L. — Mais c'était plus complexe.

D. W. — *Quelle position originale l'Eglise a-t-elle occupée, qui dépasse le jeu des forces politiques ou les clivages de l'opinion publique ?*

J.-M. L. — La question était de progresser dans la compréhension de ce rapport de l'Eglise non d'abord aux pouvoirs politiques, mais à la société civile dans une conjoncture déterminée. C'était davantage qu'une question de rapports juridiques et statutaires. Car il ne faut pas l'oublier non plus : quels qu'aient été les positions et les jeux des partis politiques, il y avait quand même soixante-treize pour cent des Français favorables à la liberté scolaire, et cela ne recoupait aucun clivage électoral.

J.-L. M. — *Que vous a dit le Pape à ce propos ?*

J.-M. L. — Je peux révéler, sans trahir le secret de nos conversations, que je n'ai pas soumis au Pape le problème scolaire français. En effet, le dossier scolaire était géré avec compétence par les responsables. Tout le monde se souvient du rôle joué par Mgr Honoré, le chanoine Guiberteau et M. Pierre Daniel. Pour moi, j'étais préoccupé de la signification et des conséquences de ce conflit pour les rapports de l'Eglise et de la nation. C'est là-dessus que j'ai interrogé le Pape. Il a posé les bonnes questions pour nous faire progresser sur ce point.

Après les périodes difficiles qu'a vécues l'Eglise en France depuis la fin du XIXe siècle, il m'apparaissait possible de revendiquer à nouveau, dans une période de relative paix civile, la place normale que l'histoire permet de reconnaître au catholicisme dans la constitution de la culture et de la nation françaises. Cela non pas en termes cléricaux ou partisans, mais comme un fait de société. Cela pouvait être accompli aujourd'hui sans porter atteinte ni à la laïcité, ni à la souveraineté de l'Etat, ni à la liberté de l'Eglise. Le patrimoine de la conscience française pouvait se voir restituer cette part de lui-même que constitue l'expérience mystique, spirituelle et religieuse du catholicisme en France. Tout comme celle du judaïsme, tout comme celle du protestantisme. Tout autant que la tradition laïque. Accomplir cette reconnaissance mutuelle pouvait signifier que la guerre franco-française était finie. « Fils de la laïque », je sais quelle fut ma chance d'avoir eu comme professeurs des hommes libres qui n'avaient pas hésité pour certains d'entre eux — je m'en suis rendu compte à la longue — à contrevenir aux directives officielles en revendiquant leur part de l'héritage catholique. Cela fait partie d'une définition positive de la laïcité et de la liberté des consciences.

D. W. — *Vous voulez dire qu'il était temps de réintégrer la tradition catholique dans la tradition française, de contribuer à une forme de syncrétisme ?*

J.-M. L. — Non, pas de syncrétisme, mais de reconnaissance de ce qui est.

J.-L. M. — *Liquider le contentieux du passé !*

J.-M. L. — Non pas clore un débat qui fait partie de la tradition française, mais lui permettre de se poursuivre dans le respect des interlocuteurs et de leurs droits mutuels. Parler enfin, au lieu d'invectiver.

Quand j'ai été créé cardinal par le Pape, deux ans après avoir été nommé archevêque, j'ai offert une réception à l'archevêché où j'ai invité le président de la République et les représentants de tous les corps constitués. Le président de la République s'y est rendu, ce qui était sans précédent depuis la séparation. Désormais, quel que soit le cardinal-archevêque de Paris, quel que soit le président de la République, celui-ci se fera un devoir de venir à une réception analogue quand l'archevêque sera, si jamais il l'est, cardinal. Il fallait tourner une page. Désormais, si je veux aller voir le président de la République ou le Premier ministre, si un homme politique, ministre ou élu, un responsable syndical, etc., veut me rendre visite, je trouve cela normal. Il est légitime que les responsables de l'Eglise aient leur liberté de parole et d'action. Pour autant, ils ne deviennent pas des notables.

D. W. — *Bien qu'ils l'aient été pendant fort longtemps !*

J.-M. L. — Il faut trouver les conditions de la liberté. Une parole sera d'autant plus libre que celui qui l'énonce sera connu et reconnu pour ce qu'il est, ni plus ni moins. Il faut que les interlocuteurs de l'archevêque de Paris sachent et comprennent que, premièrement, celui-ci n'a pas de visées intéressées ; et s'il demande quelque chose, ce sera dans les limites strictes de ce qu'il estime être le droit de l'Eglise. Deuxièmement, il ne cédera pas par peur ou contrainte sur ce qui est essentiel à la fidélité de l'Eglise. Troisièmement, il peut être un interlocuteur utile, parce que désintéressé. Peut-être n'est-il pas indifférent au bien public que des hommes qui ont une responsabilité dans le domaine religieux puissent à un moment donné être les interlocuteurs de ceux qui ont la responsabilité majeure du pays.

Il devrait en être de même pour tous ceux qui ont un rôle de responsabilité morale ou intellectuelle. Je me réjouirais que l'Université joue à nouveau un rôle comparable. On est en droit d'attendre que des personnalités qui représentent le service de la vie de l'esprit puissent être des interlocuteurs valables des pouvoirs politiques. Cela a existé dans notre pays. La fonction sociale de l'Université n'est plus reconnue de cette façon. De même, je voudrais, pour le bien de notre pays, que la Magistrature, comme corps constitué, soit mieux reconnue. Il me semble qu'il faut restituer à des fonctions sociales le rôle d'instance réflexive et critique. Mais pour qu'on le leur restitue, elles doivent le mériter.

D. W. — *La marge de manœuvre est faible : en disant qu'il faut réintroduire l'Eglise dans le champ de la communication comme n'importe quelle grande institution, vous renforcez la dimension institutionnelle de l'Eglise qui est contestée depuis cinquante ans. On ne voit plus très bien dans votre discours la différence entre la dimension interne à l'Eglise et la dimension d'institution publique.*

J.-M. L. — Pour ma part, je suis persuadé que l'Eglise peut être dans certaines situations socio-politiques une force de proposition originale, qui ne se substituera pas aux autres. Elle en a le devoir, après tout. C'est aussi sa mission.

D. W. — *Vous ne croyez pas qu'en disant cela vous risquez de réintroduire l'Eglise dans le jeu politique avec une dérive qu'elle ne contrôlera pas elle-même ?*

J.-M. L. — C'est un risque. Mais il y a le risque inverse, de passer à côté des enjeux réels de la vie sociale et humaine. Prenez le cas de l'Amérique latine avec ce que le Pape vient de rappeler à propos des « théologies de la libération ». Ce qu'on a retenu, c'est la condamnation d'une orientation marxiste. Ce qu'on n'en a pas retenu — et je suis sûr que ce silence n'est pas innocent —, c'est la prise de position extrêmement vigoureuse pour la défense des droits des pauvres, selon des principes tout différents de ceux du marxisme-léninisme. Les Occidentaux sont préoccupés par la lutte idéologique contre le marxisme, mais ce que disait le Pape était d'ailleurs. Le propos de l'Eglise en matière politique consiste à énoncer, dans une situation donnée, un jugement moral sur une situation et sur les forces qui sont à l'œuvre, à nommer le mal, à mettre en lumière le bien et à encourager les chrétiens à inventer de façon positive des solutions. Pour autant, ce ne sont pas les évêques qui vont prendre le pouvoir. S'ils le faisaient, ce serait une grossière erreur. Au moment même où le Pape prenait position contre une dérive idéologique, il renforçait l'interdiction faite aux prêtres et aux clercs d'exercer des fonctions politiques. Ce qui est dit aux prêtres-ministres chez les sandinistes, au Nicaragua, s'applique tout autant aux évêques.

J.-L. M. — *Cela fait un moment que l'on n'a pas vu d'évêque dans un cabinet ministériel.*

J.-M. L. — Depuis Talleyrand, y en a-t-il eu en France ?

L'intervention de l'Eglise dans la société

J.-L. M. — *Vous dites que l'Eglise doit être une force de proposition originale. Mais quand on observe les déclarations, en France, des évêques ou de la conférence épiscopale sur les questions économiques et sociales, on est saisi par, disons, la banalité des propos. Il y a toujours de grands principes, d'excellents sentiments, de belles paroles. Que ce soit sur les immigrés, sur la pauvreté, sur le chômage, on est pour le bien et contre le mal. Mais cela s'arrête là. A quoi cela sert-il ?*

J.-M. L. — « Travaillez, prenez de la peine, c'est le fonds qui manque le moins », dit le laboureur à ses enfants.

D. W. — *Mais encore ? Parce que, pour l'école, cela a été plus net. Là, vous avez réussi à avoir une position claire, tandis que pour les questions économiques et sociales...*

J.-L. M. — *Prenons l'exemple de l'immigration. On se rend bien compte qu'il y aurait besoin aujourd'hui de propositions imaginatives et concrètes, parce qu'il n'y en a pas. Or, en fait, l'Eglise intervient — c'est tout à son honneur — pour dire qu'il ne faut pas être raciste. On n'en attend pas moins d'elle, mais au-delà de cela, rien.*

J.-M. L. — Vous êtes injuste, quelque peu. En raison de sa structure catholique, l'Eglise est l'une des très rares organisations transnationales capables de susciter un sentiment de responsabilité mutuelle entre tous les peuples du monde. Accueillir l'immigration, pour les « paroisses » catholiques du monde entier, ce peut être déjà connaître les paroisses d'origine des immigrés. C'est établir un partage entre ici et là-bas, de population à population, ce qui est très original dans le domaine de l'aide internationale. En France, il est clair que les catholiques ont joué et jouent un rôle important dans ce domaine et pas seulement de manière verbale. Et cela est vrai pour toute l'Europe comme pour les autres pays développés.

Dans le domaine de l'immigration, nous ne nous contentons pas de paroles. En France, les volontaires (instituteurs, travailleurs sociaux, infirmières, etc.), pour servir dans les nouveaux ghettos, comme dans ce qu'on nomme le quart monde, ne sont pas si nombreux. Parmi eux, il y a une proportion importante de catholiques, laïcs ou religieux. Quant aux solutions d'ensemble, personne n'est génial sur commande. C'est un difficile problème de société, encore faut-il, pour commencer à le résoudre, accepter de le poser. L'Eglise ne ferait-elle pour le moment que poser le problème et dire son refus d'une solution simpliste, oublieuse de ceux qui en sont les victimes, elle aurait raison de le faire. Si on se réfère au passé des problèmes sociaux, il y a tout un versant de l'histoire sociale de la France trop peu connu et qui révèle l'inventivité dont ont fait preuve les catholiques. Ce sont eux qui ont inventé les Allocations familiales, la Sécurité sociale. Toute une partie de la législation sociale a été élaborée par les efforts du catholicisme social autant que par le mouvement coopératif et que sous la pression des mouvements syndicaux, marxistes ou non. Et cela s'est étendu sur un siècle.

D. W. — *Cela a commencé un peu plus tard que le syndicalisme socialiste, mais il est vrai que ce mouvement a été puissant, quoique minoritaire, à partir de 1880.*

J.-M. L. — C'est un point actuellement contesté par des historiens qui relèvent la montée en puissance des œuvres sociales catholiques à partir de 1830, sous l'impulsion de nombreux laïcs. Ce grand labeur pour la justice et pour la charité a produit des fruits qui n'ont pas été encore mis en valeur.

D. W. — *Mais ce qui frappe dans la question de l'intervention de l'Eglise dans le domaine économique et social ou dans d'autres, c'est l'impression d'un double langage. Dans la plupart des domaines, elle intervient avec un discours et un vocabulaire relativement compliqués, une sorte de langue de bois. En revanche, quand des enjeux essentiels pour elle sont en cause, elle utilise un discours plus clair, le cas le plus récent étant l'école.*

J.-M. L. — Cette impression globale tient à plusieurs facteurs parmi lesquels la communication occupe une place essentielle. Ainsi, quand un document pontifical paraît, il est d'abord connu par des dépêches d'agence, et l'opinion est faite avant même que les destinataires aient reçu le document. Une dépêche d'agence de trente lignes a déjà fait l'opinion alors que l'on devra lire et étudier un document de trente pages ! Quand les évêques de France publient un document élaboré, dix lignes de dépêche d'agence résument leur position.

D. W. — *C'est un problème général qui n'est pas propre à l'Eglise.*

Par définition, le travail de l'information consiste à sélectionner et à réduire. Parfois à caricaturer, c'est vrai. Mais je ne parle pas de cela, je parle de la langue de bois.

J.-M. L. — Non, ce n'est pas toujours de la langue de bois. Je ne trouve pas scandaleux que, dans les années 85-90, la théorie économique étant dans l'état où elle est, les disputes des économistes les plus éminents étant ce qu'elles sont, un évêque, eût-il fait jadis une licence ou même un doctorat ès sciences économiques, n'ait pas brusquement l'inspiration du siècle qui lui permettrait de trouver une nouvelle théorie économique inconnue des spécialistes mondiaux. Mais d'être incapable d'élaborer une théorie systématique et fonctionnelle ne dispense pas du devoir de rappeler les exigences morales, même si celles-ci sont formulées de façon maladroite et répétitive. L'économie est un domaine où tout le monde patauge et où, de fait, nos exhortations paraissent se situer très en amont des problèmes.

D. W. — *Sur le sujet de la famille, l'Eglise ne dit pas grand-chose de très original par rapport à ce que disent par exemple les démographes.*

J.-M. L. — Je ne sais pas si elle dit quelque chose d'original, mais elle dit quelque chose à l'encontre du courant dominant. Il est quand même impressionnant de voir les démographes dire aujourd'hui l'inverse de ce qu'ils affirmaient il y a trente ans sur l'explosion démographique mondiale et ses dangers. Le discours — alors jugé archaïque — de l'Eglise est justifié a posteriori. Non parce que les hommes d'Eglise avaient une compétence scientifique supérieure, mais parce qu'ils jugeaient les comportements humains selon les principes d'humanité. Et il arrive parfois que l'on puisse vérifier par l'expérience la justesse des conclusions qu'on peut tirer de la conscience morale.

Je suis prêt à vous concéder, non pas que la doctrine catholique sur la famille ait été insuffisante, mais que le poids de l'histoire et la pression de l'opinon publique ont été si forts qu'involontairement, une grande partie des Français, y compris dans l'Eglise, ont exercé une espèce d'autocensure.

D. W. — *Il y a un troisième domaine où l'Eglise prend nettement position, c'est celui des mœurs. Elle ne semble pas douter. L'acceptation de la contraception reste relative, la condamnation de l'avortement est très nette et l'appréciation sur la libération des mœurs peu favorable. Depuis vingt ans, l'Eglise dénonce ce qu'elle considère comme une illusion et, au moment où aujourd'hui on s'aperçoit de la limite du mouvement, elle dit : « Je vous l'avais bien dit. »*

J.-M. L. — Un mot encore à propos de l'économie. L'encyclique de Jean-Paul II sur le travail est un très grand texte qui pose les fondements de l'économie du travail. Le Pape rappelle bien sûr des vérités premières et, comme toutes les vérités premières, elles sont relativement simples, bien qu'il ne faille pas en sous-estimer les implications techniques. Cette position est prise en contrepoint du libéralisme et du marxisme, elle élabore à neuf le problème anthropologique du travail et propose des éléments de réflexion sur ce sujet. Certes, ce n'est pas une théorie économique de la production des richesses, du fonctionnement des masses monétaires, des investissements, etc., mais les théories économiques, marxistes ou libérales, voire uniquement monétaires, ont toutes des présupposés anthropologiques implicites. C'est cet implicite des théories économiques que le Pape traite explicitement, et sur son propre terrain. Il serait très heureux qu'un certain nombre d'économistes acceptent de sortir de leur sacristie pour écouter le langage de l'Eglise.

Si on revient au problème de la sexualité et des mœurs, la position de l'Eglise en ce domaine constitue une prise de position très vigoureuse qui, par rapport aux pulsions ou aux dérives constantes des sociétés et des personnes humaines, peut apparaître conservatrice. Si l'Eglise le fait, c'est par un sens aigu de son devoir : il y a quelque chose de sacré à sauver dans l'homme et dans l'espèce humaine. Mais le domaine de la sexualité draine une telle culpabilité dans la conscience des hommes ! Quand l'Eglise dit : « Il faut donner du pain aux pauvres », tout le monde l'écoute d'une oreille distraite et personne ne se sent coupable. Pourquoi, brusquement, quand elle rappelle le respect de la vie au sujet de l'avortement, tout le monde se met-il à crier au larron ? Pourquoi ? Il y a quelque part une mauvaise conscience, liée peut-être à ce domaine spécifique de la conscience morale contemporaine. Pourquoi les mêmes paroles sont-elles perçues différemment par les auditeurs d'époques et de pays distincts ? Ce discours sur la sexualité n'est pas entendu de la même façon dans certains pays sous-développés qui n'ont pas la même vision que nous. J'ai entendu des Africains rejeter comme reflétant un point de vue colonialiste les appels dramatiques, venus des pays riches, à limiter leurs naissances, fût-ce par contrainte.

D. W. — *Nous parlons ici exclusivement de l'Occident.*

J.-M. L. — Mais il est impossible de réduire l'Eglise à l'Occident ! Par définition, son langage est universel ; il est fait pour tous. Même si nous acceptons la critique de manquer de clarté ou d'opportunité, nous savons que nous serons jugés sur la longue période.

J.-L. M. — *Je voudrais faire une objection. Vous dites qu'il y a une différence entre les réactions de l'opinion quand vous intervenez sur les questions de sexualité et de mœurs et quand vous intervenez sur les questions de la pauvreté, ou du travail. Peut-être que les citoyens réagissent négativement à cette intervention, non pas pour la raison que vous invoquez, à savoir la culpabilité, mais simplement parce qu'ils considèrent que ce domaine n'est pas du ressort de l'Eglise, qu'il est du ressort de leur vie privée, de la liberté individuelle.*

A l'heure actuelle, on peut dire qu'il existe trois domaines d'intervention politique, au sens large, de l'Eglise. Il y a le domaine des droits de l'homme, des libertés collectives, des libertés politiques, sur lequel l'opinion applaudit des deux mains : Jean-Paul II, Pape des droits de l'homme. De même pour l'école privée en France. Il y a ensuite le domaine des mœurs où cette fois les gens sont plutôt contre. Cela dépend des milieux, mais même dans la Pologne catholique, on sait très bien que le nombre des avortements est très important et que l'on peut aller à l'église et n'en penser pas moins et n'en faire pas moins. Peut-être parce que dans le monde occidental, là où l'individualisme existe, cette intervention de l'Eglise est ressentie comme une atteinte à la vie privée. Et le troisième domaine, celui des questions économiques et sociales, le droit au travail, à l'immigration, suscite des réactions en fonction des choix politiques et éthiques des uns et des autres, mais on juge normal que l'Eglise fasse un certain nombre d'interventions à condition qu'elle s'en tienne aux généralités. Ces trois domaines sont tout de même relativement distincts. Il y en a un sur lequel il y a une certaine neutralité, celui des questions économi-

ques et sociales ; un sur lequel il y a un accord complet, celui des droits de l'homme ; et un sur lequel il y a un vrai désaccord, celui des mœurs.

J.-M. L. — Une anecdote. En 1985, un hebdomadaire avait eu l'idée de faire interviewer par des lycéens des établissements publics des personnalités censées représentatives de la vie publique : Giresse, Laurent Fabius et moi : j'ignore la raison de ce choix. Toujours est-il que je me suis trouvé avec des élèves d'un lycée du XIVe arrondissement : trois délégués, une fille, deux garçons, dont rien ne permettait d'affirmer qu'ils étaient croyants. Leur rattachement à une tradition religieuse n'était pas à coup sûr identifiable. Ils avaient collecté les questions de leur classe. Ils m'ont posé vingt questions en une heure, et parmi celles-ci, il y en avait une qui m'a laissé presque sans voix : « Vous, l'Eglise, vous, les adultes, vous, les vieux, est-ce que vous n'avez pas manqué de courage en ne nous prévenant pas, en ne nous disant pas ce que nous devions faire en matière de morale et en matière de sexualité ? » C'est revenu à plusieurs reprises. J'ai été stupéfait par leur maturité. Ils demandaient si nous avions pris nos responsabilités à leur égard. Ils restaient sans repère parce que nous n'avions pas su leur en donner ; ils avaient été obligés de se situer dans le vide. Et ils faisaient la démonstration — ils n'avaient pas encore lu Freud — d'une génération en situation névrotique parce que sans loi. Ils nous reprochaient, y compris à nous, Eglise, de n'avoir pas su leur dire le bien et le mal, notamment en matière de sexualité.

D. W. — *A quelles règles d'efficacité doit-on juger l'Eglise dans ses interventions publiques ?*

J.-M. L. — A sa fidélité à la vérité reçue. Je prends le cas des gens qui ont osé affronter Hitler et qui sont morts, la tête tranchée, dans les prisons. L'efficacité de leur action a été probablement jugée nulle sur le moment, quant à la survie du régime nazi. Mais elle était sans prix pour l'avenir de la nation allemande. Ces quelques hommes et femmes ont été, jusqu'au martyre, des témoins de la vérité.

L'Eglise, l'opinion publique et les « mass-media »

D. W. — *L'Eglise catholique est depuis toujours un expert en communication, elle a été une des premières à utiliser la presse écrite, puis la radio, voire la télévision. Mais on a l'impression qu'elle cherche simplement à atteindre l'opinion publique, sans réflexion particulière, comme n'importe quelle autre force sociale.*

J.-M. L. — Si nous laissons la réduction médiatique s'opérer sur le message, il n'y a plus de message, ou plutôt le message lui-même est réduit à ce qui est communicable par le procédé.

Il y a quelque chose de dramatique dans la société actuelle : c'est le risque d'une atomisation des individus telle qu'il n'y ait plus de relations autres que médiatiques. Cela provoque, paradoxalement, un appauvrissement des possibilités de communication, d'abord de l'Evangile, puis peut-être entre les hommes, sans commune mesure avec l'enrichissement que l'univers médiatique apporte par ailleurs. L'expérience de la foi ne se fait pas sur le mode du spectacle ou de la parole factice, mais sur le mode symbolique, concret. Elle naît d'un acte qui s'adresse directement à la personne. Vous direz : mais c'est ce que font les médias. Non, assister à une messe dans une assemblée fait participer à un acte réel. Regarder l'image d'une messe à la TV, ce n'est pas la même chose. Les malades savent ce que la messe télévisée leur apporte et aussi ce qu'elle ne peut pas leur apporter.

D. W. — *Je suis d'accord, mais alors pourquoi utilisez-vous largement les médias ?*

J.-M. L. — Parce que cela fait partie de notre société. Il faut faire avec cela aussi.

D. W. — *Mais vous faites quand même beaucoup ! Vous demandez des canaux de télévision, vous montez une radio. Votre attitude n'est pas différente de celle de l'ensemble des groupes sociaux qui veulent accéder eux aussi aux techniques de communication de masse.*

J.-M. L. — Peut-être l'utilisons-nous comme tout le monde. Peut-être même le faisons-nous très mal, je suis prêt à le concéder, encore que je n'en sois pas convaincu. Mais il faut une présence, dans les médias, parce que cela fait partie de notre civilisation, même si ces moyens posent un problème de fond à la civilisation et à la foi. Nous n'avons pas le choix. La seule question est celle de l'utilisation critique de ces moyens.

D. W. — *Je vais prendre un autre exemple concernant l'opinion publique : ce sont les enquêtes d'opinion. Il y a un nombre incalculable d'enquêtes sur les pratiques religieuses, les opinions des prêtres. L'Eglise de France, comme n'importe quel groupe social, multiplie les enquêtes pour savoir ce que pensent Dupont, Paul, Jacques... Il y a eu trois cents sondages d'opinion rendus publics en France entre 1944 et 1976 portant sur l'état religieux du pays.*

J.-M. L. — Pouvez-vous répondre à la question suivante : qui les a commandés et qui les a payés ?

D. W. — *Les journaux de la presse catholique et l'épiscopat ?*

J.-M. L. — Je vous mets au défi de m'en trouver dix qui aient été commandités par l'épiscopat. Ces sondages ont été commandités par des organes de presse. L'une des particularités de la presse française — catholique ou non — est d'avoir utilisé à ce point la technique des sondages à des fins promotionnelles.

D. W. — *Voulez-vous dire que l'épiscopat lui-même n'est pas tellement utilisateur ni demandeur de ce genre d'enquête ?*

J.-M. L. — Il y a une grande incertitude, une absence de maîtrise de ces moyens, d'autant que nous n'avons pas une instance critique qui permettrait de les utiliser. Je ne pense pas que ces sondages soient très significatifs pour l'étude du phénomène religieux, catholique en particulier. Cela peut être utile pour esquisser un profil de la France contemporaine. Pour l'action religieuse, ils ne décèlent rien de vraiment symptomatique ni d'utile, étant donné la nature du procédé d'enquête, ses conditions de réalisation et les hypothèses de travail qui les sous-tendent.

D. W. — *Mais on a l'impression que l'Eglise recherche tout de même ce type de connaissances.*

J.-M. L. — Ce n'est pas mon impression. Certains en font beaucoup, peut-être, mais c'est au bénéfice de leurs objectifs propres.

J.-L. M. — *A propos de la mise en scène, du spectacle, les voyages du Pape font l'objet de controverses à l'heure actuelle. Certains approuvent parce qu'il sort du Vatican et va vers le monde, mais d'autres se plaignent du côté spectaculaire et télévisuel, du côté* one man show *de ces voyages. S'agit-il d'une stratégie de communication ou de quelque chose de fortuit ?*

J.-M. L. — Les grands réseaux de communication, quand ils reproduisent les voyages du Pape à autant d'exemplaires que d'Etats dans le monde, envoient le même genre d'images, car pour la plupart des pays — en dehors de celui où le Pape se rend — quelques minutes suffiront. Les journalistes sur place n'auront guère le loisir d'autre chose. La difficulté est d'arriver à traduire une émotion singulière alors qu'extérieurement les voyages se ressemblent. J'en ai fait l'expérience quand le Pape est venu à Paris en 1981 et que France-Inter m'avait demandé d'être chroniqueur chaque matin pendant trois minutes. Parfois les journalistes sont blasés, et ils ne voient pas toujours l'interaction entre le Pape et le peuple qu'il rencontre. Si on voulait vraiment informer les gens — au moins les journalistes de la presse écrite pourraient le faire — il faudrait étudier la situation du pays et voir l'interaction produite par la venue du Pape.

J'ai assisté à quelques fragments de voyages pontificaux. Chacun d'eux m'a impressionné par l'originalité de ce qu'il permettait de percevoir, tant de la situation de l'Eglise locale que du pays et de sa relation à la catholicité et aux autres nations. Ainsi, par exemple, à Vienne, en 1983, il y a eu un grand rassemblement des catholiques autrichiens sur la *Heldenplatz*, place des Héros, là où Hitler était venu proclamer l'Anschluss. C'est là que cet immense défi au christianisme avait été lancé, et c'est là que le cardinal Koenig avait rassemblé la foule des Autrichiens pour célébrer la venue du Pape. La cérémonie comportait un montage scénique, une grande liturgie populaire, qui reprenait les thèmes du vendredi saint, c'est-à-dire de la Croix. Nous étions exactement au cœur de l'Empire austro-hongrois, au cœur de l'ancien carrefour de l'Europe, au cœur de la première victoire du nazisme ; et ce qui était symboliquement mis en scène, c'était le mystère du Crucifié, là même où la volonté de puissance nietzschéenne s'était affirmée de la façon la plus brutale et la plus cynique.

Il y a eu cinq prises de parole : les Béatitudes en formaient la trame. Le cardinal Koenig avait demandé à quatre évêques de commenter en quelques mots les Béatitudes. L'un représentait le Nord, le cardinal Meisner, évêque de Berlin ; un le Sud, le cardinal Kuharic, archevêque de Zagreb ; un l'Est, le cardinal Macharski, archevêque de Cracovie, et le quatrième, l'Ouest, le cardinal Lustiger, archevêque de Paris. Nous avons parlé sans nous être concertés, mais la convergence des pensées était extraordinaire, car nous étions tous des Européens à ce moment-là. Rares sont les journalistes qui l'ont souligné. Et le cardinal Macharski a eu l'audace de dire à cette foule : « Je vous laisse, comme une relique, un peu de la terre d'Auschwitz, je veux que vous vous en souveniez. » Personne n'a rapporté cela. Le Pape a prononcé ensuite un discours surprenant. Il a rappelé l'histoire de l'Europe, faisant mémoire de ses fautes et de ses gloires, citant entre autres la victoire du général polonais Sobieski, qui avait arrêté sous les murs de Vienne l'invasion turque en 1683. Pour les centaines de milliers d'Autrichiens rassemblés sur la *Heldenplatz*, pour les Européens qui avaient conscience de leur histoire, ce moment était prodigieux. L'image de ce voyage reçue par le Français moyennement informé aura simplement été que le Pape a dit une messe, une de plus, et que les Autrichiens sont fidèles à Mozart et à leurs costumes folkloriques...

D. W. — *La couverture des événements concernant l'Eglise depuis une trentaine d'années a-t-elle été bien faite par la presse écrite, la radio et la télévision ?*

J.-M. L. — Très bien quantitativement, et il y a eu des moments excellents, mais la qualité parfois discutable de cette couverture montre combien il est difficile de faire comprendre le domaine religieux. C'est le sensationnel qui sur le moment pique la curiosité : les processions du Concile, l'agonie de Jean XXIII, les supputations autour des élections pontificales, les premiers voyages du Pape.

D. W. — *Mais l'Eglise, elle-même, joue le spectacle.*

J.-M. L. — Non, elle ne joue pas, elle est elle-même, elle ne fait que continuer ses usages et ses traditions sans se soucier de savoir si c'est objet de spectacle ou non. Entrant dans l'actualité planétaire, l'Eglise offrait un objet intéressant, suggestif, aux moyens de communication. Les professionnels des médias ont appliqué à ce phénomène les seules catégories dont ils disposaient, la dramatisation, la vedettisation ou la polémique, le calcul des rapports de forces, tels qu'ils pouvaient se les représenter. Il est vrai que parfois le cinéaste perce sous le reporter et se laisse séduire par la beauté des signes et des images. Il y a aussi des prêtres parmi les journalistes... Mais, je le répète, montrer le fait religieux lui-même est extrêmement difficile. L'essentiel n'est jamais dit. Les événements vraiment importants finissent alors par ne pas être couverts. Car la répétition des mêmes images use et lasse, si l'information se réduit à montrer Jean-Paul II en *papamobile* ou donnant la bénédiction... Une vedette ne dure qu'un temps très court. L'information médiatique consomme ce qu'elle utilise, elle l'use et le jette. Ayant traité l'objet religieux de façon folklorique ou politique, elle le rejette en oubliant que la religion est un fait majeur qui touche à la longue durée, dont il est difficile de donner une intelligence véritable au public. On range dans la même catégorie les manifestations politiques ou guerrières du chiisme en Iran, le rabbin Kahane en Israël, l'occupation du Temple d'Or par les Sikhs et les voyages du Pape. Du simple point de vue de la rationalité ethnologique ou de l'observation de la société, c'est court !

D. W. — *Vous dites : les cérémonies religieuses ont toujours eu lieu ; c'est exact. Mais les voyages du Pape sont un phénomène relativement nouveau. Jean-Paul II est le Pape qui a fait le plus grand nombre de voyages. L'église, dans une époque de mondiovision, entre dans une logique de spectacle qu'elle organise d'ailleurs.*

J.-M. L. — Les médias traitent des déplacements du Pape selon les mêmes critères que les déplacements d'un Président des Etats-Unis, pour prendre un point de comparaison. Le jeu de l'opinion est essentiel dans le cas du Président des Etats-Unis dont le mandat est de quatre ans. La spécificité des déplacements du Pape n'a pas été vue. On ne retient que le folklore, bien moins intéressant que celui du couronnement de la reine d'Angleterre ou même du défilé du 14 Juillet. Mais l'essentiel est mal vu ; il est rarement dit. Le Pape remplit sa fonction qui est, non pas de se donner en spectacle, mais de rassembler l'Eglise en ses membres et en sa hiérarchie, de sorte que cette Eglise reprenne conscience à la fois de sa mission, de son originalité, de sa spécificité. Où trouver, par exemple, un compte rendu un peu fin et critique des discours du Pape dans les différents pays, alors que ses voyages sont souvent construits autour d'une parole ? Certes la presse ne va pas publier des dizaines de pages de discours, mais, dans ces pages, s'il n'y a pas à chaque phrase quelque chose de nouveau, il y a à chaque voyage un angle d'attaque spécifique, mobilisateur, révélateur d'une situation déterminée, face à un peuple déterminé. Et cela est rarement analysé. Au mieux, les commentateurs situent le Pape dans les repères de leur analyse politique de la situation. Ils ne permettent guère le plus souvent de voir les repères religieux, chrétiens, dont le Pape se sert pour analyser une situation, y compris dans sa dimension politique.

D. W. — *La presse catholique couvre-t-elle mieux les événements religieux que la presse d'information générale ?*

J.-M. L. — Elle les couvre parfois mieux quantitativement, mais elle est intéressée par un autre point de vue, le point de vue des « clercs », c'est-à-dire des gens avertis. Ils ont leur jargon et leurs intérêts spécifiques. Ce n'est pas le point de vue du citoyen ordinaire, croyant ou incroyant. Bien sûr, il peut être intéressant de souligner pour des gens avertis des questions plus « pointues » qui ne se comprennent qu'à l'intérieur d'une certaine connaissance de la langue de la Bible, de la vie sacramentelle de l'Eglise. Il est normal et nécessaire que des spécialistes en rendent compte. Mais, là encore, il est nécessaire de faire apparaître les critères de jugement, les principes sous-entendus selon lesquels les paroles et les actes sont sélectionnés ou mis en valeur. C'est une question d'honnêteté et de rigueur. On peut rendre compte d'un voyage du Pape comme un chroniqueur politique le ferait des débats internes d'un parti. Le citoyen ordinaire aimerait mieux comprendre les réels enjeux religieux visés à travers ces disputes ou ces rivalités, montrées ou supposées. Le grand public serait mieux averti s'il entendait clairement les enjeux spécifiquement chrétiens. La théologie de la libération, par exemple : le plus souvent, on a traité le problème en termes idéologiques européens et non pas dans les termes concrets d'une pastorale de terrain.

D. W. — *Dans l'affaire de la théologie de la libération, l'opinion a retenu non pas un débat, mais une condamnation, assortie de convocations devant une sorte de tribunal.*

J.-M. L. — Ce qui a été dit et fait sous l'autorité du Pape l'a été de façon très mesurée et maîtrisée. Premièrement, il n'y a pas eu de condamnation tombée comme un coup de tonnerre. Un tri a été effectué entre les diverses théologies de la libération après une discussion longue, élaborée durant des décennies. Cela fait vingt, trente ou quarante ans que l'on discute des liens divers entre l'annonce de l'Evangile et les « engagements temporels » au service de la justice et des droits de l'homme. Les divers interlocuteurs se sont expliqués longuement avec leurs pairs, universitaires et théologiens. Un débat ouvert et public — dont des livres et des articles de revue témoignent — a eu lieu. Mais, à un moment donné, il est du devoir de l'autorité de prendre ses responsabilités et d'opérer des discernements. Quant à la convocation des personnes, elle s'est faite également de façon régulière, avec des procédures connues, codifiées et respectées. En réponse, des groupes ont essayé de mobiliser l'opinion. Les autorités de l'Eglise se sont mal défendues devant un maniement partial des moyens d'information. L'Eglise n'a pas de prise particulière sur eux comme parfois les Etats ou les lobbies. J'ajoute que le Pape lui-même, et incessamment, a salué l'engagement chrétien pour une plus grande justice sociale entre les peuples ; il en appelle à la conscience morale ; il dénonce l'injustice et la violence, et il prêche l'amour préférentiel des pauvres. Jean-Paul II, à plusieurs reprises, a rendu témoignage aux pasteurs d'Amérique latine.

J.-L. M. — *Vous nous avez dit qu'il y avait, de la part des journalistes lorsqu'ils traitent des questions religieuses, une certaine méconnaissance du fait religieux et une tendance à l'assimiler à des questions politiques. Mais quand on regarde la presse d'information générale et la télévision, beaucoup d'informateurs religieux sont des prêtres. Comment peuvent-ils méconnaître le fait religieux ?*

J.-M. L. — Cette affirmation générale est très excessive. Actuellement à l'échelle mondiale, l'information est « préfabriquée » par les très grandes agences ou les réseaux dotés de correspondants nombreux. Il n'y a pas — et loin de là — une majorité de prêtres parmi les informateurs religieux... quand cette spécialisation existe, ce qui est, hélas, trop rare.

La difficulté du spécialiste est de voir ce qui est intéressant pour les non-spécialistes. Il faut des gens compétents pour savoir de quoi on parle, mais il faut aussi des gens qui aient la distance et la vision nécessaires pour faire comprendre les enjeux véritables. La meilleure information sur les faits religieux vient souvent des horizons les plus inattendus. On découvre, un jour ou l'autre, quelqu'un qui, tout à coup, apporte un regard neuf ; il n'est pas forcément ignorant des querelles internes, des conflits et des autres systèmes d'interprétation, mais il permet de voir les enjeux véritables, et il les fait connaître au grand public. Le talent et la probité finissent toujours par percer.

II

LES NOUVEAUX CENTRES DE GRAVITÉ

Le Pape

J.-L. MISSIKA. — *L'existence du pape, chef unique, dont les pouvoirs sont importants, distingue l'Eglise catholique de toutes les autres Eglises. Ces pouvoirs ont été renforcés depuis Vatican I, et les techniques de communication modernes, en accentuant la personnalisation, contribuent à les accroître encore. La personnalité du Pape, ses options individuelles, ne risquent-elles pas d'avoir trop d'influence sur la vie de l'Eglise ?*

JEAN-MARIE LUSTIGER. — Le Pape, chef unique de l'Eglise ? Vous présentez cela comme un système impérial universel. Or, ce n'est pas ainsi que l'Eglise fonctionne et se définit. L'autorité dans l'Eglise appartient au Christ ; les Apôtres et leurs successeurs, les évêques, partagent cette autorité qui leur a été remise par le Christ. Si vous examinez le droit de l'Eglise tel qu'il est formulé, y compris dans des codes juridiques — le dernier code de droit interne à l'Eglise a été publié en 1983 —, vous constaterez que la législation concerne d'abord les droits et devoirs des membres du peuple de Dieu. Le droit est au service des fidèles et il établit les dispositions nécessaires pour que les pasteurs leur transmettent la foi, leur communiquent les sacrements et les moyens de sanctification, et les guident dans la communion de Dieu. Ce sont les trois registres sur lesquels les pouvoirs de la hiérarchie ont été canoniquement codifiés, et ils définissent l'exercice du ministère pastoral. Ces pouvoirs sont concentrés dans la personne des évêques, et la primauté du Pape est au service de la communion et de la cohésion du collège des évêques. Chaque évêque exerce légitimement son autorité avec un pouvoir considérable. Ce pouvoir lui-même a une limite qui est constituée par la communion de l'évêque avec la totalité du collège épiscopal, dont le Pape fait partie comme son chef. La mission du Pape, successeur de Pierre, est d'assurer la régulation de ce pouvoir pastoral. Son autorité et sa primauté consistent à déterminer cette régulation et à susciter cette cohérence.

Cette théologie de la primauté du pape au cœur de la collégialité des évêques se fonde sur la solidarité des Apôtres avec Pierre et sur son autorité parmi eux. Les deux notions de primauté et de collégialité ont été mises en lumière aux deux conciles de Vatican I et II. Elles sont vraiment corrélatives comme la tradition ancienne de l'Eglise l'exprime. Mais, pour le gouvernement de l'Eglise, selon les périodes et les aires de l'évangélisation, il y a des temps de centralisation plus ou moins grands. L'Antiquité a connu la mise en place des Patriarcats. C'est encore le statut des Eglises orientales dont l'Eglise romaine respecte le droit original. Les périodes féodales ont connu une organisation interne à l'Eglise où le fonctionnement de la société civile et politique a donné sa forme au système hiérarchique des évêques, à leur subordination mutuelle, voire à leurs rapports au Pape. A l'inverse, dans l'Eglise de Grégoire VII, la centralisation romaine a été la manière de lutter contre le système féodal et de permettre à l'Eglise de reconquérir son indépendance face à l'Empire. De même à d'autres époques, comme sous Frédéric Barberousse et les empereurs romains-germaniques, et encore sous Napoléon, la prédominance romaine a permis la résistance de l'Eglise au pouvoir politique. Il y a là un double rapport mimétique et antagoniste de l'Eglise à l'Etat, et réciproquement.

Les principes théologiques généraux sont conditionnés par le temps et l'histoire, par les circonstances historiques où se trouve l'Eglise. Mais, de toute manière, et ici je réponds à votre première question, il n'y a pas un pouvoir exclusif, mais un pouvoir singulier du Pape. L'histoire l'enseigne; sa primauté a été infiniment précieuse à l'Eglise, car il y a eu constamment une volonté des nations et des rois de mettre la main sur l'Eglise : je pense au gallicanisme en France et au joséphisme en Autriche. Une bonne partie de la Réforme s'explique aussi par la volonté des princes allemands de mettre la main sur l'Eglise. Et l'anglicanisme fut une mainmise sur l'Eglise — voyez Thomas Becket — de même que l'orthodoxie connut la mainmise des tsars sur la Sainte Eglise orthodoxe.

D. WOLTON. — *Voulez-vous dire que, de toutes les Eglises, la plus indépendante est l'Eglise catholique ?*

J.-M. L. — En un sens, oui. Il a fallu à cet effet renforcer le pouvoir du Pape. La communion romaine et le pouvoir du Pape, même s'il y eut des excès à certaines périodes, demeurent toujours aujourd'hui un critère d'indépendance des Eglises par rapport au pouvoir politique.

J.-L. M. — *Par exemple les nominations d'évêques dans les pays de l'Est.*

J.-M. L. — Dans les pays de l'Est ou dans d'autres nations. Il n'est pas certain par exemple qu'en France les ministres de l'Intérieur de toutes les républiques françaises n'aient pas rêvé de pouvoir nommer les évêques.

D. W. — *Beaucoup de gens en France croient qu'un évêque est nommé par le Pape, mais qu'il y faut l'accord des autorités politiques du pays*

J.-M. L. — Jamais depuis la séparation de l'Eglise et de l'Etat C'est un des gains de cette séparation.

D. W. — *Et dans les autres pays ?*

J.-M. L. — Depuis le concile de Vatican II, l'indépendance de l'Eglise par rapport aux pouvoirs politiques s'est encore affermie. Par exemple un droit de patronage était reconnu depuis le XVIe siècle aux souverains espagnols et portugais ; il leur permettait de donner un avis — souvent déterminant — sur la nomination des évêques. Le Concile a demandé la modification de ces clauses. Il y a actuellement des conflits majeurs avec certains pays de l'Est sur ce point-là. Certains pays veulent nommer ou faire nommer des prêtres qui soient dans la main ou du moins à la merci du gouvernement. Dans la mesure où l'Eglise n'accepte pas d'être totalement soumise au pouvoir civil ou politique, elle est présentée comme une organisation étrangère et au service de l'étranger. On joue à cet effet sur le nationalisme et sur l'identité culturelle. Les évêques de ces pays ne peuvent que s'identifier à la culture du peuple dont ils sont les pasteurs, ils sont « patriotes », mais ils ne peuvent pas être les grands prêtres de la patrie.

J.-L. M. — *J'insiste. N'y a-t-il pas un risque de donner trop d'influence à un individu — le Pape — avec tout ce que cela comporte comme risque de dérapage subjectif ?*

J.-M. L. — Il y a toujours des risques. Si on prend la phase précédente de l'histoire, la révérence rendue aux évêques en général comme au Pape en particulier se calquait sur les systèmes hiérarchiques sociaux. La tentation était alors forte, pour les responsables des fonctions les plus élevées dans l'Eglise, de s'identifier aux souverains de ce monde.

J.-L. M. — *Au fur et à mesure de la « mondialisation » de la religion, comment un homme peut-il être attentif et compétent sur des problèmes qui se jouent à l'échelle mondiale ?*

J.-M. L. — Le Pape ne gouverne pas les Eglises à la place des évêques : il se présente lui-même comme l'évêque de Rome. Il est celui qui, de par sa primauté — c'est le terme technique pour désigner la fonction du Pape successeur de Pierre, le premier Pape —, est au service des autres, de tous les autres, pasteurs et fidèles. Si les conciles de Vatican I et de Vatican II ont rappelé son pouvoir spirituel universel et direct sur l'ensemble des croyants, ce pouvoir s'exerce au bénéfice de l'autorité des autres évêques. La nécessité de personnaliser l'exercice de sa mission universelle tient à la nature profonde de l'Eglise, communion de personnes humaines avec Dieu tri-personnel. Cela est d'ailleurs bien précieux dans notre univers culturel. Imaginez que cette fonction, liée à l'unité de l'Eglise, voulue par le Christ lui-même, s'exerce dans l'anonymat le plus complet. Imaginez que le Pape, pour éviter la personnalisation, se cache, ne montre jamais sa photo, n'apparaisse pas davantage que Big Brother, ne dise jamais une parole, communique par billets écrits. Ce serait absurde ; la tyrannie. Le

Pape existe à visage découvert, et avec ses traits de caractère. Je ne vois pas qu'on puisse lui en faire reproche.

La primauté de Pierre apparaît, dans notre époque de mondialisation, plus nécessaire que jamais pour assurer la liberté de chacune des Eglises et de leurs fidèles. Nous vivons dans une société qui s'est mondialisée et qui en même temps se segmente, au fur et à mesure qu'elle s'unifie, en cultures qui s'opposent. Auparavant, les cultures différaient parce qu'elles se méconnaissaient ; maintenant elles risquent de s'affronter parce que précisément elles se connaissent et deviennent mitoyennes. Il n'y avait guère de conflits jadis entre la culture chinoise et la culture occidentale pour la simple raison qu'il fallait des caravanes pour transporter en Occident la soie ou les produits manufacturés d'Extrême-Orient. Maintenant que toutes les cultures communiquent, les différences sont exacerbées par la tentation de l'uniformisation. Le ministère d'unité du Pape est le seul qui traverse toutes les cultures et toutes les frontières pour mettre en communion tous les catholiques. La tâche de son ministère est d'assurer cette communication et d'aider le collège des évêques à consolider la communion historique de l'Eglise, comme témoin de l'unité de l'humanité entière, de son salut et de son espérance.

Les conférences épiscopales

J.-L. M. — *On présente aujourd'hui les conférences épiscopales qui regroupent les évêques d'un pays comme une « réforme démocratique » liée à Vatican II et la question se pose de la répartition des pouvoirs entre les conférences épiscopales et les évêques. Qui finalement détient la légitimité ? Les évêques ou les conférences ? Et qui a la prééminence dans les relations avec Rome ?*

J.-M. L. — L'idée de coordonner le fonctionnement ordinaire de l'ensemble des Eglises particulières en conférences épiscopales est plus ou moins contemporaine de Vatican II. Le Pape actuel fut parmi les Pères du Concile qui décidèrent de développer ce type d'organisation. Il ne s'agit donc pas d'une revendication de la base contre l'autorité centrale de l'Eglise universelle ; ce fut voulu dans le contexte de Vatican II. La réalité d'une symbiose des Eglises ou diocèses d'une même nation n'est pas nouvelle, puisque de tout temps il y a eu des réalités nationales. Mais les Pères de Vatican II ont agi d'une façon déterminée pour une pratique mise en œuvre dès le début du XXe siècle, grâce à la création de hiérarchies, dites « indigènes », dans des pays jusque-là colonisés. Le premier évêque noir d'Afrique date des années 1920, en pleine période coloniale. Les Eglises devaient avoir leur vie et leur hiérarchie propres, y compris chez les peuples colonisés. Les missionnaires y ont travaillé dès le début de l'évangélisation. C'est la pratique séculaire et immémoriale de l'Eglise. Les périodes antérieures ont connu des Eglises nationales. Eriger les conférences épiscopales correspond au souhait de reconnaître la diversité nationale ou culturelle des Eglises et de les aider à une communion sans frontières. L'instauration d'un système de conférences épiscopales est une manière de prendre en compte à l'époque contemporaine un fait politique nouveau, l'apparition d'Etats coïncidant plus ou moins avec les nations. Il s'agit de regrouper les diverses Eglises dans un système de communication et de responsabilité qui fasse droit aux particularités des cultures et en même temps permette d'assurer la communion catholique. Faute de quoi, les Eglises liées à une culture, à une ethnie déterminée, voire à un système politique défini, seraient prisonnières de leurs particularités et cesseraient par là même d'être catholiques.

Voilà à quoi correspond l'organisation des conférences épiscopales dont le droit et les limites sont parfaitement définis. Mais les éléments souverains dans l'Eglise sont les diocèses, et, d'autre part, la totalité du corps épiscopal sous l'autorité du Pape, et le rapport du Pape à chacun garantit la solidarité de tous les évêques entre eux et la communion de l'Eglise entière. On a là un système sans équivalent dans le domaine politique.

D. W. — *Mais pourquoi l'a-t-on assimilé à un schéma politique ?*

J.-M. L. — C'est une réinterprétation. C'est une tentation constante pour tous, aussi bien les responsables d'Eglises que les peuples, d'en rester au plan politique. Regardez la fluctuation dans l'histoire de France des sentiments ultramontains et gallicans. Dans l'histoire des nations, la relation des catholiques à Rome a été vécue tantôt comme un abus et ressentie par une majorité de citoyens comme un asservissement à un pouvoir étranger, tantôt au contraire elle a été une condition de liberté. Si les conférences épiscopales, pour y revenir, font l'objet d'une polémique, c'est peut-être que nous vivons dans des systèmes démocratiques souvent limités par des technocraties ou des bureaucraties. La tentation est donc forte de voir dans des ensembles comme les conférences épiscopales un système de type démocratique.

En fait, la règle du vote et de la majorité est très ancienne dans l'Eglise ; celle-ci se présente comme un pouvoir hiérarchique et hiérarchisé, donc de type « monarchique », mais celui-ci repose en fait sur une cooptation constante et sur des systèmes électifs. Le Pape a toujours été élu ; le système électif a sans cesse été pratiqué dans l'Eglise tout au long des siècles. Les élections à l'intérieur des monastères et des chapitres ont d'ailleurs inspiré le droit des franchises urbaines des villes libres du Moyen Age. L'Eglise a toujours été une institution alliant l'élection par le peuple (« démocratie ») et l'obéissance à une autorité personnelle (« monarchie »). En effet, le fondement du pouvoir dans l'Eglise, c'est le sacrement, et le sacrement de l'autorité du Christ se présente comme un service du peuple de Dieu. Il n'est jamais la propriété ni de ceux qui le reçoivent ni de celui qui le donne.

J.-L. M. — *Dans l'ensemble, vous récusez l'idée que la conférence épiscopale doive accroître son pouvoir pour rendre plus démocratique le fonctionnement interne de l'Eglise.*

J.-M. L. — Les conférences épiscopales ont une fonction délimitée, d'être au service de l'exercice de la responsabilité des évêques ; leurs pouvoirs sont réglementés par le droit ; l'exécution de la plupart de leurs décisions en des matières déterminées par le droit est conditionnée par la règle de l'unanimité. Sauf intervention romaine, une décision de la conférence épiscopale ne peut s'imposer que si tous et chacun des évêques sont d'accord pour y souscrire, alors qu'un évêque au contraire ne peut renoncer à exercer l'autorité reçue qui ne lui appartient pas. Le droit n'est pas la revendication d'un privilège ; le droit est un devoir, et il s'agit ici d'un droit fondé sur une volonté de Dieu. Quand un évêque a un droit déterminé, c'est qu'il a l'obligation de l'exercer. Ainsi l'évêque a le droit de rappeler les fidèles à la communion de la foi, parce qu'il a le devoir de les enseigner. La conférence des évêques est plutôt un instrument de regroupement, de confrontation, de coordination de l'action à l'échelle culturelle, mais il pourrait y avoir et il y a en fait — par exemple au Brésil — plusieurs conférences épiscopales dans un même pays.

D. W. — *Pourquoi parle-t-on d'un conflit potentiel entre les conférences épiscopales, qui ont dans le fonctionnement de leur assemblée un caractère relativement démocratique, et d'autre part le pouvoir du Pape dans ses liaisons directes avec les évêques ?*

J.-M. L. — On peut reprocher au fonctionnement de certaines conférences épiscopales de privilégier, à l'image des démocraties parlementaires, des appareils administratifs internes. Compte tenu de la multiplicité des sujets abordés et de leur technicité, l'exercice de l'autorité épiscopale et de sa responsabilité personnelle risque de dépendre des bureaux d'études ou des appareils destinés à le conforter. La relation à l'autorité pontificale est une garantie de la liberté personnelle des évêques.

D. W. — *On admet rarement, dans les sociétés démocratiques, que la relation à un individu dont on dépend et qui vous a nommé soit une source de liberté.*

J.-M. L. — L'Eglise est l'institution où les échelons sont les plus courts, les plus réduits. En principe, un fidèle, ou un prêtre, peut voir son évêque sans intermédiaire, et son évêque est lui-même en communion avec tous les évêques du monde et avec le Pape. En deux niveaux, on est au sommet. Les critiques à l'égard des conférences épiscopales représentent la crainte qu'une organisation anonyme estompe la responsabilité pastorale personnelle liée à un sacrement. Autrement dit, qui gouverne l'Eglise ? Des hommes d'appareil ou des pasteurs ? L'autorité doit-elle être conférée par les sacrements ou par d'autres qualifications ou procédures ? Les bureaux d'étude peuvent-ils diviser l'Eglise ou au contraire celle-ci doit-elle être conduite par ceux qui en ont reçu le sacrement et la responsabilité apostolique ?

J.-L. M. — *Seriez-vous favorable à une plus grande démocratie dans la désignation des prêtres et des évêques ?*

J.-M. L. — Je ne sais pas bien ce que vous entendez par là.

J.-L. M. — *Le système électif, par exemple.*

J.-M. L. — Il a joué dans l'Antiquité, du moins dans certains cas. Il y a des cas éclatants et célèbres, par exemple saint Ambroise, préfet de Milan, proclamé évêque par les habitants de la ville. Actuellement, il y a des procédures d'enquête préalable sur les individus et sur les besoins du diocèse. En fait, les systèmes de sélection ne sont pas stables : ils ont varié avec le temps, les procédures de nomination évoluant comme toutes les procédures humaines. Mais l'invariant dont tiennent compte ces diverses procédures est qu'il s'agit de vocations, c'est-à-dire d'appels de Dieu. Ce critère joue dans les deux sens. Il joue dans le choix de celui qui est appelé, et il joue dans le mode de cooptation de ceux qui appellent ou qui ordonnent. Les précautions que prendra l'Eglise ne sont pas seulement les précautions qui relèvent de la « sélection » du personnel ou des cadres comme dans les différents domaines de l'activité humaine ; ce sont aussi des moyens de respecter le caractère spécifique d'une vocation divine. Nommer quelqu'un prêtre ou évêque suppose un choix, fondé non seulement sur des aptitudes, sur l'ajustement à une tâche, mais encore sur autre chose, la Volonté de Dieu. Il faut que Dieu ait appelé cet homme au don de son existence et l'ait envoyé au service de ses frères. Sans ce critère, qui n'est pas seulement de conformité, l'essentiel disparaît, et manque.

Il y a là un mode de fonctionnement original qui mériterait d'être scruté par les sociologues : pour le choix des évêques, comme, dans l'Eglise latine, pour le choix des prêtres, l'institution se fait dépendante du charisme. Puisque l'Eglise elle-même considère comme un charisme la vocation spirituelle au célibat définitif, la vocation à donner librement toute sa vie par amour de Dieu, sur l'appel de Dieu. Et sur ce charisme, elle n'a aucune autre autorité que de le reconnaître, de l'authentifier. Je ne vois pas d'autre exemple aussi durablement mis à l'épreuve, avec une telle extension, d'un fonctionnement institutionnel qui se subordonne statutairement à des déterminations charismatiques.

D. W. — *A quelles règles d'efficacité doit-on alors juger l'Eglise dès lors que les règles d'efficacité politique ou économique ne sont pas applicables ?*

J.-M. L. — Certaines règles sont données par l'Evangile, ainsi dans les paraboles tirées des réalités économiques. Le Christ parle des gérants à qui le maître a confié ses biens, et ces biens, ce sont les dons que Dieu fait à son peuple. Quels sont alors les critères employés dans ces paraboles ? Ce sera d'abord la fidélité avec laquelle les gérants auront agi conformément aux intentions du maître. Mais les pensées du maître obligent souvent le gérant à raisonner à l'envers de ses propres pensées. Ainsi une parabole des talents — souvent mal interprétée de nos jours car, pour la comprendre, il faut se référer au droit juif de l'époque. Il y a un homme à qui on donne cinq « talents » (il s'agit d'une unité monétaire) et qui en gagne cinq autres. A un autre, on donne deux talents et il en gagne deux autres. Et puis le dernier : il n'a reçu qu'un talent. Il dit : « Je savais que tu étais un maître redoutable qui récolte ce qu'il n'a pas semé. Aussi j'ai pris le talent que tu m'as confié et je l'ai enfoui dans la terre. Tiens, le voilà. Je te le rends. Prends ton bien. » C'est le dernier qui a agi selon la loi, car les règles concernant un dépôt prescrivaient de ne pas risquer un bien confié, mais de le garder scrupuleusement pour le rendre intact à son propriétaire. Or le maître — et la parabole est délibérément paradoxale — loue les autres intendants qui ont contrevenu à la prescription de la Loi. Pourquoi ? Parce qu'ils ont agi avec les biens du maître selon la logique du maître lui-même, c'est-à-dire suivant la logique de la fécondité et en prenant les mêmes risques que lui. La parabole des talents décrit, selon saint Matthieu (25,14-30), le jugement de l'Eglise.

L'Eglise ne doit pas viser l'efficacité de la séduction ou de la conquête. Ce n'est pas sa mission.

Sa mission est de témoigner auprès de tous de l'amour de Dieu, de l'amour infini dont ils sont aimés. Ses moyens sont ceux du Christ : donner sa vie pour ceux qu'on aime. Ce qui oblige les disciples du Christ à accepter le paradoxe du « qui perd gagne ». Le Christ le répète à ses disciples : « Celui qui cherche sa vie la perdra, celui qui la perd à cause de moi la trouvera. »

Le mouvement œcuménique et les relations avec les autres religions

D. W. — *Si le mouvement œcuménique a aujourd'hui une relative importance et suscite en tout cas l'intérêt, on a l'impression que les papes lui ont été longtemps hostiles. Léon XIII maintenait son opposition à la Réforme et réaffirmait la nullité des ordinations anglicanes. Il y eut même une encyclique de 1928 dans laquelle Pie XI rejetait le mouvement, et Pie XII en 1948 avait interdit aux catholiques de participer à la première réunion du Conseil œcuménique des Eglises. Comment expliquer le renversement d'attitude à l'égard de ce mouvement en si peu de temps, et pourquoi cette hostilité antérieure ?*

J.-M. L. — Le problème de l'unité de l'Eglise est coextensif à la naissance et à la vie de l'Eglise. A nouveau, un retour en arrière. Dans cette prophétie de l'Histoire sainte qu'est l'existence du peuple d'Israël, la division dure plus longtemps que l'unité. L'un des signes eschatologiques, c'est la réunion des deux royaumes, d'Israël et de Juda. Dans les écrits apostoliques, dans les lettres de saint Paul, la division est constamment présente comme une menace et un lieu d'espérance. Cette menace interne a toujours été comprise en rapport à des fautes contre l'unité, contre l'amour mutuel, contre la fidélité à la vérité, comme une division de l'unique Corps du Christ. C'est comme une épreuve constamment renaissante. La question de l'unité est toujours celle d'une réunion. Tant que dure l'histoire, l'unité n'est jamais acquise, elle est toujours rendue ; seule une vision impériale des choses peut faire croire à l'unité toute faite. Seuls les dictateurs s'imaginent avoir créé « un empire pour mille ans ». Il demeure toujours une source formidable de séparation : elle s'appelle la mort. Une vision statique de l'unité n'est pas réaliste, parce que l'unité est acte de rassemblement par Dieu au cours de l'histoire, et l'unité donnée dans le Christ reste ici-bas une espérance.

Cela étant, l'histoire du christianisme au cours des vingt siècles écoulés montre comment les divisions des Eglises chrétiennes ont épousé, je crois l'avoir déjà dit, les fractures de la culture : l'Orient grec et l'Occident latin ; déjà auparavant les cultures qui avaient voulu échapper à Byzance (Arméniens, Coptes, Chaldéens, Syriaques...) et ensuite les peuples germaniques et anglo-saxons, etc. On aurait pu connaître d'autres fractures nationales, mais ceci renvoie au rôle du Pape dans l'Eglise catholique. Mais en même temps il y a des enjeux de la foi, inégalement graves dans les diverses situations de fracture. Ainsi Pie XII a reconnu que la christologie des coptes (l'antique Eglise d'Egypte), antérieure au dogme de Chalcédoine et longtemps critiquée, était expressive, en des termes différents, de l'unique foi chrétienne. Certaines Eglises antiques ont échappé à Byzance, loin de l'horizon des Latins. Rome a souvent été attentive à ces Eglises, dont telle ou telle sont dans la communion de Rome. L'Eglise maronite par exemple, une Eglise sémite originaire d'Antioche, avait gardé sa langue originelle liturgique et avait refusé le grec de Byzance. Depuis, sa langue liturgique est devenue l'arabe, et elle est toujours étroitement unie avec Rome.

Le véritable grand schisme de l'Eglise, ce fut la coupure des deux empires, des deux cultures d'Orient et d'Occident. Il a toujours habité la conscience chrétienne. Dès le XIIIe siècle à Lyon, deux conciles œcuméniques ont cherché des solutions ; elles semblaient doctrinalement possibles. Au XVe siècle, le concile de Florence (1438-1445), quelques années avant la chute de Constantinople, a célébré la réunion, la communion des Eglises d'Orient et d'Occident. Un travail intellectuel remarquable y avait été effectué pour apprécier les différences culturelles et dogmatiques entre les traditions grecque et latine, et montrer les équivalences doctrinales au-delà des différences de formulation. Il y a donc eu un travail de compréhension et de reconnaissance mutuelle de la même foi en des expressions différentes. Le Pape Jean-Paul II a pris pour un objectif majeur de son pontificat le travail œcuménique comme s'il reprenait le flambeau du concile de Florence.

D. W. — *Pensez-vous qu'une réunification soit possible après tant de siècles de schisme entre les Eglises d'Occident et d'Orient ?*

J.-M. L. — Les bases du concile de Florence fournissent des éléments suffisamment solides.

L'Eglise catholique a unilatéralement admis que les fidèles catholiques, isolés dans un pays d'orthodoxie, pouvaient recourir en toute sécurité de conscience aux sacrements et au ministère des prêtres de l'Eglise orthodoxe ; car ce sont les sacrements de l'Eglise et les prêtres de l'Eglise.

D. W. — *La réciproque est-elle vraie ?*

J.-M. L. — La réciproque est inégalement vraie. Une question dogmatique demeure en suspens ; elle est relativement susceptible d'être résolue — le patriarche Athénagoras l'avait quasiment dit —, mais il y a encore trois autres espèces de difficultés. Premièrement, l'abîme d'incompréhension culturelle entre des traditions et des peuples devenus étrangers les uns aux autres. Deuxièmement, des contradictions théologiques et disciplinaires qui peuvent être maîtrisées. Les points sensibles sont le ministère du Pape, la définition des dogmes nouveaux, et d'autres points mineurs eu égard au patrimoine commun. Paradoxalement, il n'est pas sûr que les Eglises d'Orient ne nous considèrent pas comme plus hérétiques que nous ne le faisons à leur égard. Leur regard sur nous est sans doute plus sévère que le regard de l'Eglise romaine sur les Eglises d'Orient ! Mais, troisièmement, le facteur politique joue un rôle beaucoup plus grand. Si les hiérarchies des Eglises d'Orient étaient désireuses de rétablir la communion catholique des Eglises d'Orient et d'Occident, elles se heurteraient certainement aux pouvoirs politiques, car ces Eglises sont des Eglises en partie nationales et dépendantes du pouvoir politique.

J.-L. M. — *Certaines de ces Eglises sont dans les pays de l'Est et en Union soviétique.*

J.-M. L. — C'est le problème. C'est le schisme de la culture européenne.

D. W. — *Mais à votre avis, si cela se faisait...*

J.-M. L. — Le Pape le souhaite et il le dit.

D. W. — *Si jamais les deux Eglises décidaient le rapprochement, il y aurait des obstacles politiques, mais le pouvoir des différents pays pourrait-il l'empêcher ?*

J.-M. L. — Hélas, il est plus que probable qu'il s'y oppose et y parvienne !

Il y eut plus tard un schisme interne à l'Occident, celui des Eglises de la Réforme. Il recouvre des réalités variées, liées aux histoires nationales et aux avatars de la culture moderne depuis le XIVe siècle. Ici se rencontrent de plus grandes difficultés dogmatiques. Le protestantisme touche au point névralgique de la réforme de l'Eglise. Sans cesse les saints y ont travaillé ; ils ont œuvré à cette conversion de ceux qui ont déjà été appelés à la foi. C'est un problème permanent de l'Eglise. L'équivalent a existé dans les Eglises orientales, il est moins connu, et les mouvements plus ou moins dissidents de réforme n'ont pas eu la même ampleur. En Occident, le phénomène est lié à trois facteurs. D'abord l'appel à la réforme interne de l'Eglise : comment l'opérer sans brisure, dans la communion de la foi et de la charité, dans l'unité sacramentelle ? Ensuite, une crise de l'Occident : comment faire droit aux particularismes dans une religion universelle, car la Réforme est concomitante de l'apparition des nationalismes européens et les a favorisés. Enfin, une divergence sur la conception de l'homme et de son rapport à Dieu. Cette différence, pour ne pas dire davantage, est très perceptible dans le luthéranisme et le calvinisme. Cette divergence s'inscrit dans le grand tournant de l'Occident christianisé. Elle est fonction de la crise de l'homme moderne, où se nouent de façon conflictuelle l'émancipation philosophique et critique de l'Occident et la question de sa fidélité et de son infidélité. Sans que l'on puisse dire que la fidélité aurait tout laissé en l'état !

Le souci de communion et d'œcuménisme avec la Réforme est apparu de nouveau avec acuité dès la fin du XIXe siècle. Citons Lord Halifax et le cardinal Mercier. En ce siècle, l'abbé Couturier, Jean Guitton et tant d'autres, de part et d'autre, ont œuvré à la résorption de cette rupture qui demeure une plaie ouverte dans la conscience de l'Eglise. Le problème est ici plus difficile à résoudre. Cela suppose de tous comme une reprise de sens, une réinterprétation de l'histoire, et ce n'est pas une mince affaire. Hegel vient tout de même de Luther, et Marx aussi, Jaurès le disait. La référence de Hegel au christianisme est liée à l'avancée luthérienne tout autant que le piétisme de Kant. Tout l'éveil occidental de la raison et de la liberté critiques a constitué une expérience religieuse. C'est le cœur de la crise de la culture occidentale. Je continue d'affirmer qu'il ne s'agit pas d'une évolution religieusement neutre et extérieure au christianisme ; il s'agit finalement d'un mouvement interne au champ de la foi.

Le problème de la Réforme pose donc des questions plus graves et plus difficiles pour la réunion des Eglises que l'orthodoxie. Ici, des frères se sont disputés, qui doivent se reconnaître comme frères dépositaires du même patrimoine. Avec les Eglises de la Réforme, il s'agit de la crise interne à tout l'Occident et il faut en résoudre les contradictions pour arriver à une réconciliation. D'où l'impossibilité, pour la réunion avec les Eglises issues de la Réforme, de faire l'économie d'un travail réflexif approfondi. Sinon, tous les problèmes resurgiraient du jour au lendemain. Mais l'œcuménisme est une tâche urgente, d'autant qu'il engage le sort de l'humanité occidentale et sa responsabilité à l'égard des autres pays, des autres cultures.

J.-L. M. — *Avec le judaïsme, il s'agit encore d'un autre problème.*

J.-M. L. — Avec le judaïsme, le drame est encore plus « radical » ; c'est le problème des origines, au sens de l'image paulinienne de la racine et de la greffe. Israël, c'est la racine. La reconnaissance mutuelle est l'une des conditions de la réconciliation de l'humanité. Deux aspects sont à considérer : ce que l'on peut dire dès aujourd'hui et ce qui demeure encore et toujours espérance. Un fait symptomatique a surpris beaucoup de gens, ce fut la décision des autorités romaines de rattacher le secrétariat pour les relations avec le judaïsme au secrétariat pour l'unité des chrétiens et non pas au secrétariat pour la relation avec les religions non chrétiennes. C'était reconnaître, au moins implicitement, un lien de filiation singulier et unique. La relation à Israël pose d'une certaine façon, originelle et historique, le problème de l'unité spirituelle du dessein de Dieu.

J.-L. M. — *Il y a là un obstacle majeur, peut-il se résoudre par la voie de la discussion ?*

J.-M. L. — Que se passerait-il pour le judaïsme qui ne regarde pas le Christ comme son Messie, si un jour tout Israël le reconnaissait comme tel ? On est là devant une espérance, puissante mais informulable, inimaginable. En revanche, la reconnaissance, fût-ce dans la tension, par l'Eglise, du don fait à Israël paraît être un progrès accessible. Cela serait déjà un progrès effectif, même s'il reste encore limité dans la compréhension que chacun a de l'autre mais aussi de lui-même. Car le chrétien est plus chrétien quand il reconnaît ce que sont la promesse et le don faits à Israël, et je pense que le juif serait davantage lui-même s'il reconnaissait le Don fait à toutes les nations. Cela est de l'ordre du progrès réalisable.

D. W. — *Cette reconnaissance mutuelle entre juifs et chrétiens est-elle envisageable à distance d'une génération ?*

J.-M. L. — Qui sait ?

J.-L. M. — *Dans un registre différent, comment voyez-vous les rapports entre l'Eglise catholique et l'Islam, notamment avec la montée de l'intégrisme ?*

J.-M. L. — Rappelons d'abord un point de vue qui, je le sais, n'est pas admis par les musulmans eux-mêmes. Les spécialistes de l'histoire des religions indiquent que l'Islam semble avoir trouvé ses sources à la fois dans les milieux juifs marginaux de la péninsule arabique et chez des hérétiques chrétiens, ou peut-être dans des sectes judéo-chrétiennes. Si on fait la comparaison du Coran et de la Bible, même en tenant compte de la personnalité propre de Mahomet et de sa réinterprétation, l'importance de ces sources juives et chrétiennes apparaît clairement.

Deuxième point par rapport à l'Islam : on ne peut omettre la manière dont s'est constituée l'histoire. C'est quelque chose de fascinant. Le vecteur de l'Islam a été le peuple issu de la péninsule arabique, et ce fait de base doit rester présent dans nos considérations sur l'Islam comme religion. Nous, Français du XXe siècle, sommes tentés de considérer les religions comme des modalités de l'existence, relevant plus ou moins de la vie privée, distinctes, sinon séparées, d'une vie civile et politique inscrite dans un univers de laïcité ou de sécularité. Or, les rapports du monde arabe à l'Islam et du monde islamique aux autres pays se sont passés sous la forme d'invasions et d'acculturations puissantes. L'Occident a vécu cette histoire comme un grand traumatisme. Les pays qui étaient sources et lieux majeurs de la civilisation hellénistique et chrétienne ont basculé vers une autre aire culturelle. Cela a été vrai d'abord de toute l'Asie Mineure, et de l'Afrique du Nord ; c'étaient des pays de civilisation et de colonisation grecque et romaine, puis chrétienne ; ils ont même changé de langue.

Toute l'Asie Mineure parlait le grec, et on s'est mis à parler l'arabe ! De même l'Egypte parlait grec autant que le copte — Alexandrie est une ville grecque —, et on s'est mis à parler arabe. Et les pays qui, à partir de la Tunisie, parlaient le latin et le punique se sont mis à parler arabe. Il y a donc eu mutation radicale avec des guerres et des réactions de défense de peuples placés devant une substitution de culture imposée par la force. Du XVIe-XVIIe siècle, neuf cents ans après Poitiers et Charles Martel, l'Occident garde le souvenir d'une menace formidable des Turcs ; les batailles de Lépante (1570) et sous les murs de Vienne (1683) en ont été les points extrêmes. Depuis douze siècles, l'Occident chrétien s'est senti menacé, et à l'inverse le monde musulman a subi avec une passion jamais résignée les Croisades, le colonialisme et le dépeçage par l'Angleterre et la France de l'Egypte, du Proche-Orient et de l'Empire turc où tentaient de se régler des comptes qui remontaient à l'oppression turque sur les pays balkaniques.

Cela a fait une histoire réellement mouvementée. N'oublions pas, dernier élément, la survivance des Eglises d'Orient dans les pays du Levant, qui ont été traditionnellement l'objet d'une dure confrontation entre l'Islam et l'Occident chrétien. La période coloniale en Afrique n'a pas été simple non plus, puisque l'Administration coloniale a favorisé l'islamisation des populations dont elle pensait qu'elles seraient ainsi plus faciles à contrôler que des populations chrétiennes.

D. W. — *Je ne comprends pas. La fille aînée de l'Eglise aurait préféré l'Islam au Christianisme ?*

J.-M. L. — Par adhésion à la libre pensée, de nombreux administrateurs coloniaux ont été hostiles à l'évangélisation. On voit ainsi, au milieu du XIXe siècle, le bienheureux Liberman et les premiers spiritains s'opposer aux officiers et aux administrateurs coloniaux français, pour implanter les premières Eglises en Afrique occidentale. Je me souviens de l'accueil du « grand musulman » de Dakar (c'est l'un de ses titres familiers) ; il me rappelait que les catholiques et les disciples de Liberman, les pères de la Congrégation du Saint-Esprit, n'avaient pu débarquer à Dakar et s'y implanter que parce que ses prédécesseurs leur avaient concédé un petit bout de terrain, contrairement aux vœux du gouverneur français. C'est le gouvernement français qui a interdit à Lavigerie de baptiser les Kabyles.

D. W. — *Mais comment expliquez-vous le dynamisme messianique extraordinaire de l'Islam aujourd'hui ?*

J.-M. L. — Il peut se comprendre comme une résultante du choc des cultures et des civilisations. Ne serait-ce pas l'équivalent, toutes proportions gardées, d'une jacquerie ? L'Occident triomphant exporte vers les pays musulmans la surabondance des objets matériels, la vie industrielle, la libéralisation des mœurs, l'exaspération du désir. L'intégrisme ne serait-il pas une réaction de défense de civilisations traditionnelles qui ont gardé le souvenir de leur suprématie de naguère ?

D. W. — *Peut-on expliquer le dynamisme actuel de la religion islamique par la réaction aux maux que l'Occident aurait apportés à ces pays ?*

J.-M. L. — Je ne sais pas. Mais faites une analyse de contenu de ce que disent tant de musulmans. Considérez le thème du « grand Satan » et le discours que développent les chiites d'Iran ou les intégristes : c'est ce que je suis en train de vous dire. Je prends acte de leur propre interprétation. Et si cette interprétation est écoutée par les petites gens, c'est que des peuples entiers ont senti comme une agression inacceptable, en même temps que séductrice, la civilisation de l'Occident. Ce choc de la culture occidentale avec des pays de tradition islamique aurait pu se passer autrement si l'Occident avait été plus chrétien. Et c'est ce qui s'est en partie produit dans un microclimat comme celui du Liban, avant qu'il n'éclate. Certes le Liban a connu des rapports orageux entre les communautés avec des persécutions violentes des chrétiens par les musulmans, et parfois des actes de vengeance de la part des chrétiens à l'égard des musulmans ; mais le meilleur du christianisme apparaissait dans les rapports positifs entre chrétiens et musulmans. Cela a existé dans d'autres microclimats, un temps en Espagne entre l'Islam et les juifs. Le paradis de Cordoue a été fait de cela, dans ces siècles étonnants de l'Espagne d'avant la Reconquista. Cela prouve qu'il y a donc d'autres modes de contact.

D. W. — *Aujourd'hui, que peut faire l'Eglise catholique face à la montée de l'Islam ?*

J.-M. L. — Travailler inlassablement à dire la vérité. Mettre en évidence, comme l'a fait le discours du Pape à Casablanca, le meilleur de la religion islamique. En même temps affirmer sereinement le droit à la liberté civile en matière religieuse et donc à la distinction sans confusion du religieux et du politique. Faire appel à cet égard à ce qui dans l'Islam se nourrit aux sources de la révélation biblique. Peut-être les droits de l'homme ne sont-ils pas un si mauvais thème, à condition de dégager le fondement théologique et anthropologique commun qui permette à l'Islam d'assumer les conséquences de sa propre obéissance à Dieu Tout-Puissant et Miséricordieux.

D. W. — *On a l'impression que l'Eglise catholique est actuellement plus favorable au mouvement œcuménique que les autres religions.*

J.-M. L. — En rigueur de termes, le mouvement œcuménique concerne uniquement les Eglises chrétiennes. Il ne faut pas appliquer le vocable aux rapports avec l'Islam et on ne peut l'appliquer aux rapports avec le judaïsme que de façon très circonspecte.

D. W. — *Les catholiques ne sont-ils pas les seuls à être favorables à l'œcuménisme ?*

J.-M. L. — Je ne sais si votre affirmation est exacte. Mais, de par leur structure même, les Eglises d'Orient, dans la mesure où ce sont des Eglises autocéphales, ont d'avance accepté une large identification d'une Eglise à une nation et à une aire culturelle. Les Eglises protestantes issues de la Réforme ont accepté comme inéluctable la multiplicité des confessions chrétiennes. Le catholicisme, avec son principe d'unité représenté par le ministère de Pierre, a une idée plus exigeante de l'unité et de sa logique interne. Un orthodoxe membre d'une Eglise autocéphale peut très bien vivre tranquillement à côté d'autres Eglises autocéphales, et la vision éclatée de la Réforme protestante accepte peut-être sans trop en souffrir l'émiettement religieux.

Deux types d'unité sont à distinguer. D'une part, l'unité de type plus politique ; elle peut prendre une figure impériale ou nationale, à laquelle se conforment les Eglises autocéphales de l'Orient, ou bien elle subit l'éclatement libéral des démocraties anglo-saxonnes, qui s'accommodent assez bien des disparités protestantes. D'autre part, vous avez le modèle de l'unité catholique qui est d'ordre sacramentel ; il assume la diversité des particularités culturelles dans une communion universelle et sans frontières. La compréhension catholique de l'unité embrasse la totalité des nations dans l'unité singulière d'un seul Peuple.

L'Ouverture sur le monde

D. W. — *On assiste, tout particulièrement depuis Vatican II, à une ouverture de l'Eglise catholique sur le reste du monde et à la croissance de ce qu'on appelle « les jeunes Eglises ». En Afrique par exemple, le développement des jeunes Eglises peut-il contribuer au processus de formation des nations ? En Asie, comment s'expliquent les succès catholiques, et en Amérique latine comment peut-on rendre compte de la distance progressive prise par l'Eglise catholique à l'égard des régimes politiques de droite auxquels elle a longtemps été liée ?*

J.-M. L. — Un premier point pour rectifier la formulation de votre question ou ajouter une précision souvent méconnue. L'Eglise catholique, dès l'origine, et pas seulement depuis les quarante dernières années, n'a pas épousé les systèmes coloniaux, même si elle a parfois été portée politiquement et physiquement par le vecteur du colonialisme. Dès qu'il y a évangélisation, contact entre le christianisme et une culture extérieure appelée païenne par convention, il y a volonté explicite d'établir une hiérarchie locale afin que se constitue une Eglise identifiée ou identifiable à un peuple ou à une nation. C'est une constante de l'histoire chrétienne.

Un exemple en a été remis en lumière récemment par la célébration du centenaire des saints Cyrille et Méthode qui évangélisèrent les Slaves. Ces deux frères étaient des moines de culture grecque, en communion à la fois avec le patriarcat de Constantinople et avec le Pape de Rome ; ils se sont lancés dans une aventure extraordinaire d'évangélisation des Slaves. A cet effet, ils ont été obligés d'inventer l'écriture paléoslave. C'est l'évangélisation qui a fait entrer dans l'histoire et dans l'écriture des peuples qui jusque-là « n'étaient rien » et qui risquaient de sombrer dans l'oubli comme ont été englouties toutes les civilisations non écrites de l'Antiquité.

La réussite de l'évangélisation en Amérique latine tient pour une part à la coïncidence entre la culture et le peuple. Le continent sud-américain, de façon très populaire, est un continent catholique, profondément catholique.

J.-L. M. — *On les a quand même un peu aidés !*

J.-M. L. — Il est à l'honneur de l'Eglise que l'on puisse citer un certain nombre d'individus, notamment de religieux, qui se sont battus, parfois jusqu'à la mort, contre les princes espagnols et portugais pour défendre les Indiens.

J.-L. M. — *Mais cela n'est pas passé dans la mémoire collective. On garde plutôt le souvenir du sabre et du goupillon en Amérique latine et en Afrique.*

J.-M. L. — On le dit, mais c'est partial, affreusement. L'histoire officielle touchant le passé de l'Eglise reste fortement conditionnée par l'anticléricalisme du XIXe siècle. L'histoire que les catholiques eux-mêmes reçoivent de la mémoire collective est en partie biaisée par les préjugés.

De la part de l'Eglise, il y a toujours l'idée d'établir une hiérarchie locale. Les séminaires ont été fondés en même temps que progressait l'évangélisation. Ce fut vrai en Amérique latine, en Asie, en Afrique. Seulement, il faut beaucoup de temps pour en recueillir des fruits. Les efforts éducatifs et évangélisateurs de l'Eglise ont fourni aux jeunes nations leurs cadres économiques, politiques, culturels ; ils ont pour leur part donné corps et consistance à des cultures jusque-là hors de l'histoire et hors de l'écriture.

J.-L. M. — *Sur ce point, que répondez-vous à la critique très souvent entendue dans le cadre de la critique générale du colonialisme, à savoir que l'évangélisation s'est traduite pour les populations par un déracinement culturel violent et une aliénation à la culture occidentale ?*

J.-M. L. — Le reproche est à la fois en partie fondé et en partie injustifié. Il faut le peser et le nuancer. S'imaginer que, dans un monde désormais unifié, il puisse y avoir des réserves où subsisteraient intactes des cultures archaïques est une chimère. En fait, le contact était inévitable. Et qui dit contact dit échange.

D. W. — *C'est vrai, l'échange est obligatoire, mais il est inégal.*

J.-M. L. — Je remarque cependant que la vision simple d'une autonomie des cultures et de leur coexistence pacifique à égalité suppose l'absence d'échange.

D. W. — *Oui, mais il y avait là plus que l'échange, il y avait le prosélytisme.*

J.-M. L. — Une étude comparative s'imposerait (à ma connaissance, elle n'est pas faite) ; elle consisterait à étudier de façon précise, sur documents et avec des points de référence variés, les stratégies impériales, coloniales et évangélisatrices. La plupart du temps, les historiens sont partis de l'hypothèse que, pour l'essentiel, l'Eglise s'est comportée comme les empires colonisateurs. La réalité est plus complexe.

L'annonce chrétienne change la vision que les hommes ont les uns des autres, car elle implique immédiatement que tous les hommes sont frères parce qu'issus d'un même Père. Ils sont créés par Dieu, et la représentation physique de l'unité de l'humanité, donc de la fraternité humaine, tient à la filiation et à l'engendrement. Cela se trouve dans les premières pages de la Bible. Il y a dès l'origine une fraternité universelle, en dépit des différences, des segmentations de la culture, des couleurs de peau et des particularismes. Et l'objet de l'espérance messianique n'est pas que les hommes soient soumis à une nation élue, mais que tous, dans leurs différences ethniques, culturelles et linguistiques, se rassemblent pour chanter la gloire du Dieu unique et le reconnaître. Cela est dit dans les Prophètes et dans l'Apocalypse : « Je vis une foule immense que nul ne pouvait dénombrer, de toutes nations, tribus, peuples et langues » (7,9), et lors de la Pentecôte, chacun entend annoncer dans sa propre langue la même et unique Parole de Dieu. L'universalisme de la Bible et de l'Evangile, la Bonne Nouvelle du même salut proclamé à toutes les nations, implique la reconnaissance de la diversité des cultures et des langues dans l'adoration d'un même et unique Dieu. Ce n'est pas un discours de l'O.N.U., c'est une page des *Actes des Apôtres*, ou des pages des Prophètes de la Bible. Il faut voir le contenu spécifique de ces propos et leur différence formidable par rapport à toutes les idées impériales de l'Antiquité ou de l'époque moderne. Car l'Empire de Rome imposait fatalement le latin, de même que l'Empire français imposait le français, de même que l'Empire britannique imposait l'anglais... et le thé à cinq heures.

D. W. — *On vous objectera que l'universalisme catholique est lui-même marqué par un modèle culturel : Jésus est blanc et appartient à l'histoire du bassin méditerranéen.*

J.-M. L. — Cette particularité — on ne peut pas la nier sous peine de nier l'histoire — oblige à reconnaître que Jésus est à jamais blanc et méditerranéen. Même si les hommes sont tentés de se faire un Jésus à leur image, un petit Jésus noir, un petit Jésus jaune, un petit Jésus rouge, un petit Jésus avec des cheveux blonds. Chaque siècle a réécrit ou peint les scènes de l'Evangile avec des personnages dans les habits de l'époque. D'ailleurs, on ne sait finalement pas comment les peindre; on ne sait pas trop comment étaient les habits, les vêtements, les scènes d'il y a deux mille ans.

Mais la particularité ici n'est pas source d'impérialisme. Jean-Paul II l'a redit avec force en commentant la renaissance des cultures non européennes : « Le Christ devient noir ou jaune en ses frères. » C'est en étant identifié à une parole prononcée en une langue humaine déterminée, l'hébreu ou l'araméen, que la Parole a été dite ; c'est par la singularité de l'histoire que vient la médiation de l'universel. Sinon, l'universel devient abstrait et sans consistance. Par l'annonce de l'Evangile, les hommes vont découvrir qu'ils ne sont pas seuls au monde, que Dieu est le Dieu de tous et que tous les hommes sont frères, même quand les circonstances et la violence ont créé entre les peuples des rapports d'inégalité considérables et que le choc des cultures a été souvent destructeur. Mais à l'expérience — et c'est ici que je souhaiterais une étude comparative minutieuse et scrupuleuse — le christianisme joue un rôle qui consiste à donner corps aux particularismes, précisément en les faisant entrer dans le concert universel. Il donne droit à entrer dans l'histoire parce qu'il dévoile le mystère de l'histoire. Cela m'a beaucoup frappé en Yougoslavie en 1985, quand j'ai lu les vies de Cyrille et Méthode. Il y a cette phrase du prince qui rappelle Cyrille et Méthode et qui écrit au Pape : « Nous, que tout le monde ignorait, nous n'étions rien. Ils sont venus et ils nous ont donné d'exister. » Ces peuples, jusque-là, n'étaient pas dans le concert des nations, et c'est en entrant dans cette histoire universelle qu'ils existent selon leurs particularités. Les missionnaires de la même génération que les militaires, les compradores, les marchands ou les capitaines ont tout de même eu un comportement différent ! On voit bien la différence de comportement entre saint François-Xavier et les gouverneurs portugais. Il a le souci d'apprendre les langues. Il s'habille à la japonaise, et ce n'est pas seulement par habileté. De même, en Afrique et en Amérique latine, qui connaissaient des civilisations non écrites, ce sont les missionnaires qui ont recueilli les premiers documents ethnologiques. Pour faire de l'ethnologie historique, on est obligé de recourir aux missionnaires. Les marchands s'en moquaient éperdument, tout comme les militaires.

D. W. — *L'Eglise catholique donne l'impression aujourd'hui de compter davantage sur l'Asie, l'Afrique, l'Amérique latine, que sur les pays d'Europe traditionnellement catholiques.*

J.-M. L. — L'Eglise ne fait pas de la stratégie, elle constate les faits. Le continent catholique, c'est l'Amérique latine ! Les peuples catholiques les plus nombreux, dotés de la plus forte vitalité humaine et spirituelle de la foi, se trouvent en Amérique latine, en Afrique et dans certains pays d'Asie.

J.-L. M. — *Enfin, elle constate surtout depuis Jean-Paul II...*

J.-M. L. — C'est inexact ! Jean-Paul II a été le révélateur de cette situation parce que ses voyages ont permis de mettre en évidence certains faits que nous ignorions, que nous ne voulions pas voir. Ne vous imaginez pas qu'en l'espace de six ans, de tels changements puissent se produire. Nous n'étions simplement pas conscients de ce qui se passe dans le monde et dans l'Eglise. Pour comprendre ce qui se passe aujourd'hui en Amérique latine, il faut remonter aux origines de la colonisation et de l'évangélisation et se souvenir de ce qui s'est passé en moins de cinq siècles. Ce renversement de perspectives à l'intérieur de l'Eglise, ceux qui en ont été les initiateurs ne l'avaient pas pressenti, mais c'est le fruit de leur action. De la même manière, si vous aviez dit à saint Augustin ou à saint Cyrille de Jérusalem : « La France est la fille aînée de l'Eglise », ils auraient bien ri . qui étaient ces Gaulois submergés par les tribus barbares ? Que représentaient-ils pour l'Eglise à cette époque ?

J.-L. M. — *A l'heure actuelle, les cardinaux européens sont encore majoritaires.*

J.-M. L. — Non, et la proportion semble encore devoir baisser. Les papes ont voulu accroître en ce siècle le nombre des cardinaux pour faire face à la mondialisation. Le nombre des cardinaux des vieux pays d'Europe diminue en importance relative. Dans les synodes, les jeunes Eglises ont pratiquement autant de poids, sinon plus, que les Eglises européennes, ne serait-ce que parce que les conférences épiscopales existent, que la représentation est proportionnelle au nombre d'habitants et que l'Eglise est établie maintenant dans tous les pays. La composition de cette assemblée mondiale est toute différente de la représentation qu'en ont les stratégies politiques ou économiques. Le mode de fonctionnement de l'Eglise est toujours singulier. Il est différent de l'O.N.U., parce que l'O.N.U. est un lieu de confrontation et d'échanges marqués par les rapports de forces politiques. Mais l'Eglise, dans son rassemblement apostolique, est un lieu de communion et de consensus. D'ores et déjà, des nations à peine nées ont exactement les mêmes droits, la même autorité apostolique que les vieilles nations.

J.-L. M. — *Quand vous participez à ces assemblées, avez-vous l'impression de venir d'un continent sur le déclin ?*

J.-M. L. — C'est une des questions que je ne cesse de me poser. Je me demande si nous ne sommes pas vraiment en train de mourir. Je sais que de pareils propos, quand on les tient devant les Européens, suscitent en général la réaction suivante : « Vous êtes pessimiste, vous êtes défaitiste ! » En réalité, il y a un risque réel. Au congrès eucharistique mondial à Lourdes, en 1981, j'ai eu l'occasion de parler longuement avec des responsables de l'épiscopat africain. C'était impressionnant. Ils ne tiennent plus le vieux discours anticolonialiste, ils nous revendiquent comme leurs pères dans la foi. Ces hommes d'Eglise-là n'ont plus de complexes. Ils nous aiment parce que nous leur avons apporté, transmis, un certain nombre de richesses, matérielles et spirituelles ; mais en même temps ils nous jugent. Ils nous disent : « Ne sommes-nous pas plus chrétiens que vous ? Nous avons des difficultés sociales, politiques, économiques, beaucoup plus grandes que les vôtres, mais où se trouve la force spirituelle ? Nous ne comprenons pas ce que vous devenez. Que faites-vous ? » Aussi la question de savoir si l'Occident est en train de mourir en appelle une autre : que veut et que croit l'Occident ?

J.-L. M. — *L'élection d'un pape non italien a été considérée comme un événement d'une portée considérable. Est-il imaginable, et à quelle échéance, de voir l'élection d'un pape non européen ?*

J.-M. L. — Désormais, tout est possible, et dans des délais absolument imprévisibles. Il y a eu anciennement des papes non italiens, mais c'est la première fois qu'il y a un pape slave. Ce n'était pas prématuré ! Il s'est écoulé près de dix siècles entre l'évangélisation des peuples slaves et l'élection d'un pape slave. L'élection d'un pape slave signifie que l'Eglise s'est rendue indépendante des puissances de l'Ouest : les rois de France, d'Espagne et du Portugal, les empereurs germaniques, les rois d'Angleterre ne jouent plus un rôle déterminant dans l'Eglise. L'élection de Jean-Paul II est comme une victoire de Grégoire VII. Il a fallu combien de siècles ? Neuf siècles, pour qu'apparaissent de façon claire les conséquences de cette volonté d'indépendance de l'Eglise. Mais il faudra moins de siècles désormais pour que l'éventualité d'un pape non européen soit envisagée. Imaginez demain un président des Etats-Unis noir — c'est possible dans les vingt ans —, un secrétaire général du Parti communiste soviétique musulman, et un pape chinois !

III

AVENIR PROFANE, AVENIR SACRÉ

La guerre juste ?

J.-L. MISSIKA. — *A propos de la paix et de la guerre, on assimile souvent les positions défendues par les Eglises chrétiennes — protestantes et catholiques — au pacifisme. Les mouvements pacifistes, notamment dans le nord de l'Europe, sont appuyés par les Eglises, particulièrement l'Eglise protestante. Or, il y a dans la doctrine catholique des positions beaucoup plus nuancées. Je voudrais que vous expliquiez la doctrine de la « guerre juste ».*

JEAN-MARIE LUSTIGER. — La violence voulue pour elle-même n'est jamais juste, l'usage de la force peut être légitime au service d'une cause juste. Que peut être une juste cause de guerre ? Défendre contre la violence et préserver contre l'agression les biens essentiels d'un peuple et d'une nation, sa survie physique, sa liberté, les caractéristiques légitimes de son indépendance et de son existence. La guerre d'agression, la guerre de conquête, la guerre de représailles ne sont jamais de justes guerres. En revanche, la guerre défensive peut être légitime, à condition qu'aient été épuisés les moyens de droit et que les dommages entraînés restent proportionnés aux biens qu'elle veut protéger. En tenant compte des négociations possibles, les dommages qu'entraînera une guerre ne devront pas être supérieurs à l'avantage, même légitime, qu'un Etat ou une nation peut en tirer. Il s'agit au fond du droit de légitime défense — étendue à l'échelle des nations et des peuples ; si on veut vous prendre votre vie, vous avez le droit de vous défendre. Mais ce droit comme tout droit connaît plusieurs limites. Personne n'a le droit de se défendre par n'importe quel moyen : la fin ne justifie pas les moyens. Même si en soi la guerre est un grand mal, elle ne légitime pas toute transgression de la morale : il y a des crimes de guerre !

L'Eglise, dans sa réflexion et dans son action, visera donc à « moraliser » autant qu'elle le peut le comportement belliqueux des hommes. Dans l'histoire, l'Eglise a constamment essayé, face aux conflits, de substituer un ordre négocié ou des procédures de négociation au règlement par la violence. Ce qui suppose qu'il y ait ordre juridique, arbitrage et reconnaissance de cet arbitrage. Mais enfin la guerre demeure un mal, et un mal de plus en plus impressionnant au fur et à mesure que les dangers d'extermination croissent. Car il y a eu un changement qualitatif considérable à partir de la période moderne.

Quand on assimile les positions des Eglises chrétiennes — y compris de l'Eglise catholique — à une position pacifiste, cela dépend du sens du mot pacifiste. Lorsque Paul VI dit devant l'O.N.U. : « Plus jamais la guerre », est-ce être « pacifiste » ou non ? « Plus jamais la guerre », car vouloir la guerre est un crime et une faute : la guerre comme moyen d'arbitrage des conflits entre les nations est le pire des moyens. Mais cela ne signifie pas que, dans un cas ultime et extrême, il ne faille pas avoir le courage de perdre sa vie pour sauver les raisons de vivre. Voilà l'extrême et paradoxale situation dans laquelle se trouve la réflexion chrétienne face à la guerre : la guerre est un mal auquel il faut tenter de porter remède ; la vouloir est criminel et imbécile ; mais il peut être légitime de la tolérer et de la livrer quand il s'agit de préserver les droits essentiels et fondamentaux.

Il faut ajouter une dernière considération sur le pacifisme au regard de la figure du Christ. Des paroles expresses de l'Evangile invitent à donner sa vie plutôt que de prendre celle d'autrui. Je pense au Christ disant à Pierre : « Remets ton épée au fourreau », au moment où Pierre pour le défendre tire son glaive et fend l'oreille d'un des hommes venus l'arrêter. « Remets ton épée au fourreau. » D'autres phrases de même portée sont souvent invoquées dans une perspective chrétienne : « Ne résistez pas aux méchants », « Si quelqu'un te gifle sur la joue droite, tends-lui aussi l'autre... A qui veut te mener devant le juge pour prendre ta tunique, laisse aussi ton manteau », etc. Ces phrases du Christ sont donc claires. Elles s'adressent aux disciples à qui il est demandé d'accepter par avance le sort du juste injustement condamné. La logique de cette attitude consiste à ne pas répondre au mal par le mal, ou à la violence par la violence, mais à faire appel à la logique et à la force de l'amour et du pardon qui vient de Dieu. C'est la logique du sacrifice du Christ face aux puissances humaines dont l'iniquité culmine dans la violence qui lui est infligée à lui, l'Innocent, que condamne la justice romaine. Si moi, je me trouvais dans une situation analogue, je devrais me comporter de la même façon pour être fidèle au Christ. Avec la grâce de Dieu, je le ferais. Mais je ne veux pas — et personne ne le peut moralement — imposer à un peuple une politique de résignation et d'abandon en disant : « Ce peuple, de cette façon, obéira au Christ. » Ce n'est pas vrai. Ce serait manquer au devoir moral de défendre politiquement un peuple, fût-ce par la résistance armée à l'injuste agression. Il est moralement légitime pour un peuple de réclamer d'être défendu. La réponse spirituelle à la violence par l'offrande de sa vie est au cœur du thème chrétien de la paix : cette attitude spirituelle répond à une vocation. Elle ne peut pas être imposée par la contrainte politique. Elle peut être choisie, en toute responsabilité, par des sujets libres usant de leur liberté pour répondre à la violence par la non-violence, voire par le pardon. Mais ce serait faire des citoyens les victimes d'une lâcheté politique que de les priver de la protection de la force des Etats et de les livrer sans défense à une violence arbitraire et injuste. Là se trouve un glissement de la mystique dégénérant en mauvaise politique, si elle ne tient pas moralement compte des médiations juridiques et des contraintes de la violence. L'abandon mystique peut risquer de devenir politiquement une duperie et un abandon de la lâcheté à la violence. Il reste que, par tous les moyens de la politique, les hommes doivent travailler à substituer des arbitrages pacifiques raisonnables à la violence.

D. WOLTON. — *Mais comment expliquez-vous que, contrairement à ce que vous exposer, certaines Eglises confondent ce plan mystique personnel et le plan politique collectif ?*

J.-L. M. — *Nous pensons notamment à la revendication de désarmement unilatéral.*

J.-M. L. — Le désarmement unilatéral est la transposition, au plan collectif des nations, de l'attitude du martyr. Le croyant peut et doit parfois assumer cette vocation après l'avoir reconnue et voulue spirituellement ; c'est ce qu'ont fait beaucoup d'hommes et de femmes dans le monde au cours des siècles. Mais il n'est pas juste moralement de proposer à un peuple un idéal qui n'est politiquement qu'une utopie, au détriment de son identité et de sa vie présente. Obtenir par voie de pression ce suicide politique ne peut être acceptable ; l'objet d'un choix spirituel ne peut être imposé à un peuple. Transformer les lois spirituelles du Royaume de Dieu en mode de gestion politique de l'histoire humaine est une dangereuse utopie. Ce serait croire et laisser entendre que la réconciliation eschatologique serait partout réalisée, que le Royaume de Dieu et sa justice seraient devenus des réalités terrestres à mesure humaine et historique. Il en va de même pour la propriété, pour l'appropriation des biens. Les disciples du Christ sont invités à renoncer à leurs richesses, mais une société ne se construit pas juridiquement sur le vœu de pauvreté. Que, dans une société, des chrétiens s'efforcent de vivre dans la sainteté et de suivre les conseils évangéliques en renonçant à posséder les biens de la terre, c'est juste et bon ; mais ils ne peuvent moralement pas en faire une exigence politique imposée à leurs concitoyens au prix de la dignité et de la liberté de tous. On ne peut pas rendre le détachement civilement obligatoire : ce serait de la tyrannie.

J.-L. M. — *Vous y avez fait allusion à l'instant, l'arme nucléaire a changé radicalement les données du problème en rendant possible la destruction de l'humanité dans son ensemble. L'Eglise est confrontée à un problème éthique considérable qui, d'ailleurs, est traité différemment selon les épiscopats. L'épiscopat français a publié une déclaration sur la question de la guerre nucléaire, sans pour autant résoudre le problème auquel il est confronté : comment construire une position éthique à propos de l'arme nucléaire et de la destruction potentielle de l'humanité.*

J.-M. L. — Il faut observer qu'en France, l'opinion — jusque dans ces dernières années — n'a jamais été fondamentalement hostile à l'arme nucléaire, contrairement à ce qui se passe en Allemagne par exemple. Peut-être la France garde-t-elle la mémoire d'avoir été pendant un siècle plusieurs fois victime d'invasions et humiliée par la défaite. Le peuple français n'a pas gardé la mémoire d'avoir été un peuple agressif et guerrier. Peut-être à tort, car certains peuples européens ont gardé des guerres, des invasions napoléoniennes un souvenir très différent. Dans la conscience nationale, nos guerres ont toujours été justes, liées à la liberté des peuples et des individus. Dès lors, les moyens de défense apparaissent à la conscience nationale comme légitimes, assurés que nous sommes que jamais la France ne cédera à une volonté guerrière ou agressive. Voilà ce qui habite, me semble-t-il, l'imaginaire des Français, même si par ailleurs une fraction non négligeable de la tradition française est antimilitariste et a eu des sursauts d'indignation et d'écœurement devant les boucheries des précédentes guerres mondiales.

Ce mode de raisonnement suffit-il pour arbitrer les débats ? L'Eglise et les hommes d'Etat responsables peuvent-ils se contenter de souvenirs et de calculs stratégiques de ce type ? Le changement qualitatif que vous évoquiez oblige à une réflexion sur la civilisation. Mon propos précédent aurait pu suffire pour justifier les bombardes et les arbalètes ou la levée des milices de la Confédération helvétique pour l'indépendance de ses cantons. Mais nous sommes maintenant entrés dans un autre âge de l'humanité où le risque n'est pas seulement celui de la guerre, mais aussi de la technologie se déployant en instrument de guerre. Cela appelle une réflexion globale sur les valeurs de la civilisation, les finalités de la vie politique et le totalitarisme. Car les risques de guerre sont liés à la corrélation de plusieurs éléments : la volonté d'hégémonie idéologique, le totalitarisme politique, la puissance technologique, les intérêts économiques et les éléments de nationalisme ou de racisme qui peuvent s'y mêler.

J.-L. M. — *Dans la déclaration des évêques, il y a une distinction extrêmement subtile entre menace et usage, qui ressemble davantage à une morale provisoire qu'à autre chose. Peut-on tenir longtemps une position comme celle-là ?*

J.-M. L. — C'est un jugement moral porté dans un temps donné, et je l'espère, pour un temps, comme est provisoire l'équilibre de la terreur.

J.-L. M. — *Sur ces questions d'armement nucléaire, ou d'armes nouvelles, il existe une imbrication entre les questions stratégiques et la réflexion morale.*

J.-M. L. — D'un côté, le raisonnement stratégique repose en gros sur la théorie des jeux, et la théorie des jeux ne prend en compte qu'un seul type de probabilités quantifiables. Les problèmes actuels, aussi complexes que soient les instruments de calcul et de prévision, doivent faire entrer d'autres facteurs qui ne peuvent être réduits ni quantifiés de la même façon ; ce sont les libertés humaines et les jugements de valeur sur le bien et sur le mal. La guerre et la paix relèvent-elles finalement d'une stratégie, comme d'une partie d'échecs, dont les règles peuvent être complexes, mais tout de même entièrement intégrées dans le calcul ? Ou bien d'autres types de facteurs interviennent-ils, d'autres valeurs irréductibles aux données du calcul ? La civilisation, c'est précisément cela : être capable de faire entrer dans le contexte politique d'autres éléments que le seul calcul des rapports de force, les facteurs symboliques, éthiques, moraux et spirituels, qui attestent la dignité et la destinée de l'homme.

Les rapports entre l'histoire humaine et l'histoire sainte

D. W. — *Cette question peut être elargie à celle des rapports entre l'avenir sacré et l'avenir profane, c'est-à-dire des rapports entre l'histoire humaine et l'histoire divine. Comment expliquer les tragédies de l'histoire humaine depuis deux mille ans si le Messie est déjà venu ?*

J.-M. L. — Parce que le Messie est caché et que nous croyons qu'il reviendra. Je crois que la rédemption et la présence cachée du Messie dans l'humanité sont un mystère de compassion. Se représenter la venue du Messie comme la fin de l'histoire — car tel est le sens de votre question — peut être tout à fait légitime, et cela correspond aussi à l'espérance chrétienne. Mais cette Fin de l'histoire n'est pas seulement un événement du passé ; en Dieu, elle est notre présent ; elle demeure aussi notre avenir. L'histoire s'achèvera, et tout péché sera pardonné, tous les pleurs seront taris, la mort sera vaincue, les épées transformées en socs, le désert refleurira et le cœur de l'homme sera complètement changé. I 'œuvre de la rédemption aura achevé de porter son fruit

Ce temps-ci, notre temps, le temps du Messie est un temps de vigilance et d'attente : nous, chrétiens, savons qui attendre puisqu'Il est venu. Ce temps-ci n'est pas celui d'une attente indéfinie, comme dans un hall de gare, un jour de grève, où tarde on ne sait quelle correspondance pour une destination inconnue. Ce n'est pas en attendant Godot ! Le temps du Messie est un temps de travail, et l'image employée par l'Ecriture est celle du travail de l'enfantement. La puissance qui sauve a déjà été donnée, elle est déjà présente. Et quelle est cette puissance qui habite le Messie et qu'il accorde à ses frères ? C'est la puissance de l'Esprit Saint qui donne la vie aux enfants de Dieu. Elle leur donne de vivre selon la sainteté divine en étant vainqueurs du mal qui écrase l'homme. Ce qui terrasse l'homme, c'est son propre aveuglement, son mensonge, sa haine, sa cupidité, bref, tout ce qui l'éloigne de Dieu et le rend dissemblable de Dieu ; ce sont les puissances de mort que l'homme subit car tout péché est un stigmate de mort. Mais la force de Dieu est à l'œuvre dans le monde ; c'est une puissance de vie supérieure à toutes ces divisions, à tous ces déchirements, à toute cette dérision dont l'humanité est stigmatisée. L'Esprit rassemble les frères du Messie, les chrétiens, ceux qui accomplissent en ce monde l'œuvre du Messie. Et par ce travail d'enfantement, naissent peu à peu de l'Eglise les enfants de Dieu jusqu'à ce que soit achevée son Œuvre. C'est l'énigme de l'histoire. « La création tout entière maintenant encore gémit dans les douleurs de l'enfantement » et nous ne savons pas quand sera achevé ce travail. Nous n'en avons pas la mesure, parce que nous ne sommes ni le Père, ni celle qui enfante. Nous ne connaissons ni les temps ni les moments de cet enfantement et de cet achèvement. Nous sommes obligés de travailler dans la nuit. Et cette phrase d'Isaïe « Veilleur, où en est la nuit ? Veilleur, où en est la nuit ? » (21,11), ne cesse de retentir dans la conscience chrétienne.

D. W. — *Quand on voit les folies de l'histoire des hommes, particulièrement celles du XXe siècle, on a du mal à comprendre ce que veut dire cette phrase : « L'histoire est déjà sauvée, et la fin sera positive. »*

J.-M. L. — La Bible présente diverses visions qui s'opposent à cette assurance tranquille du meilleur des mondes possibles ou à venir. Relisez les discours apocalyptiques ; ce sont des discours de révélation souvent « politiques ». Suivant un genre littéraire présent dans la littérature juive et dans la bouche du Christ, ils annoncent et dévoilent le secret des temps. C'est un langage symbolique qu'il ne faut pas prendre comme une description physique et matérielle. Il comporte un tragique insurpassable qui laisse pressentir des drames, étranger à la phrase que vous rapportez. L'humanité s'est toujours imaginé son avenir et son achèvement sous des couleurs sombres ou heureuses, sans que Dieu ait voulu, ni qu'aucun homme ait pu, trancher d'une manière ou de l'autre. Le Christ dit à ses disciples : « Vous serez haïs de tous à cause de moi », et « La charité se refroidira sur la terre. » Il demande : « Quand il viendra, le Fils de l'Homme, trouvera-t-il la foi sur la terre ? » L'Apocalypse décrit l'avenir de l'humanité et le temps du Messie comme un combat croissant de plus en plus paroxystique entre les forces de liberté et les forces d'asservissement, entre les forces de mort et les forces de vie. Comment tirer de l'Ecriture et de la révélation une vision linéaire de l'histoire ? Ceux qui ont médité, à la lumière de la révélation ou simplement à la lumière de l'expérience humaine, peuvent ne pas douter du Salut, mais doivent ignorer toute naïveté.

Enfin, y a-t-il un sens de l'histoire ? C'était la question de mes vingt ans sur laquelle j'ai interrogé Marrou, Aron et quelques autres. Nous avions alors en tête l'horizon des « lendemains qui chantent » dès ici-bas, c'est-à-dire l'horizon marxiste. Ceux que nous avons interrogés nous ont ramenés à plus de modestie, à la docte ignorance de ceux qui observent l'histoire humaine et savent qu'on ne peut guère en dire davantage. Mounier parlait de « l'espoir des désespérés » ; il faisait écho à l'Ecriture invitant à « espérer contre toute espérance ». Je parle de ma génération, je ne sais trop comment vous réagiriez, vous, et comment réagiront vos enfants. Mais nous avions l'impression d'avoir vu le pire (ce qui est sans doute une illusion, hélas ! car je crains que le pire ne soit pas encore imaginé et qu'il puisse être encore devant nous). Enfin, nous avons eu l'impression d'avoir vu le pire. L'espérance chrétienne nous assure que le salut déjà donné est toujours à l'œuvre, y compris dans ce pire que l'homme peut encore commettre et dont la révélation de l'amour de Dieu nous a fait découvrir l'abîme. Car en définitive, le pire abîme pour l'humanité, c'est celui du péché. Quand l'humanité rêve sa propre destruction, elle ne sait même pas ce qu'elle dit. Elle est dans la situation de l'homme qui se saoule ou de celui qui se suicide en ne sachant plus ce qu'il fait. Seul celui qui a reconnu la vie et l'amour peut comprendre ce suicide de l'humanité, ce péché, ce blasphème, cette perte ; car c'est l'enfer finalement..

D. W. — « *L'enfer finalement* »... *c'est-à-dire ?*

J.-M. L. — Cette perte que constitue le péché est la figure temporelle et terrestre de l'enfer et de la perte éternelle de l'humanité et des hommes. Quand on a compris cela, l'espérance qui nous habite est supérieure à tout désespoir, non pas par naïveté, mais par réalisme. C'est le thème de l'après-Auschwitz, si vous voulez, c'est le thème de l'après-totalitarisme, d'au-delà de l'enfer... Espérer, c'est attester une rédemption possible de l'homme ; c'est annoncer que le Messie est caché et que le monde est en enfantement du salut, c'est assurer qu'on ne désespérera jamais de l'homme puisque Dieu n'a pas désespéré de lui.

La Bible dit clairement : le monde était perdu, il devait être rayé de la carte. C'est la grande symbolique du déluge. C'est Sodome et Gomorrhe : « Y a-t-il dix justes ? Y a-t-il cinq justes ? Non, il n'y en a pas. » Le monde est perdu, et Dieu semble l'abandonner à sa perte. Mais non, Dieu jure qu'il n'abandonnera jamais les hommes. Ainsi se noue l'Alliance indestructible entre Dieu et sa création. C'est sur elle que repose l'espérance du salut.

D. W. — *Mais y a-t-il une ou deux histoires et quels sont les rapports entre l'histoire humaine et l'histoire surnaturelle ?*

J.-M. L. — Il n'y a qu'une seule histoire, mais il y a plusieurs manières de la voir et de la vivre. Ce qu'on appelle l'histoire humaine, c'est l'histoire telle que les hommes la voient ; et l'Histoire sainte, c'est l'histoire telle que Dieu la voit et la fait avec les hommes. Tant que Dieu ne nous a pas donné sa lumière, nous ne pouvons en avoir que des pressentiments, et nous aurions tort d'imaginer voir l'histoire comme Dieu la voit tout entière et prendre la place que lui seul peut occuper, la place du juge.

L'Histoire sainte est à la fois l'histoire de la rédemption des hommes et celle du jugement opéré au cours de cette Histoire. L'histoire événementielle que les hommes se racontent est celle où nous accumulons, sans être d'ailleurs capables de les maîtriser, des souvenirs qui se détruisent au fur et à mesure qu'ils s'accumulent. Nous ne pouvons pas avoir la mémoire de toute l'histoire et c'est une poignante douleur de penser que nous perdons la mémoire de ceux qui nous précèdent. Les civilisations anciennes pensaient se souvenir des ancêtres, mais ce n'est pas vrai ! On oublie. On oublie parce qu'il est impossible de garder l'écoulement de la vie en souvenir. Et quand bien même nous aurions mis en mémoire sur ordinateur la totalité des noms recueillis dans tous les états civils du monde, cela ne constitue pas une mémoire vivante. Il y a vraiment une espèce de fuite, de retombée dans l'abîme du néant. La mémoire humaine n'est pas capable de se souvenir de l'humanité, de toute l'humanité. C'est une chose qui me fascine, la pensée qu'étant homme, appartenant à l'espèce humaine, je suis incapable de connaître et de reconnaître la totalité des hommes qui existent de par ce monde. Comment accepter d'être limité au point de ne connaître que quelques êtres humains et les connaître si mal et si peu, alors qu'ils sont mes frères ? L'humanité est oublieuse d'elle-même, inéluctablement oublieuse d'elle-même. Ce n'est pas un reproche, c'est un constat pur et simple. Il y a là une expérience qui peut être surmontée dans l'espérance du salut où la foule innombrable sera reconnue et connue. Dieu seul peut avoir ce regard sur l'humanité entière.

D. W. — *Qu'en est-il de l'histoire humaine ? Dieu fait l'histoire, sait l'histoire, voit l'histoire des hommes ?*

J.-M. L. — C'est un difficile problème à maîtriser en peu de mots, parce qu'il sous-entend le rapport de la volonté divine et de la liberté des hommes. Les représentations trop simplistes consistent à s'imaginer les hommes comme des marionnettes dont Dieu tirerait les ficelles. Une autre vision, non moins simpliste, consiste à se représenter un principe tellement transcendant qu'il est absent, c'est-à-dire qu'il ne s'occupe de rien. Ecartez ces deux caricatures de la contingence des libertés humaines et de l'absolu de la liberté divine, du temps et de l'éternité, et vous découvrirez la position intuitive du croyant. Le croyant « sait » qu'il a reçu sa liberté de Dieu et que le champ de l'expérience humaine est un lieu de liberté ; il « sait » que sa liberté se déploie avec d'autant plus de puissance qu'il entre dans une plus grande soumission à Dieu. C'est une affirmation paradoxale : Dieu agit d'autant plus qu'il donne à l'homme une plus grande et souveraine liberté d'agir. Loin de se présenter comme deux entités antinomiques et contradictoires, exclusives l'une de l'autre, la liberté de l'homme se reçoit de la liberté de Dieu. Alors, « Dieu sait » et « Dieu voit » ? Oui, ce sont des paroles de l'Ecriture qu'il faut garder et qui sont d'une puissante consolation, d'une grande force ! « Dieu sait », oui, Dieu sait même ce que l'homme ne sait pas, et Dieu voit ce qui échappe au regard des hommes. Cette référence à l'Alliance est une fantastique source de liberté.

D. W. — *Ce que vous appelez liberté n'est en général pas vécu comme cela.*

J.-M. L. — Je pense à cette phrase de Victor Hugo : « L'œil était dans la tombe et regardait Caïn. » C'est une très belle phrase ; elle a pourtant le défaut de transporter dans le registre de la culpabilité le regard paternel de Dieu. C'est donc un contresens, car la culpabilité exprime précisément l'absence de liberté de l'homme pécheur.

D. W. — *Voulez-vous dire que la liberté, c'est de se savoir pécheur ?*

J.-M. L. — La liberté, c'est de se savoir pécheur pardonné, alors que la culpabilité, c'est finalement le refus de reconnaître et le péché et le pardon ; elle fait de Dieu l'image de son propre tourment. « L'œil était dans la tombe et regardait Caïn. » Ce qui regardait Caïn, suivant le poète, c'était son crime, sa culpabilité, ce n'était pas le pardon ! Et l'œil était « dans la tombe » ! Cette phrase est admirable, mais elle est fausse, car Dieu n'est pas le Dieu des morts, mais des vivants.

La fin de l'histoire

D. W. — *Revenons au thème de la fin de l'histoire : comment le situez-vous par rapport à l'histoire des hommes et quel sens donner au mot « sursis » ?*

J.-M. L. — Vraiment, la fin, je ne me l'imagine pas. Je ne sais pas, et je crois que personne ne peut l'imaginer. Même dans les descriptions apocalyptiques de la fin du monde, le Christ lui-même met en garde : « On vous dira : il est ici, il est là, n'en croyez rien. » Il dit : « Il se présentera quantité de faux Christs, de faux Messies... Ce sera comme l'éclair qui va de l'Orient à l'Occident, qui traversera toute chose... » Alors même que l'Evangile nous propose un matériau imaginaire, il nous dissuade d'imaginer et de préciser le temps de ce jugement. « Les temps et les moments, il ne vous appartient pas de les connaître, c'est au Père seul que cela appartient. Même le Fils ne sait pas cela. » Voilà des paroles tout à fait prodigieuses. C'est le refus de spéculer sur tout millénarisme, c'est couper court à l'imaginaire sur la fin de l'humanité. Nous n'en savons rien.

Il est très impressionnant de voir comment les théories scientifiques, en l'espace d'un ou deux siècles, bougent et donnent des représentations imaginaires contradictoires. Je n'en tire rien, si ce n'est de montrer l'imaginaire toujours à l'affût. Nous avons du mal à accepter cette ignorance de l'origine et du terme, car c'est bien de cela qu'il est question. Il y a une curiosité normale et légitime de la raison humaine sur sa propre histoire et sur son avenir, et il est tout à fait légitime que la science tente d'y répondre. Mais il est frappant de voir comment l'imaginaire s'en empare

J.-L. M. — *Certains savants disent aujourd'hui que l'expansion de l'univers peut être historiquement datée et qu'on peut faire l'hypothèse d'un phénomène inverse de contraction...*

J.-M. L. — D'autres, naguère, pensaient l'univers dans une durée indéfinie... Je ne suis pas astrophysicien.

J.-L. M. — *Mais par rapport à cette question de la fin des temps, un problème religieux se pose. Si jamais, du point de vue de la physique, on est capable d'anticiper...*

J.-M. L. — Ce qui nous semble évident aujourd'hui risque d'être pris pour une grosse bêtise après-demain ou dans deux siècles. Parce que nous n'en savons rien ! Parce que nous ne savons pas comment cette théorie sera réélaborée dans cinq ou six ans. La représentation qui y est liée peut paraître naïvement anthropomorphique, une projection du désir de survie de l'individu à l'échelle de l'univers entier.

D. W. — *Pour vous, ce sont des théories qui peuvent disparaître dans quelques années, il ne faut donc pas leur accorder trop d'importance. Mais vous faites l'économie de la question posée, celle du rapport entre une connaissance scientifique de l'histoire de l'humanité et le rôle d'une intervention extérieure...*

J.-M. L. — Quelles que soient les découvertes scientifiques, se posera toujours la question de l'en deçà du point zéro et de l'inimaginable au-delà duquel on ne peut pas... « Y a-t-il eu un premier instant ? » C'est déjà une question de saint Thomas d'Aquin. La réponse est de dire : oui, avant le premier instant imaginable, il y a l'inimaginable, Dieu. Un commencement et un terme indiquent un univers clos et créé, et le créateur est, en dehors de l'univers, ce qui l'explique et lui donne sa raison d'être. La représentation spatio-temporelle illustre le principe de causalité qui fonde rationnellement l'affirmation de l'existence du Principe supérieur à l'humanité et à l'univers. Mais un raisonnement de ce type ne nous fait pas connaître qui est Dieu. La connaissance de Dieu telle qu'elle nous est accordée provient d'une transformation de notre intelligence et de notre cœur, de notre conduite et de notre savoir par la lumière que Dieu lui-même nous donne. En se révélant, en nous parlant, Dieu nous éclaire sur lui-même, dans le présent de notre histoire, infiniment plus que nous n'en pouvons concevoir quand nous l'affirmons, et peut-être le projetons un peu imaginativement, comme cause des causes, cause première ou Fin ultime. Ces notions ont leur rationalité propre qu'il ne faut pas sous-estimer, à leur niveau, qui est abstrait et métaphysique Il ne faut pas faire de la métaphysique une « pré-physique » ou une « post-physique » ; ce serait une grossière erreur de prétendre faire coïncider indûment des niveaux distincts de réflexion. L'affirmation philosophique ne prétend pas à une intelligence scientifique vérifiable du monde ; elle ouvre à la raison l'espace indispensable à la reconnaissance de l'esprit, de ses fins et de sa création. Mais la raison abstraite est humaine et finie ; elle ne donne pas accès au mystère absolu de Dieu. Cependant la révélation de Dieu et la compréhension du monde s'inscrivent l'une et l'autre dans le rapport de l'esprit humain au monde et à son Dieu. Ce qui me fascine ici, c'est toujours la phrase de la Bible : « Les cieux chantent la gloire de Dieu. » Comment se fait-il que l'esprit humain soit coextensif au monde et que l'homme puisse y découvrir une rationalité et une beauté où Dieu se laisse percevoir ? Je reconnais ici la cohérence de la création, beaucoup plus que dans telle ou telle théorie, séduisante, mais que l'histoire de la pensée moderne m'a appris à prendre comme un état déterminé et provisoire de la réflexion scientifique.

D. W. — *Je n'ai pas compris en quoi la phrase de la Bible est pour vous la meilleure preuve...*

J.-M. L. — « Les cieux chantent la gloire de Dieu » Le monde est un langage, parce qu'il est une création. Le monde dit plus que lui-même, il dit son créateur. De même, l'homme dit son créateur et qu'il est lui-même à l'image et à la ressemblance de Dieu.

J.-L. M. — *Cela me fait penser à la phrase d'Einstein que vous connaissez sans doute : « La chose la plus incompréhensible du monde est que le monde soit compréhensible. »*

J.-M. L. — C'est cela qui est totalement incompréhensible et qui est merveilleux. D'ailleurs la Bible, au psaume 19, met en corrélation étroite le langage de la création avec le langage de Dieu donné dans la Loi. On aurait tort de le séparer en deux morceaux. « La loi de Dieu est parfaite, elle délecte l'âme... », « Les préceptes de Dieu sont justes, ils réjouissent... », correspondent à l'autre verset . « Les cieux racontent la gloire de Dieu : c'est une parole, c'est un discours qui s'en va d'un bout du monde à l'autre. » Le langage de la création et le langage de la révélation sont ensemble la clé de la perception historique que l'homme a de sa relation au cosmos.

Le Salut

D. W. — *Revenons à l'histoire humaine. A l'approche du troisième millénaire, n'observe-t-on pas un intérêt croissant pour tout ce qui concerne le salut ?*

J.-M. L. — Au fur et à mesure que l'homme se voit capable d'être son propre guérisseur et son propre libérateur, il découvre les véritables profondeurs de sa perte. Le médecin guérit davantage, le psychologue parfois aide à mieux vivre, l'ingénieur acquiert une plus grande maîtrise de l'environnement, les menaces naturelles sont davantage maîtrisées; l'homme croit n'avoir plus peur du feu, du moins comme d'une puissance obscure, ou de la foudre comme d'une puissance imprévisible. L'homme est plus solitaire face à lui-même et il mesure davantage sa perte : il est un enfant perdu. C'est le lieu de la rédemption. Ce que veut dire le Sauveur, c'est que l'homme a été perdu : être sauvé, c'est être retrouvé. Ayant débusqué un certain nombre de peurs cosmiques, l'homme est face à sa solitude et, dans sa solitude, face au péché.

D. W. — *Quelle est, par rapport à la question du salut, la caractéristique de notre époque?*

J.-M. L. — Nous sommes plus méfiants par crainte d'être dupés. Cette crainte peut nous paralyser, nous replier frileusement sur nous-mêmes, nous empêcher d'avancer et de nous sauver réellement. Nous pouvons être tellement sceptiques que nous courons, tout droit et aveuglément, à notre perte, comme autrefois certains peuples très civilisés et très raffinés de l'Antiquité. Mais nous pouvons aussi être plus prompts à aller à l'essentiel. Je souhaite cependant que les nouvelles générations gardent la mémoire : ce qui effraierait, c'est qu'elles la perdent. Nous avons déjà évoqué ce thème à plusieurs reprises. Mais d'avoir usé dans l'espace de quelques siècles tant et tant d'images simples du salut, d'avoir attendu le salut de l'homme en y mobilisant tant de ressources, d'avoir travaillé à son émancipation et de s'apercevoir que ce n'était pas encore le salut peut tellement entraîner au scepticisme et à l'oubli! Peut-être, comme le pensait Camus, la noblesse de l'homme est-elle de faire face à cette déception sans cesse renouvelée.

Nous allons, avec peut-être plus de cruauté et plus de rapidité, au centre, au cœur de la condition humaine si nous acceptons de ne pas nous laisser paralyser par nos échecs et griser par nos succès. Notre époque a ceci d'intéressant que la perte des illusions fait apparaître les choses dans une « crudité », dans une nudité extrême. Les choses sont nommées et la volonté de puissance apparaît toute nue. Du temps de César Auguste, voire de Charles Quint, ou de Louis XIV, la figure royale de la volonté de puissance politique était revêtue d'un immense prestige et pouvait séduire... Il fallait un certain courage mystique pour désacraliser cette figure et dire : non, cela n'est rien. Aujourd'hui, les petits enfants des écoles devraient le savoir. Il en va de même de toutes les illusions de l'homme sur sa propre condition et sur la marche des sociétés. Cela peut faire des peuples fatigués ; cela peut aussi engendrer de nouveaux fantasmes ; à voir trop clair, on a envie de s'aveugler, et toute désillusion comporte ses risques. Mais c'est aussi une chance ; cette génération peut aller plus droit à la sainteté.

J.-L. M. — *A la fin de ses* Mémoires, *Raymond Aron utilise une expression curieuse. Il dit que quand il était jeune, à l'Ecole normale, lui et ses camarades parlaient de « faire son salut laïc ». Et il termine ces mêmes* Mémoires *en se posant la question de savoir s'il a « fait son salut laïc ». Est-ce que cette expression a un sens pour vous ? Et est-ce que vous pensez que la question du salut se pose de la même manière pour les croyants et pour les non-croyants ?*

J.-M. L. — C'est une question humaine. Tout homme se pose une question semblable. Les termes n'en sont jamais les mêmes, car chacun est face à sa propre vie, mais tout homme se pose la question de « la perte et du gain ». *Loss and Gain.* C'était le titre des mémoires de Newman, un roman autobiographique paru sous un pseudonyme. Tout homme ne peut que se poser de telles questions, et Raymond Aron plus qu'un autre. Il était trop familier avec l'histoire et avec ses enjeux, me semble-t-il, pour que la notion de « salut » soit innocente dans sa bouche, et à plus d'un titre. J'imagine qu'il a rappelé cela parce qu'il se savait déjà vieux, donc proche de la mort. La mort, on y fait face comme on peut, avec plus ou moins de courage ou plus ou moins de stoïcisme. Mais ce qui est en cause, c'est finalement bien plus que la mort comme arrêt brutal : c'est l'épreuve ultime de la liberté et de la condition humaine, c'est le fait que l'homme ne peut jamais capitaliser sa vie. Il ne peut pas saisir sa vie. La vie est une hémorragie. Elle s'écoule. Vers quoi ? Vers le vide ? Vers le néant ? Ou le salut consiste-t-il à croire que quelque part notre vie est recueillie. Et ne devons-nous pas penser aussi que notre liberté n'est pas seulement une blessure ouverte, et que notre vie est plus qu'une hémorragie de nous-mêmes, mais une œuvre positive et une joie féconde ? Comment sauver ce qui se perd ? La question du salut est universelle ; et il faut que l'homme se pose la question de son salut. Cela paraît inéluctable. Alors, salut laïc, salut chrétien ? Qu'Aron ait ainsi parlé et qu'à la rue d'Ulm cela se soit dit dans les années 20, je le comprends : c'était l'époque de *Jean Barois*, le temps du triomphe laïc. Cela prouve précisément que l'idée de salut est universelle.

D. W. — *Quels sont les rapports entre l'attente du Royaume de Dieu et l'histoire de l'humanité ?*

J.-M. L. — Le Royaume de Dieu est objet de l'Espérance. Son attente est une lumière présente dans l'histoire qui nous échappe de toute manière. Je ne sais rien de l'histoire des hommes, ma mémoire est parcellaire, la vision que j'ai de l'humanité est constamment fragmentée, l'intelligence que je peux en avoir est obscure. Alors que le Dessein de Dieu m'apparaît comme un acte souverain d'amour pour tous les hommes, il demeure un mystère hors de mes prises, mais ne me semble pas pour autant déraison, ni inintelligible. C'est une sagesse introduite dans un monde dont la compréhension m'échappe.

Je ne peux rêver de m'emparer du Royaume de Dieu sans sombrer dans la pire des folies et des tyrannies. Mais si je garde l'espérance du Règne de Dieu comme une source de sagesse et de bénédiction pour l'humanité, l'histoire humaine n'est plus le cauchemar « plein de bruit et de fureur » évoqué par Shakespeare. L'attente du Royaume de Dieu est remise de soi à plus grand que soi. Elle est, finalement, la patience de Dieu dans l'histoire.

CARDINAL LUSTIGER

Sermons d'un curé de Paris, Fayard, Paris, 1978.
Pain de vie et peuple de Dieu, Critérion, Limoges, 1981.
Osez croire (Articles, conférences, sermons, interviews, 1981-1984, I), Le Centurion, Paris, 1985.
Osez vivre (Articles, conférences, sermons, interviews, 1981-1984, II), Le Centurion, Paris, 1985.
Osez croire, osez vivre (Articles, conférences, sermons, interviews, 1981-1984), Edition internationale, Gallimard, collection Folio-Actuel, Paris, 1986.
Premiers pas dans la prière, Nouvelle Cité, Paris, 1986.
Prenez place au cœur de l'Eglise, Conférence donnée à l'office chrétien des Handicapés, Paris, 1986.
Six sermons aux élus de la nation, Cerf, Paris, 1987.

JEAN-LOUIS MISSIKA

Informatisation et emploi, menace ou mutation?
(Documentation française, 1981.)
« La sélection des controverses politiques », in *Mars 86 : la drôle de défaite de la gauche* — Ouvrage collectif — Direction G. Grunberg et E. Dupoirier (P.U.F., 1986).

DOMINIQUE WOLTON

Le nouvel ordre sexuel (Seuil, 1974).
L'information demain. De la presse écrite aux nouveaux médias.
Avec J. L. Lepigeon (Documentation française, 1979).
Terrorisme à la une — média, terrorisme et démocratie.
Avec M. Wievorka (Gallimard, 1987).

JEAN-LOUIS MISSIKA
et
DOMINIQUE WOLTON
ont publié ensemble

Les dégâts du progrès. Les travailleurs face au changement technique, avec la C.F.D.T. et J.-P. Faivret (Seuil, 1977).
Les réseaux pensants. Télécommunications et société, avec A. Giraud (Masson, 1978).
Le tertiaire éclaté. Le travail sans modèle, avec la C.F.D.T. et J.-P. Faivret (Seuil, 1980).
L'illusion écologique, avec J.-P. Faivret (Seuil, 1980).
Le spectateur engagé, entretiens avec R. Aron (Julliard, 1981).
La folle du logis. La télévision dans les sociétés démocratiques (Gallimard, 1983).

Cet ouvrage a été composé
par l'Imprimerie BUSSIÈRE
et imprimé sur presse CAMERON
dans les ateliers de la S.E.P.C.
à Saint-Amand-Montrond (Cher)
en décembre 1987

ISBN 2.87706.000.4

F.2.6506.00.0

Dépôt légal : décembre 1987
N° d'édition : 1. — N° d'impression : 2397